Jornal Nacional

A notícia faz história

MEMÓRIA GLOBO

Gerência do Memória Globo:
Sílvia Fiuza

Redação final:
Ana Paula Goulart Ribeiro

Pesquisa e redação:
Ana Cristina Figueiredo de Frias
Ana Paula Goulart Ribeiro
Juliana Alves Pinto Saba
Leandro Paz Ramalho

Pesquisa iconográfica:
Ana Cristina Figueiredo de Frias
Bia Durão

Assessoria de pesquisa:
Mauro Castro Carneiro

Colaboração:
Juliana Peres Gomes
Mariana Campello Torres

Revisão de texto:
Renato Machado
Ronan Soares
William Bonner

Supervisão editorial:
Carlos Henrique Schroder, *Diretor da Central Globo de Jornalismo*
Alice-Maria, *Diretora da Globo News*
Ali Kamel, *Diretor Executivo de Jornalismo*

Central Globo de Comunicação:
Luis Erlanger, *Diretor*

Jornal Nacional

A notícia faz história

Memória Globo

inclui cerca de 420 imagens

Jorge Zahar Editor
Rio de Janeiro

Projeto gráfico e diagramação:
Mari Taboada

Assessoria de projeto:
Marina Vargas

Produção gráfica:
Ana Paula Tavares e Mari Taboada

Arte das imagens:
Flavia Rocha Calandrini

Capa:
Sérgio Campante

Jorge Zahar Editor Ltda.
rua México 31 sobreloja
20031-144 Rio de Janeiro, RJ
tel.: (21) 2240-0226 / fax: (21) 2262-5123
e-mail: jze@zahar.com.br
site: www.zahar.com.br

CIP-Brasil. Catalogação-na-fonte
Sindicato Nacional dos Editores de Livros, RJ.

J71 Jornal Nacional: a notícia faz história / Memória Globo.
– Rio de Janeiro: Jorge Zahar Ed., 2004
il.;.– (Memória Globo)

Anexos
Inclui bibliografia
ISBN 85-7110-810-2

1. Jornal Nacional (Programa de televisão). 2. Telejornalismo – Brasil – História. 3. Jornalismo – Brasil – História. I. Memória Globo. I. Série

CDD 791.455
04-2030 CDU 070:654.17

Sumário

Lista de quadros temáticos • 10

Prefácio: *A pura verdade,* João Roberto Marinho • 11

Nota técnica • 14

PARTE I [1965-1974]
Nasce o JN: o Brasil e o Mundo Unidos pela Notícia • 15

1. O JORNALISMO DA TV GLOBO ANTES DO JN: DE MAURO SALLES A ARMANDO NOGUEIRA • 17

Telejornais pioneiros • 18
As primeiras coberturas • 19
A enchente de 1966 • Lançamento da Apolo 9 e a primeira transmissão via satélite • Incrível! O homem chega à Lua!

2. NO AR, O JORNAL NACIONAL: ARMANDO NOGUEIRA CRIA O PRIMEIRO TELEJORNAL EM REDE • 24

Viagem para o futuro • 28
Os primeiros equipamentos • 29
O primeiro formato e a primeira abertura • 33

3. A COBERTURA NACIONAL EM ANOS DE CHUMBO • 35

Os militares e a censura • 35
A morte de Lamarca
O conceito de noticiário nacional • 38
Cai o elevado Paulo de Frontin: tragédia regional, comoção nacional

4. A ALTERNATIVA POSSÍVEL: O JORNALISMO INTERNACIONAL • 42

Os primeiros enviados especiais e a montagem dos escritórios no exterior • 42
Watergate e renúncia de Nixon • 44

5. Consolidação e Transformações Tecnológicas • 49
Crescimento da rede e afiliadas • 49
A evolução dos equipamentos • 50
A chegada da cor • 51

6. O Esporte nos Primeiros Anos do Jornal Nacional • 56
Copa do México • 56
Jogos Olímpicos de Munique • 57
Criação da Divisão de Esportes • 59

7. O Dia-a-Dia da Produção • 61
A estrutura da Central Globo de Jornalismo • 61
A preocupação com o texto • 62

Parte II [1974-1983]
O JN em Época de Abertura Lenta e Gradual • 67

1. O Jornalismo em Tempos de Distensão • 69
Noticiário de Brasília ganha mais espaço • 69
O presidente fala à imprensa: viagem de Geisel ao Japão • 71
As eleições de 1976: oposição avança e cobertura política aumenta • 72
Abertura lenta e gradual: a censura continua em ação • 73

2. O Jornalismo em São Paulo, no Rio e na Amazônia • 78
Incêndio na sede da emissora: jornalismo se muda para São Paulo • 78
Novos tempos na sucursal paulista: organização e crescimento • 79
As greves do ABC • 80
Um dia de cão: presídio de Jacareí e edifício Grande Avenida • 84
A editoria Rio • 88
Dois repórteres na Amazônia • 88

3. Tecnologia e Estética • 90
Finalmente, o jornalismo eletrônico • 90
Uma nova estética: começa a era Hans Donner • 92
Satélites em órbita • 96

4. Abertura e Jornalismo • 99
A Lei de Anistia e a volta dos exilados • 99
O atentado à OAB e à Câmara de Vereadores • 100

O atentado do Riocentro • *101*
As eleições de 1982 • *104*
A apuração dos votos • As eleições no Rio de Janeiro e o caso Proconsult • Depoimentos
O fim do milagre econômico: a seca no Nordeste e a enchente no Sul • *119*

5. **Organização e Produção** • *122*
CGJ se reorganiza e jornalismo local se fortalece • *122*
O CNP e as reuniões da "caixa de sapato" • *124*
Crítica interna e controle de qualidade • *126*

6. **Esporte Ganha Autonomia** • *128*
Consolidação da Divisão de Esportes • *128*
Sábado: dia do esporte • *130*

7. **As Grandes Coberturas** • *133*
O Papa visita o Brasil • *133*
Cobertura internacional continua intensa: novos escritórios no exterior • *135*
A Guerra Irã–Iraque • Guerra das Malvinas

Parte III [1984-1990]
JN: O Brasil e o Mundo no Caminho da Democracia • *147*

1. **JN Completa 15 Anos** • *149*
Os cuidados com a produção • *149*
Criação das editorias • *150*
A redação em luto • *151*

2. **A Nova República** • *154*
O movimento das Diretas Já • *154*
1984: a hora e a vez dos comícios • Crescem os comícios, a cobertura se fortalece • A votação da emenda: o jornalismo sob censura • Depoimentos
Eleição e morte de Tancredo Neves • *172*
O Plano Cruzado • *176*
A nova lei de todas as leis: a Constituição de 1988 • *179*

3. **JN de Cara Nova** • *186*
Novo cenário para o telejornal • *186*
Mais análise e comentários • *188*

4. O MUNDO EM MUDANÇA • 193

A crise do Leste Europeu • 193

Hungria e Polônia • Tchecoslováquia e Bulgária • Romênia • A queda do Muro e a reunificação da Alemanha

O Brasil em mudança • 204

As eleições presidenciais de 1989 (O primeiro turno; O segundo turno; A edição do debate; Depoimentos; Transcrição do debate) • A posse do novo presidente e o Plano Collor

PARTE IV [1990-1995]

JN: Impeachment no Brasil e Guerra no Mundo • 229

1. ALBERICO DE SOUSA CRUZ ASSUME A DIREÇÃO DO JORNALISMO • 231

Mudanças na CGJ • 231
As novidades do Jornal Nacional • 231
Um novo conceito de produção • 234
Informatização do Jornalismo • 234

2. COBERTURAS INTERNACIONAIS • 240

Guerra do Golfo • 240
O fim da URSS • 243
Guerra civil na Iugoslávia • 246

3. COBERTURAS NACIONAIS • 253

A Rio-92 • 253
Morre Ayrton Senna do Brasil • 255
A violência em foco • 258

O Massacre do Carandiru • Menores da Candelária • Chacina de Vigário Geral

4. COBERTURAS POLÍTICAS E ECONÔMICAS • 270

Impeachment do presidente • 270
O caso PC Farias • 273
Plano Real e a eleição de FHC • 276

PARTE V [1995-2004]

JN: Democracia, Globalização e Terror • 283

1. EVANDRO CARLOS DE ANDRADE ASSUME A DIREÇÃO DO JORNALISMO • 285

Jornalistas como apresentadores • 287
Interesse público e interesse do público • 288
Novos quadros e participações • 292

A redação como cenário e uma nova estética • 292
William Bonner e Fátima Bernardes à frente do JN • 294

2. **JORNALISMO: COMUNIDADE, POLÍTICA E ECONOMIA** • 298

Nova sede para a TV Globo de São Paulo • 298
O jornalismo comunitário ganha força • 299
Investigação e denúncia • 300
Escândalo dos precatórios • Máfia dos fiscais • Escândalo da Previdência • Escândalo do TRT
Movimentos sociais • 309
O MST no Pontal de Paranapanema • Massacre de Eldorado dos Carajás
Governo FHC • 311
Eleições 1998 • Crises econômicas: os efeitos da globalização • Crise energética • Privatizações • Lei de Responsabilidade Fiscal

3. **JORNALISMO SERIADO** • 321

Séries de reportagens • 321
"Fome no Brasil"
Em defesa dos direitos humanos • 323
O caso da Favela Naval • Recontando os mortos da repressão • Trabalho infantil

4. **CARLOS HENRIQUE SCHRODER ASSUME A DIREÇÃO DO JORNALISMO** • 333

Mudança com continuidade • 333
Atentados ao WTC • 337
Guerra no Afeganistão • 343
A conquista do pentacampeonato: a apresentadora como musa • 352
O caso Tim Lopes • 355
Eleições 2002: o presidente eleito na bancada do JN • 361
Guerra do Iraque • 369
Atentados terroristas em Madri • 374
O social continua em foco • 375
Série "Brasil Bonito" • Série "Identidade Brasil"
Inovações no Jornal Nacional • 376
O governo Lula • 377
A primeira crise: Waldomiro Diniz

5. **MORRE ROBERTO MARINHO** • 384

6. **JN, 35 ANOS** • 392

Anexos • 395
Prêmios • Séries • Profissionais • Equipe atual

Fontes e bibliografia • 402

Créditos iconográficos • 407

Lista de quadros temáticos

Os Grandes Incêndios • 40
Edifício Andraus; Edifício Joelma; Edifício Andorinhas

Coberturas Internacionais nos Anos 1970 • 46
Guerra do Yom Kippur e a crise do petróleo; Revolução Islâmica; Revolução Sandinista

Carnaval • 54

Ciência e Saúde • 97
Primeiro bebê de proveta; Primeiro diagnóstico da Aids; Ovelha Dolly; Projeto Genoma Humano

Vôlei • 129

Boxe • 131
Lutas do século de Cassius Clay / Muhammad Ali; Mike Tyson torna-se campeão mundial; Popó conquista título mundial

Casos Policiais • 144
Caso Aracelli; Seqüestro de Carlinhos; Caso Lou; Assassinato de Ângela Diniz; Caso Cláudia Lessin Rodrigues; Assassinato de Daniella Perez; O Maníaco do Parque; Caso Pedrinho

As Greves da CSN • 184

Desastres Aéreos e Espaciais • 190
Explosão da Challenger e da Columbia; Queda do vôo 254 na Amazônia; Queda do Fokker da TAM; Acidente na base aérea de Alcântara

Meio Ambiente • 202
Desmatamento; Poluição em Cubatão; Efeito estufa; Acidentes radioativos de Chernobyl e Goiânia; Chico Mendes; Vazamento de óleo na Baía de Guanabara

Fórmula 1 • 237
Fittipaldi; José Carlos Pace; Nelson Piquet; Ayrton Senna; Schumacher e Rubinho

Outras Coberturas Internacionais • 250
Morte do aiatolá Khomeini; Crise no Sudeste Asiático; A segunda "Intifada"

Olimpíadas • 266
Montreal; Moscou; Los Angeles; Seul; Barcelona; Atlanta; Sydney

Notícia ao Vivo • 327
Seqüestro do ônibus 174; Seqüestro de Patrícia Abravanel e Silvio Santos

Acidentes e Tragédias • 335
Naufrágio do Bateau Mouche; Desabamento do Palace II

Copas do Mundo • 347
Alemanha; Argentina; Espanha; México; Itália; Estados Unidos; França

Prefácio: A pura verdade

JOÃO ROBERTO MARINHO
Vice-presidente das Organizações Globo e presidente do Conselho Editorial

"Nasci homem de imprensa. Fui, sou, tenho sido e só serei, enquanto tiver vida e capacidade de trabalho, apenas e tão-somente homem de imprensa. Este é o meu destino. Esta é minha vocação. ... Nenhum título, nenhuma honraria, nenhuma comenda, nada importa mais para mim do que o exercício diário, ininterrupto, constante, das funções profissionais que, ao longo da vida, venho exercendo no jornal que se honra de ter sido fundado e continua a ser inspirado por Irineu Marinho." ROBERTO MARINHO

De certa maneira, o *Jornal Nacional* nasceu adulto: ele é parte de uma tradição que começou bem antes de setembro de 1969, quando foi ao ar pela primeira vez. Suas raízes estão nos dois jornais criados por meu avô, Irineu Marinho: *A Noite*, que nasceu em 1911, e *O Globo*, que data de 1925. Irineu morreu 21 dias depois do nascimento do *Globo*. Foi meu pai, Roberto Marinho, quem levou *O Globo* adiante. Como faria mais tarde com o Sistema Globo de Rádio, a Editora Globo e a TV Globo.

As três aventuras – *A Noite*, *O Globo* e o *Jornal Nacional* – têm em comum a paixão pela notícia e a busca permanente de formas eficientes de transmitir informação correta ao maior número possível de cidadãos. Uma das heranças deixadas por Irineu foi a lição de que um empreendimento só pode progredir se, além da vontade do dono e do capital investido, existir também a capacidade de atrair os melhores profissionais, e lhes oferecer ambiente e meios para se realizarem pessoalmente.

Foi o que Roberto Marinho fez ao longo de toda a sua vida, tendo a seu lado os irmãos, Ricardo e Rogério Marinho. E é exatamente o que meus irmãos, Roberto Irineu e José Roberto, e eu procuramos fazer até hoje. Desde o começo, meu pai buscou profissionais competentes, não importando o matiz ideológico. "Os comunistas de Roberto Marinho" não são apenas parte do folclore político, mas a prova de que, para meu pai, importava mais a capacidade de trabalho do que as divergências de pensamento. Ao lado disso, assim como *A Noite* de Irineu, *O Globo* de Roberto Marinho sempre foi mais voltado para a notícia do que para o debate pseudo-intelectual, muitas vezes estéril, tão em moda nos jornais do início do século XX. Ele tinha a convicção de que a um jornal não cabe formar opinião, mas oferecer ao leitor as informações relevantes para que ele forme suas próprias opiniões. Isso nunca significou abdicar de suas opiniões, mas estas tinham seu lugar adequado nos editoriais do *Globo*.

Um jornal informativo e ágil exige pessoal de talento, trabalhando com o que de mais moderno existir nas formas de produção e transmissão de informação. Foi por acreditar nisso que O *Globo* foi o primeiro jornal da América Latina a ter radiofotos, telefotos, telefotos em cor. Não por acaso, o jornal foi pioneiro na informatização, um processo que se estende da redação ao parque gráfico.

Nesta casa de jornalistas – assim como meu pai, também nós, seus filhos, tivemos toda a nossa formação na redação do *Globo* –, adquiriu forma e consistência o tipo de comunicação de massa de que o *Jornal Nacional* é um dos herdeiros. Quando, em 1° de setembro de 1969, o *Jornal Nacional* entrou no ar, ainda ligando poucas cidades, meu pai concretizou um de seus sonhos mais ousados: quase 20 anos após o aparecimento da televisão brasileira, Roberto Marinho fez surgir no Brasil a televisão em rede. Como sempre, a notícia era a espinha dorsal do projeto – e a sua qualidade, o fator que determinaria o seu êxito.

Herdeiro de uma tradição, o *Jornal Nacional* foi também o criador de uma nova linguagem jornalística no Brasil. Inspirados no modelo americano, profissionais como Armando Nogueira e Alice-Maria souberam tropicalizá-lo, afastando-se do modelo radiofônico a que ainda se apegavam os telejornais de então. No *Jornal Nacional*, palavra e imagem tiveram desde o início a mesma importância. Hoje, assistindo aos diversos telejornais da Globo e da concorrência, parece que todo o conjunto de regras que rege o telejornalismo nasceu pronto; na verdade, foi construído pouco a pouco por uma geração de profissionais dedicados. Assim como no *Globo*, também na Globo Roberto Marinho fez questão de se cercar dos melhores, dos mais preparados. E eles fizeram o mesmo com seus auxiliares. Antes de Armando Nogueira – e o *Jornal Nacional* – a Globo já contara com Mauro Salles. Vieram depois nomes expressivos do jornalismo brasileiro: Alberico de Sousa Cruz, Evandro Carlos de Andrade e, hoje, Carlos Henrique Schroder.

Da mesma forma, numa velocidade enorme, a tecnologia evoluiu de tal maneira – tendo sempre o *Jornal Nacional* como pioneiro – que poucos se dão conta de que a realização das primeiras externas era um desafio de difícil superação, tal o tamanho das câmeras cinematográficas com filmes em película. Hoje, câmeras pequenas, leves e totalmente digitais, são capazes de captar a imagem em qualquer parte do mundo e transmiti-la já sem a necessidade de satélites.

Nesses 35 anos, a sofisticação dos nossos instrumentos de trabalho somou-se ao progresso do sistema de afiliação de emissoras, que dividem conosco um mesmo corpo de valores, para transformar a Rede Globo – cinco emissoras próprias e 112 afiliadas – no único veículo de comunicação presente em todo o território nacional, com redações completas e bem equipadas. Nenhum outro órgão de mídia tem o alcance da Rede Globo. Não é por acaso que, se algo acontece em qualquer cidade do Brasil, é na Globo que os brasileiros se informam em primeiro lugar. Apenas a Rede Globo está presente, com repórteres, cinegrafistas e editores, nos 27 estados brasileiros, em 117 municípios, cobrindo literalmente o Brasil inteiro. Ao todo, são 4.500 jornalistas para contar aos brasileiros o que acontece no país. É igualmente ampla a cobertura internacional. Além de usar das melhores agências de notícias, o *Jornal Nacional* está presente nos Estados Unidos, na Argentina, no Reino Unido, na França, na Itália e em Israel, com correspondentes próprios. É um olhar brasileiro sobre o mundo. A qualquer hora do dia ou da noite, mas especialmente no horário do *Jornal Nacional*.

O avanço do jornalismo pela TV e, mais recentemente, pela Internet, influiu fortemente na evolução dos jornais impressos. Se antes cabia a eles dar a primeira notícia sobre os fatos, essa missão é hoje principalmente do chamado jornalismo eletrônico. Aos jornais impressos, cabe prioritariamente analisá-los, interpretá-los e colocá-los em perspectiva. Importa, acima de tudo, contar ao leitor em que os novos fatos, processos e tendências afetam sua vida. Há mais de uma década, os jornais das Organizações Globo adaptaram-se com sucesso a esse novo modelo, no qual os diferentes meios de comunicação de massa são complementares, muito mais do que rivais. Mas não deixam de ter em comum o zelo pelos atributos da qualidade jornalística: correção, agilidade, isenção. Esse é o perfil do *Jornal Nacional* nesses seus primeiros 35 anos. Não é por acaso que é líder absoluto de audiência desde que foi ao ar pela primeira vez: trata-se de conseqüência direta da qualidade do jornalismo que apresenta.

Mas a todos os atributos da qualidade, o jornalismo moderno acrescenta mais um: a transparência, a autocrítica, a admissão de falhas. Talvez não seja exagero dizer que não há atividade mais frenética no mundo do que o jornalismo, e o jornalismo televisivo em primeiro lugar: a cada minuto, o volume de informações que devem ser captadas, entendidas, avaliadas e processadas é tão assustadoramente grande que chega a parecer um milagre diário que o índice de erros seja tão pequeno. Mas erros existem. E, numa organização como a nossa, não há falha, por menor que seja, que não suscite reflexão profunda e discussões às vezes longas, buscando a correção de rumos, de processos, de procedimentos.

Para celebrar os 35 anos do *Jornal Nacional*, nada melhor do que um livro que narrasse os seus inúmeros êxitos, a sua história de sucesso, os seus personagens mais marcantes – sem esquecer todos os momentos difíceis. Não se faz um livro com esse objetivo senão através da palavra de seus principais atores, do editor de imagem ao editor de texto, do repórter ao editor-chefe, do diretor-geral aos acionistas. Para isso, pôde-se contar com o Memória Globo, um projeto dirigido por Sílvia Fiuza, sob a liderança de Luis Erlanger, diretor da Central Globo de Comunicação, e com a colaboração de Ali Kamel, diretor executivo de Jornalismo. O projeto existe para preservar a história dessa aventura brasileira que começou quase um século atrás. São mais de mil horas de depoimentos dos pioneiros das Organizações Globo, de ex-colaboradores e dos profissionais que hoje nos ajudam a levar à frente a nossa missão. Este livro é a história do *Jornal Nacional*, contada por seus protagonistas, com base também na documentação existente.

Quando o leitor virar a última página, esperamos que ele tenha a mesma certeza diária que tem ao terminar de assistir ao *Jornal Nacional*: a de que o que acabou de ler, goste-se ou não, é a pura verdade.

Nota técnica

Este *Jornal Nacional: A notícia faz história* é resultado de pesquisa histórica, realizada no período de março de 1999 a maio de 2004, por profissionais com formação em história, antropologia e comunicação. Centenas de publicações (jornais, revistas, livros, sites) e documentos de época (cartas, scripts, memorandos) foram consultados, assim como mais de duas mil fitas de vídeo, com reportagens e coberturas jornalísticas exibidas, ao longo de 35 anos, no *Jornal Nacional*. Foram realizadas cerca de 200 entrevistas, o equivalente a mais de mil horas de gravação em vídeo ou em áudio, com profissionais que trabalham ou trabalharam na Central Globo de Jornalismo e com profissionais de outras áreas que atuam ou atuaram nas coberturas e eventos jornalísticos.

Reunir material para contar a história do *Jornal Nacional* não foi tarefa fácil. Exigiu obstinação na busca de precisão e para superar algumas dificuldades, a começar pela obtenção de informações sobre os primeiros dez anos do *Jornal Nacional*. Parte do acervo com as reportagens do início do telejornal foi perdida no incêndio que destruiu em 1976 as dependências da Rede Globo no Rio de Janeiro. Além disso, não existem fitas com a íntegra do *JN* daquele período nos arquivos do Centro de Documentação da Rede Globo. Contamos, porém, com imagens dos assuntos principais, catalogadas por temas, em matérias avulsas. Só a partir de maio de 1983 o telejornal passou a ser diariamente arquivado.

Enfrentamos essas dificuldades pesquisando nos scripts do telejornal, boa parte preservados, e na documentação disponível em acervos pessoais e da empresa. A pesquisa no material de imprensa também foi uma fonte importante. Livros e publicações especializadas foram consultados e constatamos com alegria que nos últimos dez anos os estudos sobre a imprensa brasileira se intensificaram.

De inestimável valor foi a memória dos colaboradores que nos ajudaram na elaboração do livro. Centenas de pessoas – do jornalismo e de outras áreas, como engenharia, comunicação, informática etc. – foram extremamente atenciosas e prestativas, auxiliando nosso trabalho de vasculhar o passado.

Foi necessário também o exercício constante da crítica, especialmente em relação aos depoimentos. Sabemos que a memória é uma preciosa fonte de informação, mas precisamos ter claro que nem sempre ela é exata e, às vezes, o detalhe de um fato pode mudar toda a história. E é preciso ainda ter consciência de que nossa memória é filtrada por nossas biografias e visões de mundo, o que faz com que os relatos sobre um mesmo acontecimento possam imprimir cores e nuances diversas. Torna-se, então, essencial confrontar a memória com a documentação existente, o que foi feito como regra.

Todos os depoimentos de profissionais citados nesse livro contêm o nome e o cargo da época em que a pessoa participou do episódio relatado. Por vezes encontramos dificuldade em identificar a similaridade de funções com nomenclaturas distintas. Mantivemos o nome do cargo de acordo com a especificação do entrevistado.

Eventualmente, o leitor poderá se lembrar de um fato ou um detalhe que ajudará a aprimorar a história aqui contada. Este livro é uma obra aberta, e a contribuição de telespectadores, jornalistas e profissionais de televisão será bem-vinda para futuras edições.

PARTE I [1965-1974]

Nasce o JN: o Brasil e o Mundo Unidos pela Notícia

1

O Jornalismo da TV Globo Antes do JN: de Mauro Salles a Armando Nogueira

Anos 1960: a tecnologia dos satélites aproxima os povos do planeta e, dentro de cada país, intensifica o intercâmbio de informações entre regiões distantes. Marshall McLuhan cria o conceito de "aldeia global", antevendo novos tipos de relações entre os indivíduos a partir da revolução provocada pela mídia eletrônica. O Brasil, de dimensões continentais, é cenário ideal para a vivência desses novos tempos: o começo da era das comunicações. Contribui para isso o espírito de "integração nacional", animado desde os anos 1950 pela construção de Brasília e estimulado pelos governos militares a partir de 1964. Em 1965, dois fatos seriam decisivos para garantir esse processo: a inauguração da TV Globo em abril e a criação da Empresa Brasileira de Telecomunicações (Embratel) em setembro.

O surgimento, em 1969, do *Jornal Nacional*, primeiro telejornal em rede, foi o grande marco desse processo, embora o telejornalismo já fizesse parte da programação da Globo desde sua inauguração, em 26 de abril de 1965. Entre os fatos que a emissora cobriu, antes do *JN*, estavam, por exemplo, a enchente no Rio de Janeiro em 1966, o lançamento da *Apolo 9* e a chegada do homem à Lua. O jornalismo naquele momento, no entanto, tinha ainda um alcance regional, incipiente. A idéia de uma rede nacional ainda era um sonho.

Já no dia da inauguração da Globo, foi ao ar o *Tele Globo*, noticiário de meia hora de duração, dirigido por Rubens Amaral e apresentado por Hilton Gomes e Aluízio Pimentel. A equipe de jornalismo era dirigida por Mauro Salles. Mario de Moraes era chefe de redação e Baleche Filho o subchefe. O departamento funcionava em apenas uma sala, na sede da emissora, no Jardim Botânico, Rio de Janeiro.

"Naquele 6m x 6m trabalhava todo mundo", conta Mario de Moraes. E todos cumpriam várias funções. Eram apenas dois cinegrafistas (Gabriel Condofer e Chucho Narvaez) e cinco repórteres (Mauro Ivan, Mário Luís Frank, Roberto Dantas, Luís Augusto e Eduardo Ramalho).

A mudança no jornalismo da TV Globo veio em setembro de 1966, quando Armando Nogueira assumiu a direção do departamento e começou a ampliá-lo, com mais equipamentos e mais pessoal. Recrutar jornalistas qualificados, porém, não era fácil. De acordo com Armando, havia forte preconceito contra a televisão, considerada muito superficial, mais um veículo de entretenimento que de informação. Decidiu então investir em jovens profissionais. Uma de suas principais apostas foi Alice-Maria Tavares Reiniger, que começou na Globo como estagiária e, em pouco tempo, se tornaria seu braço direito. Nos 24 anos seguintes, Armando Nogueira e Alice-Maria comandariam, juntos, o jornalismo da Rede Globo.

Telejornais Pioneiros

O primeiro telejornal da TV Globo, o *Tele Globo*, era exibido em duas edições: uma às 12h e outra às 19h. Além de Hilton Gomes e Aluízio Pimentel, também foram seus apresentadores: Íris Lettieri, Paulo Gil, Nathalia Timberg, Fernando Lopes e Teixeira Heizer.

Em janeiro de 1966, o *Tele Globo* passou a ter uma edição única, às 13h. Nessa época, surgiu outro telejornal, o *Ultranotícias*, também com duas edições. A primeira, apresentada por Paulo Gil, durava cinco minutos e ia ao ar de segunda à sexta, às 15h. A segunda, de 19h45 às 20h, era comandada por Hilton Gomes e Irene Ravache. Em setembro de 1966, o programa passou a ter uma única edição, às 19h45.

O telejornal era patrocinado pelas empresas Ultragaz e Ultralar e produzido pela agência de publicidade McCann Erickson. Na época, era comum as agências interferirem na elaboração e até na orientação dos programas jornalísticos. Na TV Tupi, por exemplo, o *Repórter Esso* também era realizado pela McCann Erickson, responsável pela conta publicitária dos Postos Esso. O programa era todo elaborado na redação da agência de notícias United Press International (UPI), que entregava prontos o rolo de filme e o script à emissora, cabendo ao locutor, simplesmente, ler diante da câmera.

Armando Nogueira, quando começou a trabalhar na Globo, encontrou situação semelhante no *Ultranotícias*. O representante da McCann Erickson interferia diretamente. Se não gostasse de alguma matéria, mandava cortar. Certo dia, suprimiu do noticiário uma matéria sobre formatura de cadetes da Marinha e explicou por quê: "Ah, eles tiraram o nosso estacionamento no edifício São Borja..."

O diretor de jornalismo acabou com esse tipo de interferência. Em março de 1967, pôs fim ao *Ultranotícias* e criou o *Jornal da Globo*. Apresentado por Luís Jatobá e Hilton Gomes, era exibido às 19h30 e tinha José Ramos Tinhorão como editor-chefe. Os outros editores eram Sílvio Julio Nassar e Jotair Assad. O redator internacional era Sebastião Nery, que mais tarde seria substituído por Humberto Vieira. Em 31 de agosto de 1969 o *Jornal da Globo* saiu do ar, dando lugar ao *Jornal Nacional*.

A enchente de 1966

Em janeiro de 1966, logo depois de Walter Clark ter assumido a direção-geral da TV Globo, o Rio de Janeiro sofreu uma das piores enchentes da sua história. Cinco dias de temporal resultaram em mais de 100 mortos e 20 mil desabrigados. As equipes da Globo foram para as ruas portando câmeras Auricom e captando as imagens da tragédia e da dor dos cariocas. Motoqueiros levavam para a emissora os filmes, que imediatamente eram revelados e exibidos.

A chuva forte arrebentou as tubulações que drenavam as águas do rio dos Macacos, que transbordou, destruindo várias casas perto da TV Globo, no bairro do Jardim Botânico. Walter Clark não perdeu tempo: posicionou duas câmeras diante da emissora e, dali, Hilton Gomes passou a comentar os fatos ao vivo.

A Globo não se limitou a mostrar os fatos. Promoveu também uma ampla campanha comunitária. Os estúdios do Jardim Botânico foram transformados em central de recolhimento de doações para os desabrigados. Já no primeiro dia, não havia mais lugar para armazenar as toneladas de remédios, mantimentos e cobertores que chegavam.

Com a cobertura da enchente, a TV Globo, que desde a estréia apresentava baixos índices de audiência, conquistou o Rio de Janeiro. Ao se transformar na voz que lutava pela recuperação da cidade, a emissora ganhou de vez a simpatia da população carioca, conseguindo um espaço até então dividido pela TV Tupi, a TV Rio e a TV Excelsior.

O jornalista Armando Nogueira recorda: "No Jardim Botânico tinha uma queda d'água que passou a ser a imagem-símbolo da enchente. A câmera que Walter Clark mandou instalar na rua Von Martius, apontando para a queda, ficava ligada dia e noite. Era como a imagem-padrão da Globo. Eu trabalhava na TV Rio. Mas a nossa referência se ia continuar chovendo era a cachoeira da Globo."

O lançamento da Apolo 9 *e a primeira transmissão via satélite*

O Brasil ingressou na era das transmissões via satélite em 28 de fevereiro de 1969, dia em que a Embratel inaugurou, no município fluminense de Itaboraí, a Estação Terrena de Comunicação Via Satélite.

Já no dia 26, o jornal O *Globo* anunciava em página inteira: "Dia 28 de fevereiro (anote esta data histórica), a televisão brasileira estará ligada ao mundo inteiro em transmissões diretas através do satélite Intelsat III. Você assistirá a todos os lances do espetacular vôo da *Apolo 9*, desde o seu lançamento em Cabo Kennedy, o audacioso acoplamento no espaço, até a sua emocionante descida

1

2

3

1. *Tele Globo*, com Nathalia Timberg, Teixeira Heizer e Hilton Gomes (s/d).

2. Imagens da destruição provocada pela enchente no Rio de Janeiro (jan 1966).

3. *Tele Globo* (nov 1965).

1

1. Primeira equipe de jornalismo da TV Globo (1965).

2. Hilton Gomes na cobertura do lançamento da nave *Apolo 11*, Cabo Kennedy (jul 1969).

3. Paulo Gil, Fernando Leite Mendes e Hilton Gomes na redação de jornalismo da TV Globo (s/d).

4. Imagem da chegada do homem à Lua (jul 1969).

5. Arte reproduzindo a placa colocada na superfície da Lua pelos astronautas da nave *Apolo 11*.

2

3

4

5

no Pacífico. Você estará participando de todos esses acontecimentos no mesmo instante em que eles estarão ocorrendo."

A missão da *Apolo 9* era testar o módulo de exploração que permitiria o envio de astronautas à Lua. O vôo foi adiado por problemas técnicos, mas nem por isso a estação da Embratel deixou de ser inaugurada. Às 11h, Hilton Gomes apresentou, "direto de Roma", um trabalho histórico, uma entrevista concedida pelo papa Paulo VI, gravada na véspera.: "Esta é a primeira reportagem internacional via satélite para o Brasil, inaugurando, oficialmente, o Intelsat III, numa transmissão em cadeia para todo o Brasil, comandada pela Embratel."

E num português quase perfeito o papa falou durante três minutos e abençoou o povo brasileiro. Logo depois, foram exibidos lances de um jogo de futebol do clube italiano Juventus. O objetivo era que o telespectador tivesse uma idéia de como seria a transmissão da Copa do México no ano seguinte.

No dia 3 de março, direto de Cabo Kennedy, uma reportagem de Luís Jatobá mostrou os três tripulantes da *Apolo 9* – James McDivitt, David Scott e Russel Schweikart – fazendo a última refeição em terra, antes do vôo. Finalmente, por volta de uma hora da tarde a Estação de Itaboraí assumiu a recepção direta do satélite Intelsat III e exibiu o lançamento da nave.

À noite, Hilton Gomes abriu o *Jornal da Globo* saudando "o admirável mundo novo da televisão via satélite", que permitia ao telespectador assistir ao vivo aos acontecimentos internacionais:

> Agora o fato entra na sua casa instantaneamente, como ocorreu hoje à tarde, precisamente à uma hora, quando um extraordinário sistema de comunicações, incluindo a NBC, o satélite Intelsat, a Embratel, as Emissoras Associadas e a Rede Globo de Televisão, lhe mostrou imagens de impressionante nitidez do lançamento da *Apolo 9* nos Estados Unidos.

Incrível! O homem chega à Lua!

No dia 20 de julho de 1969, cerca de um mês antes da estréia do *Jornal Nacional*, a nave norte-americana *Apolo 11* cumpriu a missão mais importante da corrida espacial entre Estados Unidos e União Soviética, iniciada no final dos anos 1950. Horas depois de o módulo da nave, o *Eagle*, ter pousado na planície lunar do mar da Tranqüilidade, o astronauta e comandante da missão Neil Armstrong dava os primeiros passos na superfície da Lua, seguido por Edwin Aldrin Jr.

Mais de 600 milhões de pessoas no mundo inteiro assistiam ao espetáculo, ao vivo, pela TV. A *Apolo 11* havia entrado na órbita da Lua no dia anterior. Em edições extraordinárias, a TV Globo informava sobre as manobras de aproximação do módulo lunar. Enquanto Armstrong e Aldrin comandavam o *Eagle*, um terceiro astronauta, Michael Collins, permanecia na nave-mãe.

Ao tocar o solo lunar, Neil Armstrong pronunciou a célebre frase: "É um pequeno passo para o homem, um salto gigantesco para a humanidade." Eram

23h56, horário de Brasília. A TV Globo transmitia, sem interrupções, as imagens de Armstrong caminhando sobre a superfície da Lua, seguido por Edwin Aldrin Jr.

O repórter Hilton Gomes narrou a chegada dos astronautas direto dos estúdios da TV Globo, no Jardim Botânico. Um trabalho marcante, como ele mesmo conta: "Acompanhamos o lançamento da *Apolo 11*, eu e a equipe lá em Cabo Kennedy, e voamos para o Rio, fomos direto para o estúdio. Quando chegamos, a nave estava se aproximando da Lua e tivemos que narrar simultaneamente o diálogo dos três astronautas. E, com toda aquela preocupação, as emoções iam surgindo enquanto eles falavam."

A perfeição das imagens na transmissão foi tal que levou alguns telespectadores a duvidar de que o homem tivesse realmente pisado na Lua. Enquanto havia aqueles que julgavam se tratar de uma farsa dos norte-americanos, outros chegavam a pensar que era uma "armação" da TV Globo, como testemunhou o próprio Hilton Gomes. Ao tomar um café no bar da esquina, a moça que sempre o atendia olhou o jornalista com cara feia e disparou: "Você é um mentiroso! O homem não foi à Lua coisa nenhuma!" Como outros fregueses também olhavam desconfiados, Hilton Gomes desistiu do café e saiu de fininho.

Graças à transmissão da façanha espacial, a TV Globo ocupou, pela primeira vez, a liderança na audiência na cidade de São Paulo. A emissora, até então considerada excessivamente carioca, ganhava definitivamente a simpatia dos paulistanos. Em setembro de 1969, quando estreou o *Jornal Nacional*, a TV Globo já detinha a liderança absoluta de audiência: apresentava nove entre os dez programas mais assistidos no Rio e três entre os dez de São Paulo. Em 1971, a Rede Globo passou a exibir os dez programas mais assistidos nas duas capitais.

2

No Ar, o Jornal Nacional: Armando Nogueira Cria o Primeiro Telejornal em Rede

Hilton Gomes: "O *Jornal Nacional* da Rede Globo, um serviço de notícias integrando o Brasil novo, inaugura-se neste momento: imagem e som de todo o Brasil." Cid Moreira: "Dentro de instantes, para vocês, a grande escalada nacional de notícias."

Era 1º de setembro de 1969. Começava assim o primeiro telejornal transmitido em rede nacional no Brasil. Nascia o programa que viria a ter a maior audiência da história da televisão brasileira. Eram 19h45. No estúdio e na redação, atenção total. No Brasil, tensão total.

A manchete do dia informava que o presidente Costa e Silva recuperava-se de uma crise circulatória e que o governo estava entregue a uma junta militar formada pelos ministros Augusto Rademaker, da Marinha, Lira Tavares, do Exército, e Márcio de Souza Melo, da Aeronáutica. Em seguida, foi exibida uma declaração de 46 segundos do ministro da Fazenda, Delfim Netto. Logo depois, Hilton Gomes anunciou a transmissão direta de Porto Alegre, terra do presidente Costa e Silva, com a repercussão do Ato Institucional nº12, que transferia os poderes de governo à Junta Militar e não ao sucessor legal, o vice-presidente Pedro Aleixo.

O noticiário internacional registrava as mortes do campeão mundial de pesos-pesados Rocky Marciano e do comentarista norte-americano Drew Pearson, conhecido no Brasil pela coluna que assinava na revista O *Cruzeiro*. Na Líbia, um golpe militar derrubou o príncipe Hassan Al Rida. Imagens da agência Visnews mostravam a chegada ao Paquistão de uma caravana de chineses, montados em camelos, comemorando a reabertura da Rota da Seda, fechada desde 1949. No Japão, moças de mais de 50 países se preparavam para disputar o título de Miss Beleza Internacional. Pilotos de linhas aéreas ameaçavam greve geral se a ONU não tomasse medidas efetivas em relação ao seqüestro de um avião norte-americano.

No Brasil, o preço da gasolina subia: a especial (azul) passava para 48 centavos de cruzeiro novo o litro e a comum para 39,1. Os espectadores viram as primeiras imagens das obras de alargamento da praia de Copacabana e souberam da previsão do tempo para Espírito Santo, Rio de Janeiro e Niterói. Foram informados de que, no dia seguinte, o jogador Garrincha iria depor num processo pelo acidente em que morreu a mãe da cantora Elza Soares, sua mulher.

> ***A Primeira Equipe***
>
> A primeira equipe do *Jornal Nacional* era formada por quase 30 pessoas, entre as quais Humberto Vieira (editor-chefe e editor internacional), Alice-Maria Tavares Reiniger e Sílvio Julio Nassar, o Julinho (editores nacionais), Amaury Monteiro e Aníbal Ribeiro (chefes de reportagem), Alfredo Marsillac (diretor de imagens), Chucho Narvaez, José Andrade, Sebastião Azambuja, o Sabá, Evilásio Carneiro e Orlando Moreira (cinegrafistas), Auderi Alencar (montador), Jotair Assad e Guaraci José Vieira, o Guará (coordenadores).

Para encerrar, gol do Brasil!!! Era o número 979 na carreira de Pelé e garantia a classificação da seleção brasileira para a Copa de 1970, no México. Cid Moreira se despediu então dos telespectadores, anunciando para breve a integração do circuito de Brasília e Belo Horizonte ao *Jornal Nacional*: "É o Brasil ao vivo aí na sua casa". E emendou com um "boa noite", saudação que se tornaria inconfundível e viria a se repetir cerca de 8 mil vezes ao longo dos 27 anos seguintes.

Era a estréia, mas o espírito do programa já estava sintetizado na expressão "É o Brasil ao vivo aí na sua casa". A equipe que produzia e apresentava o *Jornal Nacional* pensava numa família brasileira reunida na sala. A televisão era próxima, coloquial, diferente do rádio, onde o narrador se exaltava, falava mais alto, como se procurasse o ouvinte por todos os cantos da casa.

Quando terminou a primeira edição do *Jornal Nacional*, preparada com tanto cuidado, o clima na redação era de festa pelo sucesso da operação. Armando Nogueira conta que naquele dia sua preocupação básica era estritamente técnica: o êxito da transmissão em rede nacional. Eram grandes os riscos, e o medo de que algo desse errado tomara conta da equipe. Mas a estréia fora um sucesso, todos estavam emocionados.

Na sala de direção do jornalismo, Armando Nogueira trocava abraços com a equipe. Alfredo Marsillac, diretor de imagens, que vinha emocionado da mesa de corte, ganhou de Armando uma cópia daquele primeiro script histórico. No canto superior da primeira página a frase: "E o boeing decolou." Apaixonado por aviação, o piloto Armando Nogueira sentia na pele a importância daquele vôo inaugural e talvez pressentisse que ali começava uma das viagens mais importantes da televisão brasileira. Ao seu lado, estava também a então editora nacional, Alice-Maria, que mais tarde o ajudaria a pilotar o telejornalismo da Globo.

2

3

4

5

1. Aníbal Ribeiro, Cid Moreira, Hilton Gomes, Henrique Olivier, Walter Clark, Pedro Braga e Armando Nogueira (set 1971).

2. O cinegrafista Sebastião Azambuja com uma câmera Auricom (1969).

3. Mauro Salles e Luis Mauro com uma câmera Bell Howell D70 (s/d).

4. Primeira torre da TV Globo no Sumaré, no Rio de Janeiro (s/d).

5. Equipamento eletrônico destinado à instalação da TV Globo desembarcando do navio *Paranaguá* no cais do porto no Rio de Janeiro (s/d).

1

2

3

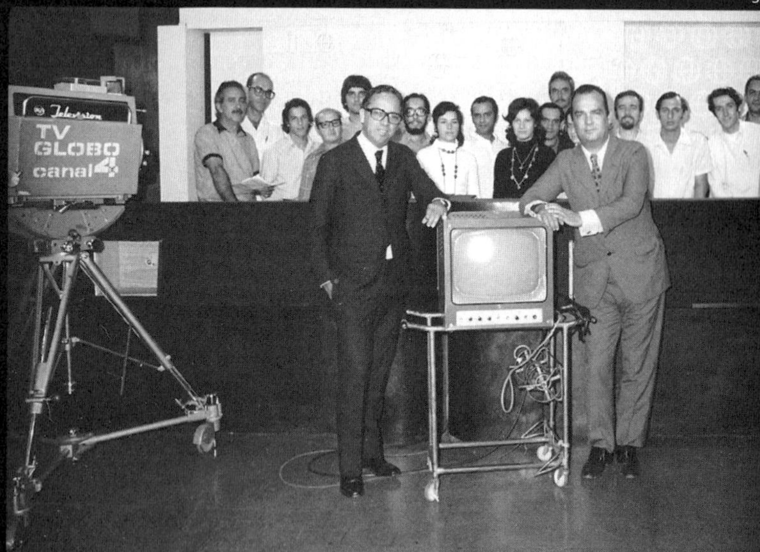

4

5

1. Homero Icaza Sánchez, diretor da Divisão de Análise e Pesquisa, e Boni, superintendente de Programação e Produção da TV Globo (1973).

2. Armando Nogueira, Alfredo Marsillac e Nilson Viana, na ilha de edição do *Jornal Nacional*. Ao fundo: Fernando Waisberg, Mauro Richter, Meg Cunha e Sílvio Julio Nassar (s/d).

3. Antiga equipe do *Jornal Nacional*. Em primeiro plano, Armando Nogueira e Hilton Gomes (s/d).

4. O editor Fabbio Perez na redação do *Jornal Nacional* (set 1979).

5. Walter Clark, diretor-geral da TV Globo (s/d).

Viagem para o Futuro

O *Jornal Nacional*, lançado para competir com o *Repórter Esso*, da TV Tupi, em pouco tempo se tornaria campeão de audiência, o maior destaque da programação jornalística da televisão brasileira. O telejornal era parte estratégica de um ambicioso projeto de Walter Clark e José Bonifácio de Oliveira Sobrinho, Boni, para transformar a Globo na primeira rede de televisão do Brasil. O objetivo era gerar uma programação uniforme para todo o país, diluindo, assim, os custos de produção dos programas.

"Os militares queriam mostrar que o Brasil era um país de primeiro mundo e montaram a Embratel. Nós imaginamos que a primeira utilização óbvia dos enlaces de microondas seria o jornalismo, e começamos a pensar num programa nacional. A primeira pessoa que nos incentivou foi José Ulisses Alvarez Arce, diretor comercial. Ele disse que 'seria um prato cheio para os clientes'. Havia um interesse comercial muito grande e, paralelamente, pensávamos que seria um primeiro serviço que a televisão prestaria, dando um passo além do simples entretenimento", lembra Boni.

Até então existiam emissoras, como a TV Tupi e a própria TV Globo, que contavam com estações transmissoras em várias capitais. Nenhuma, porém, formava propriamente uma rede, por falta de capacidade operacional de transmitir o mesmo sinal, ao mesmo tempo, para diferentes regiões. Os programas eram produzidos e apresentados localmente ou, então, gravados em filmes e videoteipes, na sede da emissora, para distribuição país afora. Era o chamado "tráfego" de novelas, shows e matérias jornalísticas, que às vezes chegavam ao destino com muitos dias de atraso.

Em março de 1969, no entanto, a Embratel inaugurou o Tronco Sul, rota terrestre de sinais de TV que permitiu, por um sistema de microondas, a integração de Rio de Janeiro, São Paulo, Porto Alegre e Curitiba – por meio de uma seqüência de postos repetidores, distantes quase 50 quilômetros um do outro. Cada um captava sinais do posto anterior, amplificava e enviava para o seguinte. Essa rede proporcionou à TV Globo a capacidade técnica de colocar no ar o primeiro programa verdadeiramente de alcance nacional.

Para realizar este sonho, Walter Clark e Boni tiveram o apoio essencial de Roberto Marinho, que delegou aos dois a execução do projeto. O empresário nunca escondeu que dominava a arte de se fazer um jornal – de televisão, reconhecia humildemente, ele não entendia. Porém, mesmo às vésperas de completar 65 anos, mantinha-se surpreendentemente atualizado com os mais recentes adventos tecnológicos da época. Numa viagem aos Estados Unidos na década de 1950, Roberto Marinho tinha assistido televisão em rede e desde então este tornara-se o seu objetivo. Três anos antes, em sua casa no Cosme Velho, tentara contratar Boni, então na TV Bandeirantes, usando o sedutor argumento de que implantariam juntos uma rede. Se o empresário reconhecia que a rede era o caminho para se ampliar o mercado de consumo, o empreendedor sabia que a identidade nacional em formação não podia abrir mão de um meio de integração tão poderoso. Roberto Marinho vivera sua juventude sob a frouxidão federativa da República Velha, quando a "unidade nacional" era quase uma ficção – presidentes e governadores em infindáveis conflitos –, e por isso identificava melhor que ninguém a grandeza contida no plano de formação da rede. O empreendedor antevira, o empresário agira, e o jornalista iria tornar realidade um velho sonho, imprescindível para a construção da nação. E para o velho repórter, um dos principais motivos para o entusiasmo era o fato de que a "alma" da rede seria um telejornal.

A idéia de fazer um telejornal de caráter nacional, semelhante aos que já existiam nos Estados Unidos, foi muito debatida por toda a direção da TV Globo. Uma vez aprovada a proposta, a editora Alice-Maria reuniu-se com técnicos da Embratel para discutir a viabilidade do projeto. Diante da complexidade da operação, justificava-se um certo receio: gerar um jornal em rede apresentava riscos, nem todos previsíveis.

Não houve reunião para a escolha do nome do novo telejornal: "Jornal Nacional" surgiu naturalmente, uma decorrência do fato de que seria um programa jornalístico para alcançar todo o país. Durante anos, no entanto, pensou-se que o nome tivesse sido adotado em função de um patrocínio do Banco Nacional.

Boni explica: "O *Jornal Nacional* nasce patrocinado pelo Banco Nacional de Minas Gerais. Mas o telejornal já se chamava 'Jornal Nacional', eles é que identificaram uma oportunidade de se associar. Houve até uma discussão ética. Armando Nogueira não gostava muito dessa idéia, mas Walter Clark achava que não tinha importância: seria 'o Jornal Nacional, oferecido pelo Banco Nacional', não era o 'Jornal do Banco Nacional'. Havia uma sutileza aí. E nós conseguimos, com o tempo e com o sucesso do *Jornal Nacional*, nos desvincular totalmente do banco. E depois houve vários outros anunciantes. O conteúdo do telejornal era tão forte e ele era tão inovador, o primeiro jornal de rede, que o banco não conseguiu se apropriar dele."

Os Primeiros Equipamentos

Quando o *Jornal Nacional* foi ao ar pela primeira vez, em 1969, eram grandes as dificuldades técnicas que os profissionais da TV Globo enfrentavam no dia-a-dia. Na época, a televisão brasileira já dispunha do videoteipe (VT), mas essa tecnologia era utilizada apenas nos programas de dramaturgia e entretenimento. Na produção das reportagens, o jornalismo usava o suporte técnico do cinema, ou seja, o filme em 16mm, uma vez que ainda não existia o videoteipe portátil. Os equipamentos de gravação eram muito pesados, não permitindo a agilidade necessária à reportagem de rua.

1

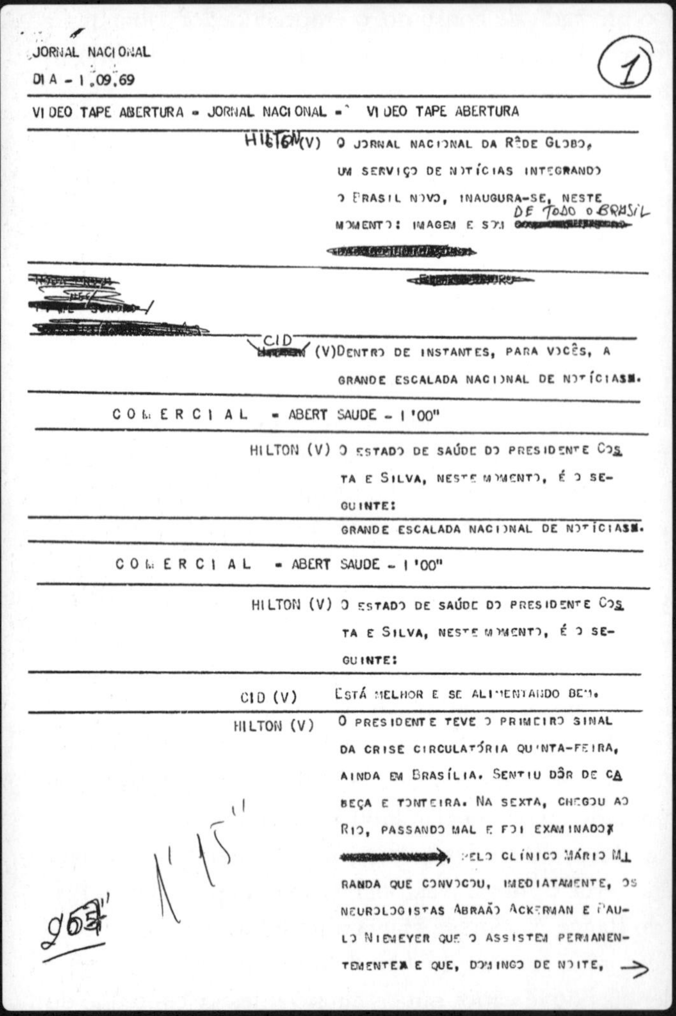

JORNAL NACIONAL

DIA - 1.09.69

①

VIDEO TAPE ABERTURA - JORNAL NACIONAL - VIDEO TAPE ABERTURA

HILTON (V)	O JORNAL NACIONAL DA RÊDE GLOBO, UM SERVIÇO DE NOTÍCIAS INTEGRANDO O BRASIL NOVO, INAUGURA-SE, NESTE MOMENTO: IMAGEM E SOM DE TODO O BRASIL
CID (V)	DENTRO DE INSTANTES, PARA VOCÊS, A GRANDE ESCALADA NACIONAL DE NOTÍCIAS.

COMERCIAL - ABERT SAUDE - 1'00"

HILTON (V)	O ESTADO DE SAÚDE DO PRESIDENTE COSTA E SILVA, NESTE MOMENTO, É O SEGUINTE:
	GRANDE ESCALADA NACIONAL DE NOTÍCIAS.

COMERCIAL - ABERT SAUDE - 1'00"

HILTON (V)	O ESTADO DE SAÚDE DO PRESIDENTE COSTA E SILVA, NESTE MOMENTO, É O SEGUINTE:
CID (V)	ESTÁ MELHOR E SE ALIMENTANDO BEM.
HILTON (V)	O PRESIDENTE TEVE O PRIMEIRO SINAL DA CRISE CIRCULATÓRIA QUINTA-FEIRA, AINDA EM BRASÍLIA. SENTIU DÔR DE CABEÇA E TONTEIRA. NA SEXTA, CHEGOU AO RIO, PASSANDO MAL E FOI EXAMINADO, PELO CLÍNICO MÁRIO MIRANDA QUE CONVOCOU, IMEDIATAMENTE, OS NEUROLOGISTAS ABRAÃO ACKERMAN E PAULO NIEMEYER QUE O ASSISTEM PERMANENTEMENTE E QUE, DOMINGO DE NOITE, →

1'15"

2

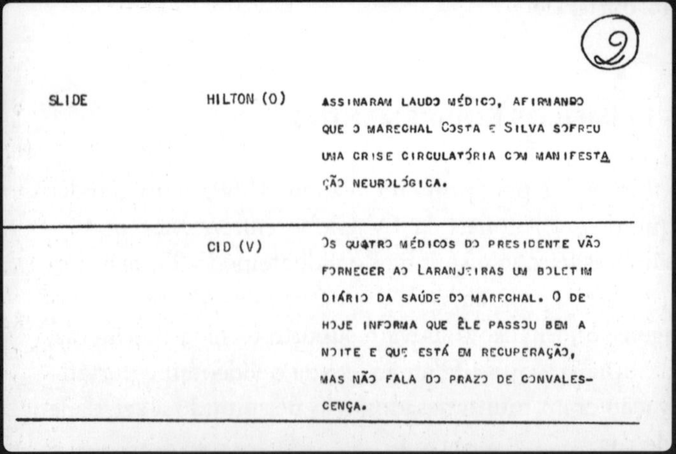

②

SLIDE	HILTON (O)	ASSINARAM LAUDO MÉDICO, AFIRMANDO QUE O MARECHAL COSTA E SILVA SOFREU UMA CRISE CIRCULATÓRIA COM MANIFESTAÇÃO NEUROLÓGICA.
	CID (V)	OS QUATRO MÉDICOS DO PRESIDENTE VÃO FORNECER AO LARANJEIRAS UM BOLETIM DIÁRIO DA SAÚDE DO MARECHAL. O DE HOJE INFORMA QUE ÊLE PASSOU BEM A NOITE E QUE ESTÁ EM RECUPERAÇÃO, MAS NÃO FALA DO PRAZO DE CONVALESCENÇA.

JN

1 e 2. Script do primeiro dia do *Jornal Nacional* (1º set 1969).

1

2

3

4

5

1. Cid Moreira, Hilton Gomes e João Saldanha na bancada do *Jornal Nacional* (década de 1970).

2. Hilton Gomes apresentando o *Jornal Nacional* (1º set 1971).

3. Heron Domingues apresentando o *Jornal Internacional* (1972-73).

4. Sergio Chapelin (década de 1970).

5. Sergio Chapelin e Heron Domingues na bancada do *Jornal Nacional* (década de 1970).

1

2

1. Sergio Chapelin e Cid Moreira na bancada do *Jornal Nacional* (década de 1970).

2. Alice-Maria, Edson Ribeiro e Mauro Costa na redação (dez 1973).

3. Sergio Chapelin no estúdio do *Jornal Nacional* (década de 1970).

4. Armando Nogueira, Alice-Maria e Franklin Toledo (17 set 1979).

3

4

No início, as câmeras utilizadas nas reportagens não registravam o som ambiente, ganhando então o apelido de "mudinhas". Eram as Bell & Howel e as Bolex, nas quais os cinegrafistas precisavam dar corda para funcionar. Mas logo chegaram as câmeras Auricom, provocando uma revolução. Grande e pesado, o equipamento exigia uma cangalha para ser transportado, mas era sonoro. A Auricom permitiu ao repórter aparecer nas matérias durante as reportagens, com microfone, o que dava maior credibilidade ao noticiário.

Eram muitas as dificuldades de se trabalhar com a tecnologia de cinema. Um dos problemas era a duração do filme: "O chassi de cinema tinha 400 pés (120 metros). Isto significa que tínhamos dez minutos para filmar tudo", conta o cinegrafista Sebastião Azambuja, Sabá. O videoteipe viria a ser, nesse sentido, muito mais vantajoso, já que a duração mínima de uma fita era de uma hora.

O processo de revelação, além disso, era totalmente artesanal. Para secar o filme com a rapidez necessária, o laboratorista algumas vezes tinha de apelar para a criatividade. Costumava-se colocar o filme num cilindro e acender um fogareiro, sobre o qual girava o cilindro. Esse método acelerava a revelação, mas algumas vezes podia levar à perda do material por excesso de aquecimento.

Outro problema era o registro sonoro. As primeiras Auricom gravavam o som pelo sistema ótico. Havia na borda do filme uma pequena trilha, onde era feita a gravação. Essas Auricom foram depois substituídas por outras câmeras, mais modernas, e o som passou a ser registrado numa banda magnética, também na beira do filme. Essas câmeras tinham uma dupla vantagem: além de o som não precisar de revelação, era gravado com melhor qualidade, gerando menos distorções. A gravação do som, porém, ocorria alguns quadros depois da imagem, o que criava dificuldades na hora dos cortes para a montagem e edição. A montagem dos filmes era, nessa época, um trabalho artesanal e penoso.

No estúdio, a câmera usada pelo jornalismo da TV Globo era uma TK-60, da RCA, que representava uma fase de transição entre os equipamentos valvulares e os eletrônicos. Não havia ainda o teleprompter. Os apresentadores tinham que ler o texto no papel, alternando o olhar entre o texto e a câmera. Nessa época, também não havia fotocopiadoras. Os textos do programa eram todos mimeografados e, como a tinta se soltava do papel, era comum não só o apresentador, mas toda a equipe, ficar com mãos, rostos e roupas sujos de azul.

O Primeiro Formato e a Primeira Abertura

No início o *Jornal Nacional* tinha apenas 15 minutos de duração, sendo transmitido de segunda-feira a sábado. As edições eram divididas em três partes: local, nacional e internacional. As manchetes – em geral, curtas e fortes – eram lidas alternadamente por dois apresentadores de maneira rápida e ágil.

Para se diferenciar do modelo consagrado pelo *Repórter Esso*, que sempre terminava com a notícia mais impactante do dia, o *JN* concluía o noticiário com informações leves, de conteúdo lírico ou pitoresco. Essa matéria de encerramento passou a ser conhecida como o "Boa-noite", pois antecedia à saudação de despedida dos apresentadores.

Mas a principal diferença entre o *JN* e o *Repórter Esso* era conceitual. O telejornal da Globo apresentava matérias testemunhais, com a fala dos entrevistados. Armando Nogueira explica: "O que caracterizava o nosso jornal era o som direto. O *Repórter Esso* não tinha som direto porque saía embalado da redação do *Jornal do Brasil*, onde funcionava a United Press, distribuidora do noticiário, tanto na época do rádio quanto na da televisão. Saía de lá pronto, era só botar no ar. Gontijo Teodoro apenas lia. No nosso telejornal, além de imagens cobertas com áudio do locutor, inseríamos depoimentos, com voz direta, da pessoa falando."

Armando conta que a direção da Rede Globo nem sempre entendia essa diferença, o que gerava alguns problemas para o Departamento de Jornalismo: "Quando acabava o *JN*, o Walter Clark me chamava na sala dele e dizia assim: 'Nós contamos no *Repórter Esso* 20 notícias e no *Jornal Nacional* só oito.' Considerava-se notícia: 'O secretário de Saúde disse não sei o quê.' Mas quando a gente colocava a voz do secretário, eles consideravam uma *entrevista*, não uma notícia. Como o *Repórter Esso*, no início, tinha mais audiência do que a gente, eles consideravam que eles davam mais notícias. E eu tinha então que explicar que nós estávamos fazendo uma revolução na linguagem televisiva."

Com o slogan "A notícia unindo seis milhões de brasileiros", o *Jornal Nacional* exibia, em sua abertura, imagens de acontecimentos e personalidades importantes do país. A logomarca era composta pelo "JN" ao lado do globo terrestre com seus hemisférios, símbolo da emissora. O cenário era formado por um fundo azul com as letras do telejornal em amarelo.

Em 1971, houve a primeira mudança de apresentadores: no lugar de Hilton Gomes, entrou Ronaldo Rosas, que saiu no ano seguinte. Assumiu então Sergio Chapelin, que ficou ao lado de Cid Moreira até 1983. Aos sábados, a apresentação ficava por conta de Heron Domingues, locutor celebrizado desde os anos 1940 com o *Repórter Esso* da Rádio Nacional.

No ano seguinte, o slogan do *Jornal Nacional* passou a ser "Três anos de liderança integrando o Brasil através da notícia". Produzida em cores, mas vista pelo público em preto e branco, a vinheta ganhou maior dinamismo e exibia os créditos com o nome dos profissionais responsáveis pelo telejornal sobre a logomarca da emissora, abandonando as cenas documentais.

3

A Cobertura Nacional em Anos de Chumbo

Os Militares e a Censura

O *Jornal Nacional* nasceu num período dramático da história do país. Desde a decretação do Ato Institucional nº5, em dezembro de 1968, vivia-se a fase mais dura do regime militar, e a pressão sobre os meios de comunicação era intensa.

Já na estréia, o telejornal foi censurado. A notícia do derrame do presidente Costa e Silva, por exemplo, teve que ser negociada, pois os militares queriam escondê-la. No Palácio das Laranjeiras, onde o presidente se hospedava no Rio de Janeiro, era proibido filmar ou fotografar. Uma nota oficial foi a única satisfação ao povo brasileiro.

Em 4 de setembro, três dias após a estréia do *JN*, o embaixador norte-americano Charles Elbrick foi seqüestrado por militantes do Movimento Revolucionário Oito de Outubro (MR-8) e da Aliança Libertadora Nacional (ALN). Durante três dias, o embaixador ficou preso em uma casa no bairro do Rio Comprido, Rio de Janeiro. Com a operação, os seqüestradores conseguiram a libertação de 15 presos políticos e chamaram a atenção internacional para a luta contra a ditadura no Brasil. No entanto, a TV Globo, mais uma vez, foi obrigada a cobrir os fatos com parcimônia. Mesmo obtendo em primeira mão a relação dos presos a serem libertados, a emissora só pôde divulgar os nomes depois de autorizada.

À medida que sua audiência aumentava, o *Jornal Nacional* era cada vez mais visado. Foram vários os assuntos proibidos ao logo dos anos 1970, como o discurso do papa Paulo VI sobre os dez anos da encíclica *Populorum progressio* e a missa de sétimo dia do ex-presidente João Goulart. Também foram vetadas notícias sobre cassações de mandatos e suspensão de direitos políticos; a denúncia de acordos militares entre Brasil e EUA; a visita da Anistia Internacional; e o afastamento do general Silvio Frota do Ministério do Exército.

Qualquer assunto podia ser alvo da censura, desde uma epidemia de meningite em São Paulo até a queda do carro de um policial no canal do Mangue, no

Rio de Janeiro. A censura chegou a atuar na cobertura do seqüestro do menino Carlinhos, um dos fatos mais noticiados da época. O pai do garoto, o industrial João Mello, anunciou que iria processar o delegado Moacir Bellot, que o havia acusado do seqüestro do próprio filho. A notícia não pôde ser divulgada em nome da "Segurança Nacional".

Os métodos da censura variavam. Algumas vezes, ela vinha sob a forma de comunicações oficiais e memorandos, outras diretamente por telefone. A imprensa recebia uma espécie de índex de assuntos proibidos e nomes de pessoas que não poderiam ser entrevistadas ou mencionadas. Fatos considerados delicados para o governo provocavam a presença na emissora de oficiais do Serviço Nacional de Informação (SNI) e da Polícia Federal.

Censores ligavam para a emissora proibindo a divulgação de fatos que os jornalistas nem sabiam que haviam acontecido. Na tentativa de censurar os noticiários, os militares acabavam servindo como fonte de informação para a imprensa. Isso aconteceu, por exemplo, em abril de 1970, quando profissionais da TV Globo ficaram sabendo do seqüestro de um avião da Vasp ao lerem um telex dos militares proibindo a divulgação do fato.

Carlos Nascimento conta que, nessa época, era comum repórteres da TV Globo cobrirem fatos que eles sabiam que jamais iriam ao ar, apenas para proteger perseguidos políticos: "Houve um período em que as pessoas iam prestar depoimentos nos quartéis e nas delegacias e não voltavam. Então, a gente ia ao local só para a polícia saber que a Globo estava lá. Outros jornais, como a *Folha* e O *Estado de S. Paulo*, também faziam isto. Nós íamos juntos. Eu me lembro muito bem que, no dia em que Plínio Marcos foi depor na Polícia Federal, nós ficamos lá em frente. Chovia muito e ficamos debaixo de uma marquise. Nós o entrevistamos antes dele entrar e, enquanto ele não saiu, não fomos embora."

Em 1977, acusados de pertencerem ao Partido Comunista Brasileiro, Alice-Maria, já então diretora executiva da Central Globo de Jornalismo (CGJ), e Luís Edgar de Andrade, chefe de redação do *JN*, foram intimados a depor no Dops (Delegacia de Ordem Política e Social). Em apoio aos dois funcionários, o próprio Roberto Marinho os acompanhou de carro até a delegacia e recomendou ao motorista que os esperasse até o fim do interrogatório.

Sergio Chapelin também foi vítima dos censores. Ao noticiar a morte de guerrilheiros na América Latina, o apresentador, gripado, pigarreou e sua voz ficou embargada. Agentes do SNI foram se queixar a Armando Nogueira, pois acharam que Chapelin estava solidário com os guerrilheiros e se emocionara com a notícia.

Em setembro de 1973, Heron Domingues, apresentador do *Jornal Internacional*, viveu situação semelhante. Os militares ficaram indignados com a sobriedade e seriedade com que ele leu a nota sobre a morte do presidente chileno Salvador Allende durante o golpe liderado pelo general Augusto Pinochet. Na mesma ocasião, os militares reclamaram também de Humberto Vieira. Como a cobertura da crise no Chile tinha sido muito detalhada, os censores suspeitaram que o editor internacional fosse comunista.

1

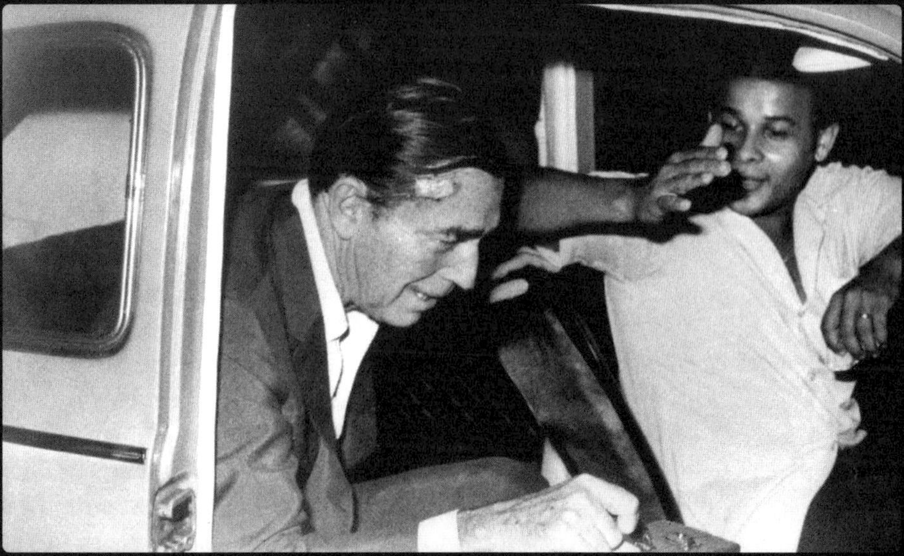

2

3

1. O embaixador norte-americano Charles Elbrick chegando à embaixada após o seqüestro (8 set 1969).

2. Queda do elevado Paulo de Frontin no Rio de Janeiro (20 nov 1971).

3. Casa no Rio Comprido que serviu de cativeiro para o embaixador norte-americano Charles Elbrick (8 set 1969).

Sobre esse período, Armando Nogueira afirma: "A censura é dolorosa como uma doença, suporta-se porque há sempre esperança e instinto de sobrevivência. Quem critica não imagina o duro corpo-a-corpo que tivemos aqui dentro com a Polícia Federal e o SNI. Uma luta desigual em que a arbitrariedade e a falta de senso eram a tônica."

A morte de Lamarca

Em 17 de setembro de 1971, o líder revolucionário Carlos Lamarca foi morto na Bahia, e os militares proibiram a divulgação da notícia – só liberada depois de muita negociação com o I Exército, intermediada pelo chefe de reportagem Aníbal Ribeiro. Mas no *JN* daquele dia não foi possível dar detalhes sobre a morte do guerrilheiro.

Na manhã seguinte, Armando Nogueira e Alice-Maria decidiram que a Globo cobriria o assunto e enviaram para Salvador o repórter Amaury Monteiro e o cinegrafista Sabá. Como Lamarca fora morto no interior do estado, seu cadáver só chegaria ao Instituto Médico Legal da capital baiana naquele dia.

Sabá conseguiu registrar com sua câmera muda, uma Bell & Howell, toda a autópsia de Carlos Lamarca. Mas o filme não pôde ser exibido. Enviado para o Rio por avião, por intermédio de um comissário de bordo, o material foi confiscado pela censura na sala de montagem da TV Globo.

O repórter e o cinegrafista não desistiram. Na casa do legista responsável pela autópsia, conseguiram que o médico, a partir de um mapa do corpo de Lamarca, descrevesse em detalhes o laudo cadavérico. As explicações foram registradas com uma câmera sonora. Resultado do exame: o guerrilheiro tinha sido executado, levado vários tiros, em sua maioria pelas costas. Não fora uma morte em combate, como dizia a versão oficial. Como a informação comprometia o Exército, mais uma vez as imagens não puderam ser exibidas.

O *Jornal Nacional* não deixou de divulgar, porém, as informações obtidas com o médico legista, o que irritou os militares. No dia 21 de setembro, Roberto Marinho recebeu um ofício da Central de Inteligência do Exército advertindo que a notícia tinha sido transmitida de uma forma que contrariava os objetivos pretendidos pelos órgãos de segurança. Cid Moreira, segundo o documento, teria lido as informações com ar de deboche, apresentando Lamarca como "um mártir, vítima da brutalidade de seus algozes do Exército".

O Conceito de Noticiário Nacional

Como o *Jornal Nacional* foi o primeiro telejornal a ser exibido em rede para todo o país, a equipe de jornalismo da TV Globo teve que desenvolver o conceito de noticiário nacional, ainda inexistente na televisão brasileira. Uma série de critérios foi então formulada para servir de guia na seleção e na hierarquização das notícias.

As matérias deveriam ser de interesse geral e não regionais ou particularistas. Os assuntos tinham que chamar a atenção tanto do telespectador de Manaus quanto de Porto Alegre. Era necessário não superdimensionar uma região em detrimento de outra, pensar sempre em como determinada nota poderia repercutir em estados diferentes. Num país continental, com tantas diferenças regionais, era uma tarefa difícil, e a equipe teve que ir aprendendo aos poucos. Como havia editores oriundos de várias regiões, a troca de idéias era sempre enriquecedora para todos.

Um exemplo das dificuldades de se lidar com as diversidades regionais veio do noticiário meteorológico. Nos primeiros anos, no boletim do *Jornal Nacional* "tempo bom" significava dia de sol e "mau tempo", dia de chuva, até que alguns telespectadores passaram a reclamar. No Nordeste, castigado pela seca, "sol" queria dizer tempo ruim. A partir de então, passou-se a ter o cuidado de não empregar o adjetivo "bom" ou "mau" para se referir ao tempo, usando no lugar as expressões "dia ensolarado" e "dia chuvoso".

Cai o elevado Paulo de Frontin: tragédia regional, comoção nacional

Uma das coberturas de destaque dos primeiros anos do *JN* foi a do desabamento do elevado Paulo de Frontin, no Rio de Janeiro, no dia 20 de novembro de 1971. Vinte mil toneladas de concreto caíram de três vãos do elevado sobre 48 pessoas, 20 carros, um ônibus e um caminhão que estavam parados num sinal de trânsito. Poucas horas depois, edições extraordinárias do *Jornal Nacional* mostravam a milhões de telespectadores a dimensão do fato através das imagens cruas do desespero de amigos e parentes das vítimas.

Glória Maria, uma das repórteres a cobrir o acidente, conta como foi: "Era um sábado e nós estávamos saindo para almoçar, por volta de uma e meia da tarde. O telefone tocou e alguém avisou que o elevado caíra. Pensei que fosse brincadeira. Mas era preciso apurar. Telefonamos para moradores das redondezas e confirmamos o acidente. Fomos para lá e, pouco depois, chegou uma unidade móvel da Globo."

Na emissora, as primeiras informações foram lidas por Sônia Maria, apresentadora do *Jornal Hoje*. Pouco depois, Cid Moreira, como apresentador do *Jornal Nacional*, chegou e assumiu o posto. Até as 16h, ainda não havia imagens da tragédia. Quando começaram a chegar, o próprio Armando Nogueira ajudou a editá-las na moviola, enquanto o editor Edson Ribeiro preparava os textos. No local do desabamento, ao mesmo tempo que Sabá, de um helicóptero, registrava as cenas, uma tinturaria e uma mercearia foram transformadas em minicentrais de televisão, de onde os repórteres informavam sobre o trabalho de resgate dos corpos. Naquela noite, o *JN* foi todo dedicado ao assunto. Por sua dimensão dramática, o fato local se transformou em comoção nacional.

Os Grandes Incêndios

As coberturas de três grandes incêndios em prédios no centro de São Paulo e Rio de Janeiro apresentaram imagens dramáticas que marcaram a história do telejornalismo brasileiro e o imaginário de toda uma geração. As tragédias também revelaram o descaso da administração dos condomínios e das próprias autoridades públicas em relação às leis de prevenção e combate a incêndios.

Andraus – No dia 24 de fevereiro de 1972, o *Jornal Nacional* apresentou imagens do incêndio que devastou o edifício Andraus, um prédio de 29 andares na avenida São João, no centro de São Paulo. O fogo começou com um curto-circuito nos cartazes de propaganda das Casas Pirani, instalados na marquise do Andraus e em duas horas tomou conta de todo o prédio. Dezesseis pessoas morreram carbonizadas ou se atiraram pelas janelas e outras 320 ficaram feridas. Quase 500 pessoas conseguiram fugir para a cobertura e foram resgatadas por helicópteros. O gerente-geral das Casas Pirani, Nilson Cazzarini, foi condenado a dois anos de prisão, com direito a *sursis*.

Toda a região em torno do Andraus ficou sem energia elétrica durante o incêndio, inclusive a sede da Rede Globo, localizada na praça Marechal Deodoro, no Centro. A solução encontrada foi transformar a casa do então editor-regional Paulo Mário Mansur – no bairro da Consolação – em uma redação improvisada, como conta a jornalista Neusa Rocha, então editora do *Jornal Nacional*: "O *JN* foi escrito na casa do Paulo Mário. Levávamos os rolinhos de filme e tínhamos que revelar e montar. Era aquele entra e sai de gente na casa. Foi muito complicado, muito tenso. Naquele tempo, não tinha fax nem celular. Tudo era muito diferente. Editamos o jornal e voltamos para a emissora. O pessoal já tinha montado todo o esquema de gerador para que o material fosse transmitido para o Rio."

Joelma – No dia 1º de fevereiro de 1974, outra tragédia no centro de São Paulo chocou o país. O edifício Joelma, localizado no Vale do Anhangabaú, pegou fogo depois de um curto-circuito no sistema de refrigeração do Banco Crefisul, que ocupava boa parte do prédio. O incêndio durou mais de três horas, destruiu 14 dos 25 andares e deixou 187 mortos e centenas de feridos. Ao contrário do Andraus, não havia escadas de incêndio ou heliporto na cobertura do Joelma, o que dificultava a aproximação dos helicópteros. Mais de 60 pessoas que fugiram para o terraço morreram carbonizadas. Várias caíram ou se atiraram do edifício.

O *Jornal Nacional* mostrou as imagens do incêndio e do trabalho dos bombeiros. A cena mais dramática, documentada pelo cinegrafista Reynaldo Cabrera, foi a queda de um homem do último andar do prédio. O cinegrafista, que não registrou o momento do impacto no solo, lembra o episódio: "Ele não se atirou, ele caiu. Calor, intoxicação, nervosismo, as pessoas simplesmente caíam. Ele caiu rente ao prédio e chegou a bater de raspão em uma escada Magirus. Quando o corpo estava para atingir o chão, eu cortei. Eu achava que a queda tinha uma mensagem jornalística, mas o corpo depois de uma queda de 26 andares bate e explode."

1. *Incêndio no edifício Joelma, em São Paulo (1º fev 1974).*

Andorinhas – Doze anos depois, no dia 17 de fevereiro de 1986, o edifício Andorinhas, uma construção antiga de 13 andares no centro do Rio de Janeiro, foi cenário de outro grande incêndio. Mais de 20 pessoas morreram e cerca de 40 ficaram feridas. Como no caso do Joelma, o terraço do Andorinhas também não tinha espaço suficiente para que os helicópteros pousassem e as escadas dos bombeiros não alcançavam os andares mais altos. Mais de uma dezena de pessoas, presas entre os 12º e 13º andares esperaram horas por salvamento. Duas pessoas se atiraram do prédio.

A repórter Tamara Leftel e o cinegrafista Carlos Alberto de Souza, da Rede Globo, estavam nas imediações, quando avistaram o incêndio. A repórter começou então a narrar ao vivo a ação do Corpo de Bombeiros, e presenciou a queda de uma das vítimas. "Meu Deus do céu, uma pessoa se jogou. Não, não, não. Que horror. Meu Deus, uma pessoa acaba de se jogar do 12º andar" gritou a repórter, atônita. Pouco depois, a figura de uma mulher surgiu no parapeito do andar superior. "Aquela pessoa na janela do último andar parece pronta a se jogar também. Todos aqui em baixo pedem calma. Meu Deus, ela soltou as mãos! Não, meu Deus, ela se jogou. De nada valeram os pedidos insistentes para que ela não se jogasse", lamentou Tamara Leftel.

Em 1989, a Justiça condenou ao pagamento de indenização, pela morte de uma das vítimas, a General Eletric (por negligência na manutenção do equipamento dos escritórios), o governo do estado do Rio de Janeiro (por não exigir o cumprimento das leis contra incêndios) e o condomínio do edifício Andorinhas (pela falta de equipamentos de combate ao fogo).

2. *Incêndio no edifício Andorinhas, no Rio de Janeiro (17 fev 1986).*

4

A Alternativa Possível: o Jornalismo Internacional

Os Primeiros Enviados Especiais e a Montagem dos Escritórios no Exterior

Diante das dificuldades políticas para tratar dos assuntos nacionais, Armando Nogueira procurou fortalecer o jornalismo internacional, investindo na formação de correspondentes. O primeiro foi Hélio Costa, que trabalhava em Washington para o programa radiofônico *Voz da América* e que passou a enviar, como freelancer, matérias para a Rede Globo, até ser contratado em 1973. Antes dele, a repórter Cidinha Campos já era enviada, ocasionalmente, aos Estados Unidos e à Europa para realizar reportagens sobre assuntos variados. O repórter Janos Lengyel, então correspondente do jornal O *Globo* em Genebra, também produzia matérias para a TV Globo.

A presença dos correspondentes nos locais onde se davam os fatos conferia mais veracidade à notícia que o mero uso do material das agências internacionais. Eles personalizavam as notícias, tinham a visão brasileira, sabiam o que era de interesse nacional. Logo depois do acordo de Camp David (f irmado por Jimmy Carter, Anwar Sadat e Menahem Begin em 1978), por exemplo, repórteres da TV Globo ouviram brasileiros residentes em Israel havia muitos anos, que deram sua opinião peculiar sobre os acontecimentos. Esse testemunho humanizava, complementava a cobertura das agências e aproximava cenários distantes da nossa visão sobre o mundo.

Desde o início de 1971, as imagens do exterior eram fornecidas à TV Globo pelo SIN (Sistema Ibero-Americano de Notícias). Eram dez minutos do satélite, com transmissão de dois tipos de imagens: as da Eurovisão, com os fatos do dia na Europa e no Oriente Médio, e as selecionadas por países ibero-americanos (Espanha, Portugal, México, Colômbia, Venezuela, Argentina e Chile), que formavam um *pool*.

Todas as manhãs uma conferência telefônica, com os países integrantes do *pool*, elaborava a pauta do dia. A matéria, para ser aceita no satélite, precisava do voto de, no mínimo, três países. Nessa época, de franquismo na Espanha, salazarismo em Portugal e regimes militares na América Latina, os critérios para a escolha das matérias eram, muitas vezes, alheios aos interesses jornalísticos.

O problema foi resolvido em 1973, com a assinatura de um contrato com a agência de notícias United Press International, que passou a enviar diariamente, do mundo inteiro e via satélite, imagens para o *JN*. Até então o material da UPI seguia de avião e chegava muito defasado, algumas vezes com até três dias de atraso.

As transmissões via satélite da UPI garantiram a qualidade da cobertura internacional da Rede Globo. Fizeram tanto sucesso que a emissora decidiu montar escritórios próprios no exterior. O primeiro foi inaugurado em novembro de 1973, em Nova York, sob a chefia de Hélio Costa. A sucursal começou numa pequena sala e com uma única câmera, mas logo depois foram instalados estúdios de áudio e vídeo, além de um arquivo com imagens de noticiários norte-americanos.

No início, trabalhavam com Hélio Costa apenas uma produtora e um cinegrafista. No fim da década de 1970, a equipe já contava com 30 funcionários. Entre os repórteres, estavam Lucas Mendes, Sérgio Motta Mello, Paulo César Araújo e Luís Fernando Silva Pinto. Entre os cinegrafistas, Orlando Moreira, José Wilson da Mata, Henderson Royes, Edgar Cavaliero, Henrique Olivier, Marcelo Alexim e Marco Aurélio. Antes de se transferir, em 1977, para Paris, onde montaria um escritório da TV Globo, Roberto Feith também trabalhou em Nova York como repórter.

O escritório de Londres começou a funcionar em 1974, com a repórter Sandra Passarinho e o cinegrafista Orlando Moreira. A história começou quando os dois foram enviados à Europa para cobrir a Revolução dos Cravos. Eles embarcaram para a Espanha em 24 de abril e, no dia seguinte, já enviaram via satélite para o *Jornal Nacional* matérias sobre a repercussão dos acontecimentos. No dia 26, os dois alugaram um carro e foram para Lisboa. Nos 15 dias seguintes, fizeram gerações diárias de Portugal.

A cobertura da Revolução dos Cravos fez um sucesso tão grande que a viagem de Sandra Passarinho e Orlando Moreira foi estendida. Ficaram cinco meses na Europa, cobrindo fatos importantes como as eleições na França, o referendo sobre o aborto na Itália, a morte do general Franco na Espanha e outros acontecimentos em Portugal. A intensificação da cobertura no continente europeu levou à criação do escritório em Londres.

É bom lembrar que, embora desfrutasse de maior liberdade do que o jornalismo nacional, o noticiário internacional da Rede Globo não estava imune à ação da censura. Um exemplo disso foi a proibição de exibir qualquer imagem do senador norte-americano Ted Kennedy, em virtude dos ataques que fazia aos regimes militares latino-americanos por conta da violação dos direitos humanos.

A verdade é que, além de preencher o vácuo do noticiário nacional censurado, a cobertura internacional não deixava de ter implicações políticas internas:

o Brasil, sob regime militar, via na TV a queda de velhas ditaduras, como a espanhola e a portuguesa, as eleições na Europa, a abertura na Argentina, a expansão democrática no mundo. Isso ajudava o país a refletir sobre sua própria situação.

Watergate e Renúncia de Nixon

Nos anos 1970, o episódio que mais movimentou a imprensa mundial foi o escândalo Watergate, que provocou a renúncia do presidente norte-americano Richard Nixon. No dia 17 de junho de 1972, cinco homens foram detidos por invadirem a sede do Comitê do Partido Democrata, no edifício Watergate, em Washington. O grupo pretendia instalar um grampo telefônico e usar as informações obtidas para ajudar a reeleger o republicano Richard Nixon. Embora a Casa Branca declarasse que desconhecia o fato, as explosivas reportagens dos jornalistas Bob Woodward e Carl Bernstein, do *Washigton Post*, comprovaram o envolvimento do presidente e seus assessores no caso.

O *Jornal Nacional* acompanhou desde o início a crise política norte-americana, fazendo uso de material das agências internacionais e apresentando reportagens do correspondente Lucas Mendes.

O momento culminante da cobertura, no entanto, não ocorreu no *JN*, mas no *Jornal Internacional*. Em 9 de agosto de 1974, em edição extraordinária sobre a renúncia de Nixon, o telejornal exibiu imagens do presidente se maquiando, episódio que Hélio Costa considera um dos mais marcantes da sua carreira.

Ainda sem estrutura para transmitir regularmente via satélite, a Globo assinara um convênio com a rede de TV ABC. Estava tudo pronto para a transmissão ao vivo, com tradução simultânea, do discurso de renúncia. Uma câmera no Salão Oval da Casa Branca transmitiria as imagens para um estúdio em Nova York, de onde seriam passadas para a Rede Globo, já com a narração de Hélio Costa.

A transmissão oficial do discurso estava marcada para começar às 20h (horário de Washington). Um selo presidencial apareceria no vídeo e um locutor anunciaria: "Senhoras e senhores, o presidente dos Estados Unidos." Só então o presidente Nixon apareceria na tela e iniciaria o discurso. Cinco minutos antes do horário esperado, porém, a câmera do Salão Oval foi aberta e, pensando tratar-se de uma mudança no protocolo, Hélio Costa começou a narrar as imagens, imediatamente colocadas no ar em edição extraordinária do *Jornal Internacional*. Surpresa total: o que se viu durante cinco minutos foram cenas de um Nixon sorridente, fazendo brincadeiras com a maquiadora e com a câmera. Quando o selo presidencial finalmente surgiu no vídeo, o presidente mudou completamente, apresentando uma expressão séria e falando com pesar.

A edição do *Jornal Internacional* sobre a renúncia de Richard Nixon foi redigida por Jorge Pontual e apresentada por Heron Domingues. O locutor pedira

1

2

3

5

4

6

1. Sandra Passarinho durante reportagem no Japão (set 1976).

2. A repórter Cidinha Campos no Sherlock Holmes Museum, em Londres (9 ago 1978).

3. Heron Domingues noticiando a renúncia do presidente dos EUA Richard Nixon (*Jornal Internacional*, 21 ago 1974).

4. Richard Nixon sorrindo minutos antes de renunciar (*Jornal Internacional*, 21 ago 1974).

5. Revolução dos Cravos (abr 1974).

6. Hélio Costa (mai 1974).

a Armando Nogueira um adiamento das suas férias para poder dar a notícia, pois queria manter a tradição do slogan – "o primeiro a dar as últimas" – do *Repórter Esso*, grande marco na sua carreira.

O texto dizia: "A televisão americana comentava a surpreendente calma e bom humor de Nixon. O contrário do que se esperava de um homem acuado por pressões enormes. Nós confirmamos esse detalhe, com a imagem espontânea, colhida em circuito fechado, dos momentos de descontração de Nixon. Como um ator antes da novela, como um político que fez a sua carreira dominando a televisão e, às vezes, sendo vencido por ela, Richard Milhous Nixon se despediu do cargo mais visado da Terra com um sorriso."

O desempenho de Heron Domingues naquela noite emocionou Armando Nogueira, que o considera um momento precioso do telejornalismo brasileiro. Os dois jornalistas jantaram juntos depois do programa. Horas mais tarde, o apresentador morreria de enfarte, dormindo. Armando Nogueira nunca se esqueceu: "Eu não tenho a menor dúvida de que o Heron morreu de emoção, causada por aquele jornal especial que ele fez. Ele viveu uma noite realmente gloriosa da sua carreira. Morreu como, eu imagino, ele gostaria de morrer: depois de uma performance extraordinária."

Coberturas Internacionais nos Anos 1970

Guerra do Yom Kippur e a crise do petróleo

Milhares de soldados egípcios e sírios invadiram o território de Israel, em 6 de outubro de 1973, quando era celebrado o Yom Kippur, o Dia do Perdão, data sagrada do calendário judaico. O principal objetivo dos árabes era a retomada dos territórios conquistados na Guerra dos Seis Dias: a Cisjordânia, o setor oriental de Jerusalém, as colinas de Golã e a península do Sinai.

Dez dias depois, a Organização dos Países Exportadores de Petróleo (Opep) aumentou o preço do barril de petróleo de US$3 para US$5 e decretou boicote aos países que apoiavam a política israelense no Oriente Médio.

Logo no início do conflito, o jornalista Janos Lengyel foi enviado a Viena, onde estava sendo realizada uma reunião da Opep com os representantes das empresas petrolíferas ocidentais. O repórter falou sobre o interesse da organização em aumentar o preço do petróleo e apontou os reflexos negativos dessa decisão na economia dos países ricos e pobres. Nos dias seguintes, as reportagens do *Jornal Nacional* voltaram-se para a entrada do Iraque e da Jordânia no conflito.

Apesar de todas as pressões, os israelenses conseguiram garantir a supremacia militar na região e, em 22 de outubro, foi decretado o cessar-fogo, com a derrota dos árabes. Mesmo com o fim do conflito, o preço do barril de petróleo continuou a subir, chegando a custar US$11,60 em dezembro daquele ano. Era o começo de uma grande crise mundial.

O *Jornal Nacional* acompanhou diariamente em seu noticiário a crise de combustível e sua repercussão no mundo inteiro. Em fevereiro de 1974, por exemplo, o telejornal cobriu a reunião dos 13 maiores importadores de petróleo do mundo em Washington. Através de seu correspondente Hélio Costa, e com imagens exclusivas, o *JN* registrou o encontro que buscava soluções para o embargo ao fornecimento de petróleo imposto pelos países árabes membros da Opep.

Revolução Islâmica

Em janeiro de 1979, os islâmicos xiitas do Irã, liderados pelo aiatolá Khomeini, derrubaram o governo do xá Reza Pahlevi e proclamaram a Revolução Islâmica. O movimento vinha desde 1978, quando as diversas correntes de oposição ao xá se uniram sob a liderança de Khomeini – exilado desde 1964 no Iraque e, a partir de 1978, na França. O governo não conseguiu controlar as manifestações de oposição ao regime, o que acarretou a queda e o exílio do xá Reza Pahlevi. As Forças Armadas também aderiram aos revoltosos e, no dia 1º de fevereiro de 1979, Khomeini voltou triunfalmente a Teerã, capital do Irã.

A TV Globo acompanhou todos os acontecimentos. Enquanto Khomeini ainda se encontrava em Paris, a repórter Denise Reis foi a responsável pela cobertura. Logo após a queda do xá, o correspondente Roberto Feith e o cinegrafista José Wilson da Mata foram enviados para o Irã, onde passaram cerca de um mês acompanhando o desenrolar da revolução. O *JN* cobria os eventos diários através do material enviado pelas agências de notícias, enquanto, no Irã, a equipe da Rede Globo se preocupava em fazer reportagens que trouxessem um testemunho particular sobre a revolução.

1. *O repórter Roberto Feith na cobertura da Revolução Islâmica (fev 1979).*

Uma curiosidade da cobertura está relacionada à pronúncia do nome do aiatolá Khomeini. Em Paris, a repórter Denise Reis adotara a pronúncia francesa, que difere da dos demais países. Quando Roberto Feith chegou ao Irã e viu que todos se referiam ao aiatolá como "Romeini", resolveu assumir este padrão. Luís Edgar de Andrade, no entanto, achou que tinha que ser mantida a pronúncia adotada por Denise Reis, que já vinha sendo utilizada pelo *JN* há algum tempo. Passou então a mandar instruções para o escritório de Londres, mas, devido às dificuldades de comunicação, essas instruções nunca chegaram às mãos de Roberto Feith no Irã, que continuou enviando suas reportagens com a pronúncia "Romeini". Quando o repórter voltou para Londres, encontrou uma série de comunicados de Luís Edgar de Andrade, cada vez mais irritados, e soube que suas matérias haviam sido suspensas por "insubordinação".

A Revolução Sandinista e a morte de Bill Stewart

A Nicarágua achava-se, desde setembro de 1978, sob uma intensa guerra civil, que opunha o ditador Anastasio Somoza e a Frente Sandinista de Libertação Nacional, de orientação socialista. Em junho de 1979, quando se intensificou a ofensiva sandinista, o *Jornal Nacional* passou a acompanhar detalhadamente o desenrolar dos acontecimentos, enviando diversos jornalistas para o local.

O correspondente Sérgio Motta Mello lembra que aquela foi uma cobertura complicada: "Como era uma guerrilha, não havia uma linha divisória entre o inimigo e os aliados. As balas podiam vir de qualquer lado. A gente saía em verdadeiras expedições, com bandeira de imprensa e andando em fila indiana para não ser atingido nem pelos guerrilheiros, nem pela guarda nacional, que era o exército do Somoza. Quando estávamos entrando na cidade de Leon, fomos surpreendidos por um avião da Guarda Nacional, que sobrevoou e começou a nos metralhar. Nós descemos do carro e nos escondemos em uma estradinha que tinha uns barrancos. Ficamos lá durante mais de duas horas sendo metralhados. As balas passavam perto e entravam na terra ao nosso lado, levantando poeira."

No dia 8 de junho, Sérgio conseguiu uma entrevista exclusiva com Anastasio Somoza, na qual o ditador afirmava que a situação estava sob controle. No dia 20, entretanto, os sandinistas ocuparam praticamente toda a zona leste da capital, Manágua.

Um dos momentos mais dramáticos da cobertura foi a morte do jornalista norte-americano Bill Stewart. Ao tentar cobrir os combates, o correspondente da rede ABC aproximou-se da região dos conflitos com uma bandeira branca e um intérprete. Um soldado da Guarda Nacional mandou o repórter se ajoelhar, abrir os braços, deitar de bruço e o matou com tiros de metralhadora. A cena da execução foi gravada pelo cinegrafista da equipe norte-americana e foi ao ar no mundo inteiro.

O *Jornal Nacional* exibiu matéria de Sérgio Motta Mello sobre o fato e mostrou quatro vezes a imagem da morte do repórter, precedida do seguinte texto: "As imagens do assassinato do repórter da rede ABC, que estão sendo mostradas esta noite em todo o mundo, são um documento da brutalidade humana." No dia seguinte, o telejornal trazia a repercussão do acontecimento na mídia internacional, além de uma matéria de Hélio Costa, direto de Nova York, sobre a vida profissional do repórter da rede ABC.

No dia 19 de julho, foi noticiada a tomada pelos sandinistas da fortaleza blindada onde vivia Somoza, em uma reportagem do correspondente Luís Fernando Silva Pinto e do cinegrafista Handerson Rohes. Era o fim do conflito e o início de novos tempos na Nicarágua.

2. *Assassinato do jornalista Bill Stewart pela Guarda Nacional do presidente Anastasio Somoza, na Nicarágua (JN, 20 jun 1979).*

5

Consolidação e Transformações Tecnológicas

Crescimento da Rede e Afiliadas

Quando o *Jornal Nacional* estreou, além da emissora do Rio, a Globo possuía outras duas estações de TV: uma em São Paulo e outra em Belo Horizonte. Em 1971, a rede se ampliou com a inauguração da TV Globo de Brasília, canal 10. A emissora, a primeira a se instalar na torre de televisão da capital federal, permitiu o início do sistema de transmissões para Goiânia e outras cidades do estado de Goiás.

A TV Globo de Brasília foi inaugurada em pleno feriado de Tiradentes, 21 de abril. A data mereceu reportagens especiais, realizadas pelos repórteres Eli Moreira, Marília Gabriela e Wilson Ibiapina, que foram exibidas no *Jornal Nacional* e no jornal local. A cobertura foi coordenada por Paulo Mário Mansur, na época diretor executivo da Central Globo de Jornalismo (CGJ).

O primeiro editor regional da emissora em Brasília foi Edison Lobão, substituído logo depois por Humberto Vieira. No começo, a equipe era formada por apenas nove pessoas, entre elas Waldemar Pacheco (chefe de reportagem), Moacir Valadares (editor), Wilson Ibiapina (repórter), Evilásio Carneiro (cinegrafista), Nasi Brun (produtor) e Heitor Ribeiro (apresentador).

A TV Globo de Brasília possuía equipamentos modernos, que permitiam, inclusive, transmissão em cores. Na época, no entanto, a participação de Brasília no *Jornal Nacional* era pequena. Num relatório mensal enviado à CGJ em outubro de 1972, Humberto Vieira contabilizava: "Nossa participação no *Jornal Nacional* limitou-se a 17 reportagens, contra 16 de Recife e 13 de Belo Horizonte. Das 17 reportagens geradas para o *JN*, 12 foram sonoras [apenas um trecho da fala de um entrevistado, sem a participação do repórter]."

Um ano depois de Brasília, foi a vez de Pernambuco. Com estúdios em Olinda, a TV Globo do Recife, canal 13, iniciou as operações no mesmo feriado de 21 de abril, possibilitando à Rede Globo atingir vários estados do Nordeste.

Assim como a TV Globo de Brasília, a emissora do Recife dispunha de modernos equipamentos de transmissão.

Fernando Bittencourt, engenheiro que trabalhou na implantação da nova estação de TV e atual diretor da Central Globo de Engenharia, lembra das dificuldades na época: "Um detalhe que virou folclore foi a remessa dos equipamentos para o Recife. Eu pedia ao Rio e ninguém mandava. Tive então que ir buscar. Fui na sala onde ficavam guardadas as caixas com fones, microfones, cabinhos, enfim, essas coisas pequenas, imprescindíveis para se montar um estúdio e fazê-lo funcionar no dia-a-dia, coloquei tudo numa mala e fui embora."

No dia seguinte à estréia da TV Globo do Recife, foi ao ar às 20h30 a *Buzina do Chacrinha*, primeiro programa transmitido ao vivo e em cores para todo o Brasil pela nova emissora, diretamente do ginásio de esportes Geraldo Magalhães Melo. O primeiro editor regional da TV Globo do Recife foi Raul Varacin. Nesse começo, o departamento de jornalismo contava com 19 profissionais.

Ao longo da década de 1970, para efetivar a montagem da rede, a Globo não se contentou em utilizar o sistema de microondas da Embratel. Investiu na construção de rotas próprias não só para interligar suas emissoras como também para conduzir os sinais dos grandes centros até cidades menores, onde foram instaladas estações retransmissoras.

Ao dispor dessas rotas e dessa malha de repetidoras e retransmissoras, que lhe permitiam alcançar o interior do país, a Globo se colocava numa posição muito superior às suas concorrentes. Ainda assim, parte da sua programação nacional era exibida em fitas de videoteipe remetidas pelas "cabeças de rede" às demais emissoras. A coordenação desse esquema era extremamente penosa. Em alguns locais mais afastados, o tráfego de fitas era feito por estradas mal conservadas e até mesmo rios.

Para garantir a segurança da operação, no início todas as matérias dos estados apresentadas no *JN* eram geradas a partir da sede da emissora, no Rio de Janeiro. A única exceção era São Paulo, que entrava diariamente ao vivo no telejornal não só pela importância da praça, mas pela confiabilidade técnica da operação.

Em casos muito especiais, se não desse tempo para gravar e o assunto fosse importante, Brasília também podia entrar ao vivo no *Jornal Nacional*. O primeiro repórter a participar no *JN* direto de Brasília foi Geraldo Costa Manso, em agosto de 1974. Do Itamarati, ele anunciou que o Brasil estava reatando relações diplomáticas com a China.

O *JN* tinha apresentadores próprios em suas principais sucursais. Em São Paulo, era Lívio Carneiro; em Belo Horizonte, Oliveira Duarte; em Brasília, foram Heitor Ribeiro e, depois, Júlio César; em Recife, Cícero de Moraes.

A Evolução dos Equipamentos

No ínicio dos anos 1970, o jornalismo da Globo começou a usar uma câmera de cinema chamada CP (iniciais do seu fabricante norte-americano Cinema Products). As CPs tinham a vantagem de gravar as imagens e registrar os sons. Eram também menores e mais leves do que as usadas até então. Podiam ser carregadas no ombro e não precisavam da cangalha. O auxiliar do cinegrafista (*sound-recorder*) não tinha mais que transportar o gravador de som, grande e pesado. Sua função passou a ser apenas checar e instalar microfones e acompanhar o trabalho com um fone diretamente conectado à câmera.

Nas palavras do cinegrafista Orlando Moreira, "a CP veio ajudar muito o trabalho na rua. Nas primeiras Auricom, o som era acoplado, o amplificador ficava separado e precisava do operador de som. Tinha sempre um cabo colando você ao operador. Em certas situações, você tinha que correr e era muito difícil."

O teleprompter foi outra importante novidade. Em 1971, a TV Globo começou a usar o aparelho, situado logo abaixo da câmera e que projeta, em letreiros, o texto para o locutor. Com o teleprompter, o apresentador lê com mais naturalidade e olha direto para o telespectador (reforçando o clima coloquial, a idéia de que o locutor está na sala da casa quase conversando com quem está assistindo). Em suas primeiras versões, era eletromecânico e dependia de um operador para rodar o texto impresso numa bobina.

Quando o teleprompter chegou à emissora, ninguém sabia direito como funcionava. Na sua montagem, os técnicos se esqueceram de colocar os espelhos que faziam com que a notícia fosse projetada na altura dos olhos dos locutores. Cid Moreira conta que, como o texto era projetado no alto, os olhos de quem estava lendo apareciam brancos para o telespectador. Foi muito sofrimento até que se percebesse a causa do problema. A direção do telejornal não entendia por que não se conseguia uma leitura natural como a da televisão norte-americana, e começou a cobrar dos apresentadores.

Celso Freitas, que apresentava a parte local do *JN* em Brasília, lembra que, no início, resistiu ao equipamento. "Eu era um pouco avesso ao teleprompter. Porque ele não era operado por nós, apresentadores, mas por um operador, um auxiliar. Até o aperfeiçoamento do manuseio por parte do pessoal, nós ficávamos muito inseguros", conta o apresentador.

A Chegada da Cor

O ano de 1972 foi marcado pela chegada da cor à televisão brasileira. A primeira transmissão colorida ocorreu em rede nacional, via Embratel, no dia 10 de fevereiro. A responsabilidade pela geração das imagens – que registraram a Festa da Uva na cidade de Caxias, no Rio Grande do Sul – não foi da Rede Globo, mas da TV Difusora, com a colaboração técnica da TV Rio e com o apoio das TVs Gaúcha, Piratini e de Caxias. Mas a Globo tornou-se a grande atração do evento ao apresentar, no intervalo dos desfiles de carros alegóricos, artistas famosos de suas novelas e shows.

O engenheiro Herbert Fiuza, que trabalhava na época na Divisão de Engenharia, conta que a cobertura da Festa da Uva foi uma imposição do ministro das

Comunicações, Higino Corsetti: "A Festa da Uva foi um acontecimento para pouquíssima gente. Não interessava para a Globo gastar muito dinheiro na cobertura do evento. Aquilo foi uma exigência do então ministro das Comunicações, que era gaúcho e queria mostrar um evento na sua terra."

Boni lembra que, para os militares, a televisão colorida era importante porque representava um sinal de progresso, mas a iniciativa não interessava à TV Globo no momento. "Nós estávamos saindo do prejuízo e com as cores teríamos de investir. Os militares forçaram a barra. Havia uma posição minha e do Walter Clark de que a implantação seria prematura, que seria uma coisa falsa, porque não havia aparelhos para receber as cores e nem equipamento para produzir em cores."

Antes da Festa da Uva já haviam ocorrido no Brasil transmissões experimentais em cores. Na Copa do Mundo de 1970, por exemplo, boletins diários sobre a seleção brasileira eram transmitidos em cores diretamente do México para todo o Brasil. Mas foi só a partir de 1973 que as reportagens do *Jornal Nacional* passaram a ser produzidas regularmente em filme colorido. A primeira foi em 19 de julho, nos funerais do senador Filinto Müller. O antigo chefe da polícia de Getúlio Vargas morrera num trágico acidente aéreo no qual faleceram outras 122 pessoas, entre as quais o jornalista Julio De Lamare, o piloto de Fórmula 3 Antônio Scavone e o cantor Agostinho dos Santos.

Na época da implementação da televisão colorida no Brasil, houve uma controvérsia sobre qual seria o sistema de cores mais adequado à realidade nacional: o alemão PAL (Phase Alternative Line), o norte-americano NTSC (National Televison System Comitee) ou o francês SECAM (Sequentiel en Coulleurs avec Mémoire). No fim, acabou-se optando por uma adaptação do PAL: o PAL-M.

Ainda em 1970, a Divisão de Engenharia da Rede Globo, então dirigida por Wilson da Silveira Brito, enviou engenheiros, técnicos, coreógrafos e maquiadores à Alemanha para estudarem o uso da cor na televisão. Ao regressar, o grupo buscou transmitir o que tinha aprendido a outros profissionais.

O aprendizado no entanto era árduo, e havia muitos problemas técnicos a enfrentar. Um deles foi o uso do *chromakey*. No *Jornal Nacional*, por exemplo, várias vezes o azul do *chroma* passou para os cabelos grisalhos do apresentador Cid Moreira. Para tentar solucionar dificuldades desse tipo, a empresa Colortran, especializada em equipamentos de iluminação, fez uma série de seminários para os técnicos da Rede Globo, acabando por sugerir que se mudasse a tonalidade azul do *chroma* e que os locutores não usassem camisas brancas e ternos em cores que se misturassem com o azul. Cid Moreira, normalmente queimado de sol por jogar tênis, teve que usar roupas em tons pastéis a fim de compensar a luz e permitir uma iluminação equilibrada.

No começo, empolgados com a novidade, os apresentadores ousavam nas cores e nas padronagens dos ternos. Cid Moreira lembra que chegou a usar paletós verdes, cor-de-abóbora e quadriculados. Mas a euforia do colorido logo passou: em 1975 a direção de jornalismo da Globo designou um profissional especializado para escolher as roupas que os locutores e repórteres deveriam usar para aparecer na tela.

1

2

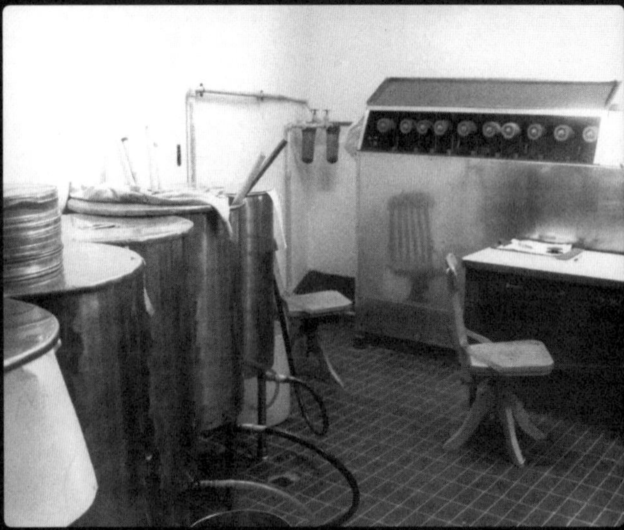

3

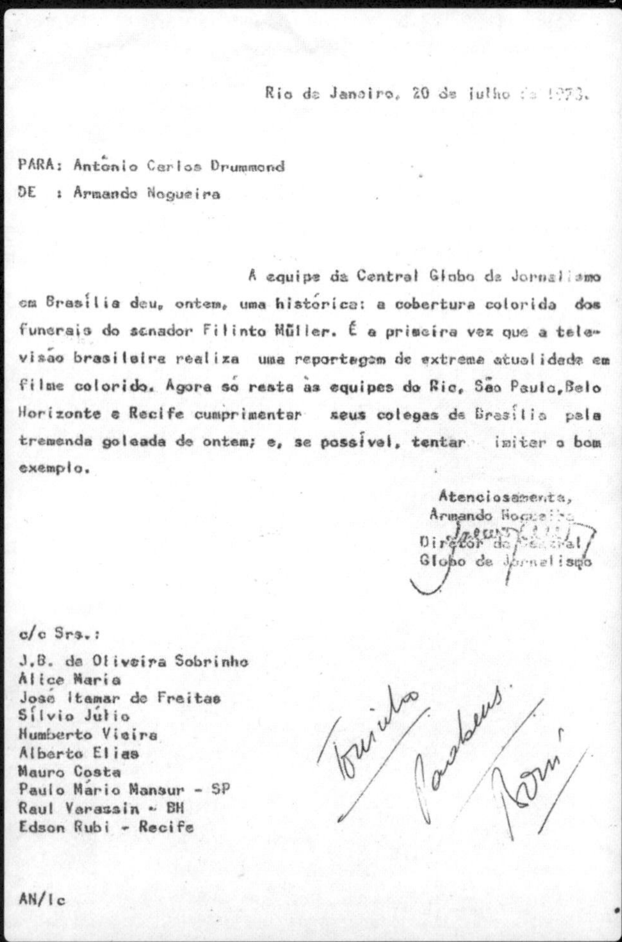

Rio de Janeiro, 20 de julho de 1973.

PARA: Antônio Carlos Drummond

DE : Armando Nogueira

A equipe da Central Globo de Jornalismo em Brasília deu, ontem, uma histórica: a cobertura colorida dos funerais do senador Filinto Müller. É a primeira vez que a televisão brasileira realiza uma reportagem de extrema atualidade em filme colorido. Agora só resta às equipes do Rio, São Paulo, Belo Horizonte e Recife cumprimentar seus colegas de Brasília pela tremenda goleada de ontem; e, se possível, tentar imitar o bom exemplo.

Atenciosamente,
Armando Nogueira
Diretor da Central
Globo de Jornalismo

c/c Srs.:

J.B. de Oliveira Sobrinho
Alice Maria
José Itamar de Freitas
Sílvio Júlio
Humberto Vieira
Alberto Elias
Mauro Costa
Paulo Mário Mansur - SP
Raul Varassin - BH
Edson Rubi - Recife

Toninho
Parabens.
Boni

AN/lc

1. Primeira transmissão em cores na televisão brasileira. Festa da Uva, em Caxias do Sul: Heron Domingues, Tônia Carrero e Francisco Cuoco (19 mar 1972).

2. Laboratório para revelação de filme (s/d).

3. Armando Nogueira parabenizando a equipe de jornalismo de Brasília pela primeira matéria em cores no *Jornal Nacional* (20 jul 1973).

Carnaval

A Rede Globo começou a cobrir a maior festa popular do Brasil em 1966, transmitindo o desfile das escolas de samba do Rio de Janeiro, realizado na avenida Presidente Vargas, no centro da cidade. Anos depois, passou a mostrar também o desfile em São Paulo e reportagens sobre o carnaval em diferentes regiões do país. A evolução da cobertura, cada vez com profissionais mais capacitados e recursos tecnológicos mais sofisticados, acompanhou as mudanças que o próprio carnaval sofreu ao longo dos anos.

A cobertura do desfile das escolas de samba em 1966 foi feita com poucos recursos técnicos. Herbert Fiuza, diretor de engenharia naquela época, recorda a ousada iniciativa de Walter Clark, então diretor-geral da Rede Globo: "Nós não tínhamos o que na época era chamado de caminhão de 'externa', então fomos obrigados a contratar um caminhão de mudanças e montar nele uma central. As câmeras eram pesadíssimas, eram as TK-60 de estúdio. Para alinhar o microondas da avenida Presidente Vargas para a torre do Sumaré – o que o pessoal da TV Tupi, TV Rio e TV Excelsior fazia com o pé nas costas – levávamos horas!" Além dos desfiles, a primeira cobertura do carnaval da TV Globo incluiu os blocos cariocas no centro do Rio e o baile do Copacabana Palace.

No ano seguinte, a inexperiência foi substituída por uma engenhosa invenção de Walter Clark: as "Globetes". Com apenas uma câmera portátil e algumas motocicletas, a Globo criou a ilusão de que várias equipes cobriam o carnaval do Rio de Janeiro simultaneamente em diversos pontos da cidade. O jornalista Alfredo Marsillac desvenda o segredo: "A 'Globete' nada mais era do que uma câmera portátil Auricom. Nós só tínhamos uma Auricom. E para dar importância a essa 'Globete', inventamos que eram várias: 'Globete' nº1, nº2, nº3, nº10, nº20... O cinegrafista gravava em um determinado lugar com o repórter e o motoqueiro levava imediatamente a matéria para a televisão. Enquanto isso, aquela mesma câmera ia fazer outra matéria, em outro lugar, com outro repórter. Outro motoqueiro já estava lá esperando."

A partir da década de 1970, o *Jornal Nacional* apostou na ampla cobertura do carnaval. As reportagens sobre os blocos tradicionais do Rio de Janeiro, o frevo das festas em Olinda e as escolas de samba mais famosas das capitais são expressões deste cuidado editorial.

O jornalista José Amilcar, diretor de jornalismo da TV Aratu da Bahia na década de 1980 (e mais tarde editor de política da Rede Globo), aponta o *Jornal Nacional* como o veículo mais importante na divulgação das grandes manifestações culturais nordestinas: "Elas ganharam peso e dimensão a partir do momento que apareceram no telejornal. Eu lembro perfeitamente que o carnaval da Bahia era bem menor. Quando começou a entrar no *Jornal Nacional*, por volta de 1979 e 1980, virou uma coisa grande. O que acontecia? Aumentava o número de trios elétricos, novos ritmos surgiam. Os clubes afros – o Ilê Ayê, Badauê, Filhos de

1. *O repórter José Raimundo na Praça Castro Alves, na cobertura do carnaval de Salvador (JN, 9 fev 1991).*

2. *A repórter Isabela Assumpção no desfile da escola de samba Passos de Ouro, em São Paulo (JN, 9 fev 1991).*

Gandhi, Olodum – começaram a aparecer no *Jornal Nacional*, ao lado de outras manifestações culturais – como a festa de Cachoeira, de Santo Amaro, e a Guerra de Espadas, de Cruz das Almas etc."

Ao longo da década de 1970, as reportagens sobre carnaval tornaram-se mais ágeis e elaboradas. As pesadas câmeras TK-60 – geralmente usadas em estúdios de cinema – já haviam sido substituídas por câmeras portáteis e unidades móveis de jornalismo. Nos anos 1980, durante os quatro dias de festa, pelo menos um bloco inteiro do *JN* era dedicado à cobertura carnavalesca.

O aparato tecnológico da Rede Globo também se aperfeiçoava. No dia 13 de fevereiro de 1988, o *Jornal Nacional* levou ao ar uma reportagem especial sobre a infra-estrutura da TV Globo na transmissão do desfile das escolas de samba do Rio de Janeiro. No quadro foram mostrados a engenharia da produção, o trabalho da equipe de 400 profissionais envolvidos e os diversos pontos das câmeras no Sambódromo. O bloco fechou com a apresentação dos novos efeitos gráficos criados especialmente para a transmissão.

Com o incremento dos recursos tecnológicos, a cobertura do carnaval se tornou mais abrangente. O *JN* passou a cobrir as festas carnavalescas de vários pontos do país, com passagens ao vivo de uma cidade a outra e tomadas aéreas das multidões. No carnaval de 1991, o telejornal percorreu Porto Alegre, Curitiba, Ouro Preto, Canoa Quebrada e Fortaleza.

Em 1991, Hans Donner idealizou uma vinheta para a cobertura do carnaval em que as modelos Mônica Santos e Valéria Valenssa requebravam ao som do "Samba da Globo", composto por Jorge Aragão e Franco Lattari e cantado por Quinho, intérprete do Salgueiro. Em 1992, a vinheta teve como protagonista a passista Patrícia Moreira, mas já no ano seguinte, Valéria Valenssa assumiu em definitivo o posto de "Mulata Globeleza". Todos os anos, durante a produção das vinhetas, o corpo nu de Valéria é pintado. O processo dura cerca de 12 horas. Sobre as imagens da modelo dançando diante das câmeras é inserida uma série de recursos visuais.

O "Carnaval Globeleza" se tornou marca-registrada da cobertura da emissora. A cada ano, a equipe de Hans Donner desenvolve vinhetas com novos efeitos especiais. Na década de 1990, a equipe do designer começou a investir também na criação de efeitos gráficos, como desenhos de instrumentos da bateria, que passaram a funcionar como adornos para as imagens dos desfiles.

No século XXI, o *Jornal Nacional* seguiu noticiando os principais carnavais do Brasil e suas inovações técnicas. O uso da tecnologia a favor do espetáculo foi tema da edição de 6 de fevereiro de 2002. O telejornal fez um balanço dos efeitos especiais que as escolas de samba preparavam para o desfile. Eram inovações dirigidas tanto ao público presente na passarela quanto ao espectador da TV. Na verdade, os carnavalescos perceberam que desfilavam pelo asfalto diante de milhares de pessoas, mas que eram vistos, de longe, por milhões de espectadores no Brasil e no exterior. E o *Jornal Nacional* tem sido uma verdadeira vitrine do que há de melhor na festa que contagia o mundo inteiro.

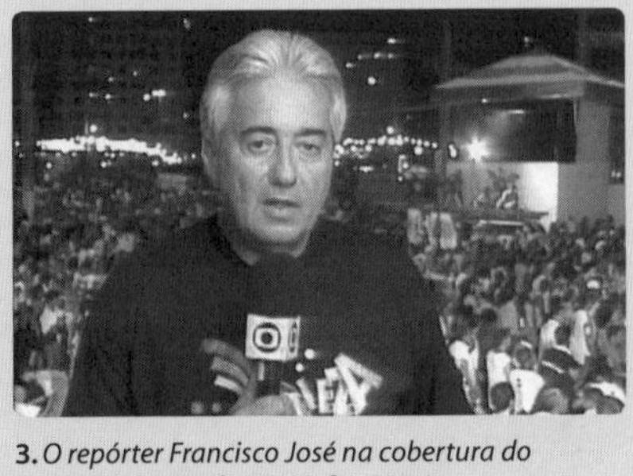

3. *O repórter Francisco José na cobertura do carnaval em Recife (JN, 23 fev 2001).*

4. *O repórter Arnaldo Duran na concentração da escola de samba Tradição no Sambódromo do Rio de Janeiro (JN, 23 fev 2004).*

6

O Esporte nos Primeiros Anos do Jornal Nacional

No final da década de 1960, o esporte ainda não era uma das vertentes principais do jornalismo da TV Globo. Embora os telejornais exibissem matérias sobre futebol e alguns outros esportes, produzidas pelo jornalista Luís Alberto, não havia propriamente cobertura esportiva, a não ser em eventos de repercussão internacional.

Nos anos seguintes, com a criação de uma Divisão de Esportes pelo jornalista Julio De Lamare e a chegada de novos profissionais, o esporte começou a ganhar mais espaço no *Jornal Nacional* e na programação da Rede Globo como um todo.

COPA DO MÉXICO

A transmissão do mundial de futebol, em 1970, foi um marco na história da televisão brasileira. Pela primeira vez os telespectadores puderam assistir aos jogos ao vivo, transmitidos por um *pool* de redes brasileiras de TV, entre elas a Globo. O público acompanhou em tempo real cada drible, cada lance, cada gol dos principais times do mundo e da "seleção canarinho", apelido criado pelo locutor Geraldo José de Almeida.

Durante as transmissões dos jogos e boletins, a Rede Globo alcançou altos índices de audiência. O jogo contra a Inglaterra, exibido em 10 de junho, por exemplo, atraiu mais telespectadores do que a transmissão da chegada do homem à Lua no ano anterior. A notícia de que os jogos seriam exibidos ao vivo pela televisão provocara uma corrida às lojas de eletrodomésticos, que venderam milhares de televisores nos meses que antecederam à Copa.

A TV Globo enviou ao México uma equipe pequena – formada por Armando Nogueira, o locutor Geraldo José de Almeida e o cinegrafista Gabriel

Condorfi – que acompanhava os treinos da seleção, a rotina dos jogadores na concentração e os principais jogos. As informações eram noticiadas em boletins diários. No *Jornal Nacional*, era exibido um bloco especial apresentado por Armando Nogueira diretamente da Cidade do México, mostrando os preparativos da seleção brasileira para os jogos e os principais destaques da competição.

Para acompanhar o Mundial no México, a Globo também contratou como comentarista João Saldanha. Técnico da seleção desde fevereiro de 1969, Saldanha havia sido demitido três meses antes. Resultados decepcionantes em amistosos e uma série de outros incidentes contribuíram para o seu afastamento, mas – segundo comentários da época – o fator decisivo da demissão seria o presidente Garrastazu Médici, que teria criticado a não-convocação do atacante Dario, o Dadá Maravilha. Ao ser indagado sobre sua opção, Saldanha mandara um recado ao presidente: "Eu não escalo o seu ministério e o senhor não se mete no meu time."

João Saldanha foi substituído por Mário Jorge Lobo Zagallo. A seleção brasileira ganhou o tricampeonato e, como primeiro país a vencer três vezes a competição, conquistou a posse definitiva da Taça Jules Rimet. O troféu viria a ser roubado em dezembro de 1983 da sede da Confederação Brasileira de Futebol (CBF), no Rio de Janeiro.

Jogos Olímpicos de Munique

As Olimpíadas de 1972 foram as primeiras apresentadas pela Rede Globo. Para cobrir as competições, a emissora enviou uma equipe de sete jornalistas, que se dividiu entre e Madri. Julio De Lamare e Léo Batista estabeleceram base na capital espanhola, de onde era gerado diariamente o boletim produzido e editado pela OTI (Organização de Televisões Ibero-americanas). Geraldo José de Almeida, Luciano do Valle e Ciro José foram para , de onde narravam e comentavam os jogos de futebol e basquete. A equipe contava ainda com Luiz Carlos Sá, responsável pela parte administrativa da cobertura, e Myriam De Lamare, produtora.

Assim como na Copa do México, o *Jornal Nacional* apresentava diariamente um bloco especial com notícias dos Jogos Olímpicos. A Rede Globo havia comprado da TV alemã os direitos de transmissão das competições. Foram geradas imagens de alta qualidade, graças ao uso de diferentes recursos técnicos, como o posicionamento de câmeras em diversos ângulos, inclusive embaixo d'água, e o *slow motion* (câmera lenta). Merece destaque também a instantaneidade das transmissões de algumas provas, exibidas ao vivo.

Nessa ocasião foram utilizados pela primeira vez computadores que registravam e comparavam tempos e distâncias, além de permitirem que o público tivesse acesso às mais variadas informações, como os resultados das Olimpíadas

1

2

3

4

5

MÚSICA

Sitar e Sinfonia

A TEMPORADA

São Paulo canta no Rio

As Confissões de Nelson Rodrigues

OS JOGOS OLÍMPICOS CONTINUAM HOJE

na sua casa pela

REDE GLOBO

1 h da tarde

1º boletim no Jornal HOJE

7.45 da noite

2º boletim no JORNAL NACIONAL

10.30 da noite

3º boletim no JORNAL INTERNACIONAL

11 h da noite

Cobertura completa com 1 h de duração focalizando todos os acontecimentos do dia.

PASSE NA CAIXA.

Caixa Econômica Federal

6

1. Gérson, o canhotinha de ouro, comemorando o tri na Copa do México (1970).

2. O capitão da seleção brasileira Carlos Alberto Torres beijando a taça Jules Rimet na Copa do México (1970).

3. Geraldo José de Almeida, locutor esportivo (s/d).

4. João Saldanha como comentarista esportivo (s/d).

5. Anúncio da programação dos Jogos Olímpicos no *Jornal Nacional* (10 ago 1972).

6. Julio De Lamare, diretor da Divisão de Esportes (1973).

anteriores, os regulamentos oficiais de cada esporte e até mesmo os perfis de cada um dos 7.000 atletas presentes no evento. Nas competições de atletismo, por exemplo, a cronometragem deixou de ser feita manualmente como nos Jogos anteriores: três câmeras, situadas perto da linha de chegada, foram responsáveis por indicar os vencedores e seus respectivos tempos.

A delegação brasileira, entretanto, não teve bom desempenho. Com 91 atletas em 13 modalidades esportivas, levou para casa apenas duas medalhas de bronze. Nelson Prudêncio, que já havia conquistado a prata nas Olimpíadas do México, em 1968, ficou em terceiro lugar no salto triplo; e Chiaki Ishii conquistou a primeira medalha do judô brasileiro.

As Olimpíadas de foram marcadas por incidentes políticos dramáticos. Quinze dias após o início dos Jogos, oito guerrilheiros da organização terrorista palestina Setembro Negro invadiram o prédio da delegação de Israel e fizeram 11 atletas reféns. Exigiam a libertação de 250 presos palestinos, mas o governo israelense recusou-se a atender à reivindicação. Depois de um dia inteiro de negociações, três helicópteros decolaram da Vila Olímpica em direção ao aeroporto de Fuerstenfeldbruck, onde estava o avião que levaria os palestinos e os atletas reféns para a Tunísia. Após a aterrissagem, atiradores de elite do exército alemão começaram um grande tiroteio, imediatamente respondido pelos seqüestradores. Logo depois, ouviu-se uma explosão dentro de um helicóptero e rajadas de tiros que mataram os atletas israelenses.

O atentado suspendeu durante um dia as competições e provocou imensa consternação mundial. O ataque fora tão bem planejado que, na hora, nenhum jornalista desconfiou de nada. Luciano do Valle, que no momento do atentado estava na porta da Vila Olímpica conversando com Edvar Simões, jogador da seleção brasileira de basquete, só tomou conhecimento do fato horas mais tarde. Devido ao ato terrorista, nas Olimpíadas seguintes passou a ser proibida a livre circulação dos repórteres na Vila Olímpica.

Criação da Divisão de Esportes

Um marco importante no processo de fortalecimento do jornalismo esportivo na Rede Globo foi a criação da Divisão de Esportes por Julio De Lamare, em abril 1973. A proposta era incrementar a cobertura com modalidades esportivas como Fórmula 1, boxe, tênis, entre outras. Até então o noticiário esportivo da Globo se resumia ao futebol, mais especificamente à transmissão de gols das partidas realizadas ao longo da semana. Mas mesmo esse tipo de operação ainda era precário. Como os cinegrafistas utilizavam câmeras de cinema, não era possível gravar os jogos na íntegra. Às vezes perdia-se o registro de um gol porque a câmera estava desligada.

De Lamare, entretanto, não conseguiu consolidar seu trabalho. Em julho daquele mesmo ano, embarcou para Londres com o comentarista Antônio Scavone. Escalado para transmitir o Grande Prêmio de Fórmula 1 da Inglaterra, morreria no mesmo acidente aéreo – próximo ao aeroporto de Orly, na França – que vitimou o senador Filinto Müller.

Com a morte de De Lamare, o esporte da TV Globo ficou a cargo de Rui Viotti. A Divisão tinha equipe própria, ocupando uma sala numa casa vizinha à emissora, no Jardim Botânico. O principal problema era a falta de recursos. O esporte sequer dispunha de câmera exclusiva e precisava pedir o equipamento à chefia de reportagem do jornalismo, disputando-o com as demais editorias.

7

O Dia-a-Dia da Produção

A Estrutura da Central Globo de Jornalismo

Nos primeiros anos da década de 1970 a Rede Globo já contava, em todo o Brasil, com cerca de 150 profissionais da notícia (entre editores, locutores, repórteres e cinegrafistas) na produção do *Jornal Nacional.* O telejornal começava a ser elaborado às 6h, com a montagem da pauta. Logo em seguida, as equipes iam para a rua realizar reportagens, tarefa difícil na época em função da complexidade do equipamento (câmeras, luzes, microfones etc.), que ainda não era totalmente portátil.

De volta à redação, enquanto os repórteres preparavam os textos, as imagens iam sendo reveladas e logo encaminhadas para os editores de texto e de imagem, que começavam o trabalho principal no início da tarde.

O noticiário nacional do *JN* era editado por Edson Ribeiro, Sílvio Julio Nassar, Renato Klos e Ronan Soares. Paralelamente, outra parte da equipe, com Meg Cunha à frente, recebia e editava o noticiário internacional, com informações das agências e as imagens via satélite. Também à tarde começavam a chegar, via microondas do sistema Embratel, as matérias das sucursais e das afiliadas, que eram vistas ou modificadas pelos editores nacionais de acordo com o tempo disponível no telejornal do dia. As mais longas eram "enxugadas", para que o telejornal não perdesse o ritmo e para que o maior número possível de praças pudesse participar.

Tudo deveria estar pronto até as 19h, quando o diretor de imagem, Alfredo Marsillac, como um piloto de boeing, checava os últimos detalhes para garantir a normalidade da operação. Nessa altura, os apresentadores Cid Moreira e Sergio Chapelin já estavam no estúdio se familiarizando com os textos, podendo inclusive sugerir uma ou outra alteração capaz de melhorar a sonoridade das frases.

Às 19h45, em ponto, o *Jornal Nacional* entrava no ar. O trabalho, no entanto, não terminava aí. Glória Maria conta que, mesmo depois de o jornal já estar sendo exibido, os repórteres não iam embora da redação: "Na hora do *Jornal Nacional*, sentávamos em volta da televisão, cada um atento à sua matéria, e, quando saía tudo legal, todo mundo batia palmas. Só saíamos da Globo às nove da noite, porque depois do jornal fazíamos uma reunião para comentar o que havia sido feito naquele dia e discutir o dia seguinte. As pessoas viviam dentro da redação do *Jornal Nacional*."

Nesse época, a editora-chefe do *JN* era Alice-Maria e o chefe de redação, Nilson Viana. No comando da produção do telejornal estava Luís Edgar de Andrade e na chefia de redação, Mauro Costa. Todo o processo era supervisionado por Armando Nogueira, diretor da Central Globo de Jornalismo.

A Preocupação com o Texto

O texto do *Jornal Nacional*, apesar de manter um certo grau de formalidade, sempre buscou um tom coloquial e o fácil entendimento, se afastando da pomposidade que até então caracterizava o telejornalismo. Em geral, era feito de frases curtas e simples, pois o noticiário era redigido para ser lido de forma alternada pelos apresentadores.

Egresso da imprensa escrita, tendo se formado na histórica redação do *Diário Carioca*, Armando Nogueira sempre se preocupou com a elaboração dos textos dos programas jornalísticos da TV Globo, em especial do *Jornal Nacional*. Apesar de, nos primeiros anos, ter buscado enfatizar a importância da imagem para a informação, logo resolveu fazer uma campanha pela valorização da palavra. Segundo ele, a decisão foi tomada quando percebeu que os jornalistas estavam reduzindo o texto a sua expressão mais simples, banalizando o idioma e empobrecendo a linguagem.

Em 1975, Armando Nogueira e Alice-Maria resolveram sistematizar algumas normas básicas de redação num pequeno manual. Eram seis páginas mimeografadas, que traziam algumas regras sobre como escrever para televisão. O texto ali era considerado um elemento fundamental para a compreensão dos fatos, desempenhando papel que não era secundário.

O diretor da CGJ se preocupava tanto com o texto que costumava, ele próprio, fazer anotações à mão nos scripts dos telejornais. Algumas vezes, comentava o conteúdo das matérias: a ausência de alguma informação relevante, de algum detalhe curioso. Mas em geral suas observações eram sobre a redação e o estilo. Recomendava que os textos fossem curtos e objetivos e estimulava o uso de palavras mais elaboradas. Afinal, a preocupação com a linguagem coloquial não deveria tornar o vocabulário pobre e vulgar, como dizia.

A repórter Glória Maria conta que todos os textos do *JN* passavam pelo crivo de Armando Nogueira. "Ele era perfeccionista", afirma ela, "tinha paixão pela palavra, não admitia adjetivos. Todos nós, repórteres, que passamos por esse período, éramos obrigados a escrever bem, do contrário a matéria não ia ao ar".

Armando Nogueira recomendava moderação no uso do plural para evitar o chiado característico do sotaque carioca. Sugeria também que os jornalistas evitassem o *que* e o *um*, quase sempre dispensáveis.

Os jornalistas ouviam com atenção os conselhos de Armando e também de Alice-Maria. Uma das recomendações era para que o editor "balbuciasse" as palavras que ia escrevendo, falando enquanto redigia para sentir o ritmo e a sonoridade da frase. Era preciso saber se soava bem na boca do locutor e se seria agradável ao ouvido do telespectador. Se não fluísse bem para a respiração do editor, imaginem para o apresentador. Naturalmente essas diretrizes resultavam em períodos mais curtos, no texto distribuído em maior número de frases. Outra prática importante era evitar informações supérfluas, já que o excesso de detalhes fazia com que o telespectador se esquecesse dos dados essenciais contidos no coração da matéria. Era um exercício constante e instigante.

"Quem mais procurava dar um padrão aos repórteres era, indiscutivelmente, Alice-Maria. Ela se preocupava bastante que a linguagem fosse direta e coloquial, que as frases não fossem longas para facilitar a comunicação, que a adjetivação fosse evitada e que a imagem fosse priorizada. Os ensinamentos que eu tive dessa época me servem com grande valia até hoje. Esse padrão foi bom porque a televisão era algo novo e precisava criar um padrão de qualidade. Isso marcou sempre a TV Globo", lembra-se Roberto Cabrini.

O rigor estilístico de Armando Nogueira continuou vivo na década seguinte. Em memorando datado de 24 de outubro de 1983, ele se dizia preocupado com a qualidade do texto nos telejornais. Segundo Armando, com a renovação do pessoal e o aumento do contingente de editores e repórteres, parte dos profissionais da Rede Globo não tinha conhecimento das normas de redação tradicionalmente adotadas pela emissora. Por isso, informava que o editor-chefe nacional, Luís Edgar de Andrade, iria realizar, nos dois meses seguintes, um trabalho de atualização na "arte de escrever notícia para televisão" dirigido aos profissionais do Rio de Janeiro, Brasília, São Paulo, Belo Horizonte e Recife. Finalizando o documento, afirmava: "A direção da CGJ propõe a todos os colegas que o ano de 1984 seja, entre outras coisas, o ano do texto no telejornalismo."

Por essa mesma época, Armando Nogueira incumbiu Luís Edgar de Andrade de coordenar a confecção de um novo manual de redação e estilo. Ele achava que a sistematização das normas facilitaria sua assimilação por parte dos profissionais da Rede Globo. O manual ficou pronto em 1984 e ganhou uma versão impressa. Por toda a década seguinte serviu como um guia prático para os profissionais da emissora.

1

2

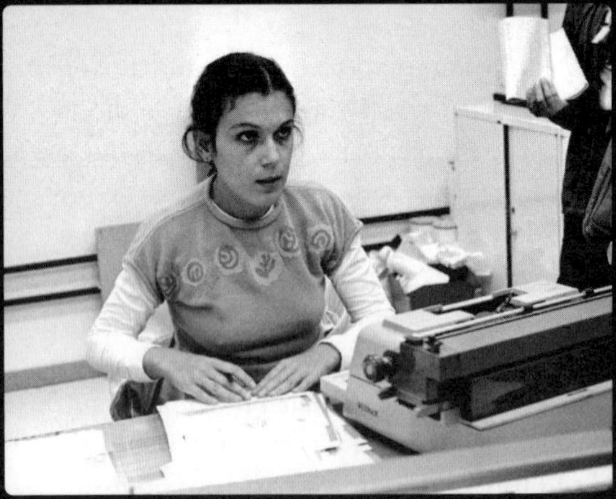

3

4

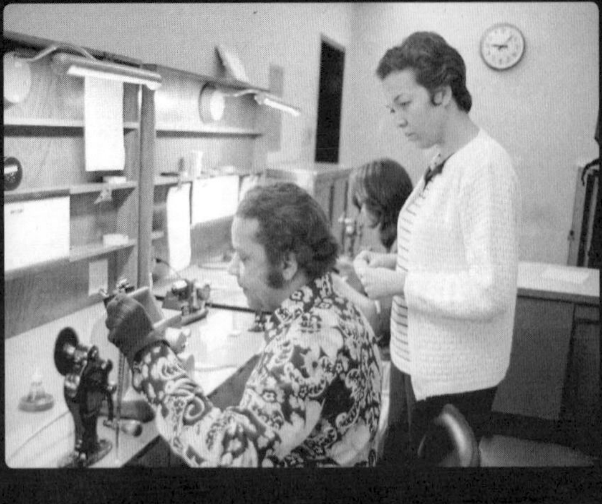

1. Auderi Alencar, Sílvio Julio Nassar, Alice-Maria e Alfredo Marsillac no controle mestre (década de 1970).

2. Meg Cunha na redação do *Jornal Nacional* (17 set 1979).

3. Alice-Maria ao telefone com quadro de afiliadas ao fundo (set 1979).

4. João Mello e Alice-Maria editando o *Jornal Nacional* na moviola (década de 1970).

1

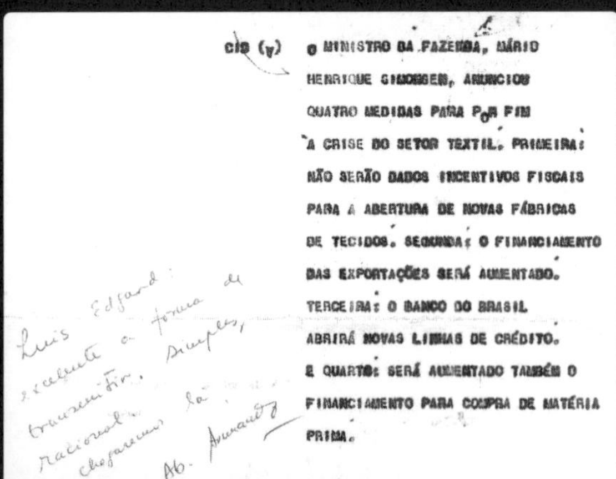

CIS (V) O MINISTRO DA FAZENDA, MÁRIO
HENRIQUE SIMONSEN, ANUNCIOU
QUATRO MEDIDAS PARA PÔR FIM
À CRISE DO SETOR TEXTIL. PRIMEIRA:
NÃO SERÃO DADOS INCENTIVOS FISCAIS
PARA A ABERTURA DE NOVAS FÁBRICAS
DE TECIDOS. SEGUNDA: O FINANCIAMENTO
DAS EXPORTAÇÕES SERÁ AUMENTADO.
TERCEIRA: O BANCO DO BRASIL
ABRIRÁ NOVAS LINHAS DE CRÉDITO.
E QUARTO: SERÁ AUMENTADO TAMBÉM O
FINANCIAMENTO PARA COMPRA DE MATÉRIA
PRIMA.

Luis Edgard: excelente a forma de transmitir. Simples, racional. Chegaremos lá.
Ab. Armando

2

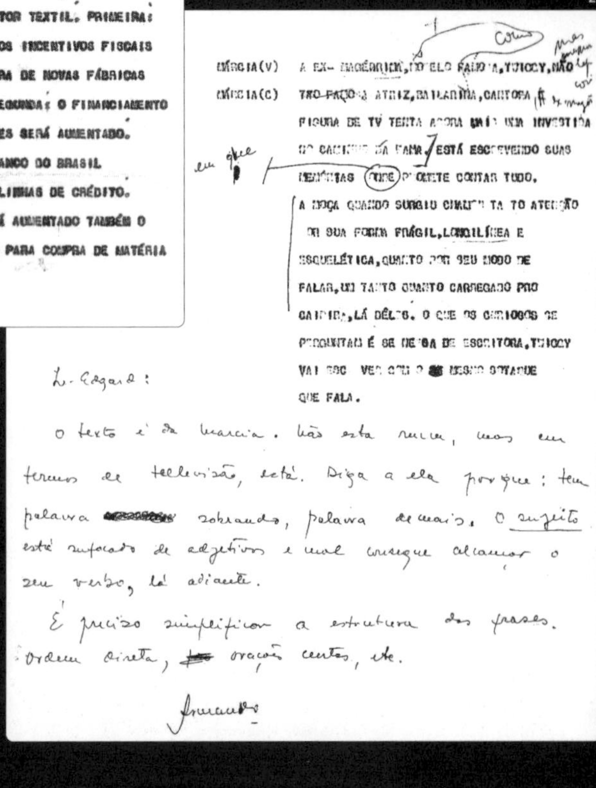

MÁRCIA(V) A EX-MANEQUIM, MODELO FAMOSA, TWIGGY, NÃO
MÁRCIA(C) [illegible] ATRIZ, BAILARINA, CANTORA
FIGURA DE TV TENTA AGORA MAIS UMA INVESTIDA
NO CAMINHO DA FAMA. ESTÁ ESCREVENDO SUAS
MEMÓRIAS ONDE PROMETE CONTAR TUDO.
A MOÇA QUANDO SURGIU CHAMOU TANTO ATENÇÃO
POR SUA FORMA FRÁGIL, LONGILÍNEA E
ESQUELÉTICA, QUANTO POR SEU MODO DE
FALAR, UM TANTO QUANTO CARREGADO PRO
CAIPIRA, LÁ DÊLES. O QUE OS CURIOSOS SE
PERGUNTAM É SE DE TOGA DE ESCRITORA, TWIGGY
VAI ESCREVER COM O MESMO SOTAQUE
QUE FALA.

L. Edgard:

O texto é da Marcia. Não está ruim, mas em termos de televisão, está. Diga a ela porque: tem palavra sobrando, palavra demais. O sujeito está sufocado de adjetivos e mal consegue alcançar o seu verbo, lá adiante.

É preciso simplificar a estrutura das frases. Ordem direta, orações curtas, etc.

Armando

JN

1. Armando Nogueira na bancada do *Jornal Nacional* com Cid Moreira (set 1979).

2. Scripts com observações de Armando Nogueira (s/d).

PARTE II [1974-1983]

O JN em Época de Abertura Lenta e Gradual

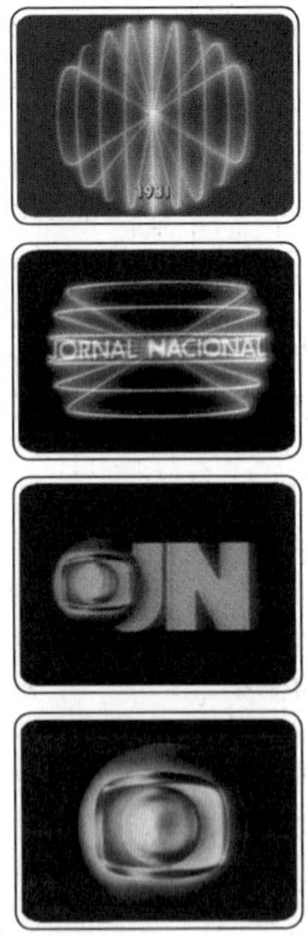

1

Jornalismo em Tempos de Distensão

NOTICIÁRIO DE BRASÍLIA GANHA MAIS ESPAÇO

O general Ernesto Geisel, quarto presidente do Brasil desde o golpe militar, tomou posse em 15 de março de 1974, iniciando uma abertura política controlada, definida por ele mesmo como "lenta, gradual e segura". Logo no começo, diminuiu a severa ação da censura sobre os meios de comunicação e garantiu a realização, em novembro daquele ano, de eleições livres para senadores e deputados.

A chegada de Geisel ao poder representou um novo tempo para o *Jornal Nacional*. Durante o governo anterior, do general Emilio Garrastazu Médici, o jornalismo político tinha pouca expressão no telejornal e nos outros programas da TV Globo. Em conseqüência, o escritório de Brasília praticamente não participava da programação de rede. A sucursal produzia quase que exclusivamente o noticiário local, cobrindo os acontecimentos e problemas da cidade.

A repórter Marilena Chiarelli lembra que, naquela época, trabalhava-se com o *press-release*, ou seja, com a nota oficial, em decorrência da forte censura: "Você chegava na porta de um ministério, ficava esperando. Aí de repente o assessor de imprensa chegava com o *release* pronto. Todos os jornalistas de televisão, rádio e imprensa escrita recebiam o mesmo texto. Era muito difícil dar um furo, uma informação exclusiva. O repórter não tinha nenhuma margem de negociação. Você tinha que pegar aquele *press-release* e transformar numa matéria que seria exatamente igual à da *Folha de S. Paulo*, de *O Globo*, do *Estado de S. Paulo* ou de outra emissora de televisão. Quando havia entrevista, era uma coletiva: a mesma para todo mundo. Não tinha como escapar. Era uma relação de pouca liberdade."

Em março de 1973, quando assumiu o cargo de diretor de jornalismo da TV Globo no Distrito Federal, Antônio Carlos Drummond (conhecido como Toninho Drummond) havia recebido justamente a orientação de mudar aquele estado de coisas, aumentando a participação da capital federal nos telejornais de rede e incrementando o noticiário político. Vivia-se ainda, no entanto, um momento difícil da política nacional. Toninho Drummond conta que, assim que assumiu o cargo, pediu uma audiência com o assessor de imprensa do presidente Médici, Carlos Fehlberg, mas não foi recebido.

Só mesmo depois da posse de Geisel, quando Humberto Esmeraldo Barreto assumiu a assessoria da Presidência, é que as relações do jornalismo com o governo melhoraram. A partir desse momento, os repórteres da Rede Globo passaram a cobrir diariamente o Congresso Nacional, o Palácio do Planalto e os ministérios. O jornalismo na capital federal desenvolveu-se e a sucursal aumentou sua equipe de jornalistas.

Marilena Chiarelli fala da importância de Toninho Drummond nesse processo: "Poucas pessoas têm noção do que ele representou na abertura democrática da Globo e do próprio país. Quando mudou do Médici para o Geisel, Toninho tentou estabelecer uma relação diplomática com o governo e, com aquele jeito mineiro, foi conseguindo as coisas. Como a Globo praticamente não tinha concorrentes, era muito visada pelos militares. E o Toninho foi muito importante no processo de abrir brecha para a TV Globo. E quando você fala de abrir brecha para a TV Globo, você está falando em abrir brecha para o país inteiro. Afinal, o Brasil inteiro assistia ao *Jornal Nacional*."

O repórter Álvaro Pereira tem opinião semelhante: "Eu acho que o papel fundamental do Toninho foi construir espaço para o jornalismo político na Rede Globo. Acho que foi importante que fosse um mineiro, com aquela habilidade que geralmente os mineiros têm para conduzir as questões políticas. E ele soube fazer isso com muita discrição. Criou-se em Brasília o hábito da reportagem política num período de transição, em que a democracia ainda não estava estabelecida no Brasil. Era preciso ter um certo jogo de cintura: avançar, mas no tempo certo e na medida certa, para também não provocar retrocesso. O governo estava sempre muito atento, muito alerta. Não havia liberdade de expressão no Brasil; isso foi sendo conquistado gradualmente. E a Globo passava por um processo de vigilância maior que qualquer órgão de imprensa. A gente tinha que trabalhar num terreno muito minado. Tinha que ter muito cuidado até com as palavras, para não ferir suscetibilidades. Tínhamos que dar as informações com uma certa cautela para não provocar resistências ainda maiores do regime militar ao trabalho que a gente estava fazendo. Então, o Toninho teve um papel importante de estabelecer o equilíbrio, definindo os limites que nós podíamos percorrer naquele momento de transição e sempre construindo mais espaço, sempre avançando."

Naquela época, o chefe de redação de Brasília era Carlos Henrique; o chefe da edição, Wilson Ibiapina; e o de reportagem, Waldemar Pacheco. Os principais cinegrafistas eram Normando Parente, Evilásio Carneiro, Hélio Couto e Paulo Guerra. Entre os repórteres, estavam Marilena Chiarelli, Álvaro Pereira, Antônio Britto, Pedro Rogério, Carlos Marchi, Sérgio Motta Mello e Ricardo Pereira.

Merece também destaque Geraldo Costa Manso, que começou a trabalhar na Globo em 1973 com apenas 24 anos e, em pouco tempo, se tornou um dos mais respeitados repórteres de política. Ele sabia como poucos fazer o *stand-up* (matéria em que só aparece o repórter falando) no mínimo tempo possível e com o máximo de conteúdo. A brilhante carreira do jornalista, entretanto, foi interrompida precocemente. Em março de 1977, Costa Manso morreu vítima de um aneurisma cerebral.

O Presidente Fala à Imprensa: Viagem de Geisel ao Japão

Entre as coberturas realizadas no período Geisel destacou-se a viagem oficial do presidente ao Japão, em setembro de 1976. Dez profissionais da Rede Globo acompanharam a visita, enviando todos os detalhes para os telejornais da emissora em dois boletins diários, transmitidos via satélite. A equipe era coordenada por Toninho Drummond e contava com os repórteres Sandra Passarinho, Costa Manso e Sumika Yamazaki, o editor de texto Luís Edgar de Andrade, o editor de imagens João Mello e o cinegrafista Antônio Carlos Marins.

No último dia da viagem, quando Geisel ia de Tóquio para Kioto no trem-bala, Geraldo Costa Manso conseguiu uma entrevista exclusiva com o presidente. Como era domingo, a entrevista, uma das primeiras de Geisel à televisão, foi exibida no *Fantástico*. O presidente não falou apenas sobre a viagem; contou também as dificuldades enfrentadas no comando da nação:

> "Acredito que o dia mais feliz da minha vida vai ser 15 de março quando vou transmitir o governo ao meu sucessor. Eu sou um homem profundamente ligado à família, aos amigos, gostando de conviver com as pessoas do povo. E, no governo, eu me sinto tolhido em todas essas manifestações. Tenho em torno de mim vários ditadores, o que me impede de fazer o que quero. Veja, por exemplo, nessa visita ao Japão, eu não tive uma hora livre. Eu não pude ir a uma rua, a uma loja, eu não pude conversar com ninguém do povo."

Ao ser questionado sobre as restrições às liberdades democráticas, Geisel explicou que não acreditava que o regime político de outros países, como França, Inglaterra e Japão, fosse melhor que o brasileiro. Mas concordou que havia aqui uma série de deficiências, intimamente ligadas ao estágio econômico e social pelo qual a sociedade brasileira passava na época. Para concluir, alegou: "Eu encontrei nesses países restrições sobretudo à liberdade muito maiores do que as que existem no Brasil."

A entrevista de Geisel foi histórica porque, pela primeira vez, o presidente assumiu um tom informal e admitiu que havia um cerceamento à liberdade no país. "Hoje, isso parece banal. Mas naquele momento foi realmente um grande feito conseguir que aquele homem tão fechado, um general, se abrisse como ele se abriu para o Costa Manso", observa Toninho Drummond.

As Eleições de 1976: Oposição Avança e Cobertura Política Aumenta

Em 1976, foram realizadas eleições diretas para prefeitos em todo o país, com exceção das capitais e de alguns municípios considerados áreas de segurança nacional. O contexto, de abertura política, era extremamente favorável à oposição. Já nas eleições anteriores, em 1974, o Movimento Democrático Brasileiro (MDB) havia alcançado um estrondoso sucesso, ocupando 16 das 22 vagas em disputa no Senado.

Estimulada pela conjuntura, a Rede Globo montou um grande esquema para a cobertura das eleições em todo o país. Toninho Drummond comandou do Rio a operação, que começou a ser planejada já no mês de agosto. Foi a primeira vez que se investiu pesado na cobertura de um evento deste tipo. Foram mobilizados vários repórteres especiais em todo o país. Costa Manso ficou com a função de âncora, centralizando as informações que vinham de todos os estados.

Além disso, foi montado um esquema de apuração paralela dos votos, sob a responsabilidade de José Otávio de Castro Neves, diretor da sucursal de São Paulo. Para isto, a Rede Globo contou com a ajuda do MDB, que passava para a emissora o mapa das zonas eleitorais, de acesso exclusivo dos partidos.

A CGJ tinha a preocupação não só de informar sobre a campanha dos principais candidatos, mas também de orientar os telespectadores na hora de votar. Alguns dias antes da eleição, em 13 de novembro, por exemplo, o *Jornal Nacional* apresentou uma matéria explicando como e onde votar, além de dar indicações para o eleitor em trânsito, os que perderam o título e os que, por motivos de saúde ou imprevistos, não pudessem comparecer às urnas.

Durante a apuração dos votos, do dia 15 ao 17, foram exibidas edições especiais do *JN*, voltadas exclusivamente para o acompanhamento da votação e da apuração. Foram apresentados também boletins nacionais com ampla cobertura das eleições em diferentes regiões do país. Nos estados, boletins locais complementavam o trabalho de informação e serviço. Sem horários determinados, esses boletins entravam no meio da programação e tinham de dois a três minutos de duração. O primeiro deles foi ao ar no dia 15, depois do *Jornal Nacional*.

Em São Paulo, a equipe de repórteres, que contava com nomes como o de Sumika Yamazaki e Ciro José, teve que ser reforçada. Equipamentos foram transferidos para algumas cidades do interior, como Bauru, Campinas e Ribeirão Preto, de onde eram enviadas as matérias. Um avião ficou à disposição da equipe para transportar repórteres e equipamentos. No interior do estado, a montagem do esquema de cobertura ficou a cargo de Woile Guimarães, então chefe de reportagem. No Rio de Janeiro, ficou sob a responsabilidade do jornalista Wilson Ibiapina.

Segundo Toninho Drummond, as eleições de 1976 foram muito importantes para o jornalismo da Rede Globo, pois quase todos os estados estavam empenhados em acompanhar os fatos. "Foi um processo muito rico em experiência", afirma ele, "pois, pela primeira vez, o Brasil todo apareceu falando de política. A política estava no centro de um debate nacional."

O processo de abertura de Geisel, entretanto, era carregado de ambigüidades, de idas e vindas, avanços e recuos. Pouco tempo depois das eleições, em abril de 1977, o governo decretou recesso no Congresso e baixou um conjunto de medidas que ficou conhecido como "Pacote de Abril". Foram cassados os mandatos de líderes moderados e criada a figura dos senadores biônicos, eleitos indiretamente. Já antes das eleições, o presidente havia sancionado uma lei que alterava o Código Eleitoral, conhecida por Lei Falcão, impedindo a divulgação de plataformas político-partidárias nas campanhas no rádio e na televisão. Os candidatos eram apresentados de forma sucinta: apenas o retrato três por quatro, um pequeno currículo e duas ou três linhas, lidas por um locutor, sobre o que pretendia fazer, caso eleito. Todas essas medidas tinham como objetivo impedir a repetição do sucesso do MDB nas eleições e garantir em favor do governo a composição do colégio eleitoral que, em 15 de novembro de 1978, deveria eleger o novo presidente.

Abertura Lenta e Gradual: A Censura Continua em Ação

Em 1º de dezembro de 1977, na reunião da Aliança Renovadora Nacional (Arena), Geisel anunciou o fim das leis de exceção e nomeou o senador Petrônio Portela como principal negociador das mudanças políticas. O presidente falou sobre o esforço do governo para aprimorar as instituições e disse que o país vivia um clima de amplo debate das questões políticas

O histórico discurso de Geisel – pronunciado no Palácio da Alvorada para 150 dirigentes nacionais e regionais do partido governista – foi parcialmente reproduzido no *Jornal Nacional* daquela noite, numa matéria do repórter Sérgio Motta Mello, editada por Ronan Soares. O assunto foi abordado a partir de quatro temas: "o destino do AI-5", "o fim da censura", "a missão Petrônio" e "a eleição 1978". Logo na abertura, o apresentador Cid Moreira informava: "Leis de exceção já podem ser substituídas por salvaguardas constitucionais adequadas para garantir a manutenção da ordem e o funcionamento do regime democrático."

Para acompanhar as negociações de Petrônio Portela, que buscavam consolidar o processo de abertura política, a TV Globo contratou o repórter e comentarista Carlos Henrique ainda em outubro de 1977: "O convite partiu do Toninho

1

2

3

1. O repórter Costa Manso entrevistando o presidente Geisel no trem-bala, Japão (*JN*, set 1976).

2. Costa Manso na sucursal de Brasília (década de 1970).

3. Cortejo de Juscelino Kubitschek até o aeroporto Santos Dumont, no Rio de Janeiro (23 ago 1976).

4. Velório de Juscelino Kubitschek em Brasília (23 ago 1976).

4

1

O GLOBO ☆ 28-8-75 – Quinta-feira ☆ Página 5

Roque Santeiro

A Rede Globo divulgou ontem o seguinte editorial:

Desde janeiro que a novela Roque Santeiro vem sendo feita. Seria a primeira novela colorida do **horário das** oito da noite. **Antecipando-se** aos prazos **legais, a Rede** Globo entregou **à Censura** Federal **o script dos vinte** primeiros **capítulos.** No dia 4 de **julho, finalmente,** o diretor **de Censura** de Diversões **Públicas,** Sr. Rogério **Nunes, comunicava à** Rede **Globo: os vinte** primeiros **capítulos estavam** aprovados **para o horário** das oito **"condicionados** porém **— dizia o ofício —** à **verificação das gravações** para **obtenção** do certificado **liberatório."** O mesmo ofício **apontava expressamente os cortes que deviam** ser feitos e recomendava que os capítulos seguintes, a partir dos vinte já examinados, deviam manter — palavras textuais da Censura — "o mesmo nível apresentado até agora". Todos os cortes determinados foram feitos.

A Rede Globo empregou todos os seus **recursos técnicos e pessoais** na produção da novela **Roque Santeiro.** Contratou artistas, contratou diretores, contratou **cenógrafos,** maquiladores. montou uma cidade **em Barra** de Guaratiba, enfim, a Globo mobilizou um grandioso conjunto de valores que hoje é necessário à realização de uma novela no padrão da Globo. Foram mais de 500 horas de gravação, das quais resultaram **os vinte** primeiros capítulos, devidamente submetidos à Censura.

Depois de examinar detidamente os capítulos gravados, o Departamento de Censura decidiu: a novela estava liberada, mas só para depois das dez da noite. **Assim mesmo, com novos cortes. Cortes que desfigurariam completamente a novela.**

Assim a Rede Globo, que **até o último momento** tentou **vencer todas as dificuldades, vê-se forçada a cancelar a novela Roque Santeiro.** No lugar de **Roque Santeiro,** entra em **reapresentação, e em capítulos concentrados, a novela Selva de Pedra,** com Regina Duarte e Francisco Cuoco. Dentro de alguns dias, **porém, —** esse é um compromisso que assumimos com o público —, **a Rede** Globo estará com uma nova novela no horário das oito. Para isso começou hoje mesmo a mobilização de todo o nosso **patrimônio:** o elenco de **artistas,** os técnicos, os **produtores,** enfim, todos os profissionais que aqui **trabalham** com o ânimo **de apurar cada vez mais a** qualidade da televisão **brasileira.**

Foi desse ideal de qualidade que nasceu a novela **Roque Santeiro** e é precisamente com esse mesmo ideal, que dentro de alguns dias, a Globo estará apresentando no horário das oito da noite uma novela — **esperamos** — de nível **artístico** ainda **melhor** que **Roque Santeiro.**

2

3

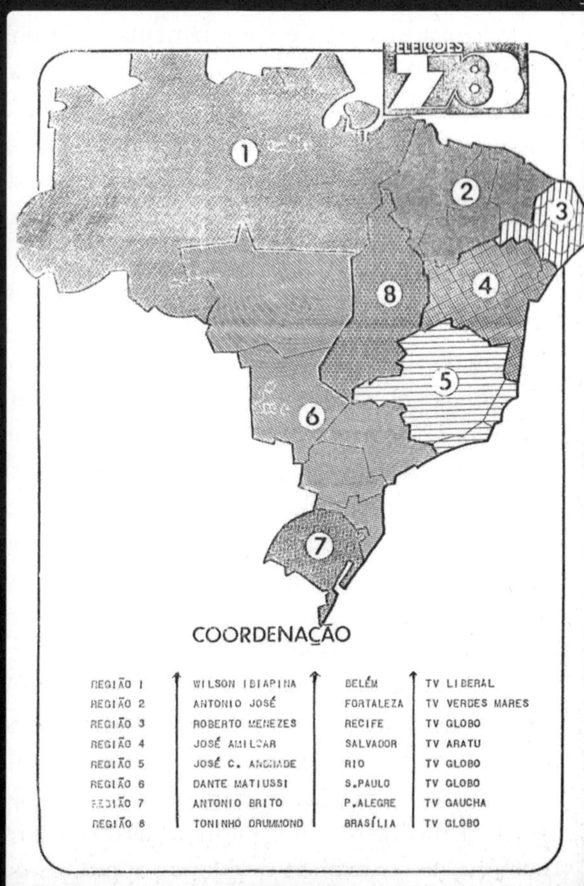

1. Editorial do presidente das Organizações Globo, Roberto Marinho, lido no *Jornal Nacional* no dia da censura à novela *Roque Santeiro* (27 ago 1975).

2. O repórter e comentarista Carlos Henrique na sucursal de Brasília (década de 1970).

3. Mapa mostrando o planejamento da cobertura das eleições de 1978 pela TV Globo e suas afiliadas.

Drummond, que chefiava o jornalismo em Brasília. Ele me fez uma proposta de certo modo inusitada: 'Eu estou inaugurando um novo setor de cobertura na Globo e acho que você tem o perfil para fazer esse trabalho. O setor de jornalismo chama-se Petrônio Portela Nunes. Eu quero um sujeito que 'cole' no senador, porque ele é a alternativa que temos pra sair dessa situação política em que nos encontramos.' Àquela altura, nós estávamos caminhando para 14 anos de regime autoritário, de arbítrio, de violência, de censura, de repressão. Então, eu vim pra TV Globo para isso: acompanhar Petrônio."

Assim que começou a trabalhar na emissora, Carlos Henrique formulou junto com Toninho Drummond um documento com as principais diretrizes da cobertura política da Globo, chamado "Abertura em Rede". O repórter e o então editor regional de Brasília foram até a sede da emissora, no Rio, submeter o texto a Armando Nogueira. Aprovado, voltaram para Brasília e começaram a acompanhar diariamente os acontecimentos.

Um ano depois, em 13 de dezembro de 1978, o *Jornal Nacional* registraria a aprovação da emenda constitucional nº11. O texto – articulado por Petrônio Portela, com colaboração do presidente da Câmara, Marco Maciel – revogava os atos institucionais e complementares impostos pelos militares, inclusive o AI-5. Apesar das medidas liberalizantes, a abertura era, como o próprio presidente Geisel definira, lenta e gradual. A censura continuava atuando, principalmente em relação aos meios eletrônicos. Por isso, quase não havia comentário político no telejornalismo. O noticiário se limitava ao factual, sobretudo quando se tratava de assuntos delicados, que envolviam episódios de tortura. Esse foi o caso das mortes de Vladimir Herzog, diretor de jornalismo da TV Cultura, em outubro de 1975, e do metalúrgico Manuel Fiel Filho, em janeiro do ano seguinte. Os dois crimes, ocorridos nas dependências do Doi-Codi de São Paulo, causaram indignação popular e uma crise militar que culminou com a demissão do comandante do II Exército, general Ednardo D'Ávila Melo.

Em 22 de agosto de 1976, assim que teve a informação de que Juscelino Kubitschek havia morrido num acidente de carro na rodovia Presidente Dutra, a Rede Globo colocou no ar uma edição extra de três minutos. Logo depois chegava à emissora uma recomendação dos militares: a notícia deveria ser dada com menos emoção no *Jornal Nacional*. Além disso, não seria permitido mencionar que o ex-presidente tivera seus direitos políticos cassados nem focalizar sua carreira política e realizações administrativas.

Apesar da advertência, os repórteres da TV Globo cobriram o velório e o enterro de Juscelino. No *JN*, os telespectadores puderam se emocionar com as imagens e a voz do povo cantando "Peixe vivo" no aeroporto do Rio, enquanto o corpo do ex-presidente era posto em um avião com destino a Brasília. Não foi possível, no entanto, mostrar imagens do enterro. O filme não chegou à emissora a tempo de ser exibido devido aos tumultos que impediram a saída da equipe de reportagem do cemitério.

O repórter Álvaro Pereira recorda que o enterro de Juscelino em Brasília foi um acontecimento que mobilizou toda a cidade: "Aquilo assustou os militares, mas eles não puderam fazer nada. É curioso que um regime tão poderoso, apoiado por tropas armadas do Exército, Marinha e Aeronáutica, de repente tenha ficado totalmente sem ação diante da morte de JK, porque foi uma manifestação espontânea: a massa na rua, querendo prestar uma última homenagem ao ex-presidente. Foi um evento magnífico e comandado pela população. O regime militar acompanhou meio assustado, amedrontado. Mas não teve o poder de cercear qualquer tipo de manifestação popular de solidariedade ou de homenagem ao líder político. Foram momentos assim que ajudaram gradualmente a construir a democracia no país."

A censura, porém, continuava vigilante. Na noite de 22 de setembro de 1977, o *Jornal Nacional* mostrou, diretamente de São Paulo, imagens da invasão policial da Pontifícia Universidade Católica (PUC) durante a realização do 3º Encontro Nacional de Estudantes. Os policiais, chefiados pelo coronel Erasmo Dias, então secretário de Segurança Pública do estado, atiraram bombas sobre os manifestantes. Os militares reclamaram da matéria, que mostrava a truculência dos policiais, e o jornalismo de São Paulo ficou algum tempo sem poder entrar ao vivo no *JN*.

A censura não se limitava às notícias: interferia também nos programas de entretenimento da TV Globo. Foram inúmeros os casos de restrições à dramaturgia da emissora. O mais sério foi o da proibição, a dois dias da estréia, da novela *Roque Santeiro*, em agosto 1975. O prejuízo foi grande para a emissora, que já tinha gravado 36 capítulos, com custo de 500 mil dólares. No *Jornal Nacional* que foi ao ar no dia da censura, Cid Moreira, depois de noticiar a proibição, leu um editorial, assinado pelo presidente das Organizações Globo, Roberto Marinho, criticando a medida.

2

O Jornalismo em São Paulo, no Rio e na Amazônia

Incêndio na Sede da Emissora: Jornalismo se Muda para São Paulo

Em 4 de junho de 1976, um curto-circuito no sistema de ar-condicionado provocou um incêndio no prédio da TV Globo, à rua Von Martius, no Jardim Botânico. O fogo começou no segundo andar e destruiu praticamente todas as instalações eletrônicas da emissora. Perderam-se seis ilhas de videoteipe, equipamentos de telecine e de emissão de comerciais.

O incêndio começou às 13h, durante a transmissão do *Jornal Hoje*. O locutor Berto Filho acabara de ler uma notícia sobre a guerra civil no Líbano, quando foi dado o alarme e a emissora saiu do ar. Os próprios funcionários começaram a combater as chamas e, quando os bombeiros assumiram o trabalho, tentaram salvar o arquivo de videoteipe e filmes. Foram retirados do prédio cerca de mil fitas de programas, além de scripts, roteiros e filmes. No trabalho de resgate do material, os funcionários contaram com a ajuda de artistas e diretores da emissora e de alguns moradores da região. Ainda assim, muita coisa se perdeu.

Apesar dos estragos, a Rede Globo ficou apenas alguns minutos fora do ar. Para não interromper a programação, as imagens passaram imediatamente a ser geradas de São Paulo. Às 18h, uma minicentral provisória começou a ser instalada no *hall* do prédio anexo da emissora, na rua Lopes Quintas, no Rio de Janeiro.

Para garantir a exibição do *Jornal Nacional* naquela noite, Alice-Maria foi para São Paulo, apenas duas horas depois do início do incêndio, levando em mãos um rolo de filme com imagens da tragédia. Junto com ela, foram os editores Ronan Soares, Paulo Patarra e Meg Cunha. O desafio foi vencido, e os telespectadores assistiram à noite a uma edição normal do *JN*.

Novos equipamentos – para substituir aqueles destruídos no incêndio – logo foram importados dos Estados Unidos. Mas quase 90 dias se passaram até que fossem instalados e entrassem em funcionamento. Durante esse período, praticamente todo o departamento de jornalismo da Rede Globo se instalou em São Paulo, onde passaram a ser feitas a edição e a geração de todos os telejornais de rede.

A experiência foi muito boa para a Rede Globo. Aproximou as equipes do Rio e de São Paulo, eliminou naturais rivalidades e incentivou o intercâmbio entre as duas praças.

Novos Tempos na Sucursal Paulista: Organização e Crescimento

Na segunda metade da década de 1970, o diretor de jornalismo da TV Globo de São Paulo, Luiz Fernando Mercadante, ampliou a participação da sucursal paulista nos telejornais de rede, principalmente no *Jornal Nacional*. Uma de suas principais medidas foi reforçar a equipe de profissionais, com a contratação de novos repórteres.

Mercadante convidou para trabalhar na TV Globo grandes estrelas do *Jornal da Tarde* e da revista *Realidade* e outros nomes conhecidos da imprensa escrita, como Paulo Patarra, Woile Guimarães, Dante Matiussi, Eurico Andrade, Narciso Calili, Raul Bastos, José Hamilton Ribeiro, Chico Santa Rita e Humberto Pereira. Jornalistas experientes, rapidamente se adaptaram à televisão e à sua linguagem. Para isto, contaram com a ajuda de quem já estava na emissora há mais tempo e conhecia as especificidades do veículo, como as repórteres Sumika Yamazaki e Marília Gabriela, os editores Fabbio Perez e Neusa Rocha e o chefe de reportagem Laerte Mangini.

Dante Matiussi, então editor de reportagem, comenta sobre o período: "Mercadante entrou para reformular e profissionalizar tanto a estrutura operacional, humana, como a estrutura técnica. Naquela época, nós éramos oriundos da imprensa escrita e o telejornalismo ainda era visto com muito preconceito no próprio meio jornalístico. Realmente a televisão estava começando, ainda não era profissionalizada. Nós estávamos vivendo também o período da censura. Havia uma atenção exagerada, desmedida, do Governo Federal, dos militares, em relação aos veículos de comunicação. Então, era uma época muito delicada. Mesmo assim, por decisão da própria Globo, começou-se a profissionalizar o telejornalismo. Na verdade, quem pilotou todo esse processo foram Armando Nogueira e Alice-Maria, que era o braço direito dele. São pessoas muito sérias, competentes, que viam com o afrouxamento da censura, com a abertura política, uma oportunidade de profissionalizar o jornalismo. Então, naquela época, recorreu-se à imprensa escrita, a jornalistas preocupados com a apuração, com a integridade da notícia. Achávamos que era o que faltava à televisão. A gente lutava muito contra a superficialidade do veículo. Não estou querendo aqui generalizar e nem falar que fomos os primeiros; pelo contrário, antes a televisão teve grandes jornalistas, grandes programas de debate, já fazia coisas muito boas. Mas era, sem dúvida, um avanço muito grande."

Woile Guimarães começou na Rede Globo de São Paulo, em dezembro de 1976, como chefe de redação, e passou a editor regional dois anos depois, substituindo Mercadante, que foi deslocado para o Rio de Janeiro. Como editor regional, Woile Guimarães deu continuidade ao processo de profissionalização da sucursal, ajudando a organizar e a qualificar o trabalho das equipes. Entre a série de medidas que promoveu está a publicação de um livreto chamado *Encontros de jornalismo*, que tinha como objetivo sistematizar, divulgar e documentar as experiências dos profissionais da CGJ.

Em janeiro de 1983, Woile Guimarães se transferiu para o Rio e assumiu a direção dos telejornais de rede, que estava sendo criada naquele momento. Foi substituído, em São Paulo, por Dante Matiussi. Em sua carta de despedida à redação, comentava que a sucursal tinha crescido muito naqueles anos: em 1976, havia cerca de 80 profissionais e, em 1983, quase 200.

Todo esse período, do final da década de 1970 ao início da década de 1980, foi fundamental para o desenvolvimento e consolidação da Rede Globo em São Paulo. Criou-se ali uma verdadeira escola de jornalismo, responsável pela formação de profissionais que mais tarde comporiam o primeiro time de repórteres da emissora, como Sérgio Motta Mello, Luís Fernando Silva Pinto, Carlos Nascimento, Ernesto Paglia, Carlos Tramontina, Roberto Cabrini, Isabela Assumpção, Antônio Carlos Ferreira, Carlos Monforte e Helena de Grammont.

As Greves do ABC

O fortalecimento do jornalismo da Rede Globo paulista foi favorecido pelo contexto da época, marcado por um sindicalismo forte e um empresariado ativo. São Paulo passou a ter cada vez mais espaço no noticiário nacional, sobretudo a partir das greves dos metalúrgicos do ABCD (região da grande São Paulo formada pelos municípios de Santo André, São Bernardo do Campo, São Caetano e Diadema).

A primeira greve começou no dia 12 de maio de 1978, com a paralisação de 2.500 metalúrgicos na Saab-Scania de São Bernardo do Campo. Os trabalhadores reivindicavam um aumento de 20%, além dos 39% aprovados para o mês de abril daquele ano. Em pouco tempo, o movimento se espalhou para outras indústrias.

O jornalismo da TV Globo, no entanto, enfrentou restrições para cobrir o assunto. Armando Nogueira conta que os militares ordenaram à emissora uma cobertura leve, sem som ambiente e sem dar voz às lideranças sindicais. Isso provocou um grande descontentamento dos metalúrgicos, e a reação de alguns deles chegou a ser violenta. Grevistas ameaçaram incendiar a sede da Globo em São Paulo e chegaram a virar uma caminhonete de reportagem da emissora. Certo dia, ao cobrir uma assembléia no estádio da Vila Euclides, em São Bernardo, o repórter Carlos Tramontina e o cinegrafista Amauri Trolize quase foram agredidos por alguns metalúrgicos mais radicais. Foram salvos por alguns sindicalistas que se deram as mãos e formaram um círculo para protegê-los.

Tramontina comenta: "Nós recebíamos da nossa chefia uma determinação de cobrir jornalisticamente. Então, nós íamos, fazíamos a reportagem, mostrávamos tudo, entrevistávamos os metalúrgicos, entrevistávamos os líderes sindicais. E à noite, nos nossos telejornais de rede, que eram os mais importantes, especialmente o *Jornal Nacional*, ia ao ar uma nota coberta de 20 segundos." Armando argumenta que, naquele momento, a abertura era ainda um fato muito recente no quadro político nacional e que a CGJ se encontrava numa posição difícil: "A gente nunca podia perder de vista o fato de que a televisão era uma concessão de serviço público a título precário. A qualquer momento, podiam nos tirar. E isso era um elemento de pressão que eles usavam muito em determinadas situações. Roberto Marinho contornava umas, mas outras eram muito difíceis de contornar. Para a oposição, que vivia lutando contra o regime de opressão, era insuportável o ponto de vista da Rede Globo. Pena que aquelas pessoas não conheciam a situação de quem vivia dentro da emissora para ver como era difícil o nosso dia-a-dia."

O jornalismo da TV Globo ganharia um pouco mais de liberdade para tratar da questão no ano seguinte, quando os metalúrgicos de São Bernardo e Diadema deflagraram mais uma greve. Logo nos primeiros dias de paralisação, o *Jornal Nacional* deu destaque ao movimento. Houve piquetes em frente às fábricas e grandes assembléias, realizadas na maioria das vezes no estádio da Vila Euclides. Em geral, nessas ocasiões, eram feitas entrevistas tanto com os representantes dos empresários quanto com os líderes sindicais.

Em 20 de março, por exemplo, o repórter Carlos Nascimento informou, de São Bernardo do Campo, que mais de 150 mil trabalhadores estavam parados em cerca de 600 fábricas da região. Foram mostradas imagens da assembléia geral, realizada no estádio Costa e Silva, quando os trabalhadores rezavam juntos o Pai-Nosso e, em seguida, exibida uma entrevista com Luiz Inácio da Silva, o Lula, em que o então sindicalista afirmava ser o movimento dos trabalhadores ordeiro e justo.

A greve, no entanto, foi considerada ilegal pela Justiça e, em 23 de março, o governo decretou a intervenção nos sindicatos e a destituição de suas diretorias. O *JN* desse dia mostrou imagens dos sindicatos cercados pela Polícia Militar. Mas os trabalhadores se reuniram no Paço Municipal, em frente à prefeitura. Durante o encontro, o próprio chefe da tropa de choque da PM, Walterdimas Rigonatto, que estava na praça para reprimir a manifestação, desmontou o esquema depois de uma consulta ao seu comandante. Em meio aos trabalhadores, que o aplaudiam, afirmou: "O comandante da Polícia Militar autorizou que eu deixe que os senhores permaneçam na praça. Esta praça será o lugar dos senhores."

Ainda na mesma edição do *Jornal Nacional*, o repórter Álvaro Pereira entrevistou o ministro do Trabalho, Murilo Macedo. O jornalista perguntou o porquê da intervenção e se não poderia ter sido tomada uma medida menos drástica. O ministro respondeu que se tratava de uma "medida de autoridade".

No dia seguinte, Carlos Monforte acompanhou a reunião dos metalúrgicos no Paço Municipal, em São Bernardo. Os líderes pediam aos trabalhadores que permanecessem unidos, mas que voltassem para casa. Na igreja de Riacho Grande, perto da Via Anchieta, Lula recebeu a imprensa e fez um apelo aos metalúrgicos: "Por favor, não saiam à rua. Tem muita gente querendo o confronto dos trabalhadores com a polícia. E esse confronto não interessa nem aos trabalhadores e nem ao Brasil."

No dia 27 de março, os metalúrgicos do ABC decidiram pela suspensão da greve, depois de ouvirem do assessor jurídico do Sindicato, Maurício Soares, as explicações sobre o novo acordo firmado com o ministro do Trabalho. O acordo previa que ninguém seria punido pela greve e que não haveria nenhum desconto no pagamento dos dias parados. Além disso, os sindicatos voltariam para o comando dos seus ex-dirigentes. No dia seguinte, o *Jornal Nacional* mostrou a volta dos trabalhadores às fábricas e informou que, apesar das promessas de não haver dispensas, vários operários haviam sido demitidos.

Em 1º abril de 1980, um novo movimento grevista eclodiu na região do ABC. Esse foi um dos momentos mais delicados do processo de transição democrática. Foram 43 dias de tensão. No dia 17, o ministro Murilo Macedo decretou mais uma vez intervenção no sindicato e o afastamento dos líderes sindicais. "Eles estão destituídos da vida sindical", declarou o ministro no *JN*. Dois dias depois, Lula foi preso com base no artigo nº36 da Lei de Segurança Nacional. Ficou detido por 31 dias.

O *Jornal Nacional* cobriu diariamente a greve dos metalúrgicos, mostrando cenas de operários em busca de alimentos nos sindicatos, os perigos do confronto com a polícia e a participação dos trabalhadores nas passeatas e nas assembléias públicas, então proibidas pelo governo. Carlos Nascimento e Ernesto Paglia foram enviados para o ABC, e a repórter Maria Christina Pinheiro acompanhou os acontecimentos em São Paulo.

No primeiro dia da intervenção nos sindicatos de Santo André e São Bernardo, o *JN* dedicou cerca de quatro minutos ao assunto. Foram mostradas imagens da chegada dos interventores às cidades e do confronto entre os metalúrgicos e a polícia. Em um depoimento ao *Jornal Nacional* daquele dia, o ex-presidente do sindicato de Santo André, Benedito Marcílio, disse que lamentava a intervenção. "O sindicalismo brasileiro sofreu um golpe terrível", afirmou.

Em 1º de maio, contrariando a proibição dos órgãos de segurança, realizou-se em São Bernardo uma passeata com mais de 100 mil pessoas, que terminou

1

2

1, 2 e 3. Incêndio na TV Globo, Rio de Janeiro (4 jun 1976).

4. Multidão diante da TV Globo durante o incêndio na emissora, Rio de Janeiro (4 jun 1976).

3

4

com uma concentração no estádio da Vila Euclides. No gramado, um grupo desenhava, com os próprios corpos, a palavra democracia, quando foi interrompido pela polícia a golpes de cassetete.

Em 5 de maio, ocorreram choques entre polícia e grevistas por toda a cidade. Cinqüenta pessoas ficaram feridas. Nesse mesmo dia terminava a greve em Santo André. Restavam ainda São Bernardo do Campo e Diadema. Mas, acossados por violenta repressão policial, com seus líderes encarcerados e sem perspectiva de receber o salário referente aos dias parados, os metalúrgicos acabaram também decidindo voltar ao trabalho no dia 12 de maio. Lula foi julgado, junto com outros líderes sindicais, pelo Tribunal de Justiça Militar e condenado a três anos e meio de prisão. Em 2 de setembro de 1981, o Superior Tribunal Militar (STM) anulou a sentença e pediu novo julgamento. No ano seguinte, o STM julgou-se incompetente e o processo prescreveu.

Um Dia de Cão: Presídio de Jacareí e Edifício Grande Avenida

Além de noticiar as greves do ABC, o Jornalismo de São Paulo participou do *Jornal Nacional* registrando momentos dramáticos da cidade e do estado, como o da rebelião de presos ocorrida no presídio de Jacareí, no dia 14 de fevereiro de 1981. A rebelião começou por volta das 10h, quando 67 presos saíram para pegar sol no pátio do presídio. Primeiro, os detentos dominaram um cabo da polícia. Pouco depois, renderam outros oficiais. O advogado Franz Castro, que trabalhava na Associação de Apoio aos Condenados, foi levado como refém na tentativa de fuga de três criminosos. Mas os policiais exigiram a libertação do funcionário do presídio e o tiroteio começou. No final, o advogado, os três presos e um policial foram mortos.

Para conseguir informações e melhores imagens do confronto entre os policiais e os presidiários, a equipe da TV Globo – formada pelo cinegrafista Reynaldo Cabrera, o repórter Carlos Nascimento e o operador de VT Carlos Alberto Bombonatte – se colocou, por cerca de 20 minutos, na linha de frente do tiroteio. Nascimento narrou os acontecimentos no próprio local e a fita, registrando o flagrante, com áudio e imagem, foi enviada para a redação pronta para ser exibida no *Jornal Nacional*. Eram imagens impressionantes de pessoas correndo em plena luz do dia, se escondendo atrás dos carros nas calçadas e de um preso sendo executado por policiais.

Reynaldo Cabrera nunca esqueceu o episódio: "A gente desceu no pátio de uma fábrica, a menos de 100 metros da cadeia. De manhã, já tinha havido uma fuga. Os detentos tinham como refém um cabo da polícia militar e um advogado, e estavam negociando. Na hora de sair, veio uma Belina e o pessoal da polícia começou a gritar que eles não podiam levar o policial. E eu ouvi uma voz atrás de mim dizendo: 'Momentos de grande tensão. A polícia se prepara para atirar.' Era o Nascimento. Aí parecia filme de bang-bang à italiana. Só deu tempo de ajoelhar, pôr o cotovelo no chão como se fosse um tripé e continuar gravando. Um policial levou um tiro na testa, de raspão. Na minha frente, caiu um capitão com um rombo na cabeça. Ele morreu na hora. Um dos prisioneiros correu e, quando ele chegou no muro, ergueu os braços para se entregar e já tinham três em cima dele mandando bala. Isso tudo a dois, três metros da gente."

As imagens por pouco não chegaram a tempo de entrar na edição do *JN*. Carlos Nascimento lembra que aconteceu um problema com o helicóptero que levaria o material para a emissora: "Entregamos então a fita original para um taxista e pedimos que ele a levasse para São Paulo. Como já era tarde, não tínhamos esperança alguma que desse tempo." Mas, logo depois, foi solucionado o o problema do helicóptero e Nascimento resolveu mandar para a emissora uma outra fita gravada por Cabrera, que (imaginava ele) não continha os melhores registros da rebelião, mas tinha algumas imagens interessantes. E aí o inesperado: "Eu tinha trocado, por engano, as fitas: dera a errada para o taxista", lembra Nascimento. Com isso, a reportagem com os melhores registros pôde ser exibida no *Jornal Nacional*.

A cobertura valeu à TV Globo e sua equipe o prêmio Vladimir Herzog de Anistia e Direitos Humanos, concedido pelo Sindicato de Jornalistas de São Paulo.

No mesmo dia da rebelião em Jacareí, o *Jornal Nacional* registrou no Centro de São Paulo um outro acontecimento trágico: o incêndio no edifício Grande Avenida, que matou 17 pessoas e deixou mais de 100 feridas. O fogo começou na parte de baixo do prédio, de 20 andares, quando faltavam poucos minutos para o meio-dia. As causas foram várias: rede elétrica antiga, sobrecarga de energia e instalações precárias de segurança.

Cenas dramáticas da tragédia e do resgate das vítimas foram registradas pelos cinegrafistas Adão Macieira, Reynaldo Cabrera, Hugo Sá Peixoto, Waldir Ferreira e Nilson Araújo e pelos repórteres Ricardo Carvalho, Rodolfo Gamberini, Luís Fernando Ramos, José Carlos Marques e Elia Júnior.

Uma das imagens mais marcantes exibidas no *Jornal Nacional* foi a do auxiliar de escritório Cosme Adolfo Barreira jogando os dois filhos de uma altura de dez metros na tentativa de salvá-los das chamas. O pai e as crianças – Luciano, de cinco anos, e Elaine, de quatro – foram resgatados e não sofreram nenhum ferimento grave.

A equipe da Globo passou a noite na avenida Paulista, onde se localizava o edifício. Na manhã do dia seguinte, o cinegrafista Laércio Domingues conseguiu entrar no Grande Avenida e documentar com exclusividade as marcas e os prejuízos da tragédia. O edifício foi quase todo destruído pelo fogo. Somente os três últimos andares não foram atingidos.

Dante Matiussi, então chefe de redação em São Paulo, relembra aquele dia dramático: "Era tudo acontecendo ao mesmo tempo. Colocamos no ar boletins sobre o incêndio, notícias da rebelião em Jacareí. Tivemos que cobrir para o

1

1. O cinegrafista Reynaldo Cabrera, o operador de áudio Luizinho e a repórter Abigail Costa na cobertura da construção do aeroporto de Cumbica, São Paulo (6 abr 1993).

2. O então presidente do Sindicato dos Metalúrgicos de São Bernardo, Luiz Inácio Lula da Silva, discursando durante as greves do ABC (*JN*, 3 abr 1980).

3. Manifestação no estádio da Vila Euclides, em São Bernardo do Campo (SP), durante as greves do ABC (*JN*, 3 abr 1980).

4. Pai salvando filho no incêndio do edifício Grande Avenida, São Paulo (*JN*, 14 fev 1981).

2

3

4

1

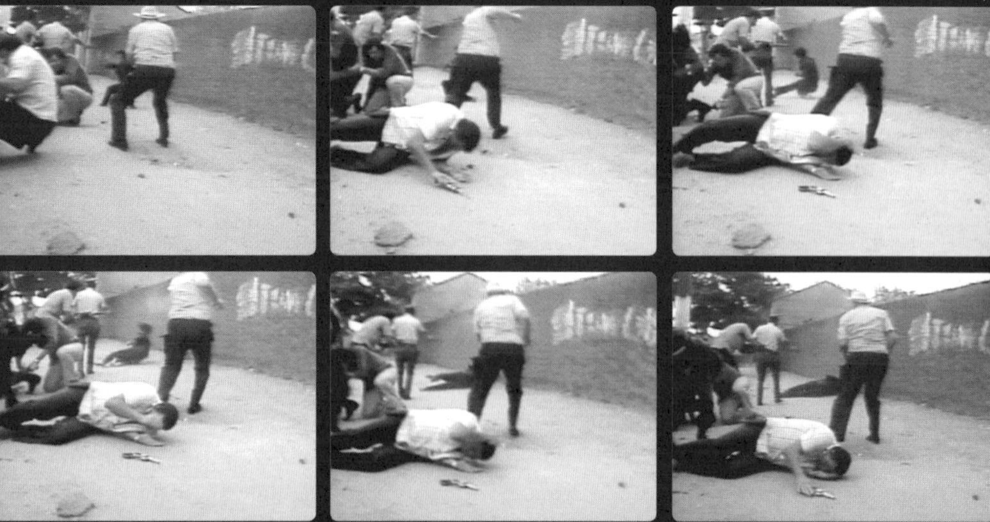

2

3

4

5

1. Seqüência dos policiais executando um fugitivo durante rebelião no presídio de Jacareí, São Paulo (*JN,* 14 fev 1981).

2. O repórter Carlos Nascimento na cobertura da rebelião no presídio de Jacareí, São Paulo (*JN*, 14 fev 1981).

3. O repórter Pedro Rogério e o cinegrafista José Carlos Azevedo na rodovia Cuiabá–Porto Velho, Amazônia (mai 1981).

4. Pedro Rogério entrevistando garimpeiro em Serra Pelada, Pará (*JN*, mai 1980).

5. Garimpeiro em Serra Pelada, Pará (*JN*, mai 1980).

Jornal Hoje e, ao mesmo tempo, preparar o material para o *Jornal Nacional*. Naquele dia, quase 80% do *JN* foram produzidos em São Paulo. A matéria do incêndio, eu acho que teve uns oito minutos e meio e, quando veio a outra matéria, foi editada em cima da hora. O Nascimento chegou quase às seis da tarde, mas a matéria dele estava praticamente pronta."

A Editoria Rio

Depois da experiência bem-sucedida em São Paulo, Luiz Fernando Mercadante foi convidado a ir para o Rio de Janeiro montar uma editoria independente de jornalismo. A idéia: formar uma equipe exclusivamente voltada para a cobertura da cidade e separada da redação do *Jornal Nacional* e dos outros programas de rede. Para isso, foi adotada uma política de profissionalização da redação semelhante à de São Paulo, sendo contratados novos jornalistas, alguns vindos da imprensa escrita. O chefe de redação era Luís Carlos Cabral e os chefes de reportagem, Cláudio Nogueira e Henrique Lago.

Na equipe inicial da editoria Rio, estavam os repórteres Glória Maria, Paulo Alceu, Leila Cordeiro, Sônia Pompeu, Angela Lindenberg, Fernanda Esteves, Luis Eduardo Lobo e Samuel Wainer Filho. Depois vieram André Luiz Azevedo, Paulo César Araújo, Sérgio Brandão, Ilze Scamparini, Leilane Neubarth, Paulo Markum, Haroldo Machado, Rômulo Casali, Cíntia Graber, Maria Christina Pinheiro e outros.

Os cinegrafistas eram Toninho Marins, Roberto Padula, Ricardo Strauss, Evilásio Carneiro, Humberto Borges, Flávio Capitone, Zé Augusto, Marcelo Alexim, Amauri Paulino, Sérgio Malta e Maurício Oliveira. E havia ainda os assistentes – Marcelo Taranto, Zeca Bahiense, José Carlos Azevedo, Daniel Andrade e Kléber Schettini –, que, a partir de 1983, passaram a se cinegrafistas.

Dois Repórteres na Amazônia

No início dos anos 1980, a Rede Globo decidiu montar um escritório na região amazônica. Armando Nogueira escalou o repórter Pedro Rogério e o cinegrafista José Carlos Azevedo para a missão. Em dois anos de trabalho, os dois mandaram para o *Jornal Nacional* diversas matérias sobre assuntos variados, como o contrabando de armas na região do Alto Solimões, o conflito de terras no Acre e reativação da estrada de ferro Madeira–Mamoré.

A cidade de Belém, Pará, foi escolhida como sede do escritório, porque de lá era mais fácil o trânsito terrestre e aéreo para as centrais de produção da emissora. As imagens eram todas filmadas em película, e o material tinha que ser enviado para Brasília, São Paulo ou Rio de Janeiro, pois os laboratórios de revelação das afiliadas da Rede Globo na região Norte já se encontravam desativados naquele momento.

Enquanto permaneceram na Amazônia Pedro Rogério e José Carlos Azevedo produziram ao todo 69 reportagens para o *Jornal Nacional*. Segundo o repórter, a liberdade de pauta foi determinante para a realização de reportagens marcantes, como as sobre Serra Pelada. Naquela época, o Brasil vivia a febre do ouro, e aventureiros de todo o país eram atraídos para o coração da Floresta Amazônica. A exploração de recursos minerais na região tinha se intensificado desde janeiro de 1980, quando fora descoberto ouro no local. Cerca de 30 mil pessoas, envolvidas direta ou indiretamente com o garimpo, chegaram a viver na região.

Na reportagem exibida em 7 de maio de 1980, Pedro Rogério entrevistou os garimpeiros. Enquanto alguns exibiam um sorriso no rosto por terem encontrado pepitas de ouro, outros eram o retrato da desolação, sem dinheiro para comer ou terra para trabalhar. Também foi mostrada a falta de condições mínimas de trabalho no garimpo. Segundo Pedro Rogério: "A Rede Globo foi a primeira emissora a revelar, através de nossas matérias, aquela coisa extraordinária que era Serra Pelada." Naquelas reportagens a equipe contou com a ajuda do cinegrafista Toninho Marins.

Um ano depois, em abril de 1981, foi ao ar uma série especial sobre os danos causados pela chuva na BR-364, que ligava Cuiabá a Porto Velho. A rodovia fora criada 20 anos antes, no governo de Juscelino Kubitschek, e até então ainda não havia sido asfaltada, o que dificultava o tráfego dos caminhoneiros.

A equipe da Globo entrevistou os motoristas e realizou imagens aéreas que mostravam a situação precária daquelas pessoas, entre elas mulheres e crianças. Pedro Rogério lembra: "Eram quilômetros e quilômetros de caminhões atolados, de motoristas, alguns até chorando. Estavam ali há dias, às vezes sem comida. Tinham que andar na mata para pegar água no igarapé longe."

Duas semanas depois, a equipe voltou ao local. Sem chuva havia alguns dias, os veículos estavam conseguindo seguir pela estrada. O problema, então, eram os danos sofridos pelos caminhões. Mesmo com a melhoria das condições da estrada, alguns caminhoneiros ainda ficariam parados ali.

As matérias sobre a BR-364 tiveram grande repercussão e provocaram uma reação imediata do governo: o presidente da República, João Batista Figueiredo, autorizou a liberação de verbas para o asfaltamento da rodovia.

3

Tecnologia e Estética

Finalmente, o Jornalismo Eletrônico

Em 1976, foi inaugurado na TV Globo o Eletronic News Gathering (ENG): pequenas unidades portáteis – dotadas de câmeras leves e sensíveis, transmissores de microondas, videoteipes e sistemas de edição – que permitiam o envio de imagens e sons diretamente do local do acontecimento para a emissora. O ENG era um equipamento eletrônico que dava agilidade à reportagem, porque eliminava a perda de tempo com revelação de filmes.

O equipamento eletrônico permitia ao cinegrafista constatar na hora, olhando no monitor, se havia cometido algum erro. E lhe dava tempo e recursos para refazer uma tomada ou, se necessário, gravar tudo novamente. Antes, os erros só eram constatados na emissora, depois da revelação. Além disso, o filme não podia ser passado muitas vezes na moviola, senão poderia ser arranhado ou mesmo completamente danificado. O ENG, por não ter essa limitação, facilitava o processo de edição.

Os equipamentos eletrônicos substituíram as tradicionais câmeras de 16mm do cinema, com vantagens econômicas e operacionais. O jornalismo da Rede Globo, no entanto, continuou a usar, por algum tempo, um sistema híbrido para a gravação das imagens. No início da década de 1980, apesar de o uso do VT já ter se tornado rotineiro, cerca de 30% das matérias ainda eram gravadas em filme. Só em 1985 o laboratório de revelação foi desativado e se instalou definitivamente o jornalismo eletrônico.

Boni conta que no início houve uma resistência muito grande dos cinegrafistas e mesmo dos jornalistas em relação às câmeras eletrônicas: "Eles tinham medo de não ter a matéria fisicamente. As câmeras eletrônicas eram maiores e mais pesadas, mas não davam a confiabilidade que a câmera de cinema dava. Então, inicialmente as equipes iam para as ruas com duas câmeras: uma de televisão e outra de cinema. Mais tarde, quando eu senti que nós podíamos confiar no equipamento eletrônico, eu quis destruir os laboratórios e o pessoal estava meio assustado com isso. Um dia, eu mandei baixar a marreta, quebrar os tanques de revelação, quebrar tudo em São Paulo e no Rio de Janeiro: 'Agora não tem mais laboratório, vai com a câmera eletrônica mesmo.' E foi assim que nós conseguimos vencer a resistência dos nossos cinegrafistas na época."

Por causa do ENG, o formato narrativo do telejornalismo norte-americano, apoiado na performance de vídeo dos repórteres, tornou-se o padrão dominante no país. Até então, o repórter pouco aparecia, uma vez que era necessário economizar película. Depois que a nova tecnologia foi implantada, o repórter passou não só a ir ao local dos acontecimentos e apurar as informações, mas também a fazer o texto e ele mesmo apresentar. Esse novo sistema exigia mais dos repórteres em improvisação, memorização e reflexão sobre o conteúdo e o texto. Por isso, ainda em 1974, já prevendo a adoção do jornalismo eletrônico, a Rede Globo iniciou o treinamento de repórteres de vídeo, para serem aproveitados nas unidades móveis que fariam a transmissão diretamente dos locais dos acontecimentos. O objetivo do curso era dar aos profissionais algumas informações básicas sobre como segurar o microfone, evitar gesticulação excessiva, moderar as reações fisionômicas e colocar a voz.

Nessa época a fonoaudióloga Glória Beuttenmüller começou a trabalhar para a TV Globo, dando treinamento vocal aos profissionais da emissora. Como conta Alice-Maria, "quando os primeiros repórteres de vídeo começaram a aparecer em nossos telejornais, sentimos a necessidade de alguém que orientasse sua formação para que falassem com naturalidade".

A primeira entrada ao vivo, com ENG, no *Jornal Nacional*, foi em junho de 1977: a repórter Glória Maria e o cinegrafista Roberto Padula foram à avenida Brasil, no Rio de Janeiro, para cobrir um grande engarrafamento de trânsito num fim de tarde. No momento da transmissão, houve um problema com o equipamento de luz, e o cinegrafista teve que improvisar utilizando os faróis do carro de reportagem. Para que seu rosto pudesse ser iluminado, Glória Maria precisou ficar de joelhos. O telespectador não percebeu, no entanto, nada de anormal, já que a repórter segurava o microfone e dava as informações corretamente.

Em 1976, considerava-se amadurecido o processo de construção de uma linguagem televisiva, adotada em função da tecnologia que permitia ao repórter mostrar o acontecimento e não mais "dizer" o que viu. Desde aquele ano, o repórter passou a acumular as funções de produtor e apresentador de suas próprias matérias, tornando-se uma das peças mais importantes do telejornalismo da Globo.

No fim da década, o *Jornal Nacional* já estava consolidado e definitivamente incorporado aos hábitos dos brasileiros. O compositor e produtor de programas humorísticos Haroldo Barbosa costumava contar uma história que serve para ilustrar esse momento. De férias numa cidade do interior de Minas, ele saiu do hotelzinho onde estava hospedado, logo depois do jantar, para passear pelas calçadas da cidade. Ao passar pelas janelas das casas, foi escutando trechos do *Jornal Nacional*. Ao fim do passeio, tinha ouvido todo o telejornal, notícia após notícia, num encadeamento perfeito.

Uma Nova Estética: Começa a Era Hans Donner

Hans Donner começou a trabalhar na TV Globo em 1975, no momento em que a emissora estava completando dez anos e, também, consolidando a transmissão em cores. Sua primeira criação foi a logomarca da TV Globo que, com algumas variações, se mantém até hoje. Na primeira versão, era formada por três peças que bailavam e, ao se encaixarem, deixavam ver um arco-íris, fazendo soar o plim-plim. O desenho sugeria a Terra englobando uma tela de televisão, que por sua vez reproduzia a imagem do próprio planeta.

O designer conta que rascunhou a marca da emissora num guardanapo de papel, dentro de um avião: "Antes de eu criar o primeiro logotipo da TV Globo, o que existia era um design muito distante da linguagem que me fascinava: a terceira dimensão, que eu acho que tem a ver com as nossas vidas. Era aquela marca com o desenho do mundo, os meridianos e várias bolinhas se afastando. O que mais me chocou foi o visual dos carros da Globo. Era em xadrez, azul e branco. Lembro que, na minha primeira fase de Brasil, eu ficava na janela vendo os carros passarem e pensava: aquilo não tem nada a ver com televisão."

A partir do novo logotipo, Hans Donner elaborou toda a identidade visual da Rede Globo. Imprimiu sua marca futurista nas aberturas, nas vinhetas e nos logotipos dos programas e dos projetos especiais da emissora. A nova marca foi logo incorporada à pintura dos carros, microfones, *releases*, papéis de carta, selos de discos e animações. Os telejornais passaram a ter um fundo azul, com o novo logo integrado às letras do programa.

Em 1979, Boni fez um concurso entre cenógrafos e designers da emissora, com o objetivo de criar um novo visual para o *Jornal Nacional*. Hans Donner, que até então só havia trabalhado com aberturas e vinhetas, venceu. "Minha inspiração para criar o cenário do *Jornal Nacional* foi resultado da fascinação que tenho por espaço. Dar a ilusão de uma grande dimensão sempre me fascinou", afirma o designer.

O cenário criado por Hans Donner trazia as letras do selo "JN" em perspectiva ao fundo. Foi acrescentada mais uma parede, com dois monitores de cada lado, o que possibilitou o jogo de câmeras e maior movimentação dos apresentadores. No cenário antigo, criado por Mário Monteiro, atrás da bancada havia apenas uma tapadeira, com o logo do *Jornal Nacional*, o que não permitia variações no enquadramento.

O primeiro cenário criado por Hans Donner ficou no ar apenas dois anos. Em 1981, novamente sob sua responsabilidade, o visual do *Jornal Nacional* passou por mais uma mudança. Foi criada uma nova bancada e, ao fundo, um

1

2

3

4

1. Primeira unidade móvel de reportagem eletrônica ao vivo (s/d).

2. Câmera portátil VR 3000 (dez 1973).

3. Geraldo Pajés na *switcher* da CGJ (s/d).

4. *Switcher* (dez 1975).

1

2

3

4

5

1. O montador Auderi Alencar e o editor Sílvio Julio Nassar na moviola montando as matérias produzidas em filme (abr 1980).

2. Telecine, equipamento que transformava o filme em positivo antes de ser exibido no *Jornal Nacional* (mar 1975).

3. Ao centro o editor Fernando Waisberg na ilha de edição de imagens (mar 1975).

4. A repórter Marilena Chiarelli, da sucursal de Brasília (década de 1970).

5. A repórter Glória Maria (jun 1980).

1

2

3

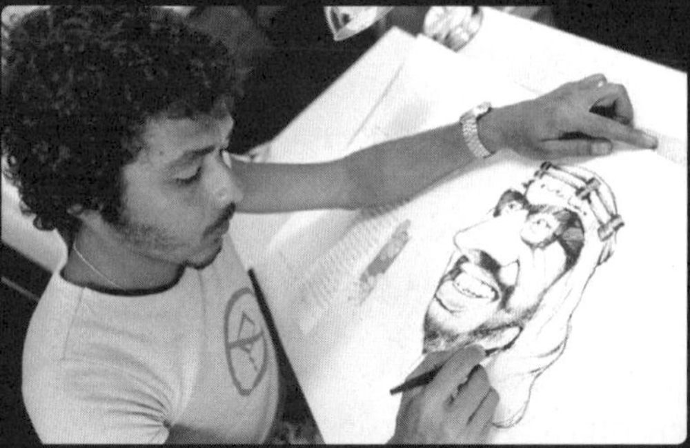

4

1. Charge de Fidel Castro e Brejnev criada por Roberto Simões na década de 1970.

2. O designer Hans Donner (set 1982).

3. **O** desenhista Roberto Simões (2 dez 1973).

4. Transformações no cenário e no logotipo do *Jornal Nacional*. Na bancada, da esq. para a dir., os apresentadores Celso Freitas (1977), Sérgio Roberto (1978), Carlos Campbell (1979), Cid Moreira (1981), Berto Filho (1982) e Cid Moreira e Sergio Chapelin (1983).

mapa-múndi em relevo passou a fazer parte do cenário. O logo do telejornal também sofreu alterações, deixando de ter a marca da Rede Globo integrada às letras "JN". A vinheta de abertura acompanhou essa evolução, passando por modificações em 1981 e 1982.

Em 1983, foi ao ar a primeira vinheta de abertura do *Jornal Nacional* feita a partir dos recursos da computação gráfica. Para fazer essa vinheta, que mostrava um globo flutuando na tela, de onde saíam diversos "JN"s, Hans Donner usou apenas imagens geradas por computador. Até então as aberturas eram finalizadas num equipamento de trucagem chamado Oxberry.

"Imagina o telespectador, em casa, vendo o globo, com os gomos, flutuando? E os 'JN's vindo em sua direção. Para mim, era como se fossem as notícias vindo de todas as partes do mundo. Esse era o conceito visual", comenta o designer.

O cenário do *JN* acompanhou as mudanças da abertura do telejornal, em 1983. Apesar de a cor cinza ainda ser predominante, o vermelho e o azul passaram a fazer parte do novo visual. Naquela fase, a bancada parecia estar dentro de um globo, com diversos quadros que mostravam ora *takes* da vinheta, ora um selo que ilustrasse o assunto em questão. O Departamento de Artes da CGJ, dirigido por Paulo Polé, era o responsável pela produção diária dos selos, inseridos no vídeo através da técnica do *chromakey* junto com o *Quantel*, um equipamento eletrônico que reduzia a imagem.

Satélites em Órbita

Em 1977, a Embratel iniciou a operação do Sistema Brasileiro de Telecomunicações por Satélite (SBTS), integrando-se ao Intelsat, consórcio internacional usado para o tráfego de ligações telefônicas, de dados e de televisão. Mas foi só em 1981 que a empresa recebeu autorização do governo brasileiro para instalar e operar o seu próprio sistema de satélites. Imediatamente, para viabilizar e garantir o projeto, ainda em fase de planejamento, a Embratel ofereceu às redes de televisão brasileiras o uso de um espaço do Intelsat.

A TV Bandeirantes foi a primeira a aceitar a proposta da Embratel e a usar o satélite para transmitir sua programação de São Paulo às demais emissoras da rede. Meses depois, em 1982, foi a vez da Rede Globo, que já contava então com 27 emissoras espalhadas pelo país. Não houve interesse de outras redes de televisão porque o uso do Intelsat exigia um investimento alto, com a implantação de uma infra-estrutura cara, como antenas parabólicas de sete metros de diâmetro.

O Intelsat trouxe ganhos significativos de qualidade nas operações da Globo. Primeiro, porque permitiu que comerciais e toda a sua programação nacional fossem exibidos simultaneamente por todas as emissoras que compunham a rede. Segundo, porque imprimiu grande agilidade ao jornalismo ao possibilitar a divulgação das notícias importantes, de forma imediata e instantânea, para todo o país. Além disso, a operação por satélite era muito mais confiável do que a por microondas. Era comum os *links* desarmarem no meio de uma transmissão, o que trazia muitas complicações, especialmente para o *Jornal Nacional*.

O Intelsat permitiu à Rede Globo assumir uma posição bastante vantajosa em relação às concorrentes devido ao maior alcance dos seus sinais. Mas a vantagem duraria pouco. Em 1985, a Embratel lançou o primeiro satélite doméstico brasileiro, o Brasilsat. Aos poucos, as outras redes de televisão começaram a distribuir sua programação para todo o país por esse satélite, que exigia uma antena de pouco mais de dois metros de diâmetro para a recepção dos sinais.

Ciência e Saúde

Bebê de proveta – O nascimento do primeiro bebê de proveta ganhou repercussão no mundo inteiro, em função das questões éticas envolvidas. A notícia sobre a experiência foi apresentada no *Jornal Nacional*, no dia 18 de julho de 1978. Sandra Passarinho, então correspondente em Londres, destacou que o grupo Associated Newspapers tinha a exclusividade da cobertura do nascimento de Louise Brown. Os pais da criança e os médicos teriam assinado um acordo milionário com a empresa, que reunia dois dos principais jornais da Inglaterra.

No *Jornal Nacional* de 24 de agosto, quando Louise Brown completava um mês de vida, o apresentador Cid Moreira informou que a BBC de Londres havia liberado as imagens do nascimento da menina. Somente nessa data, o público brasileiro pôde conhecer o primeiro bebê de proveta.

1. A repórter Sandra Passarinho em frente ao Hospital de Oldham, na Inglaterra, comentando o esquema de cobertura para o nascimento do primeiro bebê de proveta (JN, 18 jul 1978).

Aids – No início da década de 1980, o surgimento de uma nova doença – a Síndrome da Imunodeficiência Adquirida – assustou a população em todo o mundo. O *Jornal Nacional* exibiu várias reportagens do então correspondente de Nova York Lucas Mendes sobre o assunto.

A Aids foi descrita pela primeira vez em 1981, somente três anos mais tarde o vírus HIV foi identificado. Nessa época, as pesquisas revelaram que a contaminação poderia ocorrer através de relações sexuais desprotegidas, do uso de seringas contaminadas, pela transfusão de sangue não testado e durante a gravidez, quando a mãe infectada transmitia a doença para o feto.

Em 13 de agosto de 1985, o *JN* exibiu uma entrevista exclusiva de Lucas Mendes com o cientista norte-americano Robert Gallo, um dos responsáveis pela identificação do vírus. Na matéria, o pesquisador relatou um estudo sobre a incidência de Aids nos bancos de san-

2. O repórter Lucas Mendes, em frente ao Centro de Controle de Doenças, nos Estados Unidos, informando os últimos resultados da pesquisa sobre o vírus da Aids (jun 1985).

gue de vários países. No Brasil, Gallo verificou que das 60 amostras enviadas para os Estados Unidos, quatro ou cinco estavam contaminadas. O número assustou o pesquisador que alertou para a importância dos exames de Aids nos doadores de sangue no país.

Pouco tempo depois, o *JN* noticiou a morte de Rock Hudson, um dos principais astros de Hollywood na década de 1960. Outros artistas como Lauro Corona, Cazuza, Freddie Mercury e Renato Russo, o cartunista Henfil e o sociólogo Herbert de Souza, o Betinho, também morreram de Aids.

No ano de 2000, o *JN* apresentou várias reportagens sobre o grande número de pessoas infectadas no continente africano. O problema era tão grave que, na época, a doença chegou a ser classificada como epidemia. No *JN* do dia 19 de julho, uma matéria do repórter Ernesto Paglia informava que a África do Sul conseguira quebrar a patente dos laboratórios internacionais para comprar mais barato os medicamentos utilizados no combate à doença. Essa medida também foi adotada com sucesso pelo governo brasileiro.

Dolly – Em 1997, pesquisadores escoceses conseguiram romper mais um limite da ciência ao fazer a cópia geneticamente perfeita de uma ovelha adulta. A medida provocou muita polêmica: discutiam-se, de um lado, os benefícios das pesquisas para o tratamento de inúmeras doenças e, de outro, as implicações éticas da clonagem.

No *JN* do dia 24 de fevereiro, o repórter William Waack esclarecia que as pesquisas nessa área poderiam trazer contribuições no tratamento de doenças como câncer e hemofilia, aumentando as chances de cura de milhões de pessoas. Por outro lado, assinalava que, no caso de clonagens humanas, a experiência poderia gerar situações absurdas como: "Doentes graves poderiam ter gêmeos para obter órgãos para transplante, pais de filhos únicos gostariam de ter uma cópia e ditadores não encontrariam dificuldades em conseguir sucessores."

Em 1999, os cientistas descobriram que Dolly apresentava sinais de envelhecimento precoce. A ovelha foi sacrificada aos seis anos, depois de diagnosticada uma doença pulmonar progressiva.

No começo de 2001, o médico italiano Severino Antinori chocou o mundo ao anunciar que estava tentando clonar um ser humano. Pouco tempo depois, em 2002, declarou que uma das suas pacientes estava grávida do primeiro clone humano. A notícia foi ao ar no *Jornal Nacional* do dia 5 de abril. Nessa mesma data, a repórter Heloísa Villela mostrou que os cientistas norte-americanos receberam com desconfiança o anúncio da experiência de Antinori. Na matéria, a geneticista Mayana Zatz, da Universidade de São Paulo, apontava o risco do embrião clonado ser abortado e do bebê apresentar doenças genéticas e má formação ao nascer.

3. *Ovelha Dolly: cientistas escoceses conseguem fazer uma cópia geneticamente perfeita de um animal adulto (JN, 24 fev 1997).*

Projeto Genoma – "O homem entrou em um lugar onde só Deus conhecia." A frase, citada por Fátima Bernardes no *Jornal Nacional* em 26 de junho de 2000, é do norte-americano Francis Collins, um dos responsáveis pelo Projeto Genoma, encarregado de decifrar o código genético humano. Depois de dez anos, o cientista anunciava os primeiros resultados das pesquisas. O projeto foi concluído em 14 de abril de 2003. No *JN*, o correspondente Luís Fernando Silva Pinto mostrou que a codificação em detalhes dos mais de 40 mil genes dos seres humanos iria possibilitar avanços revolucionários no tratamento, na prevenção e no diagnóstico de várias doenças. A descoberta também permitiria um conhecimento bem mais amplo da história da evolução humana, abrindo uma série de possibilidades para a ciência no século XXI.

4

Abertura e Jornalismo

A Lei de Anistia e a Volta dos Exilados

O general João Batista Figueiredo assumiu a presidência da República em março de 1979 com a tarefa de consolidar a transição democrática. Sua primeira medida nesse sentido foi sancionar, já em agosto, a lei nº 6.683, que concedia anistia a todos aqueles que haviam cometido crimes políticos no período de 2 de setembro de 1961 a 15 de agosto de 1979.

Durante todo o mês de agosto, o *Jornal Nacional* acompanhou as discussões sobre o projeto de anistia, que começaram formalmente no dia 2 com a instalação no Congresso Nacional de uma comissão mista, composta por 11 deputados e 11 senadores. O projeto do governo excluía os condenados por crime de terrorismo, assalto, seqüestro e atentado pessoal, enquanto o projeto substitutivo do MDB propunha a anistia ampla, geral e irrestrita e sugeria a recondução imediata a seus antigos cargos dos servidores punidos pelos atos de exceção.

Enquanto os parlamentares debatiam os projetos, uma série de manifestações pela anistia irrestrita era realizada em diversas regiões do país e no próprio Congresso. Em 8 de agosto, um grupo de artistas do Rio e de São Paulo entregou aos deputados e senadores um documento com 700 assinaturas a favor da anistia ampla. No dia 14, parentes de presos políticos e manifestantes de diversos grupos – como o Comitê Brasileiro pela Anistia e o Movimento Feminino pela Anistia – passaram o dia nos corredores do Senado e da Câmara. Eles traziam cartazes e faixas que, como o *Jornal Nacional* informou, não puderam ser abertos devido ao esquema de segurança do Congresso.

No dia 22, o projeto do governo foi finalmente aprovado pelo Congresso Nacional numa tumultuada sessão que durou oito horas e 40 minutos. Houve manifestações nas galerias e discussões – e até tentativas de agressão – entre os parlamentares. Na Cinelândia, no Rio de Janeiro, estudantes e artistas cantaram e recitaram poesias no momento em que o Congresso aprovava a lei. Os manifestantes também gritaram palavras de apoio a alguns presos políticos que estavam em greve de fome havia 30 dias, em protesto contra a medida do governo de não conceder anistia a todos.

A decisão do Congresso foi ratificada pelo presidente quase uma semana depois, em 28 de agosto. A lei teve efeito imediato, beneficiando 2.200 pessoas que puderam sair da clandestinidade ou retornar ao país depois de longo exílio. Já no dia 29, o *Jornal Nacional* mostrou a libertação de presos políticos em Recife, Salvador, Rio e São Paulo. Nos dias seguintes, o telejornal acompanhou também a volta dos exilados. Um dos primeiros foi Fernando Gabeira, que chegou ao aeroporto do Rio em 1º de setembro, quatro dias após a promulgação da lei. Em seguida, viriam Leonel Brizola, Márcio Moreira Alves, Miguel Arraes e Luís Carlos Prestes.

Muitos dos beneficiados pela anistia voltaram à cena política nacional se ligando aos novos partidos políticos fundados desde novembro, depois de aprovada a lei orgânica que extinguiu a Arena e o MDB e restabeleceu o pluripartidarismo no país. Surgiram, nesse contexto, o PDS (Partido Democrático Social), o PMDB (Partido do Movimento Democrático Brasileiro), o PT (Partido dos Trabalhadores), o PDT (Partido Democrático Trabalhista), o PTB (Partido Trabalhista Brasileiro), entre outros.

A abertura política permitiu a consolidação do jornalismo da Globo de Brasília. Naquele momento, a sucursal passou a produzir um bloco inteiro do *Jornal Nacional*, apresentado ao vivo por Carlos Campbell. Marilena Chiarelli comenta que aquilo foi um marco, uma vez que o *JN* sempre fora feito a partir do Rio ou de São Paulo: "E com isso nós conseguiríamos também ganhar mais tempo: você poderia fechar uma matéria uns cinco minutos antes de o bloco ir ao ar. Antes, se você conseguia uma notícia de última hora, tinha todo um esquema de editar, negociar a cabeça com o Rio, fazer a geração. Era complicado."

O Atentado à OAB e à Câmara de Vereadores

Bastou o governo dar sinais em favor da abertura política para que setores conservadores mais radicais começassem a agir com violência tentando sabotar o processo de redemocratização do país. Já em 1976, ocorreram vários atentados no Rio de Janeiro. O primeiro aconteceu em 19 de agosto, na Associação Brasileira de Imprensa (ABI), no centro da cidade. Uma bomba explodiu no sétimo andar do prédio, destruindo dois banheiros próximos ao gabinete da presidência. No mesmo dia, uma outra bomba foi encontrada na caixa de força da sede da Ordem dos Advogados do Brasil (OAB).

Em 22 de setembro, o bispo dom Adriano Hipólito foi seqüestrado, espancado e abandonado despido e com o corpo pintado de vermelho num matagal em Jacarepaguá. Seu carro foi levado até as proximidades da Conferência Nacional dos Bispos do Brasil (CNBB), na Glória, e destruído numa explosão. Na mesma madrugada, o presidente das Organizações Globo, Roberto Marinho, também seria vítima dos terroristas. Uma bomba explodiu no telhado da sua residência no Cosme Velho, destruindo parte do segundo andar. O grupo Aliança Anticomunista Brasileira assumiu a autoria de alguns desses atentados, mas nenhum envolvido foi identificado pelas autoridades. Todo o bloco do noticiário do *Jornal Nacional* dedicado ao assunto foi censurado.

Em 1980, o aprofundamento do processo de abertura realizado pelo presidente Figueiredo provocou nova onda de atentados. Bancas de revistas em São Paulo e em Minas Gerais, que vendiam publicações consideradas subversivas, foram incendiadas. Em 27 de agosto, por volta das 13h40, uma carta-bomba endereçada ao então presidente nacional da OAB, Eduardo Seabra Fagundes, explodiu na sede da entidade, no Rio, e matou a secretária Lyda Monteiro da Silva, de 59 anos. Uma hora mais tarde, outra bomba era detonada na Câmara dos Vereadores, ferindo seis pessoas.

O *Jornal Nacional* mostrou imagens da destruição nos dois prédios, informando que, segundo os peritos, as bombas eram rudimentares, de fabricação caseira. O telejornal exibiu imagens do velório de Lyda Monteiro da Silva no saguão da sede da OAB. O cortejo fúnebre foi acompanhado pelo repórter Luiz Eduardo Lobo. Naquele dia, o presidente João Figueiredo decretou luto nacional e, no Fórum e na Faculdade Nacional de Direito, a mais antiga do Brasil, o expediente e as aulas foram suspensos.

Dois meses e meio depois, no dia 17 de novembro, o *Jornal Nacional* informou que a Polícia Federal havia localizado o provável autor dos atentados. Era Ronald James Watters, ex-funcionário do Ministério da Agricultura, que já respondera a processo por atentado a bomba contra uma exposição soviética no Rio de Janeiro, em 1962. Em seu apartamento, a polícia encontrou anotações feitas com a mesma máquina de datilografia usada para subscrever o envelope da carta-bomba. Watters foi libertado oito meses depois e, em 1983, absolvido por unanimidade pela 2ª Auditoria de Justiça Militar.

O Atentado do Riocentro

Na noite de 30 de abril de 1981, durante um espetáculo musical comemorativo do Dia do Trabalho, realizado no Riocentro, Zona Oeste do Rio de Janeiro, uma bomba explodiu no interior de um automóvel Puma, matando o sargento Guilherme Pereira do Rosário e ferindo o capitão Wilson Luís Chaves Machado. Os dois eram integrantes do Doi-Codi e estavam no local, segundo as autoridades militares, numa operação de rotina. Outra bomba havia sido colocada na casa de força do prédio, mas não chegou a explodir.

As notícias sobre o atentado ocorrido no Riocentro, onde estavam cerca de 20 mil pessoas, começaram a ser veiculadas pela Rede Globo durante a manhã do dia 1º de maio, em *flashes* ao longo da programação. As primeiras informações e a imagem do carro destruído foram levadas à emissora pela equipe escalada para a cobertura do show. Na matéria exibida no *Jornal Hoje*, a repórter Leila Cordeiro informou a identidade dos ocupantes do automóvel e falou sobre a existência de outras duas bombas, que teriam sido desativadas por peritos. A informação foi posteriormente desmentida pelo delegado Newton Costa, diretor do Departamento Geral de Investigações Especiais, e pelo general Gentil Marcondes Filho, comandante do I Exército.

O incidente dominou toda a edição do *Jornal Nacional* daquele dia, que, além das informações dos noticiários anteriores, apresentou declarações indignadas de políticos, como José Sarney e Miro Teixeira, e a versão do secretário de Segurança Pública do Rio de Janeiro, general Waldyr Muniz, que culpou os comunistas pelo atentado. Ainda nessa edição foi mostrada a imagem de dois tubos de gás lacrimogêneo, equivocadamente identificados como as outras bombas encontradas no Puma.

A reação dos militares ao noticiário do *Jornal Nacional* foi imediata. No dia seguinte pela manhã, a Rede Globo passou a sofrer forte censura, com a presença de militares na própria redação. A emissora foi obrigada não apenas a corrigir o seu erro na identificação da imagem, como seria natural, mas também a desmentir a existência de outras bombas no carro, apesar dos rumores de que a informação era correta.

Luiz González relembra o episódio: "Quando chegou cinco e pouco da manhã, eu recebi a equipe da editoria Rio que estava fazendo o show, e que ficou a madrugada no Riocentro. A repórter, que era a Leila Cordeiro, me relatou que havia uma segunda bomba no Puma. Mas nós não conseguimos achar, nas fitas, a imagem da bomba. Aliás, pensando hoje em retrospectiva, eu não sei se ela existia. Mas tinha a informação de um perito, com quem Leila tinha conversado, que assegurou que eles tinham tirado do carro uma segunda bomba. Bom, nós fizemos o noticiário, passamos para o *Hoje*, e foi ao ar. Nós demos a informação, mas não mostramos nenhuma imagem. Quando o pessoal do *Jornal Nacional* chegou, o Luís Edgar de Andrade me pediu para que passasse o material para o editor do *Nacional*. Eu passei o que eu tinha: as informações, os VTs, as minhas decupagens. E, para a minha surpresa, quando eu assisti ao *JN* em casa vi a menção à segunda bomba e havia um *wipe* (aquele círculo que a gente faz para destacar uma coisa na imagem) em volta de duas bombas de gás lacrimogêneo, como se aquilo fosse a segunda bomba. E eu me assustei, porque estava claro que era um erro. Aquilo era perfeitamente identificável como uma bomba de gás lacrimogêneo. Eram dois bastonetes, dois cilindros. Então, nós tínhamos uma informação correta, até onde se sabe, e houve uma confusão, e a imagem errada colocou em xeque a informação correta. No dia seguinte, os militares do I Exército começaram a ligar. E foi a maior pressão em cima da Globo. Tinha um enxame de coronéis e generais querendo as fitas, querendo saber onde estava a imagem da segunda bomba. Eles chegaram a soltar uma nota dizendo que a Rede Globo tinha errado, que não havia segunda bomba. Foi uma polêmica que se iniciou por uma confusão entre a informação da existência da segunda bomba e uma imagem editada erradamente. E eu acredito que tenha sido editada errada por pressa."

Segundo Armando Nogueira, o episódio foi uma de suas maiores frustrações como diretor de jornalismo da Rede Globo: "Essa cobertura representou para os militares um grande telhado de vidro, por isso eles praticamente ocuparam a Rede Globo e não deixaram que a gente exibisse coisa nenhuma; nos censuraram o tempo todo. As outras redes, nessa época, já tinham um pouco mais de liberdade. Mas porque a liberdade, nesse caso, era proporcional à audiência."

No dia 30 de junho, o coronel Job Lorena de Santana, responsável pela condução do Inquérito Policial Militar (IPM) que apurava o caso, apresentou o resultado de suas investigações. Na sessão para a imprensa, não foram permitidas perguntas. O IPM concluía que os dois militares tinham sido vítimas de um atentado com uma bomba colocada entre a porta e o banco direito do automóvel. No dia 2 de outubro, o Superior Tribunal Militar decidiu pelo arquivamento do inquérito, sem que fossem apontados os autores da ação. O episódio acabou levando o chefe do Gabinete Civil, Golbery de Couto e Silva – tido como o principal estrategista político do governo e defensor do processo de abertura – a pedir demissão.

Quinze anos depois, em março de 1996, a Rede Globo retomaria o caso do Riocentro numa grande reportagem exibida no *Globo Repórter*. O programa trouxe à tona revelações que evidenciaram a manipulação dos fatos na versão oficial. O atentado – na época atribuído à esquerda – partira, na realidade, dos próprios militares.

Para realizar a reportagem, dirigida por Claufe Rodrigues, o repórter Caco Barcellos – que contou com a colaboração de Fritz Utzeri – investigou durante três meses o episódio, realizando mais de 50 entrevistas. Foram ouvidas testemunhas ignoradas pelo inquérito oficial, como os agentes de segurança do Riocentro. Algumas autoridades militares chegaram a confirmar que havia sido montada uma farsa pelos órgãos de segurança do regime militar. Foi este o caso do almirante Júlio de Sá Bierrenbach, que deu seu voto no STM contra o arquivamento do IPM em 1981, do coronel Ile Marlen Lobo, ex-comandante do 18º Batalhão da Polícia Militar, do coronel Luiz Antonio Prado Ribeiro, primeiro responsável pelo IPM e que decidiu afastar-se do caso, e do coronel Dickson Grael, que realizou investigações paralelas ao IPM.

As Eleições de 1982

Em 15 de novembro de 1982, foi realizada a primeira eleição direta para governador de estado após a instauração do regime militar. Seriam também eleitos senadores, deputados federais e estaduais, prefeitos (menos os das capitais) e vereadores. Entre os candidatos, estavam importantes líderes de oposição, como Miguel Arraes e Leonel Brizola, cassados e exilados no período da ditadura.

A cobertura das eleições, na Rede Globo, começou a ser planejada e montada em agosto. No momento da eleição, em novembro, a Globo chegou a mobilizar quase 25 mil profissionais em todo o país, envolvidos na divulgação dos números e na realização de análises, entrevistas e reportagens. A emissora fez um investimento milionário na cobertura, cerca de 500 milhões de cruzeiros (aproximadamente 4 milhões e 300 mil dólares de hoje). O esquema montado, um dos maiores da história da empresa, se inspirava no da Copa do Mundo daquele ano, quando fora construído um megacentro de operações na Espanha.

A coordenação geral da cobertura coube a Alice-Maria, que contou com o auxílio dos editores Woile Guimarães, Paulo Gil Soares, Diléa Frate, Dante Matiusse e Toninho Drummond. O comando da operação – o Centro Nacional das Eleições – ficou em São Paulo, estado que concentrava o maior número de eleitores do país, quase o dobro do segundo colégio eleitoral brasileiro, que era Minas Gerais. Para São Paulo, seguiam todos os números da votação e também todas as matérias a serem divulgadas em rede nacional. Na produção dessas matérias, participaram as equipes das emissoras locais e repórteres especiais, que foram enviados aos estados. Na chefia geral de reportagem, estavam Ingo Ostrowski, Marcos Fonseca e Marcos de Castro.

Como se tratava de uma eleição muito complexa, a CGJ decidiu produzir um manual para auxiliar os profissionais envolvidos na cobertura. O livro, com cerca de 340 páginas, trazia informações variadas sobre todos os candidatos, partidos, eleitores, a justiça eleitoral e a história dos pleitos. Além disso, os jornalistas da Rede Globo participaram, durante duas semanas, de um seminário que contou com a presença, entre outros, do historiador Hélio Silva e dos deputados Prisco Viana e Mário Covas.

Na fase pré-eleitoral, que começou em meados de agosto, o *Jornal Nacional* e os outros telejornais da Rede Globo acompanharam o dia-a-dia dos candidatos. Foram criados programas especiais, como *Momento do Voto* e *Eleições 82*. O primeiro era um informativo, exibido de segunda a sexta-feira, com cinco minutos de duração. Fornecia dados históricos sobre eleições, curiosidades sobre o pleito e informações didáticas sobre como votar e como funciona o Congresso. *Eleições 82* era um programa dominical, com 40 minutos de duração, exibido às 22h30. Estreou em 29 de agosto, com os resultados da primeira pesquisa de opinião, realizada pelo Ibope. Os números eram interpretados com a ajuda de Homero Icaza Sánchez, diretor da Assessoria de Análise e Pesquisa da TV Globo, e enriquecidos com reportagens. O programa foi apresentado por vários jornalistas, como Antônio Britto, Ênio Pesce e Carlos Monforte.

Nessa fase, a Rede Globo promoveu um debate entre os candidatos ao governo dos estados, mostrado em edição especial do *Jornal da Globo*. Uma das inovações desse debate foram os *links* colocados em quatro pontos de cada estado. A população fazia perguntas, ao vivo, e o apresentador sorteava na hora o candidato que iria responder.

A cobertura das eleições propriamente ditas começou em 14 de novembro, com a exibição de vários boletins e do especial *O Voto do Oiapoque ao Chuí*, e se intensificou no dia seguinte, com a votação. Foram exibidos flashes, nacionais e locais, quase de hora em hora. Transmitiam-se informações não só sobre o pleito, mas também sobre o trânsito e as filas nos locais de votação nos diferentes estados.

A partir do dia 16, começou o acompanhamento da apuração. Eram cinco boletins nacionais, de 15 minutos, e sete locais, com cinco minutos. Eles mostravam os resultados da apuração das eleições majoritárias, faziam previsão de bancada de cada partido e exibiam flagrantes da atualidade, pequenas entrevistas e análises. Os boletins nacionais eram apresentados por Carlos Monforte, Renato Machado, Celso Freitas e Rui Barbosa.

De 16 a 18 de novembro, foram ao ar, diariamente, duas edições do *Show das Eleições*, uma às 11h e outra às 22h20, com 40 minutos cada. O programa – especialmente criado para acompanhar o pleito – fornecia um balanço completo da votação, com a soma dos números em cada estado, e ainda análises, entrevistas e reportagens especiais. Pela manhã, o programa era apresentado por Marília Gabriela e Ney Gonçalves Dias e, à noite, por Sergio Chapelin, Carlos Monforte e Luciana Villas Boas.

O *Show das Eleições* era transmitido de um estúdio construído no Teatro Globo, em São Paulo, com cenários de Jean Phillipe Therène. No fundo do set de apresentação, foi montado um amplo painel com o mapa do Brasil, que ia sendo colorido de acordo com os resultados eleitorais. Cada partido tinha uma cor, que aparecia nos estados à medida que eram definidos os vencedores das eleições majoritárias.

A apuração dos votos

Em 1982, a Rede Globo planejou montar em todo o país um esquema paralelo de apuração dos votos. A idéia era divulgar os resultados das urnas com rapidez, antecipando os números dos TREs. A emissora, no entanto, não contava um a um os votos das urnas, já que essa era uma prerrogativa exclusiva da Justiça Eleitoral. Apenas fazia a soma final dos números oficiais divulgados pelas juntas apuradoras.

Pedro Roza, responsável pela coordenação nacional do sistema de apuração da Rede Globo, comenta que havia uma grande expectativa em relação a como o esquema ia ser montado: "Eu me lembro que, quando começaram as conversas sobre a cobertura, foi um frenesi para descobrir quem é que tinha experiência

1

2

3

4

5

1. Chegada ao Brasil de Fernando Gabeira após a anistia (set 1979).

2. Chegada ao Brasil de Leonel Brizola após a anistia (set 1979).

3. Cenas da seca no nordeste do país (*JN*, jun 1983).

4. O repórter Caco Barcellos tentando falar pelo telefone com o general Waldyr Muniz, secretário estadual de Segurança do Rio de Janeiro, na época do atentado (*Globo Repórter*, 15 mar 1996).

5. Carro em que explodiu a bomba do Riocentro (*Globo Repórter*, 15 mar 1996).

1

2

3

4

5

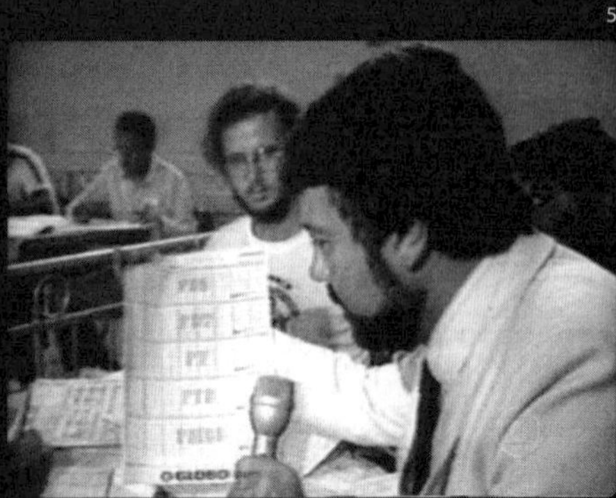

1. Cenas da enchente no sul do país (*JN*, jul 1983).

2. A repórter Leilane Neubarth no centro de apuração do jornal *O Globo* durante a cobertura das eleições (1982).

3. A repórter Sônia Pompeu informando os primeiros resultados das eleições (17 nov 1982).

4. O repórter Paulo Alceu explicando o sistema de apuração das eleições (*JN*, 13 nov 1982).

5. O repórter Paulo César Araújo em uma das juntas apuradoras do estado do Rio de Janeiro (1982).

em apuração de eleições. Imagina, 20 anos sem votação, quem é que sabia cobrir? Existia um certo receio com relação à estabilidade das instituições democráticas. Havia uma preocupação generalizada com relação ao que ia acontecer, como é que ficava o público nos 15, 20 dias que levava para apurar uma eleição. Mais do que isso, onde é que os órgãos de imprensa iam arranjar informações para passar para o público sobre a marcha da apuração? A exemplo do que já havia sido feito no passado, resolveu-se que a Globo ia montar um esforço nacional de apurações das eleições. Naquele tempo, ninguém sabia muito bem do que se estava falando."

Foi, então, formada uma equipe, que imediatamente pôs-se a viajar pelo Brasil, começando por Brasília e depois dirigindo-se a outras regiões, a fim de montar o esquema com as emissoras afiliadas à Rede Globo. A idéia defendida por Toninho Drummond era montar uma estrutura própria de apuração em todo o país, mas isso não foi possível. Decidiu-se que cada afiliada faria a apuração do seu estado, pois a Rede Globo enfrentava problemas de infra-estrutura. A emissora ainda não tinha, por exemplo, computador. O seu primeiro *mainframe* seria instalado apenas no início de 1983. Então, era preciso encontrar maneiras alternativas para apurar o resultado de cada urna, somar os votos por seção, em cada zona eleitoral, em cada município, em cada estado, para cada cargo.

A Rede Globo encontrou diferentes soluções para o problema em cada uma das suas praças. No Rio, foi feito um acordo com O *Globo*. O jornal fazia a apuração e passava para a TV os resultados. Em São Paulo, fechou-se acordo semelhante com O *Estado de S. Paulo*. Em Belo Horizonte e Recife, foram montados sistemas de apuração próprios. As emissoras contrataram pessoas que ficavam nos locais de apuração, nas zonas eleitorais, copiando os resultados urna por urna e enviando as informações para um centro de processamento, que somava os resultados e os transmitia tanto localmente quanto para a cabeça da rede.

O principal problema ocorreu no Rio de Janeiro. O *Globo* montara um esquema de apuração dos votos complexo e avançado em termos de tecnologia. Para trabalhar nas 230 juntas eleitorais dos 64 municípios fluminenses, o jornal contratou 700 universitários, que copiavam os resultados oficiais de cada urna e os enviavam para o Centro de Processamento de Dados do jornal, no Rio. Lá, as informações eram digitadas por 320 profissionais, que trabalhavam 24 horas por dia em sistema de revezamento. Os boletins eram, então, transformados em fitas perfuradas, transferidos para o computador central e enviados para a Rede Globo em São Paulo, onde funcionava o Centro Nacional das Eleições da Rede Globo.

Esse esquema, no entanto, não se adequava às necessidades de uma emissora de televisão, como se constatou muito mais tarde. A complexidade do processo de apuração – que incluía as eleições majoritárias (para governador, prefeitos das cidades que não eram capitais e senadores) e as proporcionais (para deputados estaduais e federais e vereadores) – não permitia que as informações chegassem à Globo com a agilidade que o veículo exigia. Como o jornal possuía uma única edição diária, que fechava por volta das 23h, sendo, a partir daí, atualizada em média três vezes enquanto o jornal estava sendo rodado, dispunha de tempo para elaborar os dados e explicar as informações aos seus leitores. Mas a televisão, que exibia vários boletins ao longo do dia, precisava de informações instantâneas.

As eleições no Rio de Janeiro e o caso Proconsult

As eleições de 1982 trouxeram uma novidade. O TSE decidiu, naquele ano, informatizar pela primeira vez a fase final da apuração, isto é, o somatório dos mapas produzidos manualmente pelas juntas de apuração em cada zona eleitoral. Na maioria dos estados, a responsável pelo trabalho foi uma empresa estatal, o Serpro (Serviço Federal de Processamento de Dados). No Rio de Janeiro, a firma contratada pelo TRE foi a Proconsult & Racimec Associados.

Já nos primeiros dias, a apuração realizada pela Proconsult no Rio seguia um ritmo extremamente lento, enquanto a realizada pelo Serpro nos outros estados já estava avançada. Além disso, nos números divulgados, havia um predomínio dos votos do interior, redutos do PDS e PMDB, o que acabava por superdimensionar as possibilidades dos candidatos a governador Moreira Franco e Miro Teixeira, dando uma visão distorcida do desempenho de Leonel Brizola.

O candidato do PDT, Brizola, foi, então, alertado sobre a possibilidade de fraude na apuração por um funcionário da Rede Globo, Homero Icaza Sánchez, então diretor da Assessoria de Análise e Pesquisa da emissora. Homero, conhecido como "El Brujo" por suas previsões infalíveis, interpretava os números das pesquisas do Ibope e, já em agosto, constatara que Brizola ganharia a eleição. Por isso, estranhou quando começaram a ser divulgados os primeiros resultados oficiais, mostrando Moreira Franco na liderança. Convencido de que suas análises não poderiam estar erradas, Homero decidiu advertir o candidato do PDT de que alguma coisa estava errada com os números do TRE.

Acontece que os números oficiais eram semelhantes aos que vinham sendo divulgados pela Rede Globo e diferentes dos apresentados por outros órgãos de comunicação, como o *Jornal do Brasil*, que já nos primeiros dias apontavam a vitória de Leonel Brizola.

Isso ocorria porque o *JB* utilizava os números da Rádio JB, que contabilizava apenas as majoritárias (os votos para governador, prefeito e senadores), o que facilitava muito o processamento dos dados e dava agilidade ao seu noticiário. O esquema de apuração da Rádio JB fora montado visando a uma divulgação contínua, praticamente em tempo real. A Rede Globo divulgava os números do jornal O *Globo*, que vinha processando lentamente os dados eleitorais, pois acompanhava detalhadamente a apuração dos pleitos majoritários (governadores, prefeitos e senadores) e proporcionais (deputados federais, deputados estaduais e vereadores), um volume enorme de informação que demandava muito tempo dos computadores de então. Outro motivo para a lentidão era que O *Globo* montara o seu esquema preocupado apenas com as suas necessidades industriais: como o jornal fechava apenas à noite, não havia por que fazer totalizações constantes ao longo do dia. Com isso, os números que a TV Globo divulgava estavam defasados em relação aos da Rádio JB.

O *Globo* compensava a distorção dos números oficiais, que davam aparente vantagem a Moreira Franco, fazendo projeções, levando em conta a porcentagem de urnas ainda não apuradas. Daí esse jornal jamais ter deixado de apontar a vitória do candidato do PDT, Leonel Brizola. Já no dia 16, anunciava em manchete de primeira página: "Ibope aponta vitória de Brizola" e, no dia seguinte, publicou a manchete: "Brizola lidera no Rio e na Baixada". Informou aos seus leitores que, apesar de Moreira Franco e Miro Teixeira aparecerem como os mais votados das primeiras urnas, aqueles números não correspondiam exatamente às tendências do eleitorado.

A Rede Globo, entretanto, ao contrário do jornal, havia decidido em 1982 divulgar apenas os números absolutos da votação, não realizando nenhum tipo de projeção. Mas o programa *Eleições 82*, no dia 15 de novembro, divulgou os resultados da última pesquisa do Ibope, realizada no início de novembro. O apresentador Carlos Monforte anunciou os números no Rio: "A pesquisa do Ibope dá a vitória para o PDT de Leonel Brizola, com margem de 5% em relação ao segundo colocado, Moreira Franco, do PDS."

Em 18 de novembro, três dias após a eleição, Leonel Brizola reuniu a imprensa internacional e criticou a lentidão nas apurações oficiais. Logo no início da entrevista, o candidato do PDT perguntou aos jornalistas o que achavam do fato de, em três dias de apuração no Rio de Janeiro, só haver o resultado oficial de 200 urnas. Afirmou que projeções feitas por assessores indicavam sua vitória sobre Moreira Franco com margem de 300 mil votos e fez críticas à cobertura jornalística das Organizações Globo. Segundo ele, a divulgação de dados contraditórios gerava um ambiente confuso e estava criando um clima favorável à fraude eleitoral.

Armando Nogueira decidiu, então, convidar Brizola para uma entrevista naquele mesmo dia no *Show das Eleições*. O candidato do PDT, entretanto, fez três exigências antes de aceitar participar do programa: a entrevista deveria ser ao vivo, transmitida do Rio de Janeiro e com 20 minutos de duração, no mínimo. Todas as condições foram aceitas.

A entrevista de Brizola no *Show das Eleições* durou meia hora e foi conduzida pelos jornalistas Paulo César Araújo e André Gustavo Stumpf. Brizola afirmou que só uma fraude poderia ameaçar a sua vitória e voltou a fazer insinuações a respeito da apuração da Rede Globo. Indignado, o diretor de jornalismo da emissora, Armando Nogueira – que acompanhava a entrevista de São Paulo –, viu-se obrigado a entrar no ar para contestá-lo. O diretor da CGJ não aceitou que o candidato colocasse em dúvida a seriedade do trabalho dos profissionais da Rede Globo.

Brizola, então, respondeu estar apenas registrando uma situação real existente no Rio de Janeiro, sem considerar, de forma alguma, que tivesse havido má-fé: "Eu quero que o amigo Armando Nogueira considere que não há conteúdo de desmerecimento a vocês todos, que certamente estão trabalhando muitíssimo no cumprimento dessa nobre tarefa", afirmou ele.

Armando Nogueira pediu que Brizola fizesse um desagravo à Rede Globo e ao TRE, afirmando que tanto a emissora quanto os magistrados estavam conduzindo seus trabalhos com precisão e critério. Brizola reiterou que em nenhum momento havia colocado em dúvida o trabalho do TRE e da Rede Globo, sua referência à fraude se devia à morosidade das apurações e que todos deveriam trabalhar em conjunto em benefício do Rio de Janeiro. "Mas como é que eu posso me conformar que vocês computem a toda hora urnas do interior e deixem as urnas da cidade, aqui?", acrescentou.

Nos dias seguintes, a apuração da Proconsult continuou tumultuada. Os boletins oficiais emitidos pelos computadores da empresa começaram a apresentar erros: o número de votos de alguns candidatos diminuiu, assim como desapareceram muitos votos brancos e nulos. A empresa não dava nenhuma explicação, o que aumentava ainda mais a confusão.

Em 24 de novembro, Saturnino Braga afirmou, na tribuna do Senado, que a Proconsult, com o apoio das Organizações Globo, estaria manipulando a apuração da eleição, computando somente os resultados favoráveis aos candidatos do PDS e omitindo os boletins que beneficiavam os candidatos do PDT. No dia seguinte, indignado com a acusação, Iram Frejat, coordenador dos trabalhos de apuração de O *Globo*, escreveu uma carta ao senador rebatendo as acusações.

O jornalista – que era irmão de José Frejat, candidato a deputado federal pelo PDT – apresentou-se como eleitor de Saturnino e de Brizola e explicou como foi desenhado o sistema de apuração do jornal. Afirmou que não houve nenhuma ocultação de boletins e que os números da eleição foram apresentados na ordem e na velocidade permitida pela apuração feita pelo TRE. Afinal, os dados em que se baseavam as análises do jornal eram retirados dos mapas oficiais das juntas do Tribunal Eleitoral.

Alguns dias depois, o tenente-coronel Haroldo Lobão, responsável pela elaboração do programa da Proconsult, assumiu toda a responsabilidade pelos erros cometidos pela empresa na computação dos votos. O caso, no entanto, ganhou dimensão de escândalo quando, na edição de 27 de novembro, o *Jornal do Brasil* denunciou que, juntamente com a Rádio Jornal do Brasil, havia sofrido pressões por parte da Proconsult para mudar os resultados que vinha divulgando. Arcádio Vieira, vice-presidente da Proconsult, teria tentado impor ao jornal e à rádio o seu modelo de projeção, que levava em consideração um aumento dos votos brancos e nulos, chamado por ele de "fator delta".

Ao concluir uma de suas conversas com o diretor da Rádio JB, Procópio Mineiro, Arcádio Vieira teria ameaçado: "Mude os seus números porque eles estão errados; se der os seus números, um de nós vai ter que fugir para Paris." O *JB* informou que, apesar das ameaças, havia recusado as ofertas de Arcádio Vieira e que, inclusive, demitira seu gerente de Métodos e Sistemas, Tadeu Lanes, que se mostrara receptivo aos argumentos do vice-presidente da Proconsult.

Dias antes de entrar em contato com o *JB*, Arcádio Vieira havia procurado César Maia, então coordenador do centro de processamento de dados do PDT, dizendo que o sistema de apuração do partido estava errado. Arcádio disse que se preocupava com os reflexos na opinião pública de uma projeção errada, pois tinha certeza de que Moreira Franco ganharia a eleição.

Ainda antes da votação, Arcádio Vieira havia proposto também ao *Globo* que usasse as suas totalizações. O jornal rejeitou a oferta e informou o fato ao TRE no dia 11 de novembro, quatro dias antes do pleito. O juiz eleitoral responsável pela totalização eletrônica, Dalpes Monsores, garantiu na época que seriam tomadas providências para evitar o desvio de material referente à apuração.

Frente às novas denúncias, o TRE resolveu pedir, ainda no dia 27 de novembro, abertura de inquérito na Polícia Federal e aprovou a realização de uma auditoria técnica na Proconsult. Dois dias depois foi suspensa a divulgação dos boletins sobre as eleições no Rio de Janeiro. Os últimos números divulgados antes da paralisação dos computadores correspondiam a 5.259 urnas, menos de um terço do total.

Em 5 de dezembro, a Proconsult foi considerada apta a continuar a totalização eletrônica dos votos e a empresa recomeçou o seu trabalho. No dia 16, os técnicos do Serpro divulgaram o relatório da auditoria feita na empresa e mostraram que a totalização dos votos fora mal planejada e desorganizada. Os juízes do Tribunal Eleitoral concluíram, no entanto, que os erros não foram intencionais.

Assim, após um mês de denúncias de manipulação de votos, o TRE divulgou o resultado oficial da eleição para governador no Rio. Leonel Brizola, do PDT, venceu com 1.709.264 (34,2%) contra 1.530.728 (30,6%) de Moreira Franco, do PDS, que ficou em segundo lugar.

O "escândalo da Proconsult", como se vê, dizia respeito à empresa contratada pelo TRE do Rio, mas, em vez de concentrar suas denúncias apenas na Justiça Eleitoral, Brizola estendeu-as às Organizações Globo, mais especificamente ao jornal e à TV. As denúncias iam contra os fatos: as manchetes de *O Globo*, desde a pesquisa de boca de urna e durante todo o período de apuração, davam a vitória a Brizola. E a TV não somente divulgou as mesmas pesquisas, como abriu espaços em seus telejornais e programas para que o próprio Brizola fizesse suas denúncias, que com isso ganharam repercussão ainda maior. Foi um exercício precoce do que hoje está presente em qualquer manual de redação: criticada, a Globo abriu os microfones a Brizola e se defendeu no ar. Não há dúvida, porém, de que houve um problema metodológico e não previsto na cobertura da Globo: uma emissora precisava de notícias em tempo real e teve acesso apenas a um noticiário, correto, mas produzido para um outro veículo, uma outra linguagem. Brizola não quis compreender isso ou não pôde. O resto foi produto de um momento político em que as paixões estavam radicalizadas. Nada como o tempo para permitir o relato sereno dos fatos.

ARMANDO NOGUEIRA (diretor da CGJ):

"A cobertura da Rede Globo nas eleições de 1982 passou para a história de uma maneira deformada, com versões que não correspondem à realidade dos fatos. Essa história começa num erro estratégico da própria Rede Globo. Quando nós decidimos prestar esse serviço, que era cobrir as eleições, eu participei de uma reunião com a alta direção, em que ficou decidido que nós íamos, por questão de economia, fazer uma cobertura atrelada ao jornal O *Globo* no Rio de Janeiro. Quando eu tomei conhecimento dessa estratégia, fiquei muito preocupado. Queria mostrar para os meus superiores que nós estávamos misturando as estações. Uma coisa é uma linguagem de jornal, outra é a linguagem de televisão. O jornal escrito é um instrumento de comunicação que tem seu *timing* próprio. Você passa o dia inteiro apurando informações, depurando informações, filtrando informações, desinformações, para no fim do dia fazer uma edição que sai no dia seguinte. À medida que o dia vai transcorrendo na redação de um jornal, você vai acumulando informação. À medida que o dia passa na redação de uma televisão, você está vomitando informação. Você não tem tempo de digerir. É uma sucessão de tiragens extras. É como se o jornal, de hora em hora, tivesse uma edição. E o que acontecia? Que números nós recebíamos de O *Globo*? Recebíamos números barbaramente atrasados, que não tinham nada a ver com a Proconsult. O *Globo* montou um arsenal de computadores e de técnicos para apurar os votos, com seus próprios recursos. Acontece que para um jornal é tão importante a eleição proporcional de um deputado quanto a do governador. Eles ficavam o dia inteiro trabalhando em cima dos dados para ver qual era o deputado mais votado, o menos votado. E os números que eles nos davam eram da eleição majoritária, porque nós não noticiávamos a apuração da eleição proporcional. Então, os nossos números estavam muito atrasados em relação à projeção que a concorrência fazia. Nós havíamos decidido não fazer projeção. Nós queríamos colocar números exatos, verdadeiros. Então, enquanto as projeções já davam o Brizola na frente, os números que nós recebíamos davam Brizola bem atrás, o que permitia uma campanha mal intencionada contra a Rede Globo no sentido de que a Rede Globo estava manipulando os números, dando os números da Proconsult. Nunca visitamos a Proconsult. Nunca tivemos o menor contato com a Proconsult."

HOMERO ICAZA SÁNCHEZ (diretor da Assessoria de Análise e Pesquisa da Rede Globo):

"O que aconteceu no incidente da Proconsult foi o seguinte: além da pesquisa, eu pedi ao Ibope uma tabulação especial sobre o Rio de Janeiro. Essa tabulação não era de quem ia ganhar as eleições, mas de quem votou em quem no dia da eleição. Era uma pesquisa de boca de urna, feita depois que o eleitor tinha votado. O eleitor saía da urna e a gente perguntava em quem ele votou. Se ele

* *Os titulares exerciam os cargos abaixo na época dos acontecimentos.*

queria dizer, dizia. Se não queria dizer, não dizia. Se queria dizer errado, dizia errado. Não era problema. Isso era feito por zona eleitoral. A amostra não era por classe socioeconômica. A amostra não era por sexo. A amostra – eu inventei – era por zona eleitoral. De modo que, com o resultado dessa amostra, eu sabia, dia por dia, se a apuração estava correta. Eu tinha uma amostra que me dizia a porcentagem de votos de cada zona eleitoral. Foi usando essa amostra que eu constatei que havia uma contagem errada. O TRE começou a dizer que não, que primeiro estava contando a Zona Oeste, que estava contando a periferia. Eu sabia que não. O Brizola me telefonou e me perguntou o que eu achava dessa contagem. Eu disse: 'Está errada.' Mas nós, da Globo, não tínhamos nada a ver com a Proconsult."

WOILE GUIMARÃES (editor regional da TV Globo de SP e um dos coordenadores da cobertura das eleições):

"A Proconsult foi uma tentativa de venda de informação da Proconsult para a Globo e para o *Jornal do Brasil*. A Globo não quis comprar o resultado, quem comprou foi o *Jornal do Brasil*. Aliás, reconhecido pelo próprio *Jornal do Brasil*, que afastou depois as pessoas envolvidas. E quem acabou ficando com a pecha de ter fraudado eleição, mexido nos números, foi a Globo. Por quê? Porque não teve capacidade de explicar o que aconteceu. E o que aconteceu foi muito simples: na época a empresa decidiu que fazer apuração das eleições era uma coisa muito cara e ia envolver um esquema muito grande. Então se resolveu fazer convênios. Em São Paulo foi com O *Estado de S. Paulo*, no Rio Grande do Sul foi com a afiliada lá, no Paraná também foi com afiliada e cada uma montou um esquema de apuração. No Rio, nós íamos receber material de O *Globo*. ... O jornal O *Globo* tinha um sistema de apuração que não era ideal para a TV Globo. Por quê? Porque O *Globo* apurava a cédula completa. Tinha lá o governador e tinham os deputados. Para nós, não interessava deputado. E, pior, os votos começaram a chegar mais rápido do interior, o que deformava um pouco a amostragem. E as rádios mandando brasa no Rio. Então se criou essa grande confusão, sendo aproveitada muito bem pelo Brizola e por toda a oposição aqui."

TONINHO DRUMMOND (editor regional da TV Globo de Brasília e um dos coordenadores da cobertura das eleições):

"O erro básico da cobertura de 1982 foi o seguinte: a TV Globo se associou a jornais, e não a rádios. No Rio, nosso parceiro foi O *Globo*. Em São Paulo, O *Estado de S. Paulo*. Eu me lembro que foram criadas três editorias para cuidar da cobertura de eleição. A editoria de números; a editoria de reportagem e a editoria de análise política. Esta última entregue à responsabilidade da CGJ Brasília. Cerca de 20 dias antes das eleições fomos convidados e comparecemos – Antonio Britto, Carlos Henrique e eu – para conhecer a íntegra do projeto. Manifestamos a nossa preocupação com o fato de não estarmos ligados a rádios e sim a jornais. Mas já era tarde. Eu me lembro que no dia da eleição deixei São Paulo para ir ao interior de Minas votar. Regressei no fim do dia e fui encarregado de editar o jornal da noite (*Jornal Amanhã*). Minutos antes do fechamento da edição consultei pela última vez o computador e fiquei impressionado com a quantidade de zeros impressos. Fizemos o jornal com a apuração feita por telefone. No dia seguinte de manhã levei à sala do diretor regional de São Paulo, onde se realizava uma reunião do comando da cobertura, a coleção de zeros que o computador havia me oferecido na véspera. A partir daí é o que se sabe. Brizola se aproveitou politicamente do episódio. Eu me lembro que ele sabia do que estava acontecendo conosco pois passamos informações para ele. Ainda assim ele insistia na sua especulação. Ele não quis perder a oportunidade da exploração política."

Pedro Roza (coordenador do sistema de apuração da Rede Globo):

"Houve problemas no processo de apuração do jornal O *Globo*. Na verdade um processo que, se não houvesse o forte jogo de emoções políticas que havia na época, a gente poderia ter superado sem problema nenhum. O problema é que era uma eleição muito complicada. Tinha governador, deputado federal, deputado estadual, vereador. Então, o mapa da urna era enorme, cheio de números. E o jornal trabalhava no interior do estado com os correspondentes, que eram pessoas de status na comunidade, que tinham acesso ao juiz, que obtinham os números com relativa facilidade. Na capital, onde havia uma concentração muito grande de urnas e de meios de comunicação querendo saber o resultado, os números eram fixados na parede, aquele mapa enorme. E o jornal contratou estagiários de comunicação para ir copiar os números. E tinha uma planilha também enorme, na qual as pessoas anotavam os dados. E, evidentemente, lá pelo meio do processo, aqueles números começaram a perder qualidade, porque era um processo terrível. Os números chegavam no jornal, eram digitados, dava erro. Era um mapa com centenas de números, como descobrir onde é que está o erro? Lá pelo segundo, terceiro dia, eles chegaram à conclusão de que não ia dar, que a qualidade dos números da capital estava muito ruim. Então, eles recomeçaram a coleta dos números da capital e, quando você muda de passo durante uma operação, você tem que tomar muito cuidado para não se perder. E o que aconteceu é que existia aquela distribuição geográfica de eleitores entre interior e capital. Brizola era muito mais forte na capital e o Moreira Franco muito mais forte no interior. Do momento que a apuração desconsiderou votos da capital que já estavam lá dentro, zerou os votos da capital, pegou os votos do interior e começou a entrar de novo com os votos da capital, Moreira Franco deu um pulo na frente. Porque você estava com uma carga muito grande de votos do interior para poucos votos da capital. Até que os votos da capital entrassem em quantidade suficiente para que o Brizola ultrapassasse o Moreira na contagem de O *Globo*, as Organizações Globo foram submetidas a um bombardeio. Poucas vezes eu vi tanto fel rolando. Houve muita pressão para a gente colocar o Brizola na frente. Eu me lembro de pedidos assim: 'A gente sabe que o Brizola vai passar à frente, então vamos anunciar logo que ele está na frente.' E a gente dizia assim: 'Não dá para fazer isso. Porque se eu anunciar que ele está na frente, como é que depois eu faço os números?'"

Alberico de Sousa Cruz (um dos responsáveis pela Editoria de Números da Rede Globo):

"Nós mobilizamos talvez a maior equipe de toda a televisão brasileira. A gente viajava para todos os estados e montava um centro de produção. Era um centro encarregado só da apuração, outro encarregado só do conteúdo. Isso nós fizemos em todos os estados brasileiros, incluindo as praças da Globo. Foi uma coisa muito intuitiva, porque eu não tinha conhecimento da televisão, inclusive cometemos erros primários, até por desconhecimento. Eu viajei com Henrique Caban. Esse trabalho era conjunto, a TV Globo e o jornal O *Globo*. Foi a primeira bobagem que nós fizemos, porque as necessidades de cada veículo eram diferentes. O *Globo* saía uma vez por dia, nós tínhamos necessidade de informação minuto a minuto. E aí nós erramos um pouco. Isso nos serviu para, nos anos seguintes, fazer uma cobertura separada do *Globo*. ... Aí foi o famoso episódio da Proconsult, que não tem nada a ver com TV Globo. A Globo nem tinha conhecimento do complô que existia contra o Brizola. Hoje, eu estou convencido de que existia um complô. Mas a Globo não participou dele, até porque a gente não tinha competência para isso. Podia ser que algumas pessoas da Globo tivessem conhecimento desse complô contra o Brizola, mas nós não tínhamos. Nós, os profissionais, não tínhamos conhecimento nenhum. A Globo nunca participou de nenhum complô, a Globo que eu digo, os profissionais da Globo, nunca participaram de nenhum complô contra Brizola."

LUIZ GONZÁLEZ (um dos responsáveis pela Editoria de Números da Rede Globo):

"Na época, a eleição tinha um cercado, que era onde funcionavam as centrais de apurações das várias urnas. E os fiscais dos partidos podiam ficar entre o cercado e a bancada de apuração. Os estagiários contratados pelo O *Globo* ficavam atrás do cercado. E eles tinham ordem de esperar que a urna fosse integralmente apurada e fosse pregado o resultado num mural. O que aconteceu? Aconteceu que a eleição era muito complicada de apurar. Como o voto era vinculado, os estudantes tinham que esperar que se apurasse tudo: governadores, senadores, deputados federais, deputados estaduais, prefeitos e vereadores. Verificar se o voto era válido. E mais: na cidade do Rio de Janeiro, a exigência do jornal era de que se anotasse a votação dos deputados e vereadores, porque eles faziam as listas dos mais votados. ... Na central de apuração chegavam os números de todos os estados por teletipo ou telex. Aí havia numa parede um monte de terminais de digitação. As pessoas digitavam. Num determinado momento, paravam de digitar, faziam um *download* e descarregavam para os terminais de consulta. E aí liberavam os terminais de consulta para fazer script. O programa do computador tinha sido feito para só aceitar mapas de urna quando o voto fosse totalmente igual, por causa do voto vinculado. Então, tinha que ter mil votos para os candidatos, somados, para a eleição de governador. Os mesmos mil votos para as eleições de senador 1, senador 2. Os mesmos mil votos para deputado federal. Os mesmos mil para deputado estadual. Então, o que aconteceu? Primeiro mapa, recusado. Porque não tinha coerência. Segundo, recusado. Terceiro... Nenhum entrou. Por que, o que aconteceu? No mundo real, as juntas de apuração apuraram primeiro o governador e deixaram para contar o resto depois. E saíam divulgando os votos de governador. E nosso sistema não estava preparado para isso. Então, nós tínhamos que adaptar o negócio para aceitar. Esse foi o primeiro ponto.

... A certa altura, estavam demorando a chegar os mapas do Rio de Janeiro por causa dos estudantes. E aí começou uma desconfiança. 'A Globo não está divulgando os números do Rio, alguma coisa tem de errado.' E, neste caso, foi barbeiragem total. Barbeiragem do jornal O *Globo*, que montou o sistema errado. Barbeiragem da Rede Globo, que aceitou um sistema que para o jornal já era ruim, para a televisão era um desastre. Nos outros estados teve problema também. Por exemplo, em São Paulo O *Estado de S. Paulo* também naufragou. Demorou muito para dar os números e deu o número atrapalhado. Mas como o Franco Montoro estava muito na frente e, na boca de urna, já ficou claro isso, não teve nenhum problema. Então, Montoro governador eleito, ponto. ...

O relato que eu tive da época, que me foi feito pelo Pedro Roza, foi o seguinte: aquele cidadão que era o sócio da Proconsult, Arcádio, pediu um almoço onde compareceram o Pedro Roza e o Alberico de Sousa Cruz. Ele ofereceu aos dois o meio magnético, a fita, que a Proconsult teria. Porque a Proconsult foi contratada pelo TRE para totalizar as eleições do Rio. Ele ofereceu para a emissora uma cópia dessa totalização. E tanto o Pedro Roza quanto o Alberico recusaram. Disseram: 'Não, nós temos o nosso próprio esquema.' E foi isso que aconteceu e não tiveram mais nenhuma relação. Soubemos que o chefe de informática do *Jornal do Brasil* aceitou a cópia da fita. E é supostamente nessa fita que tinha esse 'fator delta', que a cada *x* votos brancos e nulos passava para o Moreira e tirava do Brizola. O que acontece é que o *Jornal do Brasil* acabou não entrando no negócio porque, assim como o jornal O *Globo*, o problema dos jornais era no final do dia ter uma manchete. Com toda a a confusão na apuração aqui no Rio de Janeiro, o jornal O *Globo* se safou bem porque ele fazia uma manchete no final do dia que retratava a situação. O problema era a televisão, que tinha que botar um flash a cada meia hora, 20 minutos, 15 minutos e tinha que dizer alguma coisa para o telespectador. ...

A Globo não tinha nada com a Proconsult. Acabou pagando o pato porque a apuração do jornal O *Globo* não era boa, era demorada, era incorreta."

Evandro Carlos de Andrade (diretor de redação do jornal *O Globo*):

"A Proconsult, empresa de computação de dados de propriedade de oficiais da reserva da Marinha, fora contratada pelo Tribunal Regional Eleitoral para computar os votos apurados pelas juntas eleitorais. Paralelamente – e sem qualquer relação ou contato ou o que quer que fosse com a Proconsult – O *Globo* organizou a sua própria apuração, por meio da convocação de um grande número de estagiários, coordenados pelo Iram Frejat, declaradamente brizolista e irmão de José Frejat, candidato do PDT ao Senado naquela eleição. A TV Globo, que não tinha apuração própria, limitava-se a reproduzir os números fornecidos pelo *Globo*. A apuração decorreu velozmente no interior do estado. No Rio, ela era lentíssima, porque os juízes se recusavam a liberar mapa por mapa, para só divulgar os totais de cada zona eleitoral. Se isso correspondia a algum tipo de conspiração para alterar os resultados das urnas, é uma vaga possibilidade, mas sobre a qual só se poderá especular, já que é impossível obter provas a respeito. O fato é que nos primeiros dias da apuração, surgia em primeiro lugar Moreira Franco (que, de fato, veio a ganhar no interior). Só que desde o primeiro dia da apuração, O *Globo* dizia, na primeira página, que as projeções indicavam a vitória final de Leonel Brizola. Se qualquer profissional de jornalismo que tiver respeito por si mesmo e pela profissão desejar conhecer a verdade, basta consultar a coleção do *Globo*. Aconteceu que Homero Icaza Sánchez, que trabalhava na Rede Globo como especialista em pesquisas, desconfiou que havia alguma má intenção (não da Globo ou do *Globo*) na apuração e alertou Brizola, que, esperta e desonestamente, passou a acusar a Globo de estar distorcendo os resultados. Como acontece nos casos em que a paixão política tolda a mente de jornalistas, a acusação caluniosa foi acolhida por um bando de ressentidos, e até hoje não faltam ignorantes que tentam manter viva essa versão infamante. O *Globo* nunca teve contato algum com a Proconsult. Eu acredito, sem prova alguma, que a Proconsult serviria a algum plano do SNI de falsificar o resultado da eleição. Mas insisto que as Organizações Globo nada tiveram a ver com essa conspiração, caso ela tenha existido."

André Luiz Azevedo (repórter na cobertura eleitoral da Rede Globo):

"Eu tenho certeza de que a TV Globo não tentou manipular, não tentou fazer o golpe da Proconsult, até porque quem chefiava essa cobertura era o Lago, filho do Mário Lago, que é um cara super íntegro. Quem fazia a narração era a Sônia Pompeu, uma pessoa também com uma tradição familiar de esquerda, uma pessoa super íntegra. O repórter era eu. Então, se houve alguma coisa ninguém ficou sabendo. E o que aconteceu? O que aconteceu é que a Globo montou uma estrutura sofisticadíssima, uma estrutura imensa, computadores, mas com os pés de barro. Primeiro, a Globo não quis fazer a sua própria apuração e levou a apuração para ser feita junto ao jornal O *Globo* e montou uma grande central de computação. E acontece que nessa altura essa central de computação, computadores de última geração, tudo funcionava alimentado pelos dados oficiais. Só que os números oficiais do TRE eram lentíssimos porque era um mapa onde você tinha todos os candidatos a governador, todos os candidatos ao Senado e todos os candidatos a deputado, o que é uma imensidão. Então, enquanto aquele mapa não fechava, você não tinha informações básicas: 'Para governador? Tem cinco candidatos, aqui quantos têm?' Quer dizer, para governador o cara apura em dez minutos, para o resto ele leva um dia, dois dias apurando. Então o que podia apurar em dez minutos você levava dois dias. A apuração no interior andava muito mais rápido, porque aqui na capital você tem uma dispersão de votos muito grande. Em cada urna você tinha candidatos com um, dois votos, candidatos com dois, três votos, candidatos com cinco votos. Você tinha 60, 80 candidatos sendo votados. No interior você tem três candidatos sendo votados. São os três candidatos da cidade ou três candidatos da região. De tal maneira que os votos do interior entraram muito mais rápido que os votos da capital e havia uma nítida distorção na apresentação do resultado, onde o resultado do interior tinha um peso muito maior que ele tinha na realidade. Enquanto isso, a *Rádio JB* montou uma estrutura que na verdade era feita com máquina simples. Colocou 30 estagiários, com 30 Facit, não tinha nem computador. Só que ia o estagiário lá na urna: 'Quantos votos têm para governador?' Passava pelo telefone e com isso tinha uma velocidade maluca de apuração. Um esquema simples. Claro que vai ter erro num esquema desse, mas o erro dele é 100 vezes menor do que o nosso, com toda aquela parafernália, aquela monstruosidade, aquele show de eleições que não funcionava.

E aí houve um aproveitamento político e o clima aqui ficou insuportável realmente. Começou essa polêmica, o pessoal do PDT passou a ser muito agressivo com a gente. E aí depois, quando teve a denúncia do chamado escândalo da Proconsult, eu fiz toda a cobertura dos telejornais. Jamais sofri qualquer pressão para não dizer alguma coisa, jamais sofri qualquer pressão para dar uma informação que não correspondia ao que foi apurado. Agora, era impressionante, a gente via a estrutura precária da Proconsult. A instituição contratada para apurar as eleições no Rio de Janeiro de 1982, a primeira eleição democrática do Brasil depois do período militar, funcionava no segundo andar de um prédio na avenida Passos, debaixo de uma sapataria, uma coisa muito precária. A gente entrava em cima do prédio para filmar, parecia um ninho de rato. Aí, ficou a história de que haveria o tal de 'fator delta', que daria a vitória ao Moreira Franco contra o Brizola. Eu tenho certeza de que nós aqui não participamos de nada. Foi tudo um grande mal-entendido. Mas eu acho que nós tivemos muita culpa sim, porque nós não quisemos assumir a responsabilidade de fazer uma apuração nossa."

O Fim do Milagre Econômico: A Seca no Nordeste e a Enchente no Sul

Em 1983, dez anos depois do fim do período de crescimento acelerado da economia, que ficou conhecido como "milagre econômico", o *Jornal Nacional* levou ao ar uma série de reportagens sobre a seca do Nordeste que colocava em xeque a situação social do Brasil. Cinco anos de flagelos causados pela falta de chuvas levaram a região a índices críticos de pobreza e miséria. Noventa por cento de seu território, correspondendo a um total de 1.200 municípios, encontravam-se em estado de emergência. A vida média do nordestino era inferior em dez anos à dos outros brasileiros e a mortalidade infantil na região ultrapassava em 150% a do Centro-Sul do país.

O *JN* exibiu várias matérias, a maioria realizada pelo repórter Francisco José, mostrando a realidade dos nordestinos. No dia 8 de agosto, por exemplo, o repórter acompanhou um dia na vida de dona Maria Iraci Conceição, que morava em Socorro, distrito de Recife, numa casa feita de taipa, com chão de barro. Por volta das 4h, ela saía para trabalhar, deixando em casa dez filhos pequenos. Às 7h, depois de andar a pé dez quilômetros na caatinga, chegava a uma frente de serviço de um programa emergencial, onde trabalhava como operária na construção de um açude. Ao fim do trabalho, percorria novamente o trajeto até sua casa. Ao chegar, preparava a única refeição da família: água, sal e uma cabeça de porco.

No *JN*, também foram mostradas imagens de uma tradicional romaria a Bom Jesus da Lapa, cidade a 900km de Salvador. O número de fiéis oriundos de diversos pontos do Nordeste para participar da procissão em louvor ao padroeiro da cidade chegara, naquele ano, ao recorde de 300 mil. Praticamente todos os devotos rezavam para serem abençoados com a mesma graça: o fim da implacável seca que havia anos assolava a região.

No dia 18 de junho, Francisco José informou que, segundo a Superintendência do Desenvolvimento do Nordeste (Sudene), 25 dos 100 maiores açudes da região estariam totalmente secos até março de 1984. O estado dos rios também era crítico. Segundo a reportagem:

> "Os sertanejos estão cavando buracos nos leitos dos rios secos, para conseguir água para beber. O Jaguaribe está com o nível tão baixo que a sua trilha pode ser feita a pé ou de jegue. E este é o terceiro maior rio do Nordeste. Nos próximos dez meses, poderá voltar a ser o maior rio seco do mundo. Cada açude que seca agrava o problema social da região."

Frente àquele quadro, a Rede Globo realizou o projeto "Nordestinos – o Brasil em busca de soluções", que incluiu a discussão de soluções para a região e a organização da campanha "Nordeste Urgente", de socorro às vítimas da seca. A campanha teve início no dia 18 de setembro, com a veiculação de mensagem gravada pelo cardeal-arcebispo do Rio de Janeiro, dom Eugênio Salles, e com a realização de uma programação especial na Rede Globo, com 12 horas de duração.

Durante um mês, *Nordeste Urgente* mobilizou a população de todo o país. A Legião Brasileira de Assistência (LBA) coordenou o recebimento das doações em 540 postos e a distribuição dos alimentos não-perecíveis e dos donativos em dinheiro, feitos por telefone. Em São Paulo, a campanha arrecadou cerca de meio milhão de toneladas de alimentos em seu dia de abertura, encerrado com um show de artistas de música popular no Parque do Anhembi.

Além da seca no Nordeste, o ano de 1983 também ficou marcado pela tragédia provocada por enchentes que devastaram os estados do Rio Grande do Sul, Paraná e Santa Catarina. Em uma semana, o número de desabrigados passou de 200 mil. Foi decretado estado de calamidade pública em centenas de municípios. Várias cidades estavam isoladas, sem eletricidade, sem comida e sem água para beber. Em Santa Catarina, a enchente foi a maior do século.

A Rede Globo deu todo o apoio aos trabalhos das autoridades e à mobilização nacional para socorrer os flagelados. Em vários estados do Brasil, praças, igrejas e quartéis foram transformados em postos de arrecadação e milhares de voluntários ajudavam a embalar comida, remédios e agasalhos que eram enviados por intermédio da LBA. Em Florianópolis, a Rede Brasil Sul (RBS), afiliada da Rede Globo, ficou 24 horas no ar informando e ajudando a distribuir os mantimentos doados pela população. No Rio de Janeiro, o governo do estado centralizou os trabalhos na campanha "Rio com Amor", no Pavilhão de São Cristóvão.

No *Jornal Nacional* de 9 de julho, a repórter Mônica Teixeira acompanhou uma equipe que, de helicóptero, levava mantimentos para os flagelados de Santa Catarina. O vôo não teve rota determinada. O piloto pousava onde houvesse condições e atendia aos desabrigados que fossem encontrados. Desesperadas, as pessoas cercavam o helicóptero fazendo sinais com as mãos, pedindo roupas e comida.

Blumenau, um dos mais importantes centros industriais e políticos de Santa Catarina, foi um dos municípios mais afetados pela enchente. As ruas do centro da cidade, que ficam mais próximas do rio Itajaiaçu, foram as mais prejudicadas. A maioria da população não conseguiu retirar os móveis. Para conversar com os moradores de uma casa, o repórter Paulo César de Araújo precisou improvisar uma escada e escalar as grades para chegar até o segundo andar. Quinze famílias estavam isoladas lá dentro havia quase uma semana.

Numa entrevista ao *Jornal Nacional* do dia 12 de julho, o jogador de futebol Zico sugeriu a realização de uma partida de futebol com renda destinada aos estados atingidos pelas enchentes. A Rede Globo encampou a idéia e promoveu um jogo no estádio Serra Dourada, em Goiânia, no dia 21 de julho, entre uma seleção formada por jogadores do Rio Grande do Sul, Santa Catarina e Paraná e outra representando Minas Gerais, Rio de Janeiro e São Paulo. A CBF liberou todos os integrantes da comissão técnica e jogadores da Seleção Brasileira. Além de Zico, grandes nomes do futebol como Sócrates, Falcão, Júnior, Cerezo, Éder e Careca também jogaram. Pelé, que estava em Nova York, aceitou o convite e voltou ao Brasil para a partida. O cantor Roberto Carlos fez dois shows beneficentes em São Paulo e doou a renda para os desabrigados.

5

Organização e Produção

CGJ se Reorganiza e o Jornalismo Local se Fortalece

Em janeiro de 1983, Armando Nogueira dividiu o jornalismo da Rede Globo em dois setores: o comunitário e o de rede. A direção dos telejornais comunitários (aqueles produzidos localmente) foi entregue a Alberico de Sousa Cruz, enquanto Woile Guimarães assumiu a direção dos telejornais de rede, entre os quais o *Jornal Nacional*. Uma conseqüência direta dessa divisão foi o fortalecimento do jornalismo comunitário, com a criação do *Globo Cidade* e dos telejornais locais *RJTV, SPTV, MGTV, NETV* e *DFTV*.

A separação entre jornalismo comunitário e de rede era uma tendência natural de organização do Jornalismo, pois a cobertura local tem pouco a ver com a cobertura nacional. Assim como os jornais de rede tinham um responsável encarregado de toda a cobertura nacional, era importante que houvesse uma pessoa que coordenasse a cobertura local de cada praça.

Paralelamente a essa mudança, a CGJ procurou investir no aperfeiçoamento dos profissionais das afiliadas, levando jornalistas das diversas praças para treinar na sede da emissora, no Rio de Janeiro. O objetivo era levar a todas as afiliadas o padrão de qualidade da Globo a fim de que pudessem participar do *Jornal Nacional*, o que sempre foi motivo de prestígio para o profissional, sua equipe e a própria afiliada. Diretores do jornalismo, como Woile Guimarães, Alice-Maria e o próprio Armando Nogueira, assim como outros grandes nomes da imprensa carioca e paulista, faziam palestras para esses profissionais.

A proposta do treinamento acabou se ampliando e decidiu-se investir na capacitação de jovens repórteres e editores, recrutados por meio de testes. Eram oferecidos cursos para elaboração de texto, locução e postura; noções sobre o formato dos telejornais, equipamento, e o uso do Centro de Documentação. Havia também aulas práticas de reportagem, edição de imagem e cinegrafia.

A Globo já havia oferecido um curso similar em 1979, revelando profissionais como Isabela Scalabrini, Teresa Cavalleiro, Angela Lindenberg, Monika Leitão e Fernanda Esteves. Na década de 1980, os cursos de qualificação em telejornalismo trariam para a emissora nomes como Fátima Bernardes, Denise Cunha, Rosa Magalhães e Fábio Watson.

Pedro Bial, que também fez o treinamento, fala de sua experiência: "Eu vi nos classificados o anúncio. Fui e me inscrevi. Acho que eram 500 ou 600 candidatos para 20 vagas. Passei. Foram três meses de curso. Era excelente. Aprendia-se sobre todas as áreas de televisão."

Nessa mesma época, a Central de Afiliadas, então sob o comando de Evandro Guimarães, criou o Prodetaf (Projeto de Desenvolvimento do Telejornalismo das Afiliadas). O projeto contava com o apoio de profissionais como Raul Bastos e Luiz González, que iam pessoalmente implementar mudanças nos telejornais das praças. Tentava-se, dessa forma, minimizar distorções entre diferentes regiões do Brasil e criar um padrão de qualidade no telejornalismo de todas as emissoras da Rede Globo.

Foi então que Glória Beuttenmüller, na Rede Globo desde 1974, começou a uniformizar a fala de repórteres e locutores espalhados pelo país, amenizando os sotaques regionais. No seu trabalho de definição de um padrão nacional, a fonoaudióloga se pautou nas decisões de um congresso de filologia realizado em Salvador, em 1956, no qual ficou acertado que a pronúncia-padrão do português falado no Brasil seria a do Rio de Janeiro, com algumas restrições. Os "esses", por exemplo, não poderiam ser muito sibilantes e os "erres" não poderiam ser muito arranhados, guturais.

"Para dar aos locutores do *Jornal Nacional* um padrão que sempre foi a sua marca registrada, viajei por todo o país, procurando amenizar sotaques, mas sem deixar de levar em conta as peculiaridades de cada região", conta Glória Beuttenmüller. A fonoaudióloga visitava as sucursais regularmente. Ia a São Paulo e a Brasília a cada 15 dias, visitava Belo Horizonte uma vez por mês e Recife, a cada dois meses. Posteriormente, passou também a visitar as emissoras afiliadas.

"Meu trabalho na Rede Globo foi muito proveitoso e criou um padrão, embora alguns critiquem este trabalho, alegando que todos falam igual na emissora. Isto é uma inverdade. A voz é a identidade da pessoa. E ninguém é igual a ninguém. Não anulei a pronúncia regional. Apenas tentei suavizá-la, para haver uma melhor compreensão nacional do noticiário", afirma ela.

O CPN E AS REUNIÕES DA "CAIXA DE SAPATO"

Uma grande mudança no jornalismo da Rede Globo, no fim dos anos 1970, foi a criação do Centro de Produção de Notícias. O CPN reunia dois departamentos que até então funcionavam separadamente: a Coordenação Nacional (chefiada por Ronan Soares) e a Coordenação Internacional (chefiada por Henrique Coutinho). Sua função era monitorar a realização das reportagens nas diversas praças e nos escritórios no exterior. Foi chefiado inicialmente por Ronan Soares e contava com uma pequena equipe, formada por Maria Helena Amaral, Carlos Alberto Tenório e Palmério Dória, à qual depois se juntariam Lúcia Abreu, e Tereza Cristina Rodrigues.

Em 1980, Ronan Soares saiu do CPN, sendo substituído por Eurico Andrade. Pouco tempo depois, o lugar foi ocupado por Wianey Pinheiro, que fez uma reordenação geral no CPN visando a transformá-lo na grande chefia de reportagem da Central Globo de Jornalismo, ou seja, em um abastecedor dos vários telejornais e programas das afiliadas e emissoras da Globo. Sua função básica era centralizar e organizar a produção da notícia e dar mais assistência aos repórteres regionais e aos correspondentes internacionais.

O CPN se transformou na alma do jornalismo da Rede Globo. Contava com um produtor para cada programa e telejornal, responsável pela ronda diária em todos os estados do país, do Rio Grande do Sul ao Amazonas, e em todos os locais onde havia escritórios da emissora no exterior. Depois de apuradas as informações, o produtor as repassava para os editores, que planejavam então o que iria ao ar.

O CPN foi importante para fazer com que pequenas localidades brasileiras se fizessem mais representadas nos grandes programas do telejornalismo nacional. O Centro estimulava e cobrava das emissoras da Rede Globo e das afiliadas em todo o país o envio de material para o *Jornal Nacional* e para os outros telejornais de rede. Integraram sua equipe profissionais como Alberico de Sousa Cruz, Leonardo Dourado, Carlos Henrique Schroder, Wilson Serra, Rosa Urbanetto e Irineu Guimarães, entre outros.

Durante a gestão de Wianey Pinheiro no CPN, foram instituídas reuniões diárias com todos os editores do *Jornal Nacional* e com os representantes das praças (São Paulo, Brasília, Belo Horizonte, Recife e Porto Alegre). Essas reuniões – apelidadas de reuniões da "caixa de conferência" ou "caixa de sapato" – começavam logo após a exibição do *Jornal Nacional* e eram realizadas via satélite.

Em cada praça, em cima da mesa de reuniões, havia um aparelho em formato de caixa, com microfones e um alto-falante, através dos quais os jornalistas se comunicavam, fazendo uma avaliação da edição que acabara de ir ao ar e planejando a do dia seguinte. Eram analisados os assuntos que poderiam render matéria e elaborado o *Jornal da Pauta*, uma publicação de oito páginas enviada para todas as emissoras da Rede Globo e afiliadas.

1

2

3

RJO SPO MANC014
SPO RJO TVMT 01

GAMBERINI

DIGA A REPORTER DA MATERIA DO DIEESE QUE A PALVRA MILHAO, EM PORTUGUES, EH MASCULINA. NAO SE PODE DIZER UMA MILHAO DE PESSOAS, DUAS MILHOES ETC. PORTANTO EH UMA GRANDE BOBAGEM ELA DIZER ''AS OITO MILHOES DE PESSOAS''.

LUIS EDGAR DE ANDRADE

OK BEM REC. ꝚꝚꝚꝚꝚꝚꝚꝚꝚꝚꝚꝚꝚOKꝚꝚ VOU ENC.ꝚꝚ

Telex Telex Telex

4

REDE GLOBO

Rio de Janeiro, 28 de novembro de 1983.

Para: Henrique Olivier

De: Luís Edgar de Andrade

Sábado, quando o Jornal Nacional estava indo ao ar, um mosquito entrou na boca do Marcos Hummel, que lia uma notícia ao vivo, e ele, para não interromper a leitura, engoliu o mosquito.

Peço providências para que outros mosquitos, moscas e insetos não entrem no estúdio.

Atenciosamente,

Luís Edgar de Andrade
Chefe de Redação.

C/C.: Alice-Maria
Woile Guimarães
Eduardo Simbalista

5

1. Reunião da "caixa de sapato" com participação de Jéferson de Andrade, Henrique Coutinho, José Amílcar, Fabbio Perez, Luís Edgar de Andrade, Ronan Soares, Edson Ribeiro e Wilson Ibiapina (de terno escuro, de costas) (s/d).

2. Marcos Hummel na redação da CGJ (17 jan 1983).

3. Mensagem de Luís Edgar de Andrade a Rodolfo Gamberini sobre cuidados com o texto no *Jornal Nacional* (s/d).

4. Memorando de Luís Edgar de Andrade pedindo providências contra a presença de mosquitos no estúdio (28 nov 1983)

5. Woile Guimarães, diretor de telejornais de rede da CGJ (s/d).

No dia seguinte pela manhã, havia uma nova reunião na qual o *Jornal da Pauta* era discutido e as afiliadas e os escritórios internacionais poderiam sugerir novos assuntos. A partir daí, era montado o primeiro espelho, ainda provisório, do telejornal. Às 17h30 era produzido o segundo e, finalmente, às 18h30 já estava pronto e terceiro e definitivo espelho do *JN*.

Com o CPN e "as reuniões de conferência", as discussões éticas e de conteúdo se ampliaram e passaram a fazer parte do cotidiano dos profissionais da Rede Globo. Por isso, são considerados marcos do processo de amadurecimento do jornalismo da emissora.

Crítica Interna e Controle de Qualidade

Enquanto foi chefe de redação do *Jornal Nacional*, Luís Edgar de Andrade realizava cotidianamente uma crítica do telejornal. Era uma espécie de ombudsman que, em forma de memorando e telex, comentava os erros dos editores, repórteres, correspondentes e mesmo dos editores de imagem. Nada escapava ao seu olhar e ouvidos atentos. Suas observações críticas eram variadas: podiam se referir à apuração, à redação e ao estilo e à edição de texto ou de imagem. O resultado, obviamente, foi uma melhor qualidade do produto final, a notícia que chegava às casas de milhões de brasileiros.

Um dos episódios mais pitorescos envolvendo Luís Edgar de Andrade ocorreu em 26 de novembro de 1983, quando um mosquito entrou na boca de Marcos Hummel enquanto ele apresentava o telejornal. Para não interromper a leitura das notícias, o apresentador engoliu o inseto. Admirado com o profissionalismo de Hummel, mas irritado com a situação, Luís Edgar achou que aquilo não podia mais acontecer: mandou imediatamente um memorando para Henrique Olivier pedindo providências para que mosquitos, moscas e insetos não entrassem mais nos estúdios da TV Globo.

Exemplos de memorandos:

Para Toninho Drummond (17 set 1982): "Na noite em que morreu Grace Kelly, deixamos de dar, no *Jornal Nacional*, a notícia da mudança do dólar-turismo. A cobertura de Brasília precisa consolidar e revigorar a cobertura das decisões do governo na área econômico-financeira, um setor que, infelizmente, não temos tradição em cobrir bem."

Para Eduardo Simbalista (13 out 1982): "Por favor, advirta o editor do *JN* que editou a matéria do Hélio Costa. Ele deixou passar um erro de concordância que deixa mal a todos nós do *Jornal Nacional*."

Para Henrique Coutinho (14 out 1982): "O Lucas Mendes diz na matéria de hoje: 'para as crianças, uma história para invejar outras crianças'. Não é 'invejar' é 'causar inveja'."

Para Ronan Soares, Fabbio Perez, Eduardo Simbalista etc. (15 out 1982): "Recomendo que nos nossos telejornais não se faça confusão no uso dos gentílicos carioca e fluminense. Carioca é quem nasce ou mora na cidade do Rio de Janeiro. Fluminense é quem nasce ou mora no estado do Rio de Janeiro, incluído aí o município do mesmo nome. Portanto, o governador do estado do Rio de Janeiro deve ser designado como governador fluminense e jamais governador carioca."

Para Woile Guimarães (18 out 1982): "Sábado, na reportagem que São Paulo produziu para o *Jornal Nacional* sobre a concordata da Companhia Borda do Campo, a repórter nenhuma vez chamou a pessoa envolvida no caso – o empresário Luís Wallace Simonsen Filho – pelo nome completo dele. Quatro vezes, desde o início, no texto em *off*, chamou-o simplesmente de Simonsen. Há duplo erro nisso: 1) Erro de estilo. Nosso manual de normas de redação recomenda que não se trate ninguém com intimidade. As pessoas devem ser designadas pelo cargo, título ou profissão. 2) Um problema ético. Como há no Brasil um ex-ministro chamado Simonsen e conhecido como Simonsen, é claro que as pessoas desavisadas – ao ouvirem a repórter falar de Simonsen – pensarão que se trata do ex-ministro."

Para Alberico de Sousa Cruz (26 out 1982): "O poeta Carlos Drummond de Andrade fez, ontem, na solenidade da Biblioteca Nacional – provavelmente pela primeira vez na vida – um discurso. Em nossa reportagem do *Jornal Nacional,* dissemos que o poeta discursou, mostramos o poeta discursando, mas não demos uma sonora sequer do discurso porque o som da gravação estava inaproveitável. Isso foi uma frustração para o telespectador."

Para Henrique Coutinho (4 nov 1982): "Ontem, na Espanha, o Papa: 1) reconheceu que a Inquisição foi um erro da Igreja e 2) fez um apelo aos cientistas para que não ajudem à corrida armamentista. Nosso repórter em Madri não deu, na reportagem dele, as duas informações."

Para Henrique Coutinho e Ricardo Arnt (17 ago 1984): "Demos, ontem, no *Jornal Nacional,* que estava havendo à noite, em Montevidéu, uma manifestação de massa a favor da libertação do candidato do Partido Blanco à presidência do Uruguai, Wilson Ferreira Aldunate. Acontece que, desde 19h, nossas agências de notícias estavam dando flashes com retranca urgente de que o candidato Aldunate, ontem à noite, retirou a candidatura. A AFP deu às 19h05, a UPI às 19h39 e assim por diante. Isto mostra que está havendo falha na leitura dos despachos das agências."

Para Franklin Toledo (5 set 1984): "Hoje, no *Jornal Nacional,* o operador de caracteres pôs no ar 'flecha' com x, num texto de passagem, contrariando o que estava escrito no script."

Para Rodolfo Gamberini (telex s/d): "Diga à repórter da matéria do Dieese que a palavra milhão é masculina. Não se pode dizer uma milhão de pessoas, duas milhões etc. Portanto, é uma grande bobagem ela dizer 'as oito milhões de pessoas'."

6

Esporte Ganha Autonomia

Consolidação da Divisão de Esportes

Ao longo da década de 1970, o esporte ganhou maior peso no *Jornal Nacional*. Quando, em julho de 1974, deixou de ser exibido o programa sobre futebol *Dois Minutos com João Saldanha*, o telejornal passou a dedicar um espaço no seu noticiário para mostrar o resultado dos jogos nos campeonatos regionais e nacional.

Até então as poucas matérias de esporte que iam ao ar no *JN* eram realizadas pela própria equipe do telejornal e tratavam quase que exclusivamente de futebol. A Divisão de Esportes estava voltada para as transmissões dos eventos esportivos. Em 1976, quando assumiu a direção de esportes, o locutor Pedro Luís Paoliello procurou mudar isso, montando uma equipe de reportagem que pudesse atender ao *Jornal Nacional*. Mesmo assim a participação do esporte no telejornal continuou reduzida.

Esse espaço limitado era uma determinação do então superintendente de produção e programação da Rede Globo, José Bonifácio de Oliveira Sobrinho. Ele acreditava que o *Jornal Nacional* tinha que priorizar a informação. Como o tempo do telejornal era curto, as matérias esportivas deviam destacar apenas o resultado dos jogos; a apresentação dos principais momentos da partida e a repercussão dos resultados deveriam ser detalhados nos programas esportivos. "Eu sempre pedi que o *Jornal Nacional* tivesse pouca coisa de esporte: resultados e informações objetivas. Não interessa o que jogador pensa, mas o gol que ele marcou", explica Boni.

O repórter Roberto Thomé conta que o fato de revistas e cadernos de esporte em grandes jornais ganharem vida regular nos anos 1970 contribuiu para a consolidação da Divisão. Esse fator associado ao crescimento da cobertura

Vôlei

No início da década de 1980, o vôlei brasileiro começou a conquistar boas colocações nas competições internacionais, e o desempenho da seleção de Renan, Montanaro, Bernard e Bernardinho contribuiu para o crescimento do esporte no país. Foi nessa época que o jogador Bernard criou o "jornada nas estrelas", um saque em que a bola quase alcançava o teto do ginásio. Foi a partir dessa geração de jogadores que o vôlei virou notícia freqüente no *Jornal Nacional*.

Em 10 de abril de 1984, a Rede Globo transmitiu com exclusividade, diretamente de Havana, uma partida entre as seleções masculinas do Brasil e de Cuba. No *JN*, Cid Moreira informou que a partida representava uma noite histórica para o esporte brasileiro, por ser a primeira vez que o Brasil jogava contra os cubanos em casa. O repórter Luiz Fernando Lima acompanhou essa primeira excursão de uma seleção masculina de vôlei a Cuba. Foram vários jogos em diversas cidades do país. As partidas eram um preparativo para as Olimpíadas de 1984, em Los Angeles.

Um dos momentos mais marcantes da história do vôlei no Brasil foi a conquista do primeiro título da Liga Mundial, em julho de 1993. No estádio do Ibirapuera, em São Paulo, milhares de pessoas vibraram com os saques, as cortadas e os bloqueios da seleção de ouro dos Jogos Olímpicos de Barcelona. No *Jornal Nacional*, as reportagens destacavam a atuação excepcional da equipe brasileira que eliminou a Itália nas semi-finais e disputou o título contra a equipe da Rússia.

No *JN* do dia 31 de julho, Luiz Fernando Lima mostrou que "a seleção de mãos unidas" realizava o sonho de subir ao pódio como campeões, depois de vencer os russos por três sets a zero. Na arquibancada, o jogador Montanaro, representando a geração que conquistou a prata dos Jogos Olímpicos de Los Angeles, se emocionou com a vitória brasileira.

1. *O repórter Luiz Fernando Lima no ginásio do Ibirapuera durante a cobertura da vitória da seleção brasileira na Liga Mundial de Vôlei (JN, 31 jul 1993).*

2. *Jogadores comemorando no pódio a conquista do primeiro título da Liga Mundial de Vôlei (JN, 31 jul 1993).*

3. *O repórter Luiz Fernando Lima entrevistando o jogador Tande na final da Liga Mundial de Vôlei (JN, 31 jul 1993).*

esportiva em eventos de dimensão internacional, como a Copa do Mundo e as Olimpíadas, permitiu à emissora dar um novo enfoque ao esporte, aliando informação ao entretenimento.

O evento que marcou essa mudança foi a Copa do Mundo da Argentina, em 1978. Armando Nogueira afirma que na época já não era mais possível se restringir à transmissão dos jogos, era necessário mostrar os detalhes, falar sobre os desdobramentos das competições e apontar as conseqüências dos resultados.

A Globo passou então a apresentar para o telespectador brasileiro tudo sobre a seleção e a competição, desde os preparativos das partidas até a análise completa dos jogos. Para a cobertura do Mundial da Argentina a emissora chegou a montar uma operação envolvendo cerca de oito toneladas de equipamentos e 120 profissionais entre técnicos, produtores, jornalistas, comentaristas e locutores.

Depois da Copa da Argentina, Ciro José assumiu a direção da Divisão de Esportes, tornando-se responsável tanto pela cobertura jornalística quanto pela transmissão dos eventos esportivos. A partir de então, o esporte ganhou mais espaço na TV Globo, estando presente em todos os telejornais da emissora, inclusive no *JN*. Naquele período, a equipe de editores da Divisão reuniu profissionais como Hedyl Valle Júnior, Michel Laurence e Luizinho Nascimento.

SÁBADO: DIA DO ESPORTE

No início da década de 1980, o *Jornal Nacional* passou a apresentar, aos sábados, um bloco inteiro sobre esportes. Na bancada, Léo Batista e Fernando Vannucci se revezavam, a cada semana, na apresentação do noticiário esportivo.

Michel Laurence, que era chefe de redação da Divisão de Esportes, conta que o bloco de esportes no *JN* foi surgindo naturalmente e acabou se transformando numa tradição. As reportagens sobre futebol eram o carro-chefe, mas as corridas de Fórmula 1 também eram cobertas intensamente. Modalidades como vôlei, basquete, tênis e natação também ganharam destaque.

No início da década de 1980, ocorreu uma série de mudanças na Divisão, que passou a ter mais recursos e contratou novos profissionais. As matérias tornaram-se mais elaboradas, apresentando entrevistas e retratando a trajetória dos atletas. De acordo com Leonardo Gryner, então coordenador de produção, esse trabalho foi resultado da experiência da cobertura dos Jogos Olímpicos de Montreal. No material fornecido pela ABC era comum esse tipo de tratamento dado às reportagens norte-americanas.

O repórter Roberto Thomé lembra que as matérias para o *Jornal Nacional* precisavam de um cuidado especial. Havia preocupação com a linguagem e o conteúdo tinha que ganhar uma dimensão nacional, interessando ao telespectador do norte ao sul do país. Uma novidade foi a introdução de mulheres no jornalismo esportivo. As primeiras repórteres foram Monika Leitão e Isabela Scalabrini.

Isabela conta que, quando começou a cobrir a área de esporte, havia preconceito contra mulheres, mas que, no momento das entrevistas, todos cooperavam, desde os jogadores até os dirigentes. "Aceitar uma mulher no campo era difícil, moderno demais. Eu não entrava no vestiário, ficava na porta e os cinegrafistas traziam os jogadores", explica a repórter.

Boxe

Lutas do século – Os confrontos pelo título mundial dos pesos-pesados disputados por Cassius Clay, na década de 1970, ficaram conhecidos como lutas do século. O *Jornal Nacional* acompanhou algunsdesses desafios. Cassius Clay foi uma das principais personalidades na história do pugilismo, tendo também ficado famoso pelas polêmicas em que se envolveu ao criticar a ação das tropas norte-americanas na Guerra do Vietnã. Ele chegou a ser preso por não querer se alistar e perdeu o título de campeão mundial dos pesos-pesados. Anos depois, Clay se converteria ao islamismo, mudando seu nome para Muhammad Ali.

A primeira "luta do século" foi em março de 1971. No confronto, Muhammad Ali perdeu para Joe Frazier. Três anos depois, o *JN* noticiava a segunda disputa entre os dois. Em 25 de janeiro de 1974, o telejornal reproduziu a declaração de Muhammad Ali de que a luta iria mostrar ao mundo as suas virtudes de maior boxeador de todos os tempos.

A revanche, disputada no Madison Square Garden, em Nova York, foi transmitida com exclusividade pela Rede Globo. No dia seguinte, o *JN* noticiou a vitória de Muhammad Ali. Em outubro de 1974, o boxeador recuperou o título de campeão mundial dos pesos-pesados ao derrotar George Foreman, no Zaire.

Muhammad Ali só perdeu o título mundial, no dia 16 de fevereiro de 1978, para o então campeão olímpico Leon Spinks. Na ocasião, Ali prometeu que só deixaria o boxe depois de recuperar o cinturão. Mas o boxeador encerrou sua carreira em junho desse mesmo ano.

Mike Tyson – Um dos destaques do boxe no *Jornal Nacional* foi o norte-americano Mike Tyson, que conquistou o título mundial dos pesos-pesados, em 1986, depois de derrotar Trevor Berbick. Nos anos seguintes, Tyson acumulou uma série de vitórias, mantendo o título até 1990. O *JN* noticiou suas lutas, como a de julho de 1989, quando ele nocauteou Carl Williams. Foi um dos confrontos mais rápidos da história: Williams só agüentou um minuto e 18 segundos no ringue.

Tyson perdeu o cinturão, no início de 1990, no confronto contra James Buster Douglas, no Japão. Em junho de 1991, o *JN* exibiu uma matéria do repórter Car-

1. *O pugilista Mike Tyson mordendo a orelha de Evander Hollyfield (28 jun 1997).*

los Dorneles sobre a luta entre Tyson e Donovan Ruddock. Tyson venceu por pontos. Dorneles conseguiu conversar com o boxeador e perguntou se o então campeão mundial Evander Hollyfield não representava uma ameaça para ele. Tyson respondeu não ter dúvida de que se tornaria novamente campeão.

Em fevereiro de 1992, Tyson voltava a ser destaque no *Jornal*. O boxeador estava sendo acusado de estupro por Desirée Washington. O *JN* acompanhou as investigações, o julgamento e a decisão da justiça, que condenou o boxeador a seis anos de prisão. Mike Tyson cumpriu três anos da pena e saiu sob regime de liberdade condicional.

A luta mais polêmica da carreira do pugilista foi travada contra Evander Hollyfield, em 28 de junho de 1997. O *Jornal Nacional* acompanhou os preparativos para o confronto com reportagens de César Augusto. Durante a luta, o ex-campeão mordeu duas vezes Hollyfield e arrancou um pedaço da orelha direita do adversário. Na edição do *JN* do dia 30, o apresentador Fernando Vannucci informou que Tyson poderia voltar para a prisão devido à confusão. Em 9 de julho, o *JN* noticiou que a Comissão Atlética do estado de Nevada tinha cassado o direito de lutar de Mike Tyson. O boxeador seria liberado para voltar aos ringues em outubro de 1998.

Popó, campeão mundial – Uma referência no esporte nacional no final dos anos de 1990 foi Acelino Popó de Freitas O boxeador conquistou o título mundial na categoria superpenas (até 59kg) depois de derrotar o costa-riquenho Anthony Martines. Uma matéria do repórter Tino Marcos, no *Jornal Nacional* de 27 de outubro de 1999, mostrou a emoção de Popó agradecendo a conquista do título ao Nosso Senhor do Bonfim, na Bahia.

Três anos depois, o *JN* noticiava mais uma conquista do boxeador ao unificar os cinturões da Organização Mundial de Boxe e da Associação Mundial de Boxe, depois de derrotar o cubano Joel Casamayor. Os outros dois brasileiros que realizaram essa proeza foram Éder Jofre e Miguel de Oliveira.

Em 3 de janeiro de 2004, Popó superou mais um desafio ao ganhar o título da categoria peso-leve, uma acima da que costumava competir. O brasileiro venceu por pontos Arthur Grigorian, do Uzbequistão. A notícia foi ao ar no *Jornal Nacional*, no dia 5, numa reportagem de Patrícia Poeta, correspondente em Nova York.

7

As Grandes Coberturas

O Papa Visita o Brasil

Uma das primeiras grandes coberturas da Rede Globo, que contou com planejamento especial, foi a da visita de João Paulo II ao Brasil. O papa chegou no dia 30 de junho de 1980 e, durante 12 dias, foi a 13 cidades, percorrendo cerca de 14 mil quilômetros do território brasileiro. Foi a viagem mais longa desde o início do seu pontificado, 19 meses antes. Ele falou aos jovens em Belo Horizonte, aos moradores das favelas do Rio de Janeiro, aos operários de São Paulo, aos imigrantes no Paraná e aos índios no Amazonas, sempre transmitindo mensagens sobre o compromisso social da Igreja.

Para a realização da cobertura da visita, a Secretaria de Comunicação da Presidência (Secom) criou um *pool* do qual participaram várias emissoras de televisão do país. A responsável pela transmissão gerava som e imagem para utilização das demais, que adicionavam sua narração própria. O *pool* funcionou tanto em transmissões ao vivo como em reportagens, devido à impossibilidade técnica de as emissoras cobrirem todos os eventos simultaneamente. As imagens eram distribuídas nacionalmente via Embratel.

A Rede Globo, no entanto, não se contentou em transmitir as imagens produzidas pelo *pool* criado pela Secom. Montou um esquema para personalizar sua cobertura em todo o país, com matérias produzidas por seus próprios jornalistas. Duas equipes de reforço foram mobilizadas. A primeira era chefiada por Wilson Ibiapina e contava com dois repórteres (Ricardo Pereira e Pedro Rogério), dois cinegrafistas (Ricardo Strauss e Paulo Pimentel) e um editor de imagens (Alexandre Alencar). A segunda, chefiada por Antônio José, também tinha dois repórteres (Carlos Nascimento e Ernesto Paglia), dois cinegrafistas (Aloísio Araújo e Newton Alves Gouveia) e um editor de imagens (Sebastião José Moreira).

A coordenação geral da cobertura foi de Woile Guimarães e Marcos Novaes. Os editores responsáveis foram Roberto Menezes e Diléa Frate, auxiliados por Mauro Richter e Fernando Waisberg. Na edição de imagens, estavam Adalberto e Marco Antônio Mora e na coordenação dos telejornais, Lúcia Abreu.

Durante os dias em que João Paulo II viajou pelo Brasil, toda a programação da emissora foi alterada para exibição, ao vivo, dos eventos e para inserção de flashes com informações gerais sobre a visita. A narração dos eventos ficou a cargo de Fabbio Perez e foi realizada nos estúdios no Rio.

O *Jornal Nacional* noticiou todos os passos de João Paulo II, desde a sua partida de Roma. No dia 30 de junho, mostrou o interior do avião em que o papa viajava, acompanhado de jornalistas do mundo inteiro, inclusive o repórter da Rede Globo Luís Fernando Silva Pinto. A chegada ao Brasil, os principais momentos do dia e a primeira missa realizada em Brasília também foram exibidos.

A Globo criou um selo e uma vinheta especialmente para as transmissões ao vivo e os flashes nacionais e locais. Foi criado também, para o *Jornal Nacional* e para outros telejornais da rede, um quadro chamado "As Palavras do Papa". Era uma matéria diária, produzida pelo repórter Luís Fernando Silva Pinto e pelo cinegrafista José Wilson da Mata, de quase um minuto, destacando o ponto mais importante do discurso do papa naquele dia. Os dois acompanharam o pontífice em todas as cidades que visitou, registrando as suas palavras.

No dia 1º de julho, João Paulo II celebrou uma missa no Aterro do Flamengo, no Rio de Janeiro. A cerimônia, que reuniu 2,5 milhões de pessoas, foi exibida ao vivo para todo o Brasil. Para acompanhá-la, a Rede Globo montou um esquema especial. Utilizou cinco câmeras, colocadas em pontos estratégicos: uma a 11 metros de altura, que mostrava o rosto do papa; duas no chão, nas laterais; uma no chão, no centro, e a última em cima do prédio do Clube da Aeronáutica, com uma visão panorâmica da cidade.

Um dos momentos mais emocionantes foi destaque no *Jornal Nacional* de 2 de julho, quando João Paulo II foi à favela do Vidigal, no Rio. Ricardo Pereira passou a noite no local, registrando os preparativos dos moradores para receber o visitante. Com a ajuda de forte esquema de segurança, o papa subiu o morro acenando e cumprimentando as pessoas. Depois de ouvir o coral de crianças da favela e abençoar a população, presenteou a comunidade com seu anel episcopal. De lá, seguiu para a Catedral, onde fez um pronunciamento ao Celam (Conselho Episcopal Latino Americano). Antes de deixar o Rio de Janeiro, o pontífice abençoou a cidade do alto do Corcovado.

Um outro momento marcante foi a passagem do papa por Aparecida, em São Paulo, onde foi aclamado por uma multidão de fiéis. O cinegrafista Reynaldo Cabrera conta que aconteceu ali um dos episódios mais impressionantes da sua vida profissional: "De Aparecida o Papa ia para Porto Alegre, só que ele tinha que vir para São José dos Campos pegar o avião para o Rio Grande do Sul. Quando chegou no avião, a guarda da FAB, formada em V, não nos deixou passar. Deram um 'chega para lá' em mim e na Isabela Assumpção. Bom, sem que eles vissem, dei a volta por trás, desci por baixo do avião e me encostei na escada e dali ninguém me tirava. O papa veio, se despediu e subiu a escadinha do avião. Quando ele foi entrar, virou com o pé direito e me viu embaixo filmando. Ele inclinou o corpo e fez o sinal da cruz na minha lente, deu uma bênção. Foi a maior emoção que eu já tive no ato de uma matéria."

Para Wilson Ibiapina foi em Salvador que aconteceu um dos melhores episódios da cobertura: "O cinegrafista Ricardo Straus filmou uma menininha com um presentinho tentando furar o cerco da multidão. E tinha um locutor com microfone, dizendo: 'Deixa a menina passar, ela vai levar um presente para o papa'. Até que ela conseguiu furar o cerco e entrou. Na edição, eu acrescentei imagens da RAI, a TV Italiana, que mostravam a menininha saindo do outro lado e entregando o presente para o papa. Então nós fizemos a cabeça e o sobe som do locutor narrando. Foi um dos melhores momentos."

Cobertura Internacional Continua Intensa: Novos Escritórios no Exterior

No fim dos anos 1970, mesmo com o aumento do noticiário político no Brasil, o jornalismo da Rede Globo continuou investindo na cobertura internacional. Em 1977, foi criado um escritório em Paris, com o repórter Roberto Feith e o cinegrafista José Wilson da Mata.

Roberto Feith conta como surgiu a idéia: "O objetivo era diversificar a cobertura na Europa. Sandra Passarinho fazia matérias de Londres, portanto já tinha uma pessoa na Inglaterra. Então, qual seria a escolha mais natural? Paris. Porque a cidade era diferente, porque a França oferecia muito material político, cultural e porque Paris era perto da Itália e da Espanha."

Ainda em 1977, decidiu-se montar um escritório também na Alemanha. Hermano Henning foi escolhido para dirigi-lo. Ele morava no país desde o ano anterior, trabalhando para a emissora radiofônica Deutsche Welle, que oferecia serviços em português dirigidos a Portugal e às suas ex-colônias. Ao ser convidado por Armando Nogueira para trabalhar para a Globo, o repórter imediatamente contratou como freelancer um cinegrafista da DZE, a televisão de Colônia. Mas logo depois seria enviado um brasileiro para ajudá-lo, o cinegrafista Mario Ferreira.

O escritório foi montado em Colônia, a 40 quilômetros de Bonn, na casa do próprio Hermano Henning. "O aluguel do apartamento era pago pela Globo. Morávamos eu, minha mulher, as duas crianças e, durante um tempo, o Mario Ferreira, que eu hospedei lá", conta o correspondente.

A primeira matéria de Hermano Henning para a Rede Globo, exibida com destaque no *Jornal Nacional*, foi sobre o seqüestro do presidente da Federação das Indústrias da Alemanha, Hans Schleier, por um grupo terrorista. O repórter não esquece sua estréia: "Eu nunca conseguira decorar uma frase. A primeira experiência como repórter de televisão, por isso, foi dura. Um desafio. Devo ter interrompido a gravação umas dez vezes. Lembro que foi um rolo inteiro, uns 400 pés de filme para um minuto de texto. O pior é que não havia ninguém para dizer se estava bom ou ruim. O cinegrafista não sabia uma palavra de português."

Para compensar essa dificuldade de decorar, Henning desenvolveu uma técnica: "Eu gravava o texto num gravador e, na hora, colocava um ponto eletrônico, chamado 'egoísta', um fone de ouvido imperceptível. E aí eu ouvia o meu próprio texto e repetia em frente à câmera. Isso me salvou, porque eu fazia dez, 15 passagens para escolher uma boa. Se não fosse esse pequeno truque, eu não estaria fazendo televisão até hoje, eu teria desistido."

Enquanto isso um pequeno escritório da Globo também era montado em Buenos Aires. Trabalharam lá repórteres como Geraldo Canali, Luís Fernando Silva Pinto, Luiz Eduardo Lobo e Paulo Alceu. Para auxiliar, foram contratados os serviços de dois profissionais argentinos: o cinegrafista Luis Alberto Chouciño e o produtor Nahun Velianowsky.

Em 1982, entrou em atividade o escritório da Rede Globo de Washington, aos cuidados do correspondente Sérgio Motta Mello, que trabalhava na sucursal em Nova York desde 1979. Era uma pequena sala, alugada no National Press Building. Trabalhavam também ali, além de Motta Mello, o cinegrafista Paulo Zero e uma produtora.

Sérgio Motta Mello fala da experiência: "De Washington, a gente cobriu várias coisas nos Estados Unidos e na América Central, mas a ênfase era a política americana, a partir de uma perspectiva brasileira. Eu, de vez em quando, ia às entrevistas coletivas do presidente na Casa Branca e cheguei a fazer algumas perguntas sobre o Brasil".

No início da década de 1980, a Rede Globo chegou a contar com seis escritórios no exterior: dois nos Estados Unidos (Washington e Nova York), três na Europa (Londres, Paris e Colônia) e um na América Latina (Buenos Aires). No entanto, para reduzir os custos operacionais no continente europeu, a emissora decidiu centralizar suas atividades em Londres, fechando as sucursais em Paris e Colônia. Londres foi escolhida devido às facilidades técnicas que a cidade apresentava (lá estava a UPI) e ao sistema de transporte (de lá havia vôos para quase todos os lugares). Nessa mesma época, também foi desativada a sucursal de Buenos Aires.

Para chefiar o novo escritório em Londres, a Rede Globo enviou o jornalista Carlos Castilho. A sucursal passou a reunir os repórteres Sandra Passarinho, Roberto Feith e Hermano Henning, que de Londres cobriam toda a Europa, Oriente Médio, Ásia e África. Entre os cinegrafistas, estavam José Wilson da Mata, Antônio Cláudio Brasil e Sergio Gilz.

Desde 1976, o cinegrafista Orlando Moreira havia se transferido do escritório de Londres para o de Nova York. Lá, juntou-se a Hélio Costa e participou de diversas reportagens importantes sobre assuntos como o surgimento da Aids, o movimento hippie e a Ku Klux Klan. Algumas foram exibidas no *Jornal Nacional*, outras no *Fantástico*. Nessa época, Hélio Costa realizou também muitas entrevistas marcantes com alguns atores de cinema, como Paul Newman, Groucho Marx, Liza Minelli, Frank Sinatra, Shirley Temple, Johnny Weissmuller e Henry Fonda.

Durante a guerra civil em El Salvador, em 1982, Hélio Costa e Orlando Moreira foram vítimas de uma emboscada e quase não escaparam. Estavam subindo uma montanha próxima à capital para visitar um campo guerrilheiro, onde toda uma família havia sido massacrada pelo exército, quando tudo aconteceu. Orlando Moreira narra os detalhes: "Naquele dia, Hélio Costa é quem dirigia a Kombi. Nós estávamos quase no local e começamos a ver uns capacetes brilhando. E aí o exército começou a levantar e atirar. E eles estavam a uns 150 metros da gente. Mas era um terreno vulcânico e, quando o Hélio Costa fez uma volta violenta, levantou uma poeirada muito grande atrás do carro, o que possivelmente nos ajudou. Ficou muito difícil para eles acertarem a Kombi. Mas até chegar na cidade onde nós estávamos tínhamos que percorrer uns 40km, numa estrada deserta. Nós não sabíamos se eles iam mandar alguém por rádio, nos parar ali e nos matar."

Outro importante correspondente daquela época foi Lucas Mendes. O repórter começou a trabalhar no escritório de Nova York em 1975. Ele era responsável pelo noticiário principal do *Jornal Nacional* e de outros telejornais, enquanto Hélio Costa fazia de preferência reportagens especiais para o *Fantástico*.

Na década de 1970 e 1980, Lucas Mendes foi responsável por diversas coberturas importantes: o acidente nuclear de Three Miles Island, a morte dos seguidores do pastor Jim Jones, na Guiana, e a prisão do *serial killer* "Son of the Sam". O repórter viajou diversas vezes para acompanhar os conflitos em El Salvador e na Nicarágua. Cobriu as posses de Jimmy Carter, em 1977, e de Ronald Reagan, em 1980. Acompanhou de perto o escândalo Irã-Contras e as idas e vindas da renegociação da dívida externa brasileira. Mais tarde, presenciou a aproximação entre Reagan e o presidente soviético Mikhail Gorbachev.

Merece destaque a entrevista que fez com o líder palestino Yasser Arafat, exibida no *Jornal Nacional* em junho de 1979. Henderson Royes foi o cinegrafista e Otávio Escobar, o produtor e editor. Lucas Mendes conta como foi: "A entrevista com Yasser Arafat foi conseguida por um pastor que era meu amigo e tinha boas conexões em Washington. Fui lá fazer o contato com o palestino e menos de um mês depois estávamos em Beirute. Passamos duas semanas seguindo instruções da confusa assessoria de Arafat, que nos cobrava preços absurdos por aluguéis de táxis, guias e intérpretes. Estávamos quase desistindo quando veio um telefonema por volta de meia-noite. Um carro nos apanhou e fomos para um dos escritórios de Arafat, cercado de seguranças. A entrevista durou meia hora, mas tivemos problemas para colocá-la no ar. As objeções vieram da embaixada de Israel em Brasília. No fim, pusemos no ar 10 minutos da entrevista."

Lucas Mendes deixou o escritório de Nova York em maio de 1990. Nos dois anos seguintes, foi correspondente da Rede Record e, em 1993, criou o programa *Manhattan Connection*. Hélio Costa foi correspondente da Rede Globo até 1986, quando voltou para o Brasil e decidiu entrar para a política, elegendo-se deputado federal. Orlando Moreira continua como repórter cinematográfico em Nova York. Em setembro de 2001, participou da cobertura do atentado terrorista contra as torres gêmeas do World Trade Center.

A Guerra Irã-Iraque

A Guerra Irã-Iraque foi destaque na cobertura internacional da Rede Globo. Roberto Feith, então chefe do escritório em Londres, e o cinegrafista Mario Ferreira foram os primeiros jornalistas a chegar à frente de batalha no Iraque, o que permitiu ao *JN* exibir imagens inéditas, furando inclusive a imprensa internacional. Eles permaneceram um mês e meio no local, sendo depois substituídos por outra equipe, chefiada por Hermano Henning, que também conseguiu dar várias informações em primeira mão.

A guerra estourou em 22 de setembro de 1980, quando o presidente do Iraque, Saddam Hussein, aproveitando o momento de instabilidade política do Irã com a queda do xá Reza Pahlevi, coordenou uma ofensiva contra o país vizinho. Já no primeiro dia, o *Jornal Nacional* deu grande destaque ao assunto. O telejornal utilizou recursos visuais, reproduzindo mapas da região, para mostrar as áreas em conflito e os pontos atingidos pelos bombardeios. Foram divulgadas também imagens do intenso movimento de tropas que se dirigiam para as fronteiras à espera de um ataque por terra.

No dia seguinte, o *Jornal Nacional* noticiou o agravamento do conflito durante a madrugada e a repercussão da guerra no mundo. Em 24 de setembro, foram exibidas as primeiras imagens do bombardeio a Bagdá divulgadas pela televisão iraquiana. Um dia depois, o telejornal informou que as tropas de Saddam avançavam para o Irã e dominavam o deserto sem nenhuma resistência.

Assim que se iniciaram os bombardeios no Irã e no Iraque, Roberto Feith e Mario Ferreira foram para Amã, na Jordânia, na tentativa de conseguirem um visto para Bagdá. Dois dias depois, a equipe da TV Globo e outros jornalistas seguiram de ônibus para a capital iraquiana.

Em 29 de setembro, Cid Moreira informou que o governo do Irã estava acusando a imprensa ocidental de cobrir a guerra com simpatia ao Iraque. O apresentador explicou que o Iraque estava permitindo a entrada de correspondentes estrangeiros no país e que isso facilitava o acesso às informações.

O aiatolá Khomeini, até aquele momento, não havia permitido que ninguém entrasse no Irã.

Roberto Feith e Mario Ferreira, entretanto, conseguiram penetrar no Irã e enviaram para o *Jornal Nacional* uma reportagem exclusiva sobre a guerra. Os repórteres atravessaram a fronteira e entraram em "um deserto de pedra e areia". Mostraram o que restava da força iraniana: "um ou outro tanque abandonado". Na cidade de Maharam, localizada a 13km da fronteira, filmaram as casas e as ruas abandonadas e destruídas. O repórter informava que, apesar de estarem em retirada, as forças iranianas ainda resistiam e se negavam a discutir o cessar-fogo.

Logo depois, os dois foram para Basra, onde a situação estava mais complicada. Hospedados num hotel, os repórteres ficavam à espera da autorização do Ministério da Informação para cobrir o conflito. Mas, como recorda Roberto Feith, "o governo iraquiano mostrava apenas o lado da guerra que lhe interessava".

O repórter lembra quando foram levados para observar posições iraquianas: "Estavam lá uns homens que pareciam ter sido treinados no dia anterior, com os rifles apontados para o lado do Irã. Nesse dia, eles abateram um caça F5 na hora em que estávamos perto do front. O avião caiu e o pára-quedas desceu. Vimos e fomos correndo filmar a captura do piloto iraniano. Eu acho que a gente salvou a vida daquele homem. Ele ia apanhar muito se não estivéssemos lá."

Percebendo que não conseguiriam grandes matérias em Basra, Roberto Feith e Mario Ferreira decidiram seguir em direção ao sul, para a Península de al-Fao, a cerca de uns 30km. Lá ficava o terminal petrolífero do Iraque, em frente a Korramshahr, cidade estratégica para os iranianos, onde estava a maior refinaria de petróleo do país. Depois de uma negociação, os dois convenceram um motorista de táxi a levá-los ao local. Conforme iam seguindo pela estrada, o movimento de veículos e pessoas ia diminuindo. Carros com refugiados carregando suas mobílias vinham na direção contrária. "A certa altura, só se via tráfego militar. Depois, era aquele silêncio e fumaça por todos os lados. O motorista do táxi começou a ficar nervoso. Nós parávamos de vez em quando, sempre procurando alguma coisa mais substantiva, mais específica e individual para filmar. Finalmente, chegamos numa colina, em cima de al-Fao, que era uma instalação petrolífera, com tanque de estocagem, um porto e alguns prédios pegando fogo. Nós filmamos e quisemos descer, mas o motorista se recusou. Depois de oferecer mais dinheiro, conseguimos convencê-lo. Estávamos dando a volta por dentro de al-Fao, filmando do carro, quando começou a cair morteiro em nossa volta. Aí não houve jeito de segurar o taxista. Ele engatou uma segunda e saiu correndo.", descreve o repórter.

Quando Roberto Feith retornou para Londres, Hermano Henning foi enviado à região para assumir a cobertura. Inicialmente, ficou baseado em Amã, na Jordânia, esperando a autorização para entrar no Iraque. Depois dirigiu-se para Bagdá, de onde fez várias incursões ao território iraniano. Algumas vezes, foi acompanhado pelo cinegrafista Mario Ferreira, outras por José Wilson da Mata.

Foram dias marcantes para o repórter: "Vimos muita gente morta, muito ataque. Sofremos tiroteio, corremos de bomba, foi complicado. Em Korramshahr, nós tivemos uma experiência muito difícil. Eu me lembro que, depois de um mês de guerra, eu queria voltar para Londres. Mas o Castilho argumentava: 'Não, fica aí mais um tempo, que daqui a no máximo 15 dias, um mês a guerra termina.' Se eu tivesse esperado a guerra terminar, eu teria ficado lá mais uns dez anos. Foi um conflito cruel e muito longo."

Em 29 de junho de 1981, o *Jornal Nacional* exibiu uma entrevista exclusiva com Saddam Hussein, realizada pelo repórter Ricardo Pereira e pelo cinegrafista Benevides Neto, no palácio presidencial em Bagdá. O presidente do Iraque falou sobre a paz no Oriente Médio, as eleições em Israel e sobre as relações do seu país com o Brasil. Disse que os países árabes precisavam ter a bomba atômica para conseguir equilíbrio de forças com Israel, mas negou que estivessem construindo uma.

Toninho Drummond, para conseguir a entrevista, havia procurado o embaixador do Iraque no Brasil e argumentado que, se Saddam Hussein queria ser um líder do Terceiro Mundo, precisava dar prioridade a uma televisão do Terceiro Mundo. Segundo ele, a Rede Globo tinha todas as condições técnicas para transmitir a palavra do presidente iraquiano instantaneamente no mundo inteiro, tanto quanto a ABC, a NBC ou a BBC.

Os argumentos de Toninho Drummond foram aceitos e a equipe da TV Globo viajou para Bagdá. Mas gravar a entrevista não foi uma operação fácil. Ricardo Pereira conta que tiveram que aguardar vários dias no hotel: "Foram 11 dias de tortura. Fazia 50 graus, era junho, verão em Bagdá. Todo dia, o nosso guarda-costas, policial, tradutor dizia: 'Hoje, *His Excellency* foi para o front. *Maybe tomorrow.*' E eu falava: 'Está bom, mas eu vou sair.' Eu tinha uns amigos na embaixada, na Mendes Júnior. Eles diziam: 'Não, *maybe tonight, it is better stay here.*' E eu ficava lá dentro. Ficamos 11 dias no hotel, esperando. Nós já estávamos desistindo. Aí no décimo primeiro dia, nos chamaram e fizemos a entrevista."

Ricardo Pereira relembra curiosidades da gravação: "Nessa época, nós já trabalhávamos com câmera eletrônica mas, como íamos ficar muito tempo parados lá, levamos uma CP 16mm. Em cada rolo tinha 400 pés de filme, o que dava para uns 12 minutos de gravação. Mas a entrevista consumia tempo porque eu fazia a pergunta em inglês, o intérprete traduzia para o árabe, o Saddam respondia em árabe, o cara respondia em inglês para mim. A cada 12 minutos, o cinegrafista tinha que mudar o filme, na frente de Saddam Hussein, cercado de segurança, de metralhadoras. O cinegrafista suava, fazia um calor danado. E ele tinha que enfiar a mão dentro de um saco preto e trocar o filme. Na terceira troca ele, nervoso, não conseguia colocar o filme. Foi uma eternidade a espera. Eu e Saddam Hussein ficamos olhando um para o outro, sem ter nada para dizer."

1

2

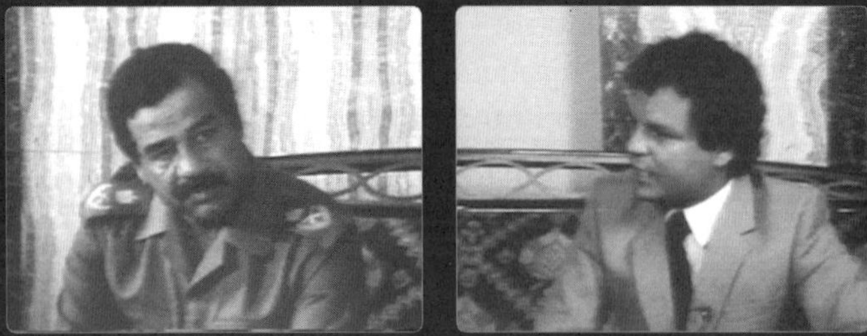

3

4

5

6

1. Poços de petróleo em chamas na refinaria de Abadan, Irã (1980).

2. O repórter Ricardo Pereira entrevistando o presidente do Iraque Saddam Hussein (*JN*, 29 jun 1981).

3. O repórter Sergio Motta Mello entrevistando o escritor Gabriel Garcia Márquez, Cidade do México (1978).

4. Toninho Drummond e o presidente do Iraque Saddam Hussein (1981).

5. Ricardo Pereira comentando a Guerra das Malvinas (abr 1982).

6. Visita do papa João Paulo II ao Brasil (jun 1980).

A guerra entre Irã e Iraque ainda se prolongaria por muito tempo. Apenas em 1988, após oito anos de confrontos e longas negociações, acertou-se o cessar-fogo. O anúncio foi feito pelo *Fantástico* em 7 de agosto. O repórter Silio Boccanera acompanhou, em Genebra, os chanceleres dos dois países, Ali Akba Velayati e Tarik Aziz, em negociação pela paz, numa reportagem que foi exibida no *Jornal Nacional* de 25 de agosto..

Guerra das Malvinas

Uma das mais amplas coberturas internacionais da década de 1980 foi a da guerra entre Inglaterra e Argentina, que se desenrolou de abril a junho de 1982. Quase 150 anos depois de os britânicos terem ocupado as ilhas Malvinas (para eles Falklands), a Argentina desembarcou no arquipélago quatro mil homens com o objetivo de reaver o território, situado a 400 quilômetros da sua costa. Três dias mais tarde, o governo do Reino Unido reagiu, mobilizando sua Marinha e Força Aérea.

A Rede Globo enviou, ao todo, 46 profissionais à Argentina em esquema de revezamento, além de contar com outros 30 para acompanhar a crise na Inglaterra, nos EUA e junto à ONU. Fizeram parte da cobertura os repórteres Carlos Castilho, Luís Fernando Silva Pinto, Ricardo Pereira, Roberto Feith, Silio Boccanera e Carlos Nascimento (na Inglaterra), Paulo Alceu, Roberto Lopes, Geraldo Canali, Francisco José, Hermano Henning, Rodolfo Gamberini, Glória Maria e Wilson Fadul Filho (na Argentina), e Sérgio Motta Mello e Lucas Mendes (nos EUA).

De Nova York, o jornalista Paulo Francis também participou da cobertura, comentando os fatos mais importantes. Eduardo Simbalista, então editor-chefe do *Jornal Nacional* lembra: "Francis estreou no *JN* fazendo comentários sobre a Guerra das Malvinas. Mas ele não comentava apenas: parecia o Senhor da Guerra. Nós gravávamos com ele no escritório em Nova York e ele mandava recados à Rainha e aos generais argentinos."

Na Argentina, os jornalistas ficaram sediados num hotel em Buenos Aires, onde estava toda a imprensa internacional. A Rede Globo participou de um *pool* de emissoras, que recebia as imagens diretamente da frente de batalha, pois era proibida a presença de repórteres no local do conflito. Enquanto isso, os cinegrafistas brasileiros – entre os quais Sergio Gilz, Marco Aurélio e Ivan Andrade – registravam na capital e em outras cidades argentinas as repercussões do conflito. Sob a coordenação de Lúcia Abreu, a equipe era auxiliada pelo produtor Nahun Velianowsky.

Noite após noite – desde o dia 2 de abril, quando as tropas argentinas invadiram as ilhas Malvinas –, o *Jornal Nacional* deu amplo destaque ao conflito no Atlântico Sul. O repórter Paulo Alceu foi enviado a Buenos Aires ainda no primeiro dia da crise. Já em 3 de abril informou que os jornalistas estrangeiros vinham enfrentando dificuldades com o governo argentino. As imagens só podiam ser transmitidas via satélite para outros países depois que censores avaliassem o material. Parte da reportagem a ser exibida no *JN* daquele dia, por exemplo, fora censurada. Para transmitir as últimas informações, Paulo Alceu teve que utilizar um telefone particular, pois a linha do seu hotel estava bloqueada.

O maior problema que o repórter enfrentou em Buenos Aires foi durante uma entrevista com o ex-chanceller argentino Oscar Camilion. Os censores ficaram incomodados porque o repórter perguntou a Camilion se a invasão das ilhas também tinha como objetivo desviar a atenção do povo argentino da crise econômica enfrentada pelo país naquele momento. Foi difícil enviar o material para exibição no *Jornal Nacional*.

No dia 1º de maio, quando tiveram início os ataques britânicos, a crise entre Inglaterra e Argentina ocupou cerca de 17 minutos do noticiário do *Jornal Nacional*. Os correspondentes e enviados especiais deram as diferentes versões sobre o conflito e mostraram a repercussão nos dois países. Com a intenção de facilitar o entendimento da guerra por parte do telespectador, foram utilizados diversos recursos. Ricardo Pereira, de Londres, mostrou – por meio de um painel com o mapa do arquipélago e ímãs em forma de avião – os movimentos das tropas aéreas inglesas.

O jornalista Renato Machado apareceu na bancada do telejornal, com um telefone a sua frente, falando com os repórteres Ricardo Pereira e Roberto Lopes e dando as últimas informações de Londres e Buenos Aires. Ainda em 1º de maio, a Rede Globo transmitiu ao vivo, para todo o Brasil, o discurso do presidente argentino, general Galtieri, que afirmava que o país continuaria a reagir com fogo sempre que o inimigo tentasse tomar como colônia as terras argentinas.

Durante a guerra, o mais próximo que os jornalistas da Globo conseguiram chegar dos locais de combate foi a base argentina de Comodoro Rivadávia, a 700km das Malvinas. Apesar de proibidas as filmagens das operações militares, de lá era possível obter mais informações sobre o conflito. Hermano Henning foi o primeiro enviado especial da emissora a essa cidade, sendo depois substituído por Francisco José, obrigado mais tarde pelo Exército argentino a deixar o local.

Hermano Henning viveu momentos de muita tensão em Comodoro Rivadávia: "Eu ouvia, em ondas curtas, o noticiário da BBC e estavam dizendo que um ataque ao território argentino era questão de horas e aquela região, onde eu estava, era a mais visada. O restante da imprensa estava em Buenos Aires, num hotel cinco estrelas, e eu estava lá enfiado naquele mundo da Patagônia, tentando chegar o mais perto possível."

"Alívio e alegria em Londres, amargura e revolta em Buenos Aires" – com esta frase o *JN* do dia 15 de junho confirmou a rendição oficial das tropas argentinas. Na véspera, os ingleses haviam tomado Porto Stanley, a capital do arquipélago. A vitória dos britânicos acabou fortalecendo a primeira-ministra Margareth Thatcher e seu partido conservador. O pessimismo do cidadão britânico que, naquele momento, enfrentava altas taxas de desemprego, deu lugar ao patriotismo. O grande impacto político da Guerra das Malvinas, no entanto, aconteceu na Argentina. A derrota ajudou a precipitar o fim do regime militar no país e o início do processo de transição democrática. O general Galtieri renunciou e seu substituto, o general Reynaldo Bignone, iniciou as negociações para a volta dos civis ao poder.

Casos Policiais

O *Jornal Nacional* cobriu com destaque as investigações de casos que se tornaram referências da crônica policial pelos detalhes violentos ou tramas surpreendentes. Um dos crimes mais chocantes foi o assassinato de Araceli Cabrera Crespo, de nove anos de idade, em maio de 1973, no Espírito Santo. O *JN* informou a descoberta do cadáver no dia 18 de maio e acompanhou toda a investigação policial. Em 1977, foi decretada a prisão preventiva dos suspeitos Paulo Helal, Dante Brito Micheline e seu filho Dante Barros Micheline, de famílias ricas e tradicionais. Os advogados conseguiram que os acusados respondessem ao processo em liberdade. O inquérito se arrastou durante anos, até ser encerrado por falta de provas. Ninguém foi preso.

Também em 1973, o *Jornal Nacional* cobriu o seqüestro de Carlos Ramires da Costa, o "Carlinhos", raptado no dia 2 de agosto em sua casa, no Rio de Janeiro, por um homem mascarado. O *JN* cobriu as investigações. O pai do menino, João Mello da Costa, e um dos seus funcionários chegaram a ser acusados de forjar o seqüestro, mas nada ficou provado e o crime pemaneceu sem solução.

1. *Carlos Ramires da Costa, conhecido como Carlinhos, seqüestrado em 2 de agosto de 1973.*

No dia 30 de dezembro de 1976, a socialite mineira Ângela Diniz foi morta a tiros por seu marido, o empresário Raul "Doca" Fernando do Amaral Street, após violenta discussão do casal. O *Jornal Nacional* noticiou a morte e acompanhou o julgamento. Doca foi condenado a dois anos de cadeia, com direito à suspensão da pena. A tese da defesa era de que ele teria agido em legítima defesa da honra e "matado por amor". O argumento gerou polêmica. Militantes feministas organizaram um movimento cujo slogan – "quem ama, não mata" – tornou-se, anos mais tarde, o título de uma minissérie da Rede Globo. A força dos protestos populares e o pedido de revisão do promotor levaram Doca Street a novo julgamento, em novembro de 1981. Condenado a 15 anos de prisão em regime fechado, ele obteve liberdade condicional.

No dia 23 de julho de 1977, o *Jornal Nacional* noticiou a descoberta do corpo da estudante Cláudia Lessin Rodrigues, de 21 anos, na encosta da avenida Niemeyer, no Rio de Janeiro. O empresário Michel Frank e o cabeleireiro George Khour, que estiveram com Cláudia na noite anterior, foram acusados de ter espancado e estrangulado a jovem até a morte. O julgamento do caso, que só ocorreu em 1980, durou cinco dias, um dos mais longos do Tribunal do Júri no Brasil. A fita com imagens da descoberta do corpo de Cláudia exibida pela Rede Globo foi requisitada pelo promotor José Cruz Ribeiro para constar como peça da acusação. George Khour foi condenado por ocultação de cadáver e cumpriu pena de três anos e quatro meses de prisão. Filho de pai suíço – e, portanto com dupla nacionalidade –, Michel Frank havia fugido para a Suíça, onde permaneceu em liberdade. Em 19 de dezembro de 1989, foi assassinado em Zurique.

Em janeiro de 1979, o *JN* cobriu o julgamento da universitária Maria de Lourdes Leite de Oliveira (Lou) e ex-namorado Vanderlei Gonçalves Quintão (Van), pelo assassinato de dois homens, quatro anos antes, na Barra da Tijuca. As vítimas eram ex-namorados de Lou. Em entrevista ao repórter Odilon Coutinho, no *Jornal Nacional* do dia 24 de janeiro, ela alegou ter sido coagida por Van a participar dos assassinatos, uma suposta tentativa de "limpar" seu passado, eliminando os homens com que ela se relacionara. Van negou tudo e declarou que não presenciara os crimes. Os repórteres Odilon Coutinho e Glória Maria cobriram o julgamento, que começou no dia 25 e durou 60 horas. Vanderlei foi condenado a 18 anos de prisão, reduzidos para 12. Lou foi condenada a 20 anos, reduzidos para 15. Os dois ganharam a liberdade condicional em 1982.

2. *Maria de Lourdes de Oliveira e Vanderlei Gonçalves Quintão, principais envolvidos no caso Lou (24 jan 1979).*

Em 28 de dezembro de 1992, o *Jornal Nacional* noticiou a morte da atriz Daniella Perez, de 22 anos, assassinada com 16 golpes de tesoura pelo ator Guilherme de Pádua e por sua mulher, Paula Thomaz. Na época, Guilherme de Pádua fazia o personagem Bira, namorado ciumento e possessivo de Yasmin, personagem de Daniella Perez na novela *De Corpo e Alma*, de autoria da mãe da atriz, Glória Perez. O crime ocorreu em um matagal junto à avenida das Américas, na Barra da Tijuca, no Rio. Guilherme de Pádua foi condenado a 19 anos de prisão e Paula Thomaz a 15. Em 1999, depois de cumprirem parte da pena, os acusados conseguiram a liberdade condicional. No entanto, em maio de 2001, os assassinos de Daniella Perez foram obrigados pela Justiça a pagar uma indenização por danos morais a Glória Perez e Raul Gazolla, mãe e viúvo da atriz.

No dia 4 de agosto de 1998, o *JN* noticiou a prisão do motoboy Francisco de Assis Pereira, o "maníaco do parque", que assassinou mais de dez mulheres no Parque do Estado, em São Paulo. O repórter Valmir Salaro acompanhou a prisão de Francisco, na fronteira do Brasil e Argentina. O criminoso foi escoltado até Porto Alegre, onde foi entregue a policiais de São Paulo. Em 8 de agosto, ele confessou os crimes e levou os policiais até o local onde estavam enterrados os corpos das vítimas. Francisco Pereira foi condenado a 107 anos de prisão por estupro, assalto e atentado ao pudor contra nove mulheres que sobreviveram aos ataques.

No *Jornal Nacional* de 11 de outubro de 2002, o repórter Marcelo Canellas acompanhou o reencontro do menino Pedro Braule Pinto, o "Pedrinho", de 16 anos, com os seus verdadeiros pais, Maria Auxiliadora Braule e Jairo Tapajós. Em 1985, o menino havia sido levado dos braços da mãe ainda na maternidade, por uma mulher que se dizia assistente social. Uma denúncia feita para o SOS Criança – orgão governamental que presta serviço de prevenção ao desaparecimento de crianças e adolescentes – revelou o paradeiro do Pedrinho. Ele fora criado em Goiânia, pela empresária Vilma Martins da Costa.

Maria Auxiliadora reconheceu Vilma Martins como a mulher que levara seu filho do hospital. Vilma foi denunciada por seqüestro qualificado e registro falso de nascimento, com pena prevista entre quatro e 11 anos de prisão. Em abril de 2003, teve a prisão preventiva decretada. Esteve foragida durante duas semanas até ser encontrada em uma casa na região metropolitana de Goiânia. O *Jornal Nacional* do dia 12 de maio mostrou a prisão de Vilma. Passando mal, a empresária foi levada para um hospital de urgência e isolada na UTI. Em agosto, Vilma foi condenada a oito anos e oito meses em regime semi-aberto de reclusão. Além desse crime, foi acusada de ter seqüestrado e criado como filha outra jovem, Roberta, de 23 anos.

PARTE III [1984-1990]

JN: O Brasil e o Mundo no Caminho da Democracia

1

JN Completa 15 Anos

Os Cuidados com a Produção

Em setembro de 1984, o *Jornal Nacional* completou 15 anos e, para comemorar, a Globo preparou matérias especiais contando um pouco da história do telejornal. Eram apresentadas dentro do próprio *JN*, em blocos separados, com cerca de dois minutos e meio de duração. Naquela época, foi também publicado um livro, escrito pelo jornalista Cláudio Mello e Souza.

Em 1984, a dupla de apresentadores do *JN* era formada por Celso Freitas (no telejornal desde o ano anterior) e Cid Moreira. Aos sábados, quem apresentava era Marcos Hummel.

Naquele momento, a CGJ já empregava – nas cinco praças em que a empresa tinha emissoras próprias (Rio, São Paulo, Brasília, Belo Horizonte e Recife) e nos escritórios no exterior – cerca de mil profissionais, entre repórteres, editores, cinegrafistas, diretores de imagem, coordenadores, operadores de vídeo e de áudio. Para preencher as três horas e meia diárias de programação jornalística, calcula-se que eram então utilizados, a cada dia, 50 câmeras e 60 carros de reportagem e que eram gravadas, em média, 700 horas de videoteipe. Desse total, o que havia de mais importante ia para o *Jornal Nacional*.

Para garantir o "padrão Globo de qualidade", havia uma grande preocupação com a formação dos profissionais. Os repórteres recebiam cuidados especiais, como os da fonoaudióloga Glória Beuttenmüller, que não apenas treinava os novatos, como também prestava assistência permanente aos veteranos. Além disso, a Rede Globo fornecia aos jornalistas que apareciam no vídeo uma verba extra para despesas com figurino. Eles eram orientados por Cristina Franco, então editora de moda da emissora.

O cuidado com a aparência era tal que, em janeiro de 1985, a diretora executiva da CGJ, Alice-Maria, enviou um memorando aos apresentadores e principais repórteres do *JN* dando alguns conselhos sobre as roupas a serem usadas no vídeo. As sugestões resultaram de uma conversa de Alice com Cristina Franco e Boni. Entre outras coisas, recomendava-se evitar listras muito fortes, coloridas e de contraste violento, assim como quadriculados de cores vivas. Ficavam proibidas roupas com estampas gráficas ou figurativas ou com dizeres de qualquer espécie. As apresentadoras não deveriam usar blusas de alça ou com grandes decotes. Deveriam evitar jóias e bijuterias grandes demais, ostensivas, e brincos pingentes e brilhantes. Os apresentadores não poderiam usar paletós nos tons branco e gelo e deveriam evitar gravatas lisas ou de acetato, que faíscam no vídeo.

Os cuidados com a produção, entretanto, não diziam respeito apenas a aspectos técnicos e estéticos. A dimensão ética também era uma preocupação da direção do jornalismo. Em novembro de 1980, Armando Nogueira enviou um memorando a todos os editores de texto e de imagem da CGJ, no qual afirmava: "É realmente muito delicada a tarefa de edição de entrevistas, depoimentos e discursos. No corre-corre do fechamento do telejornal, o editor pode comprometer moralmente o nosso trabalho. Basta selecionar uma fala sem respeitar o conjunto das idéias expostas pela pessoa noticiada. Nesse caso, estamos cometendo um abuso que repugna a nossa consciência profissional. Recomendo, pois, que os editores tenham extremo cuidado ao cortar uma fala. Se sentir que o trecho pinçado altera a essência do pensamento do autor, o editor deve fazer um texto resumindo a totalidade da fala para ser lido pelo narrador. É preferível arquivar ou jogar no lixo a fala a exibir uma versão adulterada de alguém que, na melhor boa-fé, nos deu uma entrevista ou nos deixou gravar o seu depoimento."

Criação das Editorias

A abertura política (iniciada no governo Geisel e aprofundada no governo Figueiredo) e a reestruturação interna do jornalismo da Globo (que foi dividido em dois setores: o comunitário e o de rede) intensificaram o diálogo entre as afiliadas e a CGJ. A conseqüência foi o aumento das informações, das notícias e das análises disponíveis para o *Jornal Nacional*. Como o volume de reportagens ofertadas passou a ser muito grande, tornou-se necessária uma seleção ainda mais criteriosa, feita pelos editores. Por isso, Armando Nogueira resolveu, em 1985, criar editorias especializadas. Até então a responsabilidade sobre todas as matérias de qualquer setor era do chefe de redação, na época Luís Edgar de Andrade.

Inicialmente, as editorias eram quatro: Brasil (Carlos Henrique Schroder), Política (Ronald de Carvalho), Economia (Paulo Henrique Amorim) e Internacional (Henrique Coutinho). A Divisão de Esportes, que já existia desde 1974, estava então sob a direção de Ciro José.

Ainda em 1985, as posições na CGJ de Woile Guimarães (diretor de telejornais de rede) e Alberico de Sousa Cruz (diretor dos telejornais comunitários) se inverteram. Woile resolveu voltar para São Paulo e, como na época era impossível dirigir de lá todo o jornalismo de rede, ele ficou responsável pelo telejornais comunitários, enquanto Alberico passou a chefiar o jornalismo de rede.

Em 1989, foi criada a editoria de Ciência e Tecnologia, com o objetivo de diversificar os temas tratados pelo *Jornal Nacional*. Sob a chefia de Fritz Utzeri, a nova editoria cobria um vasto campo: saúde, informática e meio ambiente. Produzia tanto matérias regionais, que mostravam as implicações da ciência no cotidiano das pessoas, como nacionais e internacionais, registrando as principais novidades tecnológicas e médicas no Brasil e no mundo.

Para produzir as matérias, a editoria de Ciência e Tecnologia contava com a editora Kristina Michahelles, que trabalhava ao lado de Fritz Utzeri, e com o quadro normal da Globo, inclusive com profissionais de outros estados e correspondentes estrangeiros. A editoria recebia a colaboração regular dos repórteres Ilze Scamparini e José Roberto Burnier.

A editoria de Ciência e Tecnologia acabou durando pouco, cerca de um ano apenas. Naquele período, porém, foram produzidas matérias importantes. Kristina Michahelles destaca: "Uma reportagem que nunca vamos esquecer foi a aproximação da nave *Voyager* de Netuno. Paginamos, como o 'boa noite' do *Jornal Nacional*, ao som da ária 'Rainha da Noite', de *A flauta mágica* de Mozart. Fizemos também umas matérias sobre a teoria do caos que, para o telespectador normal do *Jornal Nacional*, eram completamente diferentes, fora da sua realidade. Nós tentamos fazer coisas novas, avançadas, ousadas."

A Redação em Luto

Um dos momentos mais tristes do *Jornal Nacional* ocorreu em junho de 1984. Na manhã do dia 28, 14 profissionais das equipes de reportagem das redes Globo, Manchete e Bandeirantes e da TV Educativa morreram num acidente com um avião Bandeirante da TAM, que se chocou com um morro perto de Barra de São João, no estado do Rio. O avião tinha sido fretado pela Petrobras para levar os jornalistas ao município de Campos, onde seria comemorado o recorde de produção da empresa (500 mil barris de petróleo por dia).

Entre os mortos do acidente aéreo, estava o repórter Luiz Eduardo Lobo, de 27 anos, filho do conceituado jornalista Luiz Lobo. Lobinho, como era chamado pelos colegas, era muito querido na redação e havia participado de coberturas internacionais importantes, como a Guerra das Malvinas e as eleições presidenciais da Costa Rica. No avião, também estavam o cinegrafista Dario Duarte da Silva e os operadores de VT Levi Dias da Silva e Jorge Antônio Leandro.

1

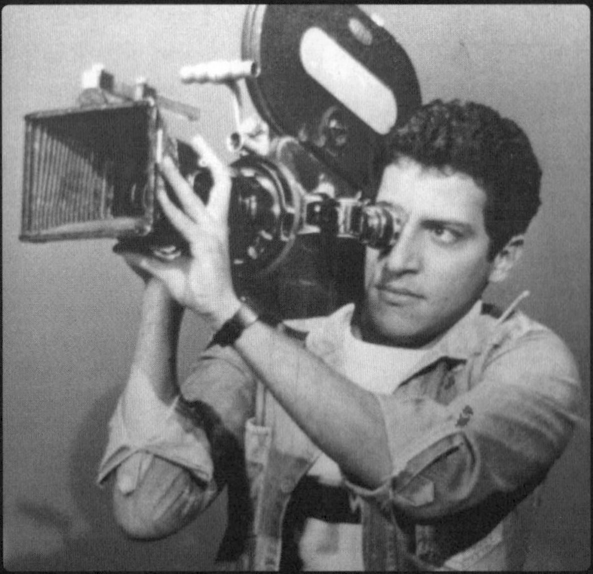

2

3

4

REDE GLOBO

Os telejornais têm que ser vibrantes, precisam ter sempre um bom ritmo. Eles retratam o dia a dia das notícias mais importantes do país e do mundo.

Um bom ritmo se consegue com matérias editadas no tempo certo, texto enxuto e leitura vibrante.

Recomendo a todos vocês - editores e apresentadores - o maior empenho para que os nossos telejornais estejam sempre no ritmo correto. E lembro que o diálogo permanente entre quem escreve e quem lê é o melhor caminho para que se tenha um bom resultado no ar.

Cordialmente,

Alice-Maria
Diretora Executiva da CGJ

c.c.- Armando Nogueira
Woile Guimarães
Alberico Sousa Cruz
José Itamar de Freitas
Leonardo Gryner
Luís Edgar de Andrade

5

JN

1. O cinegrafista Dario Duarte, que morreu no acidente do bandeirante da TAM na Bacia de Campos (s/d).

2. O cinegrafista Felipe Ruiz, que morreu no acidente com a equipe da TV Globo em Rio Bonito, no Rio de Janeiro (s/d).

3. O repórter Samuel Wainer Filho na cobertura do comício pelas eleições diretas na Candelária, no Rio de Janeiro (10 abr 1984).

4. Memorando de Alice-Maria, diretora executiva da CGJ, sobre cuidados com a produção do telejornal (s/d).

5. O repórter Luiz Eduardo Lobo, que morreu no acidente do bandeirante da TAM na Bacia de Campos (s/d).

No dia seguinte, outra tragédia atingiria uma equipe da TV Globo. Numa terrível coincidência, o repórter Samuel Wainer Filho e o cinegrafista Felipe Ruiz, ao retornarem da cobertura do acidente aéreo que vitimara seus colegas, também morreram, quando a Veraneio em que viajavam bateu numa árvore, depois de derrapar na pista molhada da rodovia RJ-124, entre Rio Bonito e Araruama.

Samuel Wainer Filho, conhecido como Samuca, de 28 anos, era filho do jornalista Samuel Wainer, fundador do jornal *Última Hora*, e de Danuza Leão. Considerado um dos mais promissores repórteres de vídeo, destacava-se por suas matérias sobre problemas na cidade do Rio de Janeiro. Seu penúltimo trabalho foi a cobertura do comício pelas Diretas Já, na Candelária, que fez ao lado justamente de Luiz Eduardo Lobo. A última reportagem foi sobre o acidente do avião Bandeirante que matara Lobinho.

Felipe Ruiz completaria 29 anos no dia seguinte à sua morte. Trabalhava na TV Globo desde 1975 e era considerado um dos melhores repórteres cinematográficos da emissora.

A comoção que se seguiu à morte dos seis profissionais da TV Globo tomou conta do *Jornal Nacional*. No dia 29, o experiente Cid Moreira, acostumado a ler notícias de tantas guerras e tragédias, se engasgou com as palavras, fez pausas maiores do que as habituais e, no fim do programa, deixou de dar o "boa noite" tradicional. Naquele mês, a TV Globo de São Paulo teve que enviar alguns repórteres para reforçar a equipe do Rio, muito abalada pelos acontecimentos.

2

A Nova República

O Movimento das Diretas Já

Dois de março de 1983. O deputado Dante de Oliveira (PMDB-MT) apresentou ao Congresso Nacional proposta de emenda à Constituição prevendo o restabelecimento de eleições diretas para a Presidência da República em dezembro do ano seguinte. Logo depois, o PMDB, sob a liderança do deputado Ulysses Guimarães, lançou oficialmente a campanha nacional de apoiou à emenda, com o slogan que ganharia as ruas – "Diretas Já". O movimento contou com a adesão imediata dos partidos da oposição e de entidades da sociedade civil. Durante o ano de 1983, ganhou força e, no início de 1984, rapidamente adquiriu proporções impressionantes, um marco na moderna história brasileira.

A Rede Globo acompanhou toda a movimentação política em torno da tramitação da emenda Dante de Oliveira no Congresso. Já no dia 29 de março de 1983, o *Jornal Nacional* apresentou uma matéria, de dois minutos e 17 segundos, informando que a executiva do PMDB se reuniria na semana seguinte para lançar a campanha. O repórter Antônio Britto entrevistou o líder do PMDB na Câmara, deputado Freitas Nobre, que expôs a estratégia da oposição para aprovar o projeto. Ao ser indagado sobre as cisões dentro do PMDB, respondeu: "É natural a divergência, o PMDB congrega uma série de tendências. Algumas delas até conflitantes, mas de qualquer forma há um ponto central que nos une que é o retorno à normalidade constitucional e democrática."

Nos meses seguintes, o *Jornal Nacional* abriu espaço para o debate sobre eleições, ouvindo tanto líderes do governo (Mario Andreazza, Delfim Netto, Nelson Marchezan etc.) como políticos da oposição (Tancredo Neves, Ulysses Guimarães, Franco Montoro, entre outros). No dia 15 de outubro, acompanhou em Foz do Iguaçu, Paraná, o encontro de alguns governadores do PMDB que discutiram sucessão presidencial, eleições diretas e economia. Foram entrevistados Wilson Martins (MS) e Gilberto Mestrinho (AM), que admitiram a eleição indireta caso fosse apresentada uma candidatura de consenso. Franco Montoro também foi entrevistado e defendeu as diretas, dizendo não admitir a idéia de uma candidatura de consenso: "Eu fui muito claro. Eu acho que nós não devemos enfraquecer a luta pelas eleições diretas aventando outras hipóteses. Qualquer outra hipótese enfraquece. Eu acho que há tudo para que o Brasil retome agora aquilo que foi a regra normal da escolha dos nossos presidentes." Em seguida, Tancredo Neves afirmou não ter pretensão de ser candidato a presidente da República.

Em novembro de 1983, aconteceu um episódio marcante da cobertura. Em viagem à África, antes de deixar a Nigéria, no dia 16, o presidente Figueiredo, ao responder a uma pergunta do repórter Álvaro Pereira, da TV Globo, disse ser favorável às diretas. Mas ressalvou que, naquele momento, era impossível haver eleições porque o PDS não iria concordar, e o Congresso não aprovaria uma emenda naquele sentido. "Se dependesse do meu voto, aprovaria. Só que o meu partido não abre mão do direito de escolher o futuro presidente", afirmou Figueiredo.

Apesar das recomendações dos assessores de imprensa para que evitasse tratar de assuntos de política interna nas suas viagens internacionais, o presidente – ao ser abordado por Álvaro Pereira – não se conteve. "Tentavam discipliná-lo e ele tentava ser disciplinado, mas o Figueiredo era um homem muito emocional. Se você o provocava com uma pergunta – e jornalista sabe provocar –, ele não resistia e acabava falando, às vezes até de uma forma irritada", recorda o repórter.

Após a entrevista, Álvaro Pereira começou a correr contra o tempo para que o depoimento fosse exibido no *JN* daquela noite. Mas eram grandes as dificuldades para a geração de matérias da Nigéria para o Brasil. A fita com o material bruto tinha que ser enviada de jatinho para a Costa do Marfim, onde um editor da Globo iria finalizar e gerar a reportagem para o Rio de Janeiro. Como o trânsito em Lagos naquele dia estava completamente congestionado, Álvaro Pereira precisou convencer um motoqueiro a levar o cinegrafista José Dantas ao aeroporto.

"José Dantas subiu na garupa da moto e eu só o vi desaparecendo com o nigeriano no meio dos carros. Foi a salvação da lavoura. Dantas conseguiu chegar ao aeroporto de Lagos e entregou a fita ao piloto do jatinho que seguiria para a Costa do Marfim", lembra o repórter.

As declarações de Figueiredo, exibidas no *Jornal Nacional* daquela noite, tiveram grande repercussão. Quando o presidente desembarcou no Brasil, teve que enfrentar uma séria crise política porque alguns membros do PDS ficaram muito irritados. O *JN* acompanhou todos os acontecimentos. O assunto chegou a ocupar, no dia 18, mais de nove minutos de seu noticiário.

Nos dias seguintes, a campanha começou a ganhar fôlego nas ruas. Em 27 de novembro, em matéria de um minuto e 17 segundos, o *Fantástico* deu destaque à festa-comício organizada em São Paulo pelos partidos de oposição. Na chamada, o apresentador Celso Freitas anunciou: "Uma festa para pedir eleição direta para presidente." Os telespectadores foram informados sobre o show de música e os discursos de representantes da Igreja, das entidades estudantis e dos partidos políticos. Nas falas, um ponto comum foi a necessidade de conquistar votos dentro do PDS para a aprovação da emenda Dante de Oliveira. Mas o momento mais emocionante foi o anúncio da morte do senador Teotônio Vilela, um dos principais promotores da campanha pelo voto direto. A notícia, dada pela atriz Ester Góes, emocionou as 15 mil pessoas reunidas diante do estádio do Pacaembu. O evento foi considerado a primeira manifestação pública expressiva a favor das diretas.

Em 28 de dezembro, foi apresentada a frase que seria usada em todo o material de propaganda da campanha das diretas – "Eu quero votar para presidente" –, e o *JN* exibiu reportagem de dois minutos sobre o assunto, mostrando as camisetas, lápis, bandeirinhas e adesivos a serem distribuídos à população. Em seguida, o repórter Tonico Ferreira entrevistou o secretário-geral do PMDB, Afonso Camargo, que disse ser possível, com as manifestações de rua, sensibilizar os parlamentares para aprovarem o retorno às eleições diretas para presidente. O repórter também ouviu Ulysses Guimarães, que afirmou: "Eu entendo que qualquer candidatura, sendo indireta, tem um vício insanável. Eu condeno é o processo, eu condeno o sistema, seja quem for o candidato."

1984: a hora e a vez dos comícios

Os quatro meses que antecederam a votação da emenda Dante de Oliveira foram dedicados à organização de comícios, que se realizaram por todo o país. O primeiro – que marcou o lançamento nacional da campanha pelas diretas – ocorreu em Curitiba, no Paraná, em 12 de janeiro de 1984, e reuniu cerca de 50 mil pessoas. Nos dias seguintes, novas manifestações aconteceram em Salvador, com 15 mil pessoas, Vitória, com 10 mil, e Campinas, São Paulo, com 12 mil.

A Globo acompanhou os comícios apenas nos telejornais locais. Naquele primeiro momento, as manifestações não entraram nos noticiários de rede. Roberto Marinho, em matéria publicada na revista *Veja* de 5 de setembro de 1984, explicou: "Achamos que os comícios pró-diretas poderiam representar um fator de inquietação nacional e, por isso, realizamos num primeiro momento apenas reportagens regionais. Mas a paixão popular foi tamanha que resolvemos tratar o assunto em rede nacional."

E, realmente, com o crescimento da adesão popular ao movimento pelas diretas, o *Jornal Nacional* passou a noticiar todas as manifestações de rua. O primeiro comício a ir ao ar em rede foi o que hoje é considerado o primeiro grande comício das diretas, realizado na praça da Sé, em São Paulo, no dia 25 de janeiro.

Naquele dia, o telejornal exibiu reportagem de dois minutos e 17 segundos sobre o tema. Mas a matéria provocou polêmicas. Com o passar dos anos, fatos misturaram-se a mitos até que uma versão falsa ganhasse as páginas de muitos livros sobre o assunto: a Globo teria omitido que o comício era uma manifestação pelas diretas; em vez disso, teria dito que se tratava apenas de uma festa em comemoração aos 430 anos da cidade de São Paulo.

A origem da confusão foi a escalada do *Jornal Nacional*. Nela, não há referência ao comício, mas apenas ao aniversário da cidade. "A cidade de São Paulo festeja os 430 anos de fundação". A chamada da matéria, lida pelo apresentador Marcos Hummel, referia-se ao comício como um dos eventos comemorativos do aniversário da capital paulista. De fato, havia a relação entre a manifestação e o aniversário da cidade. O comício tinha sido marcado para o dia 25 de janeiro justamente porque, sendo aniversário da cidade, a participação popular seria facilitada. O locutor leu a chamada: "Festa em São Paulo. A cidade comemorou seus 430 anos com mais de 500 solenidades. A maior foi um comício na praça da Sé." E, em seguida, a reportagem de Ernesto Paglia relatou com todas as letras o objetivo político do evento: pedir eleições diretas para presidente da República. A íntegra da matéria era a seguinte:

> São Paulo, 430 anos, nove milhões de brasileiros vindos de todo o país. A cidade de trabalho. São Paulo fez feriado hoje para comemorar o aniversário. Foi também o aniversário do seu templo mais importante, a catedral da Sé. De manhã, na missa, o cardeal arcebispo dom Paulo Evaristo Arns lembrou o importante papel da catedral da Sé nesses 30 anos em que ela vive no coração da cidade: 'Nessa igreja se promoveu praticamente a libertação de um povo que quer manifestar-se como povo. Eu acho que isso é fundamental para uma Igreja mãe que é tratada com tanto carinho.'
>
> E junto com a cidade aniversariou também hoje a Universidade de São Paulo. A USP completou 50 anos de existência. A ministra da Educação, Ester de Figueiredo Ferraz, foi à USP hoje. Ela falou da importância da Universidade com suas 33 faculdades e 45 mil alunos e assistiu a uma inesperada manifestação de estudantes e funcionários. Eles tomaram o anfiteatro com faixas e cartazes e pediram verbas para a educação, eleições diretas para reitor e para presidente da República.
>
> Mais à tarde, milhões de pessoas vieram ao Centro de São Paulo para, na praça da Sé, se reunir num comício em que pediam eleições diretas para presidente. Não foi apenas uma manifestação política. Na abertura, música, um frevo do cantor Moraes Moreira. A praça da Sé e todas as ruas vizinhas estão lotadas. *[Panorâmica da multidão e das ruas ao lado, tomadas.]* No palanque mais de 400 pessoas, deputados, prefeitos *[imagens do palanque, com destaque para os políticos]* e muitos artistas, Cristiane Torloni, Regina Duarte, Irene Ravache, Chico Buarque, Milton Gonçalves, Estér Goes, Bruna Lombardi, Alceu Valença, Fernanda Montenegro, Gilberto Gil.
>
> A chuva não afasta o povo. Os oradores se sucedem no palanque e ninguém arreda pé. O radialista Osmar Santos apresenta os oradores. O governador de São Paulo, Franco Montoro, fez o discurso de encerramento: 'Um dos passos na luta da democracia. Houve a anistia, houve a censura, o fim da tortura; mas é preciso conquistar o fundo do poder que é a Presidência da República.'

A *Folha de S. Paulo* noticiou no dia seguinte que, entre os noticiários das emissoras de televisão, o *SPTV 3ª edição*, que ia ao ar no final da noite, foi o que deu a melhor cobertura: "O *SPTV*, também da Rede Globo, apresentou uma cobertura mais completa, começando pelas festividades do aniversário de São Paulo, passando pela periferia do comício (preparação do ato, entrevistas com vendedores e pessoas que estavam chegando na praça) e chegou a afirmar que foi o 'maior comício já visto em São Paulo'." A emissora deu flashes ao vivo ao longo de toda a sua programação. Isso pode ser verificado pela leitura da *Folha de S. Paulo* do dia 26 de janeiro: "A Rede Globo, por exemplo, trabalhou com cinco equipes, as quais deveriam enviar material para os jornais *Globo Cidade*, *SPTV* e *Jornal Nacional*." No dia 27, a mesma *Folha* publicava: "Durante a tarde, o *Globo Cidade* trazia flashes esparsos entre um segmento e outro do filme de *Lassie* ou do seriado *As Panteras*."

Não há dúvida, no entanto, de que a maneira como a Globo noticiou o comício da Sé e o fato de que tinha deixado de destacar nacionalmente os comícios de Curitiba, Vitória, Salvador e Campinas deixaram irritados não só os organizadores do movimento, como também a parcela da população mais diretamente envolvida com a campanha. Mesmo quando a Globo passou a noticiar os comícios nacionalmente, a irritação permaneceu grande. Porque, embora não tenha mais deixado de mostrar em rede os principais comícios posteriores ao da Sé, a emissora manteve ainda, por algum tempo, o padrão de noticiá-los em matérias de até três minutos, quando o anseio era que a Globo endossasse editorialmente a campanha. Por esse motivo, era comum se ouvir, nas manifestações de rua (em que a Globo estava presente para cobrir), as palavras de ordem "o povo não é bobo, abaixo a Rede Globo". Alguns repórteres da emissora chegaram a ser hostilizados: pessoas tentaram agredi-los e virar os carros de reportagem.

Se por um lado segmentos da população pressionavam a Rede Globo para noticiar com mais destaque as manifestações pelas diretas, por outro a emissora vinha sendo pressionada pelos militares a simplesmente não cobrir os eventos. Woile Guimarães, então diretor dos telejornais de rede, diz que ministros e generais ligavam para Roberto Marinho, ameaçando até mesmo retirar a concessão para o funcionamento da emissora: "Acho que foi a maior pressão que a Rede Globo sofreu. Eu acompanhei um pouco a luta intestina aqui dos profissionais, tentando se solidarizar com o Dr. Roberto, que recebia pressões, talvez as maiores das quais eu fui testemunha."

Boni confirma: "Naquele momento, a pressão sobre Roberto Marinho foi intensa. Foi uma frustração para mim e para toda a equipe de jornalismo, uma tristeza para o Armando Nogueira e a Alice-Maria, não poder fazer a cobertura de maneira adequada. Nós ficamos limitados pelo poder de audiência que a TV Globo tinha. Isso foi uma tristeza muito grande, mas entendo que naquele momento o Dr. Roberto não podia resistir."

Crescem os comícios, a cobertura se fortalece

À medida, no entanto, que o movimento crescia e se fortalecia como movimento de massa, a Globo acompanhava o processo, abrindo mais espaço para a cobertura. No Rio de Janeiro, uma das primeiras manifestações pelas diretas foi a passeata na avenida Rio Branco, no Centro da cidade, em 16 de fevereiro. Naquele dia, o *Jornal Nacional* deu a notícia e mostrou imagens da festa na rua, do povo que se fantasiava, cantava e pedia mudanças. A passeata, que começara na Candelária, terminou com um comício na Cinelândia.

Outra manifestação em favor das diretas foi uma caravana de Goiânia até Brasília. A matéria foi exibida no *Jornal Nacional* no dia 23 de fevereiro. Nos sete dias seguintes, um grupo de 21 pessoas percorreu 220 quilômetros para chegar à capital federal no dia 1º de março, pouco antes da sessão de abertura dos trabalhos no Congresso Nacional. A caravana foi realizada depois que o PMDB decidiu não fazer a marcha sobre Brasília no dia da votação da emenda Dante de Oliveira. O presidente do partido, deputado Ulysses Guimarães, anunciou a decisão em entrevista no telejornal *Bom Dia Brasil*. Segundo ele, a proposta era não passar a idéia de que os manifestantes estivessem fazendo pressão para os congressistas votarem a favor da emenda. E informou que, em vez da marcha, haveria apenas uma concentração em Brasília pedindo eleições diretas para presidente.

No estado de Minas Gerais, a principal manifestação ocorreu no dia 24 de fevereiro. Na escalada do *JN*, o apresentador informou: "Milhares de pessoas participam do comício pelas diretas em Minas"; e, em seguida, na abertura da reportagem: "Em Belo Horizonte, está se realizando neste momento o comício pelas eleições diretas. Os principais oradores ainda não falaram. Sete governadores da oposição e o presidente do PMDB estão no palanque. O comício está se realizando em clima de muita tranqüilidade, como recomendou o governador Tancredo Neves." Numa matéria de um minuto e meio, a repórter Valéria Sffeir mostrou os preparativos para o comício e as caravanas de manifestantes que chegavam de diversos locais do estado.

Em seguida, comícios menores foram realizados em Aracaju (26 fev), Juiz de Fora (29 fev), Anápolis (8 mar), Campinas (22 mar) e São Bernardo do Campo (23 mar), contando com presença de aproximadamente 20 a 30 mil pessoas. A cobertura foi feita apenas pelos telejornais locais.

No dia 21 março, a população do Rio voltou à avenida Rio Branco para mais uma manifestação pelas diretas. Em uma nota coberta de 42 segundos, lida por Cid Moreira, o *JN* mostrou imagens da passeata e destacou a presença no palanque da viúva do compositor Cartola e primeira-dama da Escola de Samba da Mangueira, Dona Zica.

No domingo, dia 25 de março, o *Fantástico* noticiou o comício pelas eleições diretas na cidade de Campo Grande, Mato Grosso do Sul, que reuniu cerca de 35 mil pessoas. O repórter da TV Morena, afiliada da Rede Globo, entrevistou

Ulysses Guimarães no palanque logo após o seu discurso e perguntou se ele se candidataria à Presidência, caso a emenda Dante de Oliveira fosse aprovada. O deputado respondeu que sim: "Como eu já disse no meu discurso, percorri 300 mil quilômetros e percorrerei outros tantos por uma campanha."

Em abril, a campanha empolgou definitivamente o país: os comícios, antes na casa dos milhares, passaram a atingir a casa do milhão. No dia 10, cerca de um milhão de pessoas se reuniu na Candelária, no Rio de Janeiro. A Globo cobriu, então, com grande destaque, o evento, dedicando-lhe quase uma hora da sua programação. Foram apresentados diversos flashes durante todo o dia, mostrando desde a chegada dos primeiros manifestantes até o fim do comício. O assunto ocupou nove minutos do *Jornal Nacional* e invadiu a novela das oito. Toda a parte final do comício foi transmitida ao vivo, com os discursos de Ulysses Guimarães e Leonel Brizola. E, mais tarde, a cobertura do comício ocupou 16 dos 21 minutos do *Jornal da Globo*.

Para cobrir a manifestação, foi montada uma grande estrutura de reportagem, com duas câmeras fixas e nove portáteis. Entre os 25 repórteres mobilizados, estavam Sônia Pompeu, Luiz Eduardo Lobo, Samuel Wainer Filho e André Luiz Azevedo. Os jornalistas Ronan Soares e Renée Castelo Branco foram os responsáveis pela edição.

Após a exibição do *Jornal Nacional*, na reunião de conferências, no CPN (Centro de Produção de Notícias), quando foi aberto o alto-falante para São Paulo comentar o telejornal, entrou um som de aplausos, sem palavras.

Naquele momento, entretanto, a pressão dos militares sobre a Rede Globo atingiu o seu ápice. Naquele dia, chegou mesmo a adquirir a forma de intimidação pessoal. Antes de o *Jornal Nacional* ir ao ar, um helicóptero do Exército sobrevoou de maneira ameaçadora a sede da emissora, no Rio de Janeiro, postando-se na altura da janela da sala do então vice-presidente executivo, Roberto Irineu Marinho.

Ele próprio conta o episódio:

> Eu recebi pela manhã um general do Exército que havia chegado à TV em dois jipões com tropa armada. O general queria saber se a Globo iria transmitir direto a totalidade do comício. Disse ao general que estávamos nos preparando para dar flashes do comício e que não transmitiríamos os trechos que contivessem agressões às Forças Armadas, pois não achávamos construtivo.
>
> Tínhamos colocado várias pequenas tevês na estante da minha sala ao lado de uma grande que ficava ligada na Globo. Nas pequenas tevês colocamos o sinal da Bandeirantes, da Manchete e do SBT, além do sinal do caminhão de externas e do PVW [Preview]. Em frente à mesa tínhamos um suporte de madeira com aparelhos de comunicação ligados ao caminhão de externas e ao controle de jornalismo e três telefones vermelhos diretos. Pouco antes da hora em que iríamos começar as transmissões reuniram-se na minha sala Boni, Armando Nogueira, Roberto Buzzoni [diretor nacional de programação] e Pedro Carvalho [assessor da vice-presidência executiva]. Otto Lara Resende [diretor adjunto] e o Evandro Carlos de Andrade

[diretor de redação do jornal O *Globo*] estavam no restaurante do 10º andar e entravam de vez em quando na sala.

Começamos a transmitir flashes ao vivo. Voltávamos então para o filme da tarde. Por volta das 16h30 ou 17h um helicóptero grande do exército circunda o prédio da TV na altura do 10º andar e paira em frente à minha janela. Dentro do helicóptero estavam, além do piloto e co-piloto, alguns militares fardados e uma metralhadora apontada para nós. Ali ficaram parados por alguns infindáveis minutos e depois partiram. Nunca consegui saber de onde partiu a ordem para que o helicóptero viesse nos assombrar.

Novos comícios a favor das eleições diretas realizaram-se em Goiânia, em 12 de abril, e em Porto Alegre, no dia seguinte. O *JN* cobriu os preparativos para as manifestações nas duas cidades e, com entradas ao vivo em seu noticiário, deu as últimas informações sobre os eventos. Em Goiânia, em meio à multidão que se apertava diante do palanque, estava o repórter Wilson Fadul Filho, que, antes de encerrar sua participação ao vivo no telejornal, perguntou ao deputado Dante de Oliveira se ele esperava a presença de toda aquela multidão no comício. "Tinha certeza que Goiás não iria faltar nesse momento", respondeu o autor da emenda pelas eleições diretas. No centro da capital gaúcha, direto do largo da Prefeitura, Geraldo Canali informou que mais de 200 mil pessoas participavam da manifestação pelas diretas.

O último grande comício antes da votação da emenda Dante de Oliveira se realizou no dia 16 de abril, no Vale do Anhangabaú, em São Paulo. Reuniu quase um milhão e meio de pessoas. Naquele mesmo dia, em Brasília, o presidente João Figueiredo enviou ao Congresso Nacional proposta de ampla reforma alterando 38 artigos da Constituição e estabelecendo a eleição direta para presidente apenas para 1988. Era a resposta do governo à emenda Dante de Oliveira.

A edição do *Jornal Nacional* foi praticamente toda dedicada aos dois grandes acontecimentos políticos do dia. As informações sobre a emenda do presidente e as suas repercussões foram acompanhadas pelos repórteres de Brasília Pedro Rogério, Álvaro Pereira, Marilena Chiarelli e Antônio Britto, ao passo que as manifestações no Vale do Anhangabaú foram acompanhadas pelos repórteres Tonico Ferreira, Ernesto Paglia, Carlos Nascimento, Carlos Dorneles e Carlos Tramontina, entre outros.

Para cobrir a manifestação em São Paulo, a Globo mobilizou grande quantidade de equipamentos e profissionais: dez unidades de geração ao vivo e 20 equipes de reportagem. Os repórteres se posicionaram no trajeto da passeata, sobre os prédios, em caminhões-elevadores da Eletropaulo e num helicóptero. A direção da CGJ se transferiu para a cidade, de onde comandou a cobertura.

Carlos Tramontina conta que aquele foi um momento de grande emoção para os profissionais da Rede Globo: "Fizemos transmissões do alto do prédio da Eletropaulo, onde hoje é a Prefeitura. E tínhamos uma visão privilegiada do Vale do Anhangabaú. E eu me lembro de que no fim, quando estava terminando o comício, nós nos abraçamos, a equipe toda lá do alto, e a gente cantou o Hino Nacional junto com um milhão e meio de pessoas."

A votação da emenda: o jornalismo sob censura

Em 18 de abril, dois dias depois do comício do Anhangabaú, o presidente João Figueiredo decretou a adoção, pelo prazo de 60 dias, de medidas de emergência no Distrito Federal e em dez municípios de Goiás. As medidas tinham como executor o general Newton Cruz e incluíam a possibilidade de detenção de cidadãos em edifícios comuns, suspensão da liberdade de reunião e associação, além de intervenção em sindicatos e outras entidades de classe. Foi determinada a censura prévia às emissoras de rádio e de televisão, sendo proibida a transmissão ao vivo de qualquer informação sobre as medidas de emergência e a votação da emenda à Constituição. O governo argumentava que era sua responsabilidade manter a ordem e a soberania do Congresso Nacional para que este pudesse decidir livremente.

A Rede Globo tinha preparado um megaesquema para cobrir ao vivo a votação da emenda Dante de Oliveira. Mobilizou 16 equipes, com 48 repórteres, 50 funcionários em caminhões de externa e outras 60 pessoas, entre editores e técnicos, na redação. Não seriam apresentados apenas flashes, mas a própria programação seria interrompida para que se acompanhasse passo a passo a votação no Congresso.

Mesmo sabendo que nada poderia entrar ao vivo de Brasília, a CGJ decidiu manter toda a estrutura de transmissão, ainda que apenas para gerar boletins gravados. Além disso, o editor regional Antônio Britto adotou a estratégia de agir como se nada estivesse acontecendo. Continuou produzindo material jornalístico na quantidade anteriormente programada. Gilnei Rampazzo, então coordenador do noticiário nacional em Brasília, conta como foi: "A gente mandava fita e mais fita, muitas fitas, enchia o Dentel [Departamento Nacional de Telecomunicações] de fita. E aí eles começaram a ficar loucos porque as outras emissoras também eram obrigadas a mandar fitas e eles não estavam preparados para isso."

Em 24 de abril, primeiro dia de censura do noticiário produzido em Brasília, das 16 reportagens enviadas pela TV Globo ao Dentel, órgão responsável pela censura prévia, só cinco foram devolvidas, quatro das quais censuradas. Nem mesmo uma série de entrevistas com os presidenciáveis do PDS – Aureliano Chaves, Mário Andreazza, Paulo Maluf e Marco Maciel – foi liberada.

As fitas enviadas pelas emissoras de TV para a censura só eram devolvidas quatro horas depois, o que prejudicava a cobertura jornalística. Além disso, ocorriam problemas burocráticos. No dia 25 de abril, por exemplo, os jornais *DFTV 1ª edição* e *Bom Dia Brasil* não puderam ser transmitidos, porque o Dentel só começava a funcionar a partir das 8h e não mandara os fiscais para examinar o material.

Como era proibida a transmissão direta de Brasília, a direção da CGJ decidiu que o *Bom Dia Brasil* do dia seguinte seria apresentado no estúdio da Globo em Minas Gerais. Carlos Monforte conta como foi: "Nós fomos de avião para Belo Horizonte, levando toda a equipe e dois entrevistados, que eram Moreira Franco e Fernando Lyra, dois deputados, um do PMDB, outro do PDS. Eram tempos difíceis aqueles, não era brincadeira, porque a punição era tirar a emissora do ar. Se você não cumprisse, o Dentel cortava o sinal da emissora."

E, de fato, a censura exercida pelo Dentel foi dura: levou à suspensão da TV Gazeta, em São Paulo, cujos transmissores foram lacrados, e também das rádios Guarany AM e FM, dos Diários Associados, em Belo Horizonte.

No dia 24, um representante do Dentel procurou Antônio Britto para repreender a Rede Globo por ter levado ao ar uma reportagem que o próprio Departamento havia liberado. Tratava-se de um trecho do *Jornal Nacional* daquela noite que mostrava a manifestação pró-diretas promovida por brasileiros em Nova York. O representante do Dentel afirmou que Newton Cruz não havia gostado do telejornal e, em seguida, ameaçou: "Se vocês insistirem com esse tipo de material vamos lacrar os transmissores da Globo."

Foi um dia de grande tensão em Brasília. Houve manifestações em favor das diretas na Esplanada dos Ministérios e Newton Cruz pôs as tropas na rua para reprimi-las. Com um bastão na mão, o general comandou pessoalmente a repressão. Na operação, foram presos dois deputados – Jacques D'Ornellas (PDT) e Aldo Arantes (PMDB) – e três fotógrafos – Luciano Andrade (*Jornal do Brasil*), Júlio Bernardes (*Agência Agil*) e Carlos Carvalho (*Newsweek*).

A repórter Sônia Pompeu relembra: "Me colocaram do lado de fora para cobrir ao vivo, mas não podia transmitir ao vivo. Era assim: 'Caso aconteça uma tragédia ou alguma coisa, a gente está lá.' Aí eu pensei: 'Bom, não vou fazer nada', a censura não permitia. Mas quando eu vejo o general Newton Cruz que nem um louco batendo com o bastão nos carros, eu avisei à chefia: 'Olha, não tem uma câmera aqui, só tem câmera ao vivo. Como é que vamos fazer? Desplugo aqui, vou lá, coisa e tal?'. Na época era o Pinheirinho que chefiava a cobertura e ele falou: 'Vamos entrar ao vivo!' E eu disse: 'Mas como? Não pode!'. Ele respondeu: 'Vamos entrar ao vivo'. E entramos ao vivo. Pinheirinho peitou e a TV Globo bancou. Deu uma confusão federal, é evidente. O governo reclamou. Mas nós pusemos no ar o general Newton Cruz que nem um louco com o bastão na mãos. Era uma cena dantesca."

Apesar das pressões, a TV Globo soube burlar com criatividade as proibições. A edição do *Jornal da Globo* daquele dia foi, nesse sentido, histórica. Alguns repórteres e apresentadores se utilizaram de gravatas e adereços amarelos – cor das diretas – e de gestos, expressões e comentários ambíguos para fazer alusão à emenda constitucional. De broche amarelo na lapela, sem dar um sorriso, a apresentadora Leilane Neubarth leu a primeira notícia da noite: "Jornalistas protestam contra a censura [pausa] no Chile." O comentarista esportivo Osmar Santos

1

2

3

4

5

6

JN

1. Cid Moreira apresentando o *Jornal Nacional* com selo da campanha das Diretas (*JN*, 12 abr 1984).

2. Políticos e artistas no comício pelas eleições diretas na Candelária, no Rio de Janeiro (*JN*, 10 abr 1984).

3. Comício pelas eleições diretas no Vale do Anhangabaú, em São Paulo (*JN*,16 abr 1984).

4. Políticos e artistas no comício pelas eleições diretas no Vale do Anhangabaú, em São Paulo (*JN*, 16 abr 1984).

5. O repórter Wilson Fadul entrevistando o deputado Dante de Oliveira no comício pelas eleições diretas em Goiânia (*JN* 12 abr 1984).

6. Comício pelas eleições diretas em Goiânia (*JN*, 12 abr 1984).

1

2

3

4

5

1. A repórter Sônia Pompeu cobrindo o comício pelas eleições diretas na Candelária, no Rio de Janeiro (10 abr 1984).

2. O repórter Ernesto Paglia durante o comício pelas eleições diretas na praça da Sé, em São Paulo (*JN*, 25 jan 1984).

3. A jornalista Leilane Neubarth apresentando o *Jornal da Globo*, ao lado de Eliakim Araújo, com um broche amarelo que simbolizava a campanha Diretas Já (*Jornal da Globo*, 24 abr 1984).

4. Repórter Marilena Chiarelli mostrando que, com as medidas de emergência, as vias de acesso a Brasília estavam desertas (*JN*, 19 de abril de 1984).

5. Jô Soares critica as medidas de emergência adotadas em Brasília ficando 30 segundos em silêncio (*Jornal da Globo*, 24 abr 1984).

encerrou sua participação no telejornal chamando atenção para a barulheira de buzinas, rojões e batidas de panela que estava ocorrendo em várias cidades brasileiras: "Olhe aí, você que é mais desligado: o Brasil não foi tetracampeão de futebol hoje à noite, não." No fim do *Jornal da Globo*, o humorista Jô Soares, sem dizer uma palavra, acionou um cronômetro e o deixou ligado por 30 segundos, enquanto olhava sério para a câmera.

No dia 25, a primeira sessão de discussão sobre a emenda Dante de Oliveira no Congresso começou às 9h, mas quando o *Jornal Nacional* foi ao ar a votação ainda não tinha sido iniciada. Na abertura do telejornal, o apresentador Cid Moreira informou: "O Congresso vota esta noite, daqui a pouco, a emenda das eleições diretas." Em seguida, foi mostrado o cenário da votação: deputados e senadores no plenário, artistas e intelectuais acompanhando os debates, estudantes se manifestando do lado de fora. O apresentador leu nota sobre a censura: "A Associação Brasileira de Emissoras de Rádio e Televisão, Abert, divulgou hoje, através do jornal O *Estado de S. Paulo*, uma nota de protesto contra a censura de noticiário jornalístico vindo de Brasília."

A votação no Congresso Nacional terminou sem que a emenda das diretas conseguisse a maioria de dois terços exigida para ser aprovada. Perdeu por apenas 22 votos. Mas, como recorda Gilnei Rampazzo: "Embora a emenda tivesse sido derrotada por uma pequena diferença dos votos e apesar de toda essa tensão, todo mundo sem dormir, virado, cansado, estressado, foi uma cobertura gloriosa. A gente sentiu que ali estava começando alguma coisa, que alguma coisa importante tinha acontecido e que a gente tinha participado, acompanhado, documentado e divulgado para o país apesar de todas as restrições que a gente sofreu. Depois disso, não tinha muita saída. A eleição seguinte não seria pelo voto direto, mas as coisas seriam diferentes. As eleições ocorreriam no Colégio Eleitoral, mas o fim do poder militar estava decretado, estava selado."

Esta é a história da cobertura da campanha pelas diretas na Globo. A história de um trabalho jornalístico que enfrentou obstáculos e tentou contornar da melhor forma os entraves para informar o povo brasileiro sobre a maior campanha de massas da história recente. Mas é, também, a história de um desencontro e de uma mistificação. O desencontro entre o desejo da população e a postura que a TV Globo adotou no período inicial dos comícios. E a mistificação, produzida por alguns, ao transformar uma mentira numa verdade estabelecida.

A população desejava, desde o início, que a Globo fizesse não uma cobertura, mas uma campanha pró-diretas de grandes dimensões. Desejava que a Globo se engajasse politicamente na luta por eleições diretas, que fosse não apenas a narradora comedida daqueles eventos, mas seu agente, seu fermento. O desencontro se deu quando a Globo, condicionada pelas circunstâncias históricas da época e por um jogo de pressões políticas muito forte, decidiu manter a cobertura, ao menos inicialmente, num tom não emocional, eqüidistante e comedido.

E a mistificação foi todo um processo que transformou esse fato, pouco a pouco, numa mentira: com o passar dos anos, foi tratada como verdade objetiva a falsa versão de que a Globo não somente não cobriu os primeiros eventos relacionados à campanha das diretas como mentiu sobre eles.

Desde março de 1983, porém, quando a emenda das diretas começou a tramitar no Congresso, a Globo cobriu toda a movimentação política, os principais atos públicos e os principais comícios. Houve erros, principalmente em relação ao comício da Sé, quando a notícia exata e detalhada sobre a manifestação foi introduzida por um texto do locutor que revelava ambigüidade. O povo brasileiro, no entanto, desde o início, soube da campanha das diretas pela Globo. Embora a Globo não tenha feito campanha.

Como diz Armando Nogueira, diretor da Central Globo de Jornalismo na época, a cobertura cresceu em tamanho e intensidade à medida que também, de um lado, crescia a força da sociedade na sua luta por diretas, e, de outro, o Estado totalitário dava sinais de fraqueza.

Depoimentos*

ARMANDO NOGUEIRA (diretor da CGJ):

"Esse é um episódio muito interessante, que demonstra a submissão a que a televisão é exposta como alvo de pressão do poder dominante. Claro que não convinha para o Palácio do Planalto que órgãos de comunicação, particularmente a Globo, dessem exposição a um movimento que pretendia exatamente ir contra os interesses do poder dominante. Portanto, vocês podem imaginar as pressões que a alta direção da empresa e, por conseqüência, nós, a corporação, sofremos. Qual é o vínculo de um jornalista como eu, que trabalha em uma empresa como a Globo, pressionada, por um lado, pela opinião pública (mais respeitável) e, por outro, por um poder incontrastável do Estado? Você vai a um restaurante, você é cobrado pelos amigos: 'Por que a Rede Globo não cobriu o comício de Curitiba? Por que a Rede Globo minimizou o comício de São Paulo, da praça da Sé?'. É que você põe nos pratos da balança, de um lado, a sociedade e, de outro lado, o Estado, representado pelo governo militar. À medida que esse poder aqui [a sociedade] se fortalece, ele ganha peso, ganha consistência e este aqui [o Estado] se enfraquece. E a televisão, por ser um veículo que é um pára-raios, que está recolhendo energia de um lado e de outro, tem que se posicionar de acordo com as inclinações da balança. Então foi a sociedade, a manifestação ruidosa da sociedade, que criou para a Rede Globo condições de dizer para esse lado do prato [o Estado] que não dá mais para segurar: 'Vocês estão mais enfraquecidos do que pensam.' Então a Rede Globo resolveu solidarizar-se com a opinião pública, mostrando que ela é um veículo extremamente sensível quando se tem uma nação se

* *Os titulares exerciam os cargos abaixo na época dos acontecimentos.*

manifestando, porque ali não foi um movimento partidário, foi um movimento de caráter nacional. As passeatas, as manifestações, aquilo acabou se transformando em uma avalanche. E a Rede Globo, com o instinto de sobrevivência que sempre teve seu patrono, Roberto Marinho, não poderia ficar insensível a isto, embora estivesse duramente pressionada pelo Palácio do Planalto a não prestigiar o que se supunha, no Palácio do Planalto, ser apenas uns arroubos patrióticos, quando na realidade era uma manifestação irresistível da consciência nacional. Era a personificação do Hino Nacional, da bandeira nacional na cara dos jovens, na ansiedade dos políticos de oposição, em todas as comunidades. Foi um episódio épico da história do Brasil, que ganhou na verdade uma grande dimensão quando as câmeras da Rede Globo mostraram o comício da Candelária. Não foi uma vitória da Rede Globo, mas uma vitória da consciência nacional."

ALBERICO DE SOUSA CRUZ (diretor de telejornais comunitários):

"Alguns amigos me pediram e, autorizado pelo Armando Nogueira, tive uma conversa com o Dr. Roberto. Eu fui explicar para ele o que era a campanha das diretas, que a Globo precisava entrar nisso. Qual não foi minha surpresa: o Dr. Roberto vira-se para mim e fala assim: 'Olha, jovem, eu nunca determinei que a Globo não cobrisse a campanha.' Eu falei: 'Como, Dr. Roberto!?' Aí, ele falou: 'Não, o que eu disse ao Boni foi o seguinte: pode cobrir, agora, com responsabilidade, sem que a TV Globo se torne instrumento de a, b ou c.' Então, falei: 'Mas o senhor quer, então, é responsabilidade nessa cobertura?' Ele falou: 'É.' ... Aí voltei e falei: 'Olha, nós vamos cobrir. Eu vou viajar: onde tiver manifestação, eu vou, porque estou achando o seguinte: o medo do Dr. Roberto é a gente não ter o controle da cobertura. Então eu vou cobrir, eu vou para todas as praças', e fomos para São Paulo, por exemplo, onde fizemos a cobertura sem nenhum problema, com chamadas, com entradas ao vivo durante a tarde inteira. Foi o maior comício, estavam dois milhões de pessoas. ... Fizemos a cobertura que queríamos fazer. Se erramos, acertamos também. Eu acho que a cobertura das eleições diretas só não foi vitoriosa porque perdeu a votação, mas a campanha foi vitoriosa no Brasil inteiro. Dr. Ulysses Guimarães me dizia isso com felicidade, que a Globo tinha dado uma repercussão na campanha das diretas que ele jamais poderia imaginar que tivesse. Porque o negócio dele era andar pelo Brasil, percorrer o país, e, de repente, a Globo transformou aquilo num negócio espetacular no Brasil inteiro. Isso, as pessoas não creditam à TV Globo. Por despeito não reconhecem. Porque a Globo foi o principal instrumento político daquela época. É evidente que a ordem do Dr. Roberto era para cobrir com cuidado. Mas isso não significava nenhuma ordem de conteúdo. Ele só não queria que a Globo fosse instrumento de meia dúzia de pessoas."

ANTÔNIO BRITTO (editor regional de Brasília):

"A emenda do Dante funcionou como uma espécie de ímã atraindo tudo que estava ali meio dormindo, começando a acordar na sociedade brasileira. Aquela palavra 'diretas' polarizou, imantou, juntou toda energia de mudança que estava surgindo dentro da sociedade brasileira. Tudo que tinha sido abafado, reprimido, trancado durante tanto tempo, explodiu. A gente se deu conta de que estava frente a um acontecimento político importante, a gente estava com um acontecimento popular e emocional importante, que aquilo ali ia juntar gente e ia botar fogo na situação. Bem, se a gente percebeu isso, o regime também percebeu e aí jogou tudo para tentar, inutilmente, segurar o que não dá para segurar, a ponto de fazer a loucura de restabelecer a censura para a semana da votação das diretas. Então, nós, que já tínhamos caminhado na direção da liberdade, de repente, só podíamos cobrir as diretas com autorização do Dentel. Foram dois dias inacreditáveis. A gente não podia divulgar aquilo que o país inteiro estava acompanhando. Foi um momento importante na vida da Globo e na vida do país, porque podíamos aceitar aquilo e trabalhar em função das exigências deles ou pegar e manter o ritmo de produção nosso, eles que se danassem. A nossa decisão foi a segunda. Não nos preparamos para trabalhar conforme o Dentel e o governo queriam; a gente seguiu produzindo como se estivesse na França. Foi uma decisão que se tomou, Brasília e Rio. E isso enlouqueceu o pessoal do Dentel. ... um órgão que cuida de coisas técnicas, com três salas e apenas duas ilhas de edição. Mas nós não produzimos em função do interesse do censor. Nós produzimos tudo como se estivéssemos na normalidade. A gente pautava, redigia, gravava, editava, como se estivesse num país democrático e enchia o sujeito do Dentel de fita. Por quê? Porque não queríamos internalizar a razão do outro, de censura. E isso criou um *gap*. Criou uma coisa cômica para a gente. As pessoas estavam escrevendo por nada, redigindo por nada, gravando por nada. Foi um dos episódios mais bonitos que a nossa geração teve porque a gente cobria por nada e cobria com tesão como se tivesse ao vivo para o planeta. ... Questão número um: é verdade que a cobertura das televisões e da Rede Globo sobre a campanha das diretas foi mais tímida do que a cobertura das revistas e dos jornais? Sim, é verdade. Mas acho que quem responde sim para primeira pergunta tem o dever de se fazer uma segunda pergunta: poderia ser a cobertura da televisão tão quente ou mais quente que a dos jornais e das revistas? E aí a minha resposta é não. Por quê? Porque a forma como o regime moribundo vigiava, controlava e pressionava um veículo de 40 milhões ou de 50 milhões de telespectadores era diferente da forma como controlava outros veículos. Isso não faz da TV nada melhor do que jornal e rádio, nem faz do jornal, rádio e revista nada melhor do que TV. Eram decorrências da amplitude de cada veículo. Bem, o que acontece? A campanha das diretas imantou, agregou uma energia que andava há 20 anos querendo extravasar e ganhou uma dimensão emocional e popular que ninguém previa. É óbvio que nós todos fomos nos dando conta do que estava acontecendo e procurando encontrar espaços para ir colocando no ar. E o esforço foi de colocar no ar um material à altura daquilo que era o episódio e à altura das possibilidades. ... Então, em síntese, eu acho que é, sim, verdade, a cobertura das televisões e da Globo foi tímida. Se as diretas fossem hoje (claro que não seriam), é óbvio que teriam 45 minutos de *Jornal Nacional*. A pergunta é: lá, naquela circunstância, isso poderia ser feito? Que conseqüência teria?"

Ernesto Paglia (repórter da cobertura em São Paulo):

"Havia um cuidado muito grande em relação às diretas. A emissora parecia ter uma dificuldade editorial com o assunto. Possivelmente uma preocupação com o calibre da nossa cobertura que às vezes, além de constatar o que acontece, pode alterar a realidade. Dependendo do jeito que se faz isso, você não apenas retrata mas interfere na realidade. Certamente, na época, a preocupação era tamanha que ninguém queria nem arriscar. E nós ficávamos muito frustrados, porque era um episódio marcante da história do país, que a gente sentia que tinha grande importância jornalística, histórica, e queríamos, como profissionais da área, cobrir o assunto. Aí, no dia 25 de janeiro, houve um megacomício na praça da Sé, em São Paulo. E não dava para ignorar. Eu fui para cima do edifício da Secretaria de Fazenda do estado de São Paulo. Saindo da praça da Sé, uns 500, 400 metros abaixo em direção ao Parque Dom Pedro tem um prédio muito alto e fomos lá para o alto, com uma lente que tinha sido levada do Rio de Janeiro para São Paulo. Era uma lente brutal, 1.000 milímetros, ou seja, um metro de lente, e que tinha uma zoom movida por manivela. Eu nunca tinha visto uma coisa daquelas. Tinha uns três ou quatro operadores para a mesma máquina. Então, nós fomos lá para cima, que era uma distância prudente. Na época das manifestações pelas diretas, havia uma grande animosidade, os manifestantes ficavam agressivos mesmo. A repórter Isabela Assumpção estava cobrindo um comício desses, se não me engano talvez tenha sido o mesmo comício, e o carro dela quase foi virado, quase foi depredado o carro da Globo onde ela estava trabalhando. Quer dizer, havia mesmo uma atitude hostil das pessoas. Então, naquele dia, eu fiz uma matéria que era mais ou menos assim: 'São Paulo hoje comemorou seu aniversário com diversas atividades, torneio de pipa no Parque do Ibirapuera, uma grande caminhada não sei onde...' e aí eu terminava com uma passagem, ou encerramento, que é aquele momento em que eu falava para a câmera, com uma zoom. Começava comigo, lá em cima do prédio, no vigésimo tanto andar, e eu dizia algo assim: 'e no fim da tarde um milhão e meio de pessoas começou a se reunir aqui na praça da Sé para pedir a volta das eleições diretas para presidente.' Essa foi a nossa mensagem."

Álvaro Pereira (repórter da cobertura em Brasília):

"Eu me lembro que foi uma coisa muito traumática para a gente, como jornalista, ter vivido esse período, porque o governo usou ali a última força que tinha para impedir uma cobertura como deveria ter sido feita. Eu me lembro que a Globo se preparou para transmitir ao vivo a votação da emenda Dante de Oliveira. ... Chegamos a fazer ensaios de cobertura. Montamos uma parafernália eletrônica no Congresso. Eu cheguei até a fazer, a pedido do Armando e do Woile Guimarães, uma espécie de roteiro do que seria a transmissão. ... A Globo estava determinada a dar um prestígio grande a essa cobertura, mas foi uma frustração porque quando chegou no dia houve uma ordem que impediu que essa cobertura ao vivo fosse ao ar. De qualquer forma, a recomendação que recebemos foi de ir para lá e fazer a cobertura como se ela estivesse indo ao ar ao vivo, mas no fundo estávamos fazendo uma cobertura dirigida basicamente à direção do jornalismo da Globo no Rio. Eu participei dessa transmissão como se fosse para valer e não era para valer, era apenas para conhecimento interno. O governo ainda manifestava ali sua vocação autoritária. E eu suponho que a direção do jornalismo alimentou até a última hora a perspectiva de que pudesse haver a liberação. A gente não desativou todo o processo que havia sido montado e até por isso a gente transmitiu como se fosse ao vivo. Eu acho que em algum momento a direção do jornalismo achou que poderia conseguir essa liberação, até ao longo mesmo do processo de votação. Mas é muito frustrante você se preparar para fazer ao vivo o momento máximo da cobertura de um processo político que você está acompanhando tão de perto e depois você acabar fazendo uma transmissão para um circuito interno."

PEDRO ROGÉRIO (repórter da cobertura em Brasília):

"Nós todos protagonizamos um momento importante para o Brasil, importante para a TV Globo, muito mal analisado pelos que se aventuram a comentar este pedaço da história do Brasil e a relação da TV Globo com esses acontecimentos. Algumas pessoas ainda se referem a este período como o período em que a TV Globo era estigmatizada. Havia aquela frase famosa que até hoje de vez em quando alguém usa: 'O povo não é bobo, abaixo a TV Globo'. Quem analisa esta quadra da realidade brasileira por este prisma está completamente equivocado. A TV Globo neste período realizou um trabalho da maior importância para a estabilidade do regime brasileiro. Eu, como protagonista menor destes acontecimentos, tenho consciência disso. A TV Globo realizou um trabalho fundamental para a preservação daquilo que nós havíamos avançado em termos democráticos, aquilo que o presidente Figueiredo havia avançado em termos de democracia naquele conceito de Geisel – lenta, gradual e segura. O crítico que vê o negócio 'O povo não é bobo, abaixo a TV Globo', acha que a TV Globo escondeu as diretas. Isso tudo é mesquinharia completa, não tem a menor importância diante da grandeza maior que foi a sabedoria do Dr. Roberto, assessorado pelo Armando Nogueira, pelo Toninho Drummond, pelo Carlos Henrique, de terem esta visão de 'olha, vamos ajudar estas pessoas que querem ver o Brasil democratizado. Nós não podemos é fazer aventuras.' O *Jornal Nacional* não podia fazer aventuras. Se ele fizesse aventuras, ele estava indo no caminho errado, exatamente na contramão daqueles que queriam que o Brasil afinal erguesse a bandeira da democracia. O comportamento do *Jornal Nacional* nesses últimos anos de governo militar foi de mestre, foi exemplar. Foi um comportamento de sabedoria política, ao contrário do que muitas pessoas podem pensar. A TV Globo estava apostando na democracia, por isso teve as cautelas necessárias."

WIANEY PINHEIRO (chefe de redação):

"Como foi bonito, como foi legal eu pegar o carro de noite para casa, naquele dia em que nós tivemos total liberdade de mostrar o comício da Candelária no Rio de Janeiro! Foi fantástico, porque sabíamos a importância daquilo que a gente estava botando no ar. ... Quando eu e o Fabbio Perez, editor-chefe do *JN*, estávamos no *switcher*, botando o jornal no ar, já com a ordem de que poderíamos fazer uma grande cobertura do comício da Candelária, de repente eu vejo alguns vultos passando por trás da minha cabeça e era o João Roberto Marinho, o Boni, a direção inteira. Ou seja, aquela alegria que, eu tenho certeza, esses grandes comandantes desta empresa, a própria família Marinho, sentiram naquele momento, e alegria não só porque estava se quebrando ali uma grande amarra que prejudicou a empresa, estava se quebrando ali também um trauma deles mesmos. Eles estavam muito felizes com aquilo. ... Foi um momento grandiosíssimo para nós, jornalistas, para a empresa Globo, para a família Marinho e para o povo brasileiro."

Após a derrota da emenda Dante de Oliveira, líderes peemedebistas se articularam com parcelas do PDS e formaram a Aliança Democrática para disputar, em 15 de janeiro de 1985, as eleições para presidente da República no Colégio Eleitoral. Através daquela frente partidária, Tancredo Neves conseguiu vencer, por 480 votos contra 180, o candidato governista Paulo Maluf.

Apesar de indireta, a eleição de Tancredo Neves foi recebida com grande entusiasmo pela maioria dos brasileiros. Afinal, ele seria o primeiro presidente civil do país depois de mais de 20 anos. O presidente eleito, no entanto, jamais assumiu o governo. Na véspera da sua posse, foi internado no Hospital de Base, em Brasília, com fortes dores abdominais. O seu vice, José Sarney, assumiu a Presidência no dia seguinte, em 15 de março de 1985.

O *Jornal Nacional* exibiu matérias sobre a doença de Tancredo Neves já desde o dia 14 de março. A princípio, essas matérias dividiam espaço com outras sobre a implantação da Nova República. Mas, aos poucos, o estado de saúde do presidente foi ocupando praticamente todo o noticiário. O país viveu um clima de comoção nacional, acompanhando a agonia de Tancredo, desde a sua transferência de emergência para São Paulo até a série de sete operações a que foi submetido.

As contínuas manifestações de solidariedade da população em frente ao Instituto do Coração, em São Paulo, davam um ar mais dramático aos acontecimentos. O país passou semanas aguardando ansiosamente pelos boletins sobre a saúde do presidente, lidos diariamente pelo jornalista Antônio Britto, que deixara o cargo de editor-regional da TV Globo de Brasília e assumira o de porta-voz da Presidência. Naquele período, o *JN* contava sempre com a entrada de um repórter – em geral, Carlos Nascimento – direto do hospital. O último bloco do noticiário, com cerca de 15 minutos, era dedicado integralmente ao assunto.

Após 39 dias de agonia, em 21 de abril, Tancredo Neves morreu no Instituto do Coração, vítima de infecção generalizada. O comunicado oficial do seu falecimento foi feito às 22h30, por Antônio Britto. Como era domingo, a notícia da morte foi dada no *Fantástico*. Carlos Tramontina, que estava no hospital, deu ao vivo a informação. O repórter relembra: "Eu fazia a cobertura para os telejornais locais e Carlos Nascimento para o *Jornal Nacional*. Algumas vezes, eu entrei também no *JN*, mas o Nascimento tinha uma participação muito maior. Coincidentemente, eu estava na rede na noite em que foi anunciada a morte do Tancredo. Eu entrei logo no finalzinho do *Fantástico*. Foi um momento dramático, inclusive com os jornalistas chorando."

Antônio Britto lembra que naqueles 39 dias houve vários momentos muito difíceis para ele como porta-voz da Presidência e para a imprensa como um todo: "O primeiro foi no início, a chegada no hospital com as pessoas entrando sem licença, gente para tudo que é lado. Quando cheguei no lugar onde o Dr. Tancredo estava sendo operado, parecia final de jogo no Maracanã, tamanha balbúrdia. Eu só dizia assim: 'pobre desse país, na véspera da vitória...' Foi traumático, foi realmente muito duro. O segundo momento foi quando o Dr. Tancredo melhorou, a gente conseguiu autorização da D. Risoleta e dele próprio para tirar uma foto e, por uma dessas coincidências que acontecem na vida, enquanto as fotos estavam sendo reveladas, o Dr. Tancredo teve uma recaída. E aí fomos obrigados a conviver com a maluquice de estar com a foto da melhora e a notícia da piora. Eu estava descendo no elevador para levar para os jornalistas as fotos e estava subindo o médico para atender a uma nova emergência. Terceiro momento: quando a gente se deu conta de que a batalha estava perdida e ficou só na esperança mágica do milagre. E, evidentemente, o quarto e último momento foi o de descer e anunciar o falecimento. Eu disse para o pessoal que trabalhava comigo: 'Não vamos de elevador, vamos de escada', porque eu achei que descendo as escadas eu podia voltar a respirar para poder chegar lá e dar a notícia com o mínimo de dignidade. Dr. Tancredo merecia que aquilo fosse feito com dignidade e essa dignidade começava pelo porta-voz que deveria segurar a própria emoção. A tristeza eu não podia segurar, mas a emoção eu tinha a obrigação. Eu saí muito triste do episódio, e em só um aspecto eu saí feliz: a forma como os sindicatos dos jornalistas e os colegas me homenagearam. Eu guardo assim como um troféu da vida, que eu quero mostrar para os meus filhos, o fato de ter conseguido sair daquilo ali inteiro do ponto de vista da atividade profissional. Foram 39 dias que ainda não terminaram para mim do ponto de vista emocional."

Logo em seguida ao *Fantástico*, foi ao ar um *Jornal Nacional* especial. Apresentado por Sergio Chapelin, o programa teve aproximadamente quatro horas de duração. Foram exibidos uma retrospectiva dos fatos, desde a eleição de Tancredo no Colégio Eleitoral até a repercussão da sua morte, e um resumo da sua trajetória política, mostrando sua experiência como ministro da Justiça de Getúlio Vargas e como primeiro-ministro em 1961-62, a eleição para o governo de Minas Gerais em 1982 e sua decisiva participação na campanha das diretas.

Foram realizadas várias entrevistas, algumas delas no próprio estúdio da TV Globo, no Rio de Janeiro, com políticos e personalidades, como o sociólogo Gilberto Freyre. O historiador Raimundo Faoro falou ao repórter Paulo Henrique Amorim sobre questões legais relativas à permanência do vice José Sarney como presidente. Sobre o mesmo assunto, o professor de direito constitucional Célio Borja foi entrevistado por Leda Nagle. Pelo telefone, a repórter também conversou com o jurista Afonso Arinos, que afirmou: "Acho que é simbólico que a morte do presidente Tancredo tenha ocorrido hoje, 21 de abril. É uma recordação que me punge porque Tiradentes nasceu em São João del Rei, que é terra natal de Tancredo Neves. Assim, parece que há uma espécie de ligação simbólica do sacrifício dos dois homens, que fora da rotina histórica ofereceram ao seu povo não apenas as próprias vidas, mas também as próprias mortes. Essa é uma lição pungente, mas que de certa forma mantém mais viva a herança, a lição, o exemplo, a diretiva dessas duas existências."

Artistas e personalidades de diferentes áreas deram seus depoimentos e prestaram homenagens a Tancredo Neves. A cantora Fafá de Belém inovou ao cantar o Hino Nacional com acompanhamento de apenas um piano, que executou um arranjo e um andamento diferentes do usual. Uma videocharge de Chico Caruso mostrou o rosto de Tancredo numa bola de gás que subia aos céus.

O planejamento da edição especial do *JN* mobilizou quase todo o jornalismo da Rede Globo. Já no dia 12 de abril, frente ao agravamento da saúde do presidente, Woile Guimarães nomeou Luís Edgar de Andrade, chefe de redação, como responsável por todo o esquema de colocação do programa no ar. Era sua incumbência a escalação das equipes de plantão (chefes e subchefes dos estúdios, redatores, produtores, apresentadores e entrevistadores) e a checagem das escalas do Centro de Produção de Notícias, de toda a estrutura da Divisão de Operação e da Engenharia. Deveria também controlar a passagem de um turno de plantão ao outro, sempre pessoa a pessoa, função a função. Além disso, tinha que realizar testes de prontidão nos estúdio do Rio de Janeiro, de São Paulo e Brasília. Os testes eram completos, indo desde a leitura das primeiras páginas do script até a checagem das matérias nos equipamentos de VT.

Após a edição especial do *Jornal Nacional*, a Rede Globo continuou apresentando plantões com as últimas informações sobre a repercussão da morte de Tancredo. No dia seguinte, mostrou imagens de uma multidão de dois milhões de pessoas que seguiram o cortejo fúnebre do Instituto do Coração ao Aeroporto de Congonhas, em São Paulo. O telejornal acompanhou todo o trajeto do corpo em Brasília e em Belo Horizonte, mostrando de perto as demonstrações de carinho e tristeza da população.

O enterro de Tancredo Neves em São João del Rei, no dia 24 de abril de 1985, foi transmitido ao vivo pela Rede Globo. No desfecho do sepultamento, o repórter Carlos Nascimento interrompeu a narração, e as imagens mostraram o vagaroso trabalho do coveiro João Aureliano, cercado de autoridades e parentes de Tancredo.

Nascimento relembra o episódio: "O enterro foi à noitinha, às sete horas mais ou menos. Durante a tarde, Boni queria esquentar a programação e mandou eu narrar o que estava acontecendo. Só que não estava acontecendo nada, porque os políticos iam começar a chegar depois. Mas ele mandava eu falar. Eu ia, subia no telhado e pensava: 'Vou falar o que meu Deus?' Aí, eu narrava as montanhas de São João del Rei, o pôr-do-sol, descrevia e falava do Tancredo e o sino tocava... e ficava aquela coisa poética. E o Boni falava: 'Ah, está ótimo!' E foi assim a tarde inteira. Até que, finalmente, à noite, houve o sepultamento e aquela cena incrível do sujeito com a pá. Quando eu comecei a falar, o Boni disse: 'A única hora que não é para falar é agora! Deixa, deixa!' Então ficou aquele som do coveiro."

Ainda naquele dia, terminado o trabalho, Luís Edgar de Andrade escreveu uma carta à redação, na qual agradecia a colaboração dos diferentes profissionais que realizaram um verdadeiro mutirão de telejornalismo: "Merecem meu cumprimento especial aqueles que, repetidamente, dobraram o expediente, trabalhando 12, 14 e até 16 horas por dia, com sacrifício do lazer e do convívio com a família. Quero lembrar também os que vararam madrugadas, de script na mão, no estúdio ou no controle E/F, e os que passaram muitas noites editando nas ilhas do ENG, que nunca pareceram tão frias como nestas noites de abril."

Aqueles dias, realmente, haviam sido de intenso trabalho e desgaste emocional para as equipes de jornalismo. Os repórteres e editores diretamente envolvidos são unânimes nesse ponto. Tonico Ferreira lembra: "Eu achava, no final, que a gente ia morrer junto com ele de tão cansados que ficávamos. Que coisa inacreditável, como é que a gente podia imaginar! Eu fui dormir achando que no dia seguinte ia fazer a cobertura da posse. Estava tudo preparado: as divisões de matérias, quem iria fazer o quê. E à noite ficamos sabendo que o homem tinha ido para o Hospital de Base. Uma parte da equipe ficou cobrindo a doença do Tancredo e outra cobriu a posse do Sarney. Depois, o Tancredo Neves foi transferido de Brasília para São Paulo, foi para o Incor. Nós ficamos não sei quanto tempo – para mim, pareceu uma eternidade – na frente daquele hospital. Foi um momento que a Globo brilhou com entradas ao vivo muito importantes, tanto do Tramontina quanto do Nascimento, que davam diariamente todo o noticiário com detalhes sobre qual era o antibiótico que Tancredo estava tomando. Foi muito difícil aquela cobertura e muito dramática: as pessoas ali na frente, o país parado. Foi uma cobertura inesquecível pelo lado triste e pelo cansativo."

Isabela Assumpção concorda: "Foi uma coisa monstruosa aquilo. A gente tinha escalas por horário para ficar na frente do Incor. Um repórter ia rendendo o outro por horário. Eu me lembro que eu peguei um turno que começava à meia-noite e ia até de manhã. Durante muitos dias, eu fiquei nesse turno. Dava até para dormir um pouco dentro do carro. Os técnicos das UPJs [Unidades Portáteis de Jornalismo] ficavam acordados, se acontecesse alguma coisa eles avisavam."

Apesar do cansaço, o período também foi de grande aprendizado para os jornalistas, como explica Carlos Tramontina: "Foi um período em que nós vivemos uma experiência importante. Importante porque o país acompanhava tudo que ocorria na porta do Instituto do Coração e nós evoluímos profissionalmente, aprendemos com a necessidade de falar sobre coisas complicadas de maneira simples para serem compreendidas pela população. E as pessoas ficavam esperando os nossos telejornais para saber quais eram os níveis de potássio, de creatinina no organismo do presidente. Assuntos que eram absolutamente técnicos e altamente específicos passaram a fazer parte do dia-a-dia das pessoas."

Participaram da cobertura, além dos jornalistas Luís Edgar de Andrade, Celso Kinjô e Wianey Pinheiro, os repórteres André Luiz Azevedo, Carlos Tramontina, Caco Barcellos, Carlos Dorneles, Tonico Ferreira, Ana Terra, Leila Cordeiro, Sandra Moreyra, Neide Duarte, Leonel Da Mata, Fernanda Esteves, Valéria Sffeir, Geraldo Canali, Álvaro Pereira e Pedro Rogério, entre outros. A equipe contou com a ajuda de profissionais da Divisão de Esportes e de estações afiliadas à Rede

Globo. Por sua capacidade de entrar ao vivo no *Jornal Nacional* e narrar longos textos de improviso, sem erro, destacou-se o repórter Carlos Nascimento.

O Plano Cruzado

"Um dia para ficar na história do país. O presidente Sarney, todo o governo e o povo entram hoje na primeira guerra da Nova República, a guerra contra a inflação", assim o apresentador Cid Moreira abriu o *Jornal Nacional* do dia 28 de fevereiro de 1986, quando foi anunciada uma ampla reforma monetária que ficou conhecida como Plano Cruzado. Comandadas pelo ministro da Fazenda, Dílson Funaro, as medidas de estabilização econômica traziam uma nova moeda, o cruzado, em substituição ao cruzeiro, e congelavam os salários e os preços de produtos e serviços. Além disso, estabeleciam o gatilho salarial a cada vez que a inflação ultrapassasse 20% e instituíam o seguro desemprego. Extinguiam a correção monetária e criavam o Índice de Preços ao Consumidor (IPC) para corrigir a poupança e aplicações financeiras.

O repórter Sérgio Gregory, da Rede Globo, acompanhou o anúncio das medidas em Brasília. Desde cedo, o jornalista ficara de prontidão no Palácio do Planalto à espera de que o presidente José Sarney falasse à nação. No pronunciamento, que durou 17 minutos, Sarney disse que a inflação era o inimigo número um do povo brasileiro e que combatê-la seria uma verdadeira guerra. Em seguida, os ministros Dílson Funaro, João Sayad (do Planejamento) e Almir Pazzianoto (do Trabalho) responderam às perguntas dos jornalistas, que procuravam traduzir em linguagem acessível as partes mais complicadas do plano.

Os repórteres Álvaro Pereira e Ilze Scamparini ouviram políticos e empresários sobre o impacto das novas medidas econômicas. Os correspondentes Luís Fernando Silva Pinto e Silio Boccanera comentaram as reações nos Estados Unidos e na Europa. O comentarista econômico Joelmir Beting explicou como iria funcionar a nova moeda e o então editor de economia, Paulo Henrique Amorim, falou sobre os salários.

O *Jornal Nacional* mostrou também que, devido ao congelamento de preços, estava ocorrendo uma verdadeira corrida à remarcação em diversos estados brasileiros. Em Manaus, a Polícia Federal prendeu o gerente e oito funcionários de um estabelecimento por crime contra a economia popular. Em Brasília, os fiscais da Sunab (Superintendência Nacional do Abastecimento) multaram um supermercado. No Centro do Rio, houve quebra-quebra, saques e muita confusão quando uma lanchonete fechou as portas para remarcar os preços de seus produtos.

O repórter Caco Barcellos explicou que a Sunab sozinha não tinha como evitar os abusos e o desrespeito ao congelamento de preços. Segundo o jornalista, em toda São Paulo havia apenas 65 funcionários e quatro carros para fiscalizar milhares de estabelecimentos comerciais. Por isso, o governo – já no primeiro dia do Plano – convocou o povo a formar uma "cruzada cívica de consumidores em defesa do programa de governo". Segundo o próprio José Sarney, a população deveria ajudar na fiscalização: "Cada brasileiro e brasileira deverá ser um fiscal dos preços, um fiscal do presidente para a execução fiel desse programa em todos os cantos desse país."

Nos dias seguintes, milhares de pessoas, de fato, passaram a vigiar os preços no comércio e denunciar as remarcações. Eram os "fiscais do Sarney", que exigiram o cumprimento da lei, o que acabou levando ao fechamento de estabelecimentos comerciais em vários estados do país. Houve também muitos saques e depredações.

Gilnei Rampazzo, então editor-regional de Brasília, recorda: "O Plano Cruzado provocou uma reação popular que ninguém imaginava que pudesse acontecer. O povo realmente foi às ruas, cuidar para que os preços não sofressem alteração. No início, o jornalismo da Globo entrou para valer apoiando o Plano Cruzado, e o povo estava feliz com aquilo. A gente sentia que estava ao lado da causa correta. Um sujeito em Curitiba se impôs o papel de fiscal do Sarney e lacrou um supermercado, porque o estabelecimento tinha remarcado os preços. A Globo filmou. Aquilo foi o máximo de exemplo de exercício de cidadania que se tinha visto até então. Aí pipocou fiscal do Sarney pelo país inteiro."

O Plano Cruzado teve efeito imediato de aumentar o poder aquisitivo da população. A inflação, que no primeiro ano do governo Sarney havia chegado a 225,16%, em pouco tempo passou a apenas 2%. O país foi tomado, então, por um clima de euforia. A economista Maria da Conceição Tavares, assessora do Ministério do Planejamento, ao participar do programa *Globo Especial*, defendeu com emoção as medidas econômicas, chegando a chorar diante das câmeras.

O *Globo Especial*, exibido nos dias 28 de fevereiro e 6 de março, ajudou a esclarecer algumas dúvidas da população em relação à reforma econômica. A primeira edição, apresentada por Joelmir Beting, Paulo Henrique Amorim e Leilane Neubarth, contou com a participação dos ministros Dílson Funaro, Almir Pazzianotto e João Sayad. Foram discutidos temas como salário mínimo, inflação, funcionalismo público e congelamento de preços. Na segunda edição, apresentada por Joelmir Beting e Paulo Henrique Amorim, os ministros Almir Pazzianotto e João Sayad contaram com a companhia da economista Maria da Conceição Tavares e do presidente do IBGE, Edmar Bacha. Eles responderam às perguntas dos repórteres e esclareceram algumas dúvidas dos telespectadores, que puderam participar através do telefone. Empresários e personalidades – como Antônio Ermírio de Morais, Mário Henrique Simonsen, Paulinho da Viola e Lucélia Santos – também puderam fazer perguntas específicas para cada um dos convidados.

Joelmir Beting comenta: "O Cruzado foi um *tour de force* tremendo. A gente fazia programas especiais, entrevistas, debates, telejornal espichado, explicando aquilo que não tinha explicação. Foi um negócio complicado. Eu fiquei um mês no limite do estresse. Eu também tinha que fazer minha coluna diária. Foi um grande exercício de comunicação de televisão, pois era um assunto completamente hermético, um choque heterodoxo por definição. A gente tinha que popularizar a explicação, o entendimento e até o questionamento daquilo."

Apesar da euforia, quatro meses depois o Plano começou a dar mostras de malogro devido, sobretudo, ao aumento do consumo, à incapacidade do parque industrial de atender às demandas e aos boicotes de produtores e comerciantes. As mercadorias começaram a desaparecer das prateleiras dos supermercados e os fornecedores passaram a cobrar ágio. Como conseqüência, a inflação voltou a subir. O *Jornal Nacional* passou a noticiar diariamente a falta de produtos e a mostrar as filas de consumidores nos mercados. Era freqüente o último bloco do telejornal ser todo voltado ao assunto.

Em 23 de julho, na tentativa de corrigir os rumos do plano econômico, o governo anunciou algumas medidas, como a criação de um novo tributo federal: o empréstimo compulsório sobre automóveis e combustível. Naquele dia, o *Jornal Nacional* explicou ao telespectador que o governo estabelecia também uma taxa de 25% sobre a compra de dólares e passagens áreas para o exterior e que o valor arrecadado com o empréstimo compulsório poderia ser resgatado três anos depois, mediante a apresentação das notas fiscais. O governo pretendia assim arrecadar 70 bilhões de cruzados por ano, cerca de 75% a mais do que arrecadava com o imposto de renda.

Depois do *Jornal Nacional*, foi levado ao ar um *Globo Repórter Especial*, "A economia em debate". No estúdio em Brasília, Joelmir Beting e Paulo Henrique Amorim entrevistaram, ao vivo, os ministros Dílson Funaro e João Sayad. Além das perguntas dos repórteres, foram colocadas no ar dúvidas levantadas por empresários, economistas e representantes de diversos setores da economia mais diretamente afetados pelo pacote de medidas econômicas.

Joelmir Beting lembra: "A gente anunciou esse recolhimento compulsório na sexta-feira à noite. Eu e Paulo Henrique entrevistamos os ministros e debatemos com eles o problema. Ficamos no ar das dez horas até meia-noite. O Brasil parou para ver esse programa. Foi um momento importante. Fomos extremamente cáusticos com eles. Havia quase que uma decepção epidêmica no país inteiro em relação àquele recolhimento compulsório. O Plano já estava fazendo água. No dia seguinte, os jornais todos comentaram o constrangimento dos ministros diante dos entrevistadores da Globo."

Meses depois, frente ao boicote dos pecuaristas, o governo resolveu promover desapropriações do chamado "boi gordo". Elas começaram em outubro em fazendas de três estados do país. As equipes de reportagem da Globo acompanharam a operação realizada pela Sunab e por outros órgãos de defesa do consumidor em Sidrolândia, no Mato Grosso do Sul, Itapura, em São Paulo, e Santa Isabel do Ivaí, no Paraná, no dia 9.

Tonico Ferreira, que esteve em Itapura, lembra que, no afã de fazer a operação dar certo, o governo cometeu alguns excessos: "A ordem era trazer duas mil cabeças. Nós ficamos sabendo mais ou menos onde é que ia ser a desapropriação e fomos lá. Como não havia dois mil bois gordos, pegaram até um gadinho do administrador da fazenda para completar a cota. Depois que eu mandei a matéria naquele dia para o *Jornal Nacional*, fui conversar com os caminhoneiros que estavam pegando os bois para levar de volta. Um deles falou o seguinte para mim: 'Em geral eu ponho 17 bois num caminhão e agora estão entrando uns 22, 23 bois e está sobrando espaço.' Perguntei o que significava aquilo, e ele disse: 'É boi magro, não é boi gordo.' No dia seguinte, fui para onde os bois foram abatidos e, pesando boi por boi, eu comprovei que era boi magro. Eu liguei para o Woile Guimarães e falei: 'Woile, tem um problema: é boi magro.' 'Você tem certeza?', perguntou ele. 'Eu vim aqui conferir e tudo', afirmei. 'Então, manda a matéria', disse. E nós mostramos, antes de todo mundo, que aquilo era boi magro."

Essa reportagem de Tonico Ferreira foi exibida em 11 de outubro, dois dias depois do início das desapropriações. O repórter explicou que a ação da Polícia Federal, da Sunab e da Receita Federal em Itapura não seguira a orientação estabelecida pelo governo: não tinha sido feito o depósito prévio do pagamento aos pecuaristas e foram desapropriados os bois de um pequeno criador, que dificilmente se enquadraria na classificação de "especulador flagrado em abuso de poder econômico". Mas o engano maior, segundo Tonico Ferreira, foi o fato de grande parte dos bois desapropriados estar fora do tempo de abate.

De qualquer forma, o Plano Cruzado elevou a altos níveis a popularidade do presidente Sarney, que manteve o congelamento dos preços até as eleições para a Assembléia Nacional Constituinte e para os governos dos estados, em novembro daquele ano. Como resultado, o PMDB obteve uma grande vitória, elegendo 22 dos 23 governadores e uma numerosa bancada no Congresso. Em 21 de novembro, apenas seis dias após a eleição, os preços de produtos e serviços foram liberados e foi alterado o cálculo da inflação, que passou a ser medida com base nos gastos das famílias com renda até cinco salários mínimos. Era o Plano Cruzado II, que acabou provocando um aumento generalizado dos preços. Telefones e energia, por exemplo, subiram 120%; bebidas e cigarros, 100%; automóveis, 80%; e combustíveis, 60%. Em 20 de janeiro de 1987, o Brasil decretaria moratória, suspendendo o pagamento da dívida externa.

A Nova Lei de Todas as Leis: A Constituição de 1988

Com o fim do regime militar e a instauração da Nova República, Brasília passou a ter um peso maior no noticiário do *Jornal Nacional*. Os repórteres da Rede Globo começaram a acompanhar com detalhes o dia-a-dia dos acontecimentos, como a votação de todas as leis, todos os planos econômicos, a definição da

1

2

3

4

5

JN

1. O repórter Álvaro Pereira, o cinegrafista Élder Miranda e equipe no Congresso durante a cobertura das eleições presidenciais de 1985.

2. Álvaro Pereira, Élder Miranda e equipe gravando reportagem para o *Jornal Nacional* no Congresso Nacional (1985).

3. Repórter Carlos Nascimento ao vivo do Hospital de Base, em Brasília, durante a cobertura da doença do presidente Tancredo Neves (*JN*, 18 mar 1985).

4. Antônio Britto, porta-voz da Presidência da República, anunciando o falecimento do presidente Tancredo Neves (21 abr 1985).

5. Repórter Carlos Tramontina ao vivo direto de São Paulo quando foi anunciada a morte do presidente Tancredo Neves (21 abr 1985).

1

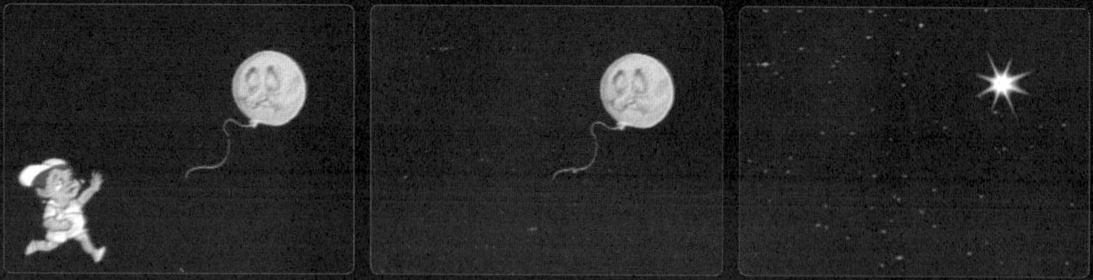

1. Videocharge de Chico Caruso sobre a morte de Tancredo Neves apresentada na edição especial do *Jornal Nacional* (21 abr 1985).

2. Velório do presidente Tancredo Neves (*JN*, 24 abr 1985).

3. O coveiro João Aureliano passando a pá no túmulo do presidente Tancredo Neves, em São João del Rei (*JN*, 25 abr 1985).

4. Supermercado em São Paulo fechando para correção da tabela da Sunab durante o Plano Cruzado (*JN*, 5 mar 1986).

5. Ulysses Guimarães promulgando a nova Constituição brasileira no Congresso Nacional (*JN*, 5 out 1988).

2

3

4

5

política monetária, a administração das contas públicas e as renegociações das dívidas estaduais.

Naquele período, a Rede Globo no Distrito Federal teve um crescimento fantástico de quadro e volume de produção. Para se ter uma idéia, na década de 1970 a sucursal contava com cerca de 15 profissionais de jornalismo. No final dos anos 1980, esse número passou para mais de 120. Entre os novos repórteres, estavam Heraldo Pereira, Alexandre Garcia, Ana Paula Padrão, Leilane Neubarth, Mônica Waldvogel, Beatriz Thielmann, Ilze Scamparini e Sérgio Gregory.

Um marco dos novos tempos do jornalismo de Brasília foi a instalação da Assembléia Nacional Constituinte, em 1987. Praticamente toda a equipe da sucursal foi mobilizada para cobrir seus trabalhos, que começaram no dia 2 de fevereiro, quando o deputado federal Ulysses Guimarães foi eleito presidente da Assembléia. A Rede Globo acompanhou esse primeiro dia da Constituinte com transmissões ao vivo de Brasília, desde as 8h30. No plenário, 559 deputados e senadores de 13 partidos representavam a população.

No *JN* daquele dia, Álvaro Pereira – o principal repórter da cobertura – informou sobre a abertura dos trabalhos da Constituinte e entrevistou Ulysses Guimarães. O deputado destacou que o momento político era o resultado de um movimento popular que desejava mudanças profundas no país.

Ao longo dos meses seguintes, as divergências entre os partidos se tornaram freqüentes, e a falta de entendimento em determinados pontos acabou atrasando a elaboração da nova Constituição. Um ano depois do início dos trabalhos, só tinham sido aprovados o preâmbulo e o título 1, referente aos direitos fundamentais do povo brasileiro e da nação, que abordava temas como soberania, cidadania, pluralismo político e dignidade da pessoa humana. Em 2 de fevereiro de 1988, Álvaro Pereira mostrou que o resultado não era muito animador, mas que os parlamentares pretendiam acelerar o ritmo de trabalho.

Desde o início da Constituinte, a duração do mandato presidencial esteve no centro dos debates. Mas, apesar das acaloradas discussões em torno do tema, somente em 23 de março os parlamentares fixaram o mandato dos futuros presidentes em cinco anos. Pouco tempo depois, o plenário decidiu que o governo Sarney teria a mesma duração. Essa votação foi histórica porque, pela primeira vez, todos os 559 constituintes estavam presentes no plenário. Mas a decisão foi polêmica e fez com que os membros do PMDB defensores do mandato de quatro anos largassem a legenda para fundar o Partido da Social Democracia Brasileira (PSDB).

Os trabalhos da Assembléia Constituinte duraram um ano e oito meses. Durante esse período, a grande preocupação do jornalismo da Rede Globo foi tentar decifrar para os telespectadores o que os senadores e deputados estavam elaborando no plenário. As matérias mostravam quais eram as novas propostas de leis e de que forma a nova Constituição iria afetar a vida de cada um.

Álvaro Pereira acredita que o maior desafio era justamente traduzir a linguagem da política para o dia-a-dia do telejornalismo: "Os temas eram muito técnicos. Discutia-se, por exemplo, o papel da empresa nacional, o que é empresa nacional de capital nacional, empresa nacional de capital estrangeiro. Havia filigranas assim, que no jornalismo impresso você pode explicar tranqüilamente mas na televisão era muito difícil. Como produzir diariamente matérias numa linguagem coloquial, que pudesse ser compreendida pelo público que acabara de assistir à novela das sete e estava se preparando para assistir à novela das oito? Nós procurávamos buscar entre os temas em discussão os menos técnicos, capazes de fazer um *link* mais rápido e direto com a população. Demos ênfase à questão dos direitos sociais, que gerou uma discussão muito intensa, muita controvérsia e imagens também interessantes, porque os trabalhadores faziam grandes manifestações. Nós não ficávamos só naquela cobertura chata de gabinete e podíamos sair um pouco com a reportagem de campo, seja nas manifestações da Esplanada, seja na mobilização dos diferentes segmentos sociais pelo Salão Verde do Congresso Nacional."

A nova Carta, a sétima do país, teve o deputado Bernardo Cabral como relator. Representou um marco da superação definitiva do regime militar, implantado em 1964. No dia da sua promulgação, em 5 de outubro de 1988, o *Jornal Nacional*, em vez da tradicional escalada de notícias, anunciou apenas esse fato. O apresentador Cid Moreira chamou atenção para a data histórica e, em seguida, foi exibida a imagem do momento em que o deputado Ulysses Guimarães declarou promulgado "o documento da liberdade, da dignidade, da democracia, da justiça social do Brasil."

Álvaro Pereira analisa a importância daquele momento: "Ulysses Guimarães foi indiscutivelmente a grande estrela da Constituinte. Fez um discurso memorável quando foi promulgada a Constituição. Era até difícil para nós, jornalistas, nos mantermos isentos naquela cobertura porque ele nos passava muita emoção. Nós torcíamos todos pela volta da democracia, tínhamos todos um certo ranço em relação ao regime militar e Ulysses Guimarães traduzia para nós a expressão da resistência aos militares. Eu que havia feito cobertura de um Congresso cerceado, limitado, na Constituinte pude parar e dizer 'isso é uma democracia', porque naquele momento vi uma Casa totalmente aberta, com toda sorte de pressão e decidindo com maioria de votos as questões mais polêmicas. Foi um espetáculo de democracia."

A nova Constituição adotou o presidencialismo como forma de governo e, entre diversas garantias civis, sociais e trabalhistas, estabeleceu eleições diretas em dois turnos para presidente, governadores e prefeitos, afirmou a independência dos três poderes, restringiu a atuação das Forças Armadas, estendeu o voto a analfabetos e maiores de 16 anos e universalizou o direito de greve.

O texto lido por Cid Moreira no *JN* destacou o quanto a nova Carta Magna mexia com a vida de todos os brasileiros, garantia novos direitos ao cidadão, equilibrava os poderes da República e refletia o amadurecimento político da nação. "A partir de hoje, nenhum brasileiro será preso sem ordem da Justiça, nenhum trabalhador terá jornada de trabalho superior a 48 horas por semana. O governo não pode legislar por decreto e o Congresso Nacional tem poder para alterar a política econômica", afirmou o apresentador.

As Greves da CSN

Em junho de 1984, ainda no governo Figueiredo, ocorreu a primeira greve geral da CSN, a Companhia Siderúrgica Nacional, criada em 1941 por Getúlio Vargas. Dentre as 45 reivindicações dos funcionários, a principal era a equiparação salarial com os metalúrgicos da Cosipa (Companhia Siderúrgica Paulista), que ganhavam o dobro. Seria uma greve de extrema importância política uma vez que a usina era um símbolo da industrialização e do movimento operário do país. A TV Globo preparou um grande esquema de cobertura. Uma equipe de 15 pessoas foi enviada para Piraí (RJ), onde montou-se a estrutura de geração de matérias via microondas.

O repórter André Luiz Azevedo e o cinegrafista Dario Duarte chegaram a Volta Redonda em 19 de junho, um dia antes do início da greve. A primeira reportagem exibida no *JN* mostrava os operários chegando à usina carregando colchões e decididos a ficar lá dentro por tempo indeterminado. No dia seguinte, a equipe da Globo produziu reportagens que foram exibidas nos telejornais locais e de rede da emissora. Quatorze mil operários ocupavam a siderúrgica, enquanto 400 continuavam trabalhando nas atividades consideradas essenciais à usina, como os altos-fornos.

1. *O repórter André Luiz Azevedo na cobertura da primeira greve da CSN, em Volta Redonda, no Rio de Janeiro (JN, 19 jun 1984).*

Dia 21 de junho, tentando fazer uma abordagem diferente do movimento, que já durava dois dias, o cinegrafista Dario Duarte sugeriu a André Luiz Azevedo que mostrassem a participação das mulheres na greve. Foram então registradas cenas, do lado de fora do portão da usina, de mães, filhas e namoradas, solidárias e companheiras, levando marmitas e apoio aos trabalhadores.

A matéria, exibida no jornal *Hoje*, pois estava mais de acordo com o perfil daquele telejornal, acabou gerando inúmeros problemas para a equipe da emissora. Naquele mesmo dia, quando foram cobrir para o *JN* a assembléia dos operários, repórter e cinegrafista perceberam que havia um clima de hostilidade contra eles. André Luiz Azevedo descobriu o motivo: alguns manifestantes que assistiram à reportagem interpretaram como se a Rede Globo estivesse dizendo que os operários estavam passando fome dentro da usina e, por isso, precisavam da ajuda das mulheres. Os dois repórteres tiveram que sair escoltados, pois corriam o risco de serem linchados pela multidão, que acusava a Globo de querer desmobilizar o movimento. No dia seguinte, a situação não melhorou e a equipe sofreu novas ameaças.

Impossibilitado de sair do hotel para trabalhar, André Luiz Azevedo acabou voltando mais cedo para o Rio de Janeiro. Para substituí-lo, seguiu para Volta Redonda o repórter Luiz Eduardo Lobo. Durante alguns dias, apenas o *RJTV* acompanhou os fatos. O *Jornal Nacional* só voltou a cobrir os acontecimentos no dia 25 de junho, quando os metalúrgicos retomaram o trabalho.

Depois dessa greve, ocorreram outras paralizações na CSN. Uma das mais longas começou em 7 novembro de 1988, quando os metalúrgicos ocuparam as unidades de produção da usina. Eles reivindicavam o pagamento da URP (Unidade de Referência de Preços) de julho com correção, uma reposição salarial de 26% e a implantação do turno de trabalho de seis horas. Nos três primeiros dias da greve, o assunto teve pouco destaque no *JN*, que relatou em pequenas notas os acontecimentos em Volta Redonda. Por se tratar de um fato regional, a greve ganhou mais espaço no *RJTV*. Repórteres da Rede Globo se revezavam para cobrir os acontecimentos, entre eles Fátima Bernardes, Ari Peixoto, José Carlos Harduim, Paulo Corrêa e Domingos Meirelles.

Desde o primeiro dia, o movimento foi marcado por confrontos entre os trabalhadores e a Polícia Militar. As tensões se agravaram na noite do dia 9 de novembro, quando o Exército ocupou as instalações da siderúrgica para retirar os dez mil grevistas que estavam lá dentro. Ao tomarem conhecimento da situação, Ari Peixoto e o cinegrafista Lúcio Rodrigues seguiram imediatamente para a CSN e, apesar de o carro da TV Globo ter sido apedrejado no meio do caminho, a equipe conseguiu entrar na usina, onde permaneceu até o amanhecer.

2. *O repórter Ari Peixoto na cobertura da segunda greve da CSN, em Volta Redonda, no Rio de Janeiro (JN, 10 nov 1988).*

3. *Tanques do Exército no pátio da CSN depois do conflito com os grevistas (JN, 10 nov 1988).*

O confronto entre os soldados do Exército e os metalúrgicos, que aconteceu naquela noite e na madrugada do dia seguinte, acabou causando a morte de três trabalhadores.

A equipe da Rede Globo conseguiu imagens exclusivas do conflito – inclusive o momento da rendição dos operários – que foram exibidas no *Jornal Nacional*. O telejornal da noite do dia 10 deu amplo destaque ao episódio, com quase dez minutos de reportagens. Para evitar que se repetisse o mesmo que acontecera com André Luiz Azevedo na cobertura da paralisação de 1984 – quando quase foi agredido pelos grevistas –, a reportagem foi exibida sem a imagem do repórter. No dia seguinte, o *JN* também apresentou matéria de Domingos Meirelles, sobre os estragos causados pelo conflito. O apresentador Celso Freitas leu nota oficial do Ministério do Exército sobre o ocorrido, e mais duas notas: uma do presidente da Câmara dos Deputados, Ulysses Guimarães, e outra do presidente da Confederação Nacional dos Metalúrgicos, Luís Antônio Medeiros.

A greve de novembro de 1988 acabou sendo a maior da história da CSN. Os operários só retornaram ao trabalho depois de 17 dias. Mais tarde, alguns analistas comentaram que os confrontos entre os metalúrgicos e as tropas federais, com a morte dos três trabalhadores, acabaram influenciando as eleições municipais de 15 de novembro, quando o Partido dos Trabalhadores (PT) venceu em três importantes capitais: São Paulo, Porto Alegre e Vitória.

3

JN de Cara Nova

Novo Cenário para o Telejornal

Em maio de 1989, o telespectador pôde observar uma série de mudanças no *Jornal Nacional*. A primeira delas foi a saída de Celso Freitas e o retorno de Sergio Chapelin, que voltou a apresentar o telejornal ao lado de Cid Moreira, como fizera durante 11 anos consecutivos, de 1972 a 1983.

A segunda mudança referia-se à estética do telejornal, que ganhou dois novos cenários, um fixo e outro móvel. O fixo foi criado por Hans Donner. Era uma mesa de acrílico com ares futuristas, iluminada por luz néon vermelha, onde ficavam os locutores. O designer procurou dar a esse cenário o mesmo conceito da abertura, transportando a bancada do telejornal para dentro da vinheta, com os "JN"s flutuando. Com isso, ganhou-se amplitude.

O cenário móvel, criado pelo diretor de arte da CGJ, Delfim Fujiwara, ao lado de Alexandre Arrabal e Luis Felipe Cavalleiro, era composto de desenhos feitos num computador. Essas imagens ocupavam toda a tela ao fundo do apresentador e davam um tratamento visual particular a cada reportagem. Substituíam o selo tradicional, formado por ilustrações ou imagens enquadradas ao lado do locutor. Com isso, deixavam-se de lado as limitações de espaço impostas até então pelas molduras.

Mais de 50 novos selos foram criados para ilustrar assuntos relacionados às editorias de economia, política, esporte e geral. Essa fase também é marcada por uma maior utilização das imagens produzidas por computação gráfica, que eram inseridas através do *chromakey*, agora sem a utilização do Quantel, pois não precisavam mais ser reduzidas.

A abertura do *JN*, no ar desde 1983, manteve-se a mesma. Apenas foi refeita por computação gráfica, o que garantiu uma maior definição à imagem. A vinheta musical também ganhou um novo arranjo, criado pelo maestro Aluísio Didier.

1

2

3

4

5

6

1. Paulo Francis comenta o assassinato do presidente egípcio Anwar Sadat (*JN*, 8 out 1981).

2. Estréia do comentarista Joelmir Beting no *Jornal Nacional* (26 ago 1985).

3. Alexandre Garcia no *Jornal Nacional* explicando a nova Constituição (27 set 1988).

4. Comentários políticos de Paulo Henrique Amorim no *Jornal Nacional* (4 out 1988).

5. Comentário de Lillian Witte Fibe no *Jornal Nacional* (10 ago 1989).

6. Os apresentadores Cid Moreira e Sergio Chapelin na bancada do *Jornal Nacional*, com logotipo e cenário novos (1989).

Para Armando Nogueira, o novo cenário do *Jornal Nacional* expressava o conceito que passou a guiar o jornalismo da Globo com a abertura política: "Nós passamos a nossa vida inteira debaixo de um regime de exceção fazendo um telejornalismo que, tanto na forma como no conteúdo, era absolutamente 'chapado'. Nós tínhamos sempre uma tapadeira atrás dos apresentadores. E quando veio a abertura, nós chegamos à conclusão de que uma das maneiras de mostrar que estávamos fazendo um novo jornalismo era criar um cenário em três dimensões. Era aprofundar o cenário, colocar uma bancada em primeiro plano, e fazer uma concepção cenográfica, através de iluminação e de criptogramas, que desse a idéia de que nós tínhamos um jornalismo agora com mais peso, com mais densidade."

Mais Análise e Comentários

Em 1989, buscando aprofundar esse novo conceito de jornalismo, o *Jornal Nacional* começou a somar análise ao noticiário, com a participação de comentaristas especializados, como Paulo Henrique Amorim, Joelmir Beting, Lillian Witte Fibe e Alexandre Garcia. Eles contextualizavam e explicavam para os telespectadores, numa linguagem simples, as informações políticas e econômicas.

A presença de comentaristas no *Jornal Nacional* não era exatamente uma novidade. O próprio Joelmir Beting participava eventualmente do *JN* desde 1985. Apareceu no telejornal pela primeira vez em 26 de agosto daquele ano, comentando a saída do ministro da Fazenda Francisco Dornelles do governo. Já desde 1981, Paulo Francis opinava, de Nova York, sobre os mais diversos assuntos, desde política internacional (como a repercussão do assassinato de Anwar Sadat no Egito ou as eleições presidenciais norte-americanas) até arte e cultura (como a participação de Nelson Pereira dos Santos no Festival de Cinema de Nova York ou a exposição de quadros de Miró no Guggenheim).

Alexandre Garcia começou a fazer comentários sobre política no *Jornal Nacional* em março de 1988. O jornalista, que sempre entrava ao vivo no telejornal, lembra como era a sua participação: "Eu não dava minha opinião pessoal, mas fazia uma interpretação, procurava ajudar as pessoas a pensarem a respeito de um assunto, mostrando os diferentes lados da questão, estimulando o espírito crítico de telespectador, jamais dizendo 'isso é bom' ou 'isso é ruim', porque aí seria juiz e não comentarista. Eu procurava mostrar os bastidores da notícia, contando o que havia por trás do fato que o repórter acabara de mostrar na reportagem."

A participação regular dos comentaristas no *Jornal Nacional* começou no início de 1989 e aumentou a partir de junho, quando eles passaram a gravar em ambientes externos. Tradicionalmente postados em fundos neutros de estúdio, em pose sóbria, os comentaristas ganharam as ruas e passaram a falar seus textos em cenários variados. A idéia era dar mais flexibilidade ao *JN* e tornar a atuação dos jornalistas mais descontraída, com o uso também de uma linguagem mais coloquial. Para explicar os efeitos da inflação na vida das donas-de-casa, por exemplo, Lillian Witte Fibe colocou-se à frente do caixa de um supermercado, cercada de alimentos e produtos de limpeza. Para falar de crédito rural, Joelmir Beting gravou em um sítio, rodeado por bois e tratores.

Lillian Witte Fibe explica como eram esses comentários ambientalizados: "Digamos que eu fosse falar sobre taxa de juros e Copom [Comitê de Política Monetária], aí a gente ia numa agência bancária e gravava. Era uma explicação para o *Jornal Nacional*, mas em ambiente de externa e não em ambiente de estúdio."

Joelmir Beting em geral comentava economia, mas também podia falar sobre outros assuntos. O jornalista, às vezes, fazia pequenas participações em vários blocos do *Jornal Nacional*: "Eu cheguei a fazer durante um ano inteiro quatro ou cinco entradas por dia para tratar de três assuntos da economia, um da política, um de internacional. Não raro era um 'caco' de dez segundos, cinco segundos, mas dava aquele corte, aquele jogo, aquele ritmo, aquele *timing* interessante no telejornal. Eu acertava qual era o assunto com o editor e tinha cerca de uma hora para preparar a entrada. E, como a marcação era sempre muito severa, não podia improvisar. O tempo não era contado em minutos, mas em segundos, então tinha que fazer a marcação no próprio teleprompter. É muito complicado falar 30 segundos, é bem mais difícil do que falar um minuto. Você vai compactando, vai sintetizando e, ao mesmo tempo, tentando colocar o máximo de conceito ou de informação suplementar. Você tem que trabalhar às vezes uma hora para fazer 30 segundos. É uma escola de texto fantástica. A televisão te ensina a escrever por essa necessidade de ganhar tempo, de ser claro, direto, objetivo, sem acelerar, porque se você falar rápido as pessoas não entendem."

Desastres Aéreos e Espaciais

Challenger* e *Columbia – "A pior notícia do dia: a nave *Challenger* explode poucos segundos após decolar. O povo americano viu tudo e até agora não acredita no acidente. A beleza das imagens no céu contrasta com a dor que o mundo está sentindo." Assim o *Jornal Nacional* noticiou um dos piores acidentes do programa espacial norte-americano, em 28 de janeiro de 1986.

O ônibus espacial *Challenger* explodiu 73 segundos depois de decolar de Cabo Canaveral, na Flórida (EUA). Os sete tripulantes morreram. Após o acidente, o programa espacial foi interrompido por três anos, para que a Nasa se adequasse às novas exigências de segurança. A tragédia foi documentada ao vivo pelas televisões norte-americanas, que acompanhavam o lançamento da nave.

Dezessete anos depois, em 1º de fevereiro de 2003, o *JN* noticiava que os Estados Unidos voltavam a viver mais uma tragédia no espaço. A correspondente de Nova York, Cristina Serra, informou que a explosão do ônibus espacial *Columbia* aconteceu minutos antes do pouso na Flórida. No momento do desastre, o *Columbia* já havia entrado na atmosfera terrestre. Mais uma vez, sete tripulantes morreram: seis americanos e um israelense.

1. *Lançamento da nave espacial* Challenger, *minutos antes da explosão (JN, 28 jan 1986).*

2. *Explosão da nave espacial* Challenger *(JN, 28 jan 1986).*

Em 3 de fevereiro, o *Jornal Nacional* apresentou uma reportagem da correspondente Heloísa Villela e do cinegrafista Orlando Moreira, que foram até Houston, no estado do Texas, para mostrar como estava a busca pelos destroços do ônibus espacial, peças importantes na investigação das possíveis causas do acidente.

3. *Explosão da nave espacial* Columbia *16 minutos antes do pouso (JN, 31 jan 2003).*

A história da queda do vôo 254 – No *Jornal Nacional* de 4 de setembro de 1989, o apresentador Cid Moreira informou que três aviões da Varig estavam procurando o Boeing-737 desaparecido durante um vôo comercial entre as cidades de Marabá e Belém. O repórter Heraldo Pereira, de Brasília, informou que o piloto chegara a entrar em contato com o aeroporto de Carajás pedindo para que as luzes fossem acesas, mas o avião não pousara no local. A última comunicação foi com a torre de Belém. O comandante César Augusto Garcez disse que só havia combustível para voar mais 15 minutos e anunciou que faria um pouso de emergência.

Três dias depois, o *JN* noticiou que o avião fora encontrado. O comandante tomara a direção errada, passara duas horas sem conseguir se localizar e tivera que fazer um pouso forçado no meio da Floresta Amazônica.

4. *O repórter Roberto Cabrini com cinegrafista da TV Liberal no local do acidente do avião da Varig, na Amazônia (1997).*

Doze pessoas morreram. As investigações do Ministério da Aeronáutica apontaram o comandante César Augusto Garcez e o co-piloto Nilson Zille como culpados pelo acidente. Os dois perderam a licença para voar e foram condenados a quatro anos de prisão. O comandante Garcez não chegou a cumprir a pena e fugiu para os Estados Unidos.

Anos depois, o repórter Roberto Cabrini voltou a investigar o acidente. "Sempre me fascinou reescrever a história e eu resgatei esse caso do vôo 254. Eu consegui recuperar a caixa-preta com revelações que mostravam a prepotência do piloto, consegui resgatar os documentos que indicavam que a empresa não forneceu as informações detalhadas para o vôo. Consegui ainda localizar o comandante Garcez, que estava foragido da polícia", lembra Cabrini.

A reportagem foi apresentada com exclusividade no *Fantástico*, do dia 5 de outubro de 1997. Na matéria, o co-piloto Nilson Zille decidiu contar que o comandante Garcez não quis voltar para Marabá depois de descobrir que estava na rota errada.

O repórter passou ainda dois dias na Floresta Amazônica para localizar os destroços do avião. Ele estava acompanhado pelo garimpeiro Afonso Saraiva, um dos sobreviventes, que, na época do acidente, levara as equipes de resgate até o avião. A reportagem sobre o vôo 254 recebeu o Prêmio Líbero Badaró no ano de 1998.

Queda do Fokker da TAM – Na edição do *Jornal Nacional* de 31 de outubro de 1996, o relato de um dos mais graves desastres da história da aviação brasileira: um avião da companhia TAM, que fazia a ponte aérea Rio–São Paulo, caíra sobre o bairro residencial de Jabaquara, em São Paulo, a dois quilômetros do Aeroporto de Congonhas, quando tentava decolar. No *JN*, os apresentadores Lillian Witte Fibe e William Bonner informaram que não havia sobreviventes entre os ocupantes do jato e que pelo menos nove moradores morreram atingidos pelo acidente.

Direto do bairro do Jabaquara, o repórter Carlos Nascimento, ao vivo no *JN*, comentou que era como se o local tivesse sido alvo de um bombardeio. Um dos principais destaques da cobertura foi uma entrevista do repórter Caco Barcellos com o mecânico Antônio Bueno, que trabalhava ao lado da pista do aeroporto. Bueno contou que na hora da decolagem o reverso do avião se abrira. Esse sistema funciona como um freio aerodinâmico e é utilizado no pouso, sendo responsável pela desaceleração do

5. *Destruição provocada pela queda do Fokker da TAM em São Paulo (JN, 31 out 1996).*

6. *Entrevista do repórter Caco Barcellos com o mecânico Antônio Bueno, que colaborou nas investigações sobre a causa do acidente (JN, 31 out 1996).*

Fokker. O depoimento contribuiu para as investigações e reforçou a suspeita de falha mecânica da aeronave.

No dia seguinte, o *Globo Repórter* revelou a última reação do piloto do vôo 402. Segundos antes do acidente, a cabine de comando do avião entrou em contato com a torre, avisou que o Fokker estava com problemas. Depois de alguns segundos em silêncio, a última frase do comandante: "Estou livrando a escola." No percurso de queda havia um colégio com centenas de crianças em pleno horário de aulas.

Acidente na Base aérea de Alcântara – O *Jornal Nacional* abriu sua edição de 22 de agosto de 2003 noticiando a explosão do Veículo Lançador de Satélites (VLS-1), na Base de Alcântara (MA), que deixou 21 mortos, entre técnicos e engenheiros do Centro Aereoespacial (CTA), de São José dos Campos. O acidente aconteceu três dias antes de o foguete - projetado para pôr satélites em órbita - ser lançado ao espaço. Nos dias seguintes, o *JN* continuou a dar destaque ao fato. Participaram da cobertura os repórteres Walace Lara, de São Luís, Guiliana Morrone e Júlio Mosquera, de Brasília, e Rogério Corrêa, de São José dos Campos. Somente no dia 25 a Aeronáutica autorizou a entrada de jornalistas no local do acidente. As equipes de reportagens receberam instruções de segurança para a gravação de imagens. Três dias depois da tragédia ainda era possível sentir o calor causado pela explosão.

No dia 29 de agosto, uma matéria do *JN* noticiava que os funcionários do Centro Aeroespacial tinham decidido criar uma comissão para investigar as causas do acidente.

7. Base de Alcântara, no Maranhão, antes da explosão (JN, 25 ago 2003).

8. Destroços da Base de Alcântara, no Maranhão, depois da explosão (JN, 25 ago 2003).

9. O repórter Walace Lara durante a cobertura da explosão na Base de Alcântara, no Maranhão (JN, 25 ago 2003).

4

O Mundo em Mudança

A Crise do Leste Europeu

Em março de 1985, Mikhail Gorbachev assumiu o poder na União Soviética e imediatamente colocou em prática um amplo plano de reformas no comando das Forças Armadas, na legislação eleitoral, na administração pública e na política externa do país. Em fevereiro de 1986, propôs a *glasnost*, uma política de transparência e abertura, que significava na prática uma campanha contra a corrupção e a ineficiência na administração, com propostas de maior liberdade na política e na cultura. Logo depois, lançou a *perestroika*, um ousado plano de reestruturação econômica, que incluía o abandono do rígido planejamento central, a abolição do controle dos preços, a autogestão das empresas e liberdade para competirem entre si, a permissão para pequenos negócios privados e o fim da política de subsídios.

As reformas de Gorbachev em pouco tempo desencadearam transformações em todo o mundo socialista, que sofreu uma impressionante reviravolta histórica. Muitos países romperam com a hegemonia soviética e iniciaram um profundo processo de mudanças em busca de um novo modelo político e econômico. O ápice do processo foi o ano de 1989, quando, um após o outro, os países da Europa Oriental abriram seus regimes para a democracia, derrubando ditaduras de mais de 40 anos.

Os correspondentes da Rede Globo acompanharam, passo a passo, esses acontecimentos no próprio local do seu desenrolar: na URSS, na Polônia, na Hungria, na Alemanha, na Tchecoslováquia e na Romênia.

Hungria e Polônia

A Hungria foi um dos primeiros países do Leste europeu a iniciar o processo de reformas políticas e econômicas, quando, em 1988, afastou o ditador Janos Kadar, no poder desde 1956. Em junho de 1989, o novo governo abriu as fronteiras do país com a Áustria e, num gesto simbólico, rompeu a Cortina de Ferro: o arame farpado que separava os dois países foi cortado. A partir daí, o comunismo na Europa do Leste começou a desabar.

O repórter Carlos Dorneles e o cinegrafista Sergio Gilz resgistraram o episódio: "A gente foi lá completamente no escuro, não sabia nem como encontrar o lugar. Os jornais ingleses mostraram uma foto de alguém cortando um arame e aquilo virou um símbolo mundial de fim do comunismo. Mas onde se acha alguém cortando uma cerca? Nós percorremos a fronteira da Hungria com a Áustria e vimos arame farpado, cerca, tudo absolutamente normal. Mas você não faz uma reportagem com uma cerca normal, você tem que mostrar que alguém está cortando a cerca. Rodamos durante sete horas e, de repente, encontramos uma patrulha húngara cortando os fios com uma torquês. Eles não queriam que a gente filmasse e demoramos horas conversando, tentando convencê-los de que não teria problema nenhum. Quase perdemos a reportagem, porque eles não queriam deixar filmar de jeito algum, foram bem agressivos mesmo."

Em agosto, uma outra equipe – formada pelos correspondentes Pedro Bial e Paulo Francis, pela produtora Bel Bicalho e novamente pelo cinegrafista Sergio Gilz foi enviada à Hungria para continuar acompanhando as mudanças. Mas, poucos dias depois, os acontecimentos políticos na Polônia chamaram a atenção do mundo: o jornalista Tadeusz Mazowiecki – membro do sindicato Solidariedade – foi empossado primeiro-ministro, formando o primeiro governo não comunista da Europa Oriental desde o fim da Segunda Guerra Mundial.

Diante dos acontecimentos na Polônia, a equipe da TV Globo que estava em Budapeste foi deslocada para Varsóvia. Entre 18 de agosto e 1º de setembro, enviou diariamente para o *Jornal Nacional* matérias sobre a situação no país, sempre acompanhadas do comentário de Paulo Francis.

Um dos momentos marcantes da cobertura foi a entrevista com Lech Walesa, o principal líder do Solidariedade, conseguida depois de três semanas de insistência. O sindicalista fazia um discurso na cidade de Gdansk e, como não conseguia chegar perto dele, a produtora Bel Bicalho teve a idéia de lhe mandar um bilhete com algumas perguntas. Quando leu, Walesa respondeu diante da multidão que o assistia: "Os brasileiros não vão me deixar em paz enquanto eu não falar com eles." Pedro Bial não se intimidou. Subiu ao palanque e fez sua primeira pergunta: "Quem foi mais importante para o Solidariedade, o papa ou o Gorbachev?" A platéia inteira reagiu, e Walesa respondeu com outra pergunta: "Quem é o maior: um grande mestre de xadrez ou um lutador de boxe? Ambos são campeões, mas em categorias diferentes."

Nos meses seguintes, o processo de mudanças na Polônia se aprofundaria. Mantido como chefe de Estado, Wojciech Jaruzelski ainda conservava nas mãos os poderes essenciais de repressão: o presidente podia decretar o estado de urgência, demitir o governo e garantir as relações com a União Soviética. Mas a desintegração do Partido Comunista em janeiro de 1990, com a deserção de seus deputados e ministros, rapidamente alterou a realidade do poder do general. Em dezembro, Lech Walesa se tornaria presidente da Polônia, o primeiro eleito no país desde os anos 1930.

Tchecoslováquia e Bulgária

Depois da Hungria e da Polônia, o comunismo começou a cair também na Tchecoslováquia e na Bulgária. O *JN* do dia 18 de novembro de 1989 informou sobre as manifestações pró-democracia que estavam acontecendo nas capitais daqueles dois países. Em Praga, mais de 100 mil pessoas foram às ruas para pedir eleições livres. Os manifestantes foram reprimidos com violência pela polícia, num confronto que deixou cerca de 500 feridos. Em Sófia, 50 mil pessoas exigiram o julgamento do ex-líder Todor Zhivkov, acusado de corrupção. O correspondente Silio Boccanera estava em Berlim Oriental e de lá comentava diariamente os acontecimentos.

Logo em seguida, para representar o movimento contra a ditadura comunista, foi criado na Tchecoslováquia um Fórum Cívico – liderado pelo dramaturgo Vaclav Havel. A organização, que congregava dissidentes dos mais diferentes matizes políticos, promoveu uma série de manifestações pacíficas, que ficaram conhecidas como Revolução de Veludo. Para acompanhar essas manifestações, o repórter Carlos Dorneles e o cinegrafista Paulo Pimentel foram enviados para Praga. A primeira reportagem foi ao ar em 24 de novembro no *JN*, dia da renúncia do Comitê Central do Partido Comunista. Dorneles entrevistou as pessoas nas ruas e mostrou a principal avenida da cidade repleta de manifestantes que cantavam, ouviam discursos e pediam o fim da ditadura. Alexander Dubcek – líder da Primavera de Praga – estava pela primeira vez na capital tcheca depois de 20 anos e participou de um comício para 300 mil pessoas pedindo a renúncia do governo.

No período em que ficou em Praga – cerca de uma semana –, Carlos Dorneles acompanhou diferentes momentos da Revolução de Veludo, como a missa em comemoração à canonização de santa Inês, que levou uma multidão à igreja no dia 25 de novembro. O ato religioso era um fato político sem precedentes na história da Tchecoslováquia, um dos países onde a Igreja Católica fora mais perseguida. O correspondente também presenciou, em 27 de novembro, uma greve geral, que paralisou milhões de tchecos durante duas horas num protesto contra o regime comunista.

Em sua última reportagem em Praga, que foi ao ar no dia 29, Dorneles mostrou as ruas, que se transformaram num grande centro de debate. O parlamento havia aprovado por unanimidade o fim do domínio do Partido Comunista, e eleições livres seriam realizadas nos meses seguintes. Em 28 de dezembro, Alexander Dubcek assumiu a presidência do parlamento e, no dia seguinte, Vaclav Havel foi eleito presidente provisório.

Romênia

Em dezembro, o repórter Pedro Bial foi a Praga para fazer uma série de reportagens sobre o primeiro Natal livre no país. Estava lá quando começaram a chegar rumores da vizinha Romênia sobre a queda do ditador Nicolai Ceaucescu. Em 22 de dezembro o repórter voltou a Londres e, naquela mesma tarde – junto com o cinegrafista Sergio Gilz, a editora Suzy Altman e o produtor Jayme Brito –, embarcou num avião para Bucareste, a capital romena. Àquela altura, entretanto, o aeroporto da cidade estava fechado e o vôo teve que ser desviado para Budapeste, na Hungria.

De Londres, o repórter Silio Boccanera informou no *Jornal Nacional* que uma equipe da Rede Globo estava a caminho da Romênia, tentando entrar no país. As primeiras notícias sobre a queda do último ditador do bloco soviético abriram o telejornal. Na noite anterior, durante um comício de Ceaucescu em Bucareste, a multidão começara a vaiá-lo e a protestar contra a ditadura. Imediatamente a televisão oficial saiu do ar e as tropas do Exército reprimiram a manifestação, matando milhares de pessoas. Após o massacre, entretanto, parte dos militares aderiu à revolta e o governo acabou deposto.

No dia 23, Pedro Bial informou que a Romênia, depois de passar por um estado de euforia com a deposição de Ceaucescu, enfrentava uma guerra civil. Os agentes da Securitate – polícia secreta do ditador – resistiam, confrontando o Exército e a multidão desarmada nas ruas.

No Natal, Pedro Bial estava numa pequena cidade da região romena da Transilvânia e, apesar das dificuldades técnicas, conseguiu mandar para o *Jornal Nacional* as últimas informações sobre a mais sangrenta das revoluções que transformaram o Leste europeu naquele ano: Ceaucescu e sua mulher tinham sido julgados e executados por um comitê revolucionário. Até aquele momento, já havia mais de 70 mil mortos e 300 mil feridos.

Depois de dias na fronteira com a Hungria, em 26 de dezembro, a equipe da Rede Globo seguiu num pequeno avião para Sófia, capital da Bulgária, de onde conseguiu alcançar a capital romena. Naquele dia, o *Jornal Nacional* exibiu as imagens chocantes do julgamento sumário de Ceaucescu e sua mulher e dos corpos do casal, executado por um pelotão de fuzilamento.

A equipe da Globo ficou em Bucareste até o final de dezembro, enviando diariamente reportagens para o *Jornal Nacional*. Em 27 de dezembro, o telejornal informou que continuava a caça aos colaboradores do antigo regime. Foram exibidas imagens de um parque da capital que, devido à quantidade de mortos nos conflitos, havia se transformado num cemitério. Ali, vários enterros eram realizados, um após outro, todos os dias.

Em 28 de dezembro, Pedro Bial furou a imprensa internacional ao localizar, num hospital da capital, a sogra de Ceaucescu, que fazia greve de fome em protesto contra o fim do regime. As imagens exclusivas, exibidas no *JN*, foram posteriormente requisitadas pelas redes norte-americanas e pela BBC.

No dia seguinte, o telejornal informou que os combates finalmente chegavam ao fim na capital da Romênia e que as forças leais ao antigo regime só resistiam em poucas cidades do interior.

A queda do Muro e a reunificação da Alemanha

Em setembro de 1989, depois que o governo húngaro abriu as fronteiras com a Áustria, milhares de cidadãos da Alemanha Oriental começaram a sair do país, atravessando a Tchecoslováquia, chegando à Hungria e, em seguida, ao território austríaco. Dali, eles tinham livre acesso ao mundo ocidental. O governo alemão oriental, que até então tinha se mantido imune às tendências de reforma dos países vizinhos, teve que ceder: em 9 de novembro, vencido pelas manifestações populares e pela onda de emigração em massa, abriu os postos de fronteira com a Alemanha Ocidental. A decisão significou, na prática, a desativação de um dos maiores símbolos da Guerra Fria: o Muro de Berlim.

Um dia após a abertura de todas as fronteiras, soldados da Alemanha Oriental começaram a derrubar uma parte do Muro. Guindastes arrancaram pesados blocos de concreto, e seus pedaços foram distribuídos como souvenir. Os alemães de ambos os lados da cidade subiram e dançaram em cima daquele que havia sido, nas décadas anteriores, o grande divisor simbólico do mundo. Junto ao Portão de Brandemburgo, a comemoração se fez com batucada. O repórter Silio Boccanera e o cinegrafista Paulo Pimentel estavam lá como enviados especiais do *Jornal Nacional* e mostraram a festa dos alemães.

"Poucas vezes é possível testemunhar um acontecimento e ter certeza de que a História, com 'h' maiúsculo, está sendo escrita diante dos seus olhos. Este certamente é um desses momentos", afirmou o repórter no *Jornal Nacional*. "Há poucos dias, uma pessoa que tentasse atravessar do outro lado do Muro, de Berlim Oriental para cá, poderia ser fuzilada pelos guardas de fronteira. Hoje isto aqui parece uma rua de pedestre. As pessoas estão comemorando em ritmo de batucada e de samba. O Muro de Berlim em si ainda está aqui, mas em espírito ele já desapareceu", completou o repórter.

No dia seguinte, o *Jornal Nacional* mostrou as mudanças na vida dos moradores de Berlim. Silio Boccanera acompanhou o movimento na fronteira, que havia ficado fechada durante quase 30 anos. Famílias inteiras estavam atravessando de carro e a pé, usando vários pontos do Muro. No lado ocidental, um supermercado montou um posto de distribuição de brindes aos visitantes, com chocolates, biscoitos e doces. Além disso, todo alemão que chegava da parte comunista podia receber, nos bancos do lado ocidental, a quantia de 100 marcos. Era um presente do governo de Bonn.

1

2

3

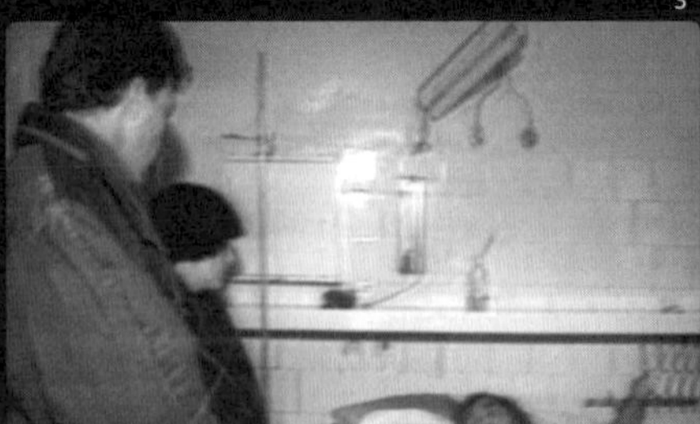

1. Pedro Bial, o cinegrafista Sergio Gilz e o operador de áudio "Pipo" na cobertura da queda do ditador Nicolai Ceaucescu, na Romênia (1989).

2. Pedro Bial em frente ao hospital de Bucareste, na Romênia, onde localizou a sogra do presidente romeno Nicolai Ceaucescu (*JN*, 28 dez 1989).

3. Pedro Bial no quarto do hospital em Bucareste, na Romênia, onde estava internada a sogra do presidente romeno Nicolai Ceaucescu (*JN*, 28 dez 1989).

1

2

3

4

1. Alemães derrubando o Muro de Berlim (1989).

2. O repórter Silio Boccanera na cobertura da queda do Muro de Berlim, na Alemanha (*JN*, 10 nov 1989).

3. Comentário de Paulo Francis em frente à sede do comitê central do Partido Comunista em Varsóvia, na Polônia (*JN*, 22 ago 1989).

4. O repórter Pedro Bial ao vivo em frente ao Portão de Brandemburgo no dia da reunificação da Alemanha (*JN*, 2 out 1990).

Silio Boccanera conta como foi a cobertura: "Naquele dia, a movimentação começou cedo em Berlim. Nós saímos de Londres e não fomos nem para o hotel. O Muro era imenso, mas havia alguns pontos-chave, e nós fomos do aeroporto direto para o Portão de Brandemburgo. Era um clima de festa. As pessoas estavam comemorando, subindo, batendo com picareta em cima do Muro e havia até batucada. Foi o Paulo Pimentel que insistiu comigo: 'Sobe lá no Muro!' O Muro era alto, as pessoas precisaram me ajudar a subir. E eu subi e o Paulo ficou mais à distância, com o microfone sem fio e a gente conversava. Eu falava para ele, ele fazia sinais e nós estávamos gravando as pessoas ali, derrubando o Muro. 'Derrubando' em termos, porque era muito rígido, as pessoas martelavam e não acontecia nada. O Muro, para ser derrubado mesmo, precisava de guindaste, o que, na virada da madrugada, eles usaram. Mas o clima todo ali era de euforia, não pelo Muro em si, mas por tudo o que ele representava. Naquele momento, nós sentíamos que uma mudança histórica estava acontecendo na nossa frente, não havia a menor dúvida. Há uma certa tendência, um certo lugar-comum, clichê, que é dizer: 'Esse é um momento histórico.' Mas tem horas que é indiscutível: o momento *é* histórico. E nós sabíamos que aquele momento certamente era."

Silio Boccanera, então chefe do escritório da Rede Globo em Londres, estava na Alemanha substituindo o repórter Pedro Bial, na época no Brasil ajudando na cobertura das eleições presidenciais. O repórter fala de sua decepção ao saber que havia perdido aquele momento tão marcante: "Eu literalmente batia com a cabeça na parede em Brasília; fiquei alucinado."

Depois de concluídas as eleições no Brasil, Bial foi enviado novamente à Europa e, em outubro de 1990, cobriu a reunificação da Alemanha. No dia 2, o repórter entrou ao vivo no *Jornal Nacional*, em frente ao Portão de Brandemburgo. Em Berlim era meia-noite e meia e, no Brasil, oito e meia da noite, quando anunciou: "Há exatamente meia hora a Alemanha é uma só nação. Berlim, a capital da nova Alemanha unificada, está tomada pelo povo. Pelo menos um milhão de pessoas estão nas ruas e todos querem celebrar a unidade nacional." No dia seguinte, o presidente Richard Von Weizsäcker e o chanceler Helmut Kohl mandaram uma mensagem a todos os governos do mundo, assumindo a responsabilidade pelos crimes nazistas e prometendo trabalhar pela paz mundial e pela unidade européia. Nas ruas de Berlim, a equipe da TV Globo mostrou que a festa da reunificação continuava.

Passada a euforia inicial, surgiram muitos problemas no processo de integração das partes oriental e ocidental da Alemanha, com suas realidades tão opostas. Para o Leste, a transição para a economia de mercado levou ao desemprego e à inflação. No lado ocidental, o aumento dos impostos, promovido pelo primeiro-ministro Helmut Kohl para cobrir os gastos decorrentes da reunificação, provocou ondas de protestos. Em maio de 1992, o país parou na maior greve de funcionários públicos desde a Segunda Guerra. No rastro desse movimento, diversas categorias profissionais começaram também a exigir aumentos salariais.

Sete anos depois da reunificação, em novembro de 1996, o *Jornal Nacional* apresentou uma reportagem de William Waack que mostrava que o país continuava dividido, como se os 150 quilômetros de concreto do Muro não tivessem sido derrubados: "Um muro maior e muito mais difícil de se pular ainda está de pé. É o muro dentro da cabeça das pessoas, que continua dividindo alemães orientais de alemães ocidentais."

William Waack foi ao encontro de uma família alemã oriental mostrada numa reportagem de Silio Boccanera sete anos antes. A família ainda morava no lado oriental. Sua casa, antes esburacada, agora estava sendo reformada à custa do governo. Mas, apesar dos enormes investimentos que, desde a unificação, vinham sendo feitos no lado oriental pelo ocidental, ainda havia uma profunda divisão de mentalidade entre as duas regiões. Como, no entanto, mostrar essa clivagem se as diferenças mais óbvias, como as de roupa e de consumo, não mais existiam? Esse, segundo Waack, era o grande desafio.

O repórter explica: "Os alemães orientais estavam dominados por uma onda de nostalgia do que tinha sido a Alemanha Oriental. Eles detestavam o regime comunista quando estavam sob ele, mas, terminado esse regime, começaram a reinventar o passado. Por isso é que eu digo: memória é imaginação, nada muda mais do que o passado. Os alemães orientais estavam muito presos ao fato de se sentirem inferiores aos alemães ocidentais, que nunca os deixaram esquecer que eles eram considerados cidadãos de segunda classe. É impossível você entender o que acontece em qualquer sociedade se você não se dedicar à maneira como essa sociedade trata do passado. Toda a minha experiência como repórter e como profissional em mais de 40 países me mostrou que se você não entende como uma sociedade lida com os seus conflitos e os seus cadáveres no porão, você jamais vai entender o que ela faz no presente."

Meio Ambiente

Florestas em chamas - No Brasil, no fim da década de 1970, o Instituto Nacional de Pesquisas Espaciais (INPE) denunciava que grandes extensões da Floresta Amazônica estavam sendo destruídas. Imagens do satélite Landsat, ilustrando a dimensão da devastação, foram apresentadas no *Jornal Nacional*, no dia 2 de dezembro de 1978.

Mesmo com a denúncia, ao longo da década de 1980 e 1990 as matas brasileiras continuaram a ser queimadas. Em outubro de 1997, o repórter William Waack destacou no *JN* que o Fundo Mundial para a Natureza (WWF) tinha apontado o Brasil como campeão mundial do desmatamento. Dois dias depois, o apresentador William Bonner assinalava que somente no mês de setembro tinham surgido mais de 28 mil focos de incêndio no Brasil e que apenas mil multas haviam sido aplicadas pelo Ministério do Meio Ambiente.

1. *Desmatamento na Amazônia (JN, 8 out 1997).*

Vale da Morte - No início dos anos oitenta, a poluição na cidade de Cubatão, em São Paulo, atingia índices alarmantes. A nuvem acinzentada que cobria o céu era resultado de um intenso processo de industrialização. A poluição foi agravada pela posição geográfica da cidade, que bloqueava a liberação dos poluentes para a atmosfera.

Uma das primeiras notícias sobre o acidente ecológico foi apresentada no *Fantástico*. A reportagem, de agosto de 1980, denunciava que a poluição era um dos principais responsáveis pelos altos índices de mortalidade infantil na cidade. O *JN* apresentou várias reportagens sobre o agravamento da situação ambiental na região. Mesmo com a repercussão do tema, a emissão dos gases tóxicos não foi controlada e Cubatão chegou a ficar conhecida como o "Vale da Morte". Plantas e animais não conseguiam sobreviver à poluição. Somente em 1982 começaram a ser tomadas medidas para o controle dos gases tóxicos na cidade.

Efeito estufa - O aquecimento global começou a preocupar os cientistas e a população de todo o planeta também no início da década de 1980. O repórter Lucas Mendes, então correspondente no escritório de Nova York, mostrou no *Jornal Nacional*, em 21 de outubro de 1983, que o fenômeno batizado como "efeito estufa" era provocado pela alta concentração de poluentes no ar, resultante da queima de produtos derivados do petróleo, carvão e outros combustíveis fósseis.

Na matéria, Lucas Mendes assinalou ainda que o fenômeno iria provocar alterações climáticas em todo o planeta. Segundo o repórter, os cientistas afirmavam que a temperatura aumentaria, mudando as paisagens, transformando jardins em desertos e praias em mar.

Cinco anos depois, Carlos Dorneles informava que as secas nos Estados Unidos, as altas temperaturas do Nordeste e o frio no Sul do Brasil eram conseqüências do "efeito estufa". O repórter comentou que o desafio para os cientistas era descobrir o que iria acontecer com o planeta se a situação se agravasse. A matéria foi ar no *JN* em 27 de junho de 1988.

Chernobyl e Goiânia - O acidente em Chernobyl, na Ucrânia, antiga União Soviética, foi o maior desastre nuclear da história. Em abril de 1986, uma explosão num dos quatro reatores da usina acabou provocando uma nuvem de radioatividade que se espalhou por vários países da Europa. A radiação contaminou quilômetros de florestas e causou doenças em milhares de pessoas. A fauna e flora de países como a Suécia foram atingidas. No *Jornal Nacional*, os repórteres Silio Boccanera, Renato Machado e Luís Fernando Silva Pinto acompanharam a repercussão do acidente.

No *JN* do dia 28, Silio Boccanera destacava que o desastre tinha acontecido em uma usina que os soviéticos propagandeavam como sendo absolutamente segura. O repórter assinalou ainda que o governo soviético estava se recusando a fornecer detalhes sobre a explosão e o número de vítimas. Anos mais tarde, as autoridades reconheceram a morte de mais de sete mil pessoas.

Pouco mais de um ano depois, outro acidente radioativo foi notícia no *Jornal Nacional*. Em 30 de setembro de 1987, o telejornal apresentou as primeiras informações sobre o desastre com césio-137 em Goiânia. No dia 13 daquele mês, um aparelho de radioterapia desativado foi roubado e vendido a um ferro-velho. As cápsulas brilhantes despertavam curiosidade e muita gente acabou manuseando o material. Cerca de 250 pessoas foram contaminadas; quatro delas acabaram morrendo.

Chico Mendes – A defesa do meio ambiente voltou a ser notícia no *Jornal Nacional* em dezembro de 1988, com o assassinato de Francisco Alves Mendes Filho numa emboscada próximo à sua casa, em Xapuri, no Acre. O crime ganhou imediata repercussão nacional e internacional. Presidente do Sindicato do Trabalhadores Rurais do Acre, Chico Mendes ganhara notoriedade no início daquele ano, após receber o prêmio da Organização Internacional do Trabalho por sua luta em favor dos seringueiros. No entanto, sua defesa de uma reserva extrativista não predatória tornou-se um incômodo para muitos fazendeiros da região.

O assassinato de Chico Mendes mobilizou a opinião pública. O crime associava a questão do meio ambiente à impunidade. Enquanto aguardavam o julgamento em 3 de janeiro de 1990, os principais acusados do assassinato, Darci e Darly Alves da Silva, fugiram, mas foram capturados no mesmo dia. Julgados, foram condenados a 19 anos

2. *O líder sindical Chico Mendes, assassinado em Xapuri, no Acre (dez 1989).*

de prisão. Em 15 de fevereiro de 1993, Darly Alves, foragido pela segunda vez da penitenciária de Rio Branco, foi preso pela Polícia Federal, no Pará. Transferido para Brasília conseguiu escapar novamente. Em 25 de novembro de 1996, foi detido em Guaíra, Paraná, pela Polícia Federal de Brasília.

Mancha na Baía – O desrespeito ao meio ambiente, no Brasil e no mundo, continuou nos anos seguintes. Em janeiro de 2000, o vazamento de um oleoduto da refinaria de Duque de Caxias lançou 1,3 milhão de litros de óleo bruto no mar, atingindo uma área de quase 100 quilômetros. O *Jornal Nacional* acompanhou durante uma semana as conseqüências do desastre.

As reportagens mostravam que a imensa mancha de óleo deixou centenas de pescadores sem trabalho e que nas principais praias da região, crianças e adolescentes faziam um mutirão para ajudar a limpar os animais indefesos. No *JN*, a imagem de uma ave completamente coberta de óleo, tentando saltar e parando, exausta, na beira da praia, retratava bem o impacto do desastre.

3. *Ave atingida pelo vazamento de óleo na baía de Guanabara (JN, 20 jan 2000).*

As eleições presidenciais de 1989

Em 1989, os brasileiros foram às urnas para escolher o novo presidente da República. Era a primeira eleição presidencial pelo voto direto, depois de 29 anos. Entre os candidatos, estavam os líderes dos principais partidos: Ulysses Guimarães (PMDB), Aureliano Chaves (PFL), Luiz Inácio Lula da Silva (PT), Leonel Brizola (PDT), Mário Covas (PSDB), Paulo Maluf (PDS), Roberto Freire (PCB), Guilherme Afif Domingos (PL) e Ronaldo Caiado (PSD).

A grande novidade das eleições foi o ex-governador de Alagoas, Fernando Collor, que se candidatou por um partido pequeno e praticamente desconhecido, o PRN, e desde abril começou a liderar as pesquisas de intenção de voto. Com um discurso agressivo contra o governo Sarney e uma política de marketing que enfatizava a imagem de político independente, jovem e empreendedor, Fernando Collor se transformou num fenômeno eleitoral.

Para cobrir as eleições, a CGJ montou uma complexa estrutura de produção e, já a partir de agosto, passou a acompanhar o dia-a-dia da campanha, sobretudo no *Jornal Nacional*. Como eram 22 candidatos, 11 deles figuras nacionalmente conhecidas, não era possível, numa mesma edição do telejornal, mostrar todos eles. Além disso, como tinham peso político claramente diverso, também não era possível dar espaço igual a todos no noticiário. Foi adotado, então, um sistema de rodízio que privilegiava os principais candidatos, levando em conta não apenas a popularidade, mas também o valor político. Foi o caso do deputado Ulysses Guimarães, que, apesar dos modestos percentuais nas pesquisas, era respeitado pela sua biografia de homem público.

Para se entender a cobertura, é importante conhecer, antes, o jargão utilizado pelo *JN* até hoje: "nota pelada" é um texto lido pelo locutor, sem nenhuma imagem; "nota coberta" é um texto lido em *off* pelo locutor e "coberto" por imagens que mostram o que é dito; e "VT" é uma reportagem completa, com a introdução sendo lida pelo locutor e o texto, narrado por um repórter, que descreve as cenas, os fatos e que aparece no vídeo no momento mais importante dos acontecimentos ou na parte do texto em que dá uma informação de destaque.

Um exemplo do rodízio: na semana de 23 a 28 de outubro, as notícias sobre Fernando Collor, que estava à frente nas pesquisas, foram veiculadas em quatro edições do *Jornal Nacional*, sendo que em apenas duas – dias 24 e 26 – foram mostradas cenas da campanha (em duas notas cobertas); nas outras, foram lidas apenas notas peladas. O candidato do PT, Luiz Inácio Lula da Silva, teve destaque no telejornal em três edições, mas também em apenas duas – dias 26 e 28 – foram exibidas imagens da sua jornada (em notas cobertas). Leonel Brizola apareceu dois dias (24 e 28) em uma nota coberta e uma pelada. Mário Covas ganhou três notas cobertas e uma nota pelada, nos dias 24, 25, 26 e 28.

Havia também uma alternância na ordem de aparecimento dos candidatos. No dia 25, por exemplo, um VT da campanha de Ronaldo Caiado foi seguido por notas sobre o dia de Collor, Mário Covas, Ulysses Guimarães e Aureliano Chaves. A única imagem era do candidato do PMDB na Baixada Fluminense, no Rio de Janeiro. No sábado, dia 28, a cobertura das eleições começou com uma nota coberta sobre a visita de Lula ao interior de São Paulo, seguida de notas peladas sobre a agenda dos candidatos Paulo Maluf, Ulysses Guimarães e Leonel Brizola. Logo depois, foram mostradas notas cobertas das campanhas de Afif Domingos e Mário Covas.

Duas vezes por semana, o *Jornal Nacional* divulgava as pesquisas do Ibope. Os resultados eram analisados e comentados por Alexandre Garcia. Ele recebia os números pelo telefone, em Brasília, e costumava ligar para Carlos Augusto Montenegro, presidente do Ibope, para esclarecer dúvidas e ouvir explicações detalhadas sobre as pesquisas. Vários programas foram criados especialmente para a cobertura da campanha e das eleições. Aos domingos, o *Eleições 89*, apresentado por Alexandre Garcia, tratava de questões como educação, violência contra a mulher, inflação, salário e desemprego. E tirava as dúvidas dos eleitores sobre a maneira de votar.

O *Palanque Eletrônico*, exibido de 28 de agosto a 8 de setembro, diariamente, com uma hora de duração, era gerado ao vivo do estúdio de São Paulo e mostrava, a cada dia, uma entrevista com um dos principais candidatos à Presidência. Comandado por Alexandre Garcia, o programa contava com a participação do sociólogo Herbert de Souza (como representante de entidades civis) e dos jornalistas Carlos Monforte, Lillian Witte Fibe, Joelmir Beting e Paulo Henrique Amorim.

A entrevista mais polêmica realizada no programa foi a de Leonel Brizola, no dia 6 de setembro. O candidato do PDT, no último bloco, acusou a Rede Globo de ter o seu próprio candidato à eleição, insinuando que a emissora favorecia Fernando Collor no noticiário, o que não era fato, uma vez que a emissora adotara o sistema de rodízio justamente para evitar aquele tipo de acusação. No fim do programa, Alexandre Garcia esclareceu os telespectadores que a Globo não tinha candidatos e nem partidos. Dirigindo-se a Brizola, afirmou que somente no mês de agosto o candidato havia aparecido 40 vezes nos noticiários da emissora. "O senhor hoje ainda nos ganhou mais 15 minutos, porque os outros [candidatos] só tiveram uma hora", completou Garcia, referindo-se ao fato de que Brizola excedera o seu tempo.

A duas semanas do pleito, o processo eleitoral foi tumultuado com o lançamento da candidatura do empresário e comunicador Silvio Santos, dono do SBT (Sistema Brasileiro de Televisão), pelo PMB (Partido Municipalista Brasileiro). A candidatura de última hora – que teve o apoio de alguns membros do PFL – foi possível porque o presidente Sarney vetara, em junho daquele ano, o artigo da Lei Eleitoral que impunha o limite de 15 de maio para a filiação partidária de quem quisesse ser candidato.

A candidatura de Silvio Santos foi criticada por quase todos os candidatos à Presidência. Fernando Collor denunciou o episódio como uma manobra de Sarney para perturbar o jogo eleitoral. O PRN entrou com um recurso no TSE contra a candidatura, que acabou impugnada.

O primeiro turno

Desde as primeiras horas do dia 15 de novembro, quarta-feira, cerca de dois mil profissionais da Rede Globo e suas afiliadas acompanharam a votação em todo o país. Informações eram divulgadas nos telejornais de rede, nos noticiários locais e através de flashes inseridos ao longo da programação.

Profissionais de outros estados foram convocados ao Rio de Janeiro, sede da Rede Globo, para ajudar na divulgação dos resultados da eleição. De São Paulo, entre outros, veio o editor regional Wianey Pinheiro, que dividiu com o editor de política, Ronald de Carvalho, a edição dos telejornais de rede. Geralmente, a parte da manhã era feita por Pinheirinho e a da noite por Ronald de Carvalho.

A Rede Globo foi a única emissora que preparou um sistema próprio de contagem dos votos paralela à do TSE. O trabalho envolveu cerca de dez mil pessoas, entre apuradores, digitadores, analistas e pessoal de apoio. Foi coordenado por Pedro Roza, diretor da CGI (Central Globo de Informática), apoiado pelos jornalistas Paulo Roberto Leandro e Luiz González, com supervisão do diretor de telejornais de rede, Alberico de Sousa Cruz.

A Globo acompanhou urna a urna a contagem oficial de votos de mais de três mil municípios brasileiros. Autorizada pela Justiça Eleitoral e pelos partidos, instalou máquinas copiadoras nas juntas de apuração para reproduzir os mapas oficiais. Os dados chegavam rapidamente, por telefone, à emissora no Rio. As informações eram digitadas e transmitidas para Porto Alegre, onde estava a central de compu-tadores que fazia a soma final. Para evitar distorções, a Rede Globo decidiu só apresentar a totalização dos resultados da eleição e fazer previsão de vitoriosos depois de ter, de maneira balanceada, tanto os números das capitais quanto os do interior.

O acompanhamento da apuração oficial começou às 18h, assim que o TSE

Candidatos à Presidência da República – 1989

Fernando Collor de Mello (PRN)
Luiz Inácio Lula da Silva (PT)
Leonel Brizola (PDT)
Ulysses Guimarães (PMDB)
Paulo Maluf (PDS)
Guilherme Afif Domingos (PL)
Mário Covas (PSDB)
Roberto Freire (PCB)
Ronaldo Caiado (PSD)
Affonso de Camargo Neto (PTB)
Enéas Carneiro (PRONA)
Aureliano Chaves (PFL)
José Alcides Marronzinho (PSP)
Zamir José Teixeira (PCN)
Fernando Gabeira (PV)
Celso Teixeira Brant (PMN)
Lívia Maria de Abreu (PN)
Paulo Gontijo (PP)
Antônio dos Santos Pedreira (PPB)
Manoel de Oliveira Horta (PDC do B)
Eudes de Oliveira Mattar (PLP)
Armando Correa da Silva (PMB)

divulgou os primeiros resultados, com flashes do Rio de Janeiro (Paulo Henrique Amorim), de Brasília (Alexandre Garcia) e de São Paulo (Joelmir Beting). Enviados especiais cobriram as apurações em Belo Horizonte, Porto Alegre, Curitiba, Salvador, Recife, Fortaleza e Belém.

O *Jornal Nacional* do dia 15, especialmente voltado para as eleições, durou quase uma hora. No lugar do humorístico *Chico Anysio Show*, que era exibido logo depois da novela das oito, foi transmitido um programa com reportagens, análises, comentários e entrevistas sobre o pleito. Foram divulgados os números das capitais, onde a apuração era mais rápida, focalizando as tendências nessas cidades e comparando com as últimas pesquisas. Apresentaram-se também os resultados da pesquisa de boca de urna e o histórico das campanhas de cada candidato.

No dia 17, a Rede Globo concluiu o trabalho de apuração e projetou a vitória de Collor com cerca de 20 milhões de votos. O *Jornal Nacional* informou que o segundo lugar estava indefinido entre os candidatos Lula e Brizola, que travavam "a batalha mais acirrada na história das eleições livres desse país". Os números mostravam impressionante troca-troca de posições entre os dois candidatos na faixa dos 15 aos 17% dos votos.

Os dados oficiais, divulgados pelo TSE dias depois, confirmaram as projeções da Globo. No primeiro turno, Fernando Collor saiu vitorioso, com 20,6 milhões de votos (o equivalente a 28% do total). Lula conseguiu 11,6 milhões de votos (16,08% do total), conquistando a outra vaga do segundo turno numa disputa apertada com Leonel Brizola, que obteve 11,1 milhões de votos, apenas 454.445 a menos (cerca de 0,5% do total de votos).

O segundo turno

A campanha no segundo turno polarizou as forças políticas. Lula recebeu apoio do PDT, do PCB, do PMDB e do PSDB, e Collor dos demais partidos. A disputa foi se tornando mais tensa na medida em que o candidato do PT ia crescendo nas pesquisas. No início de dezembro, segundo o Ibope, Lula estava oito pontos percentuais atrás do adversário, diferença que baixou a sete pontos quatro dias depois e a apenas um ponto na semana seguinte.

O *Jornal Nacional* acompanhou, dia a dia, a rotina dos candidatos. Abordou, de forma semelhante e com o tempo equilibrado, as campanhas eleitorais dos dois partidos. No dia 14 de dezembro, por exemplo, a economista Zélia Cardoso de Melo, assessora econômica de Collor, explicou numa entrevista a proposta de política cambial do PRN, enquanto Aloísio Mercadante, assessor econômico de Lula, esclareceu a posição do PT quanto à dívida interna.

Com o crescimento de Lula nas pesquisas, a campanha pela televisão e pelo rádio no horário eleitoral obrigatório recrudesceu, com acusações de parte a parte. Contra Collor, havia denúncias de corrupção e fraudes em Alagoas. Contra

Lula, insinuações de que, se eleito, confiscaria a poupança dos aposentados e os apartamentos da classe média.

Na reta final da campanha, a bomba: no dia 12, Collor apresentou, no programa eleitoral gratuito, o depoimento da enfermeira Miriam Cordeiro, ex-namorada do candidato petista e mãe de sua filha Lurian. Ela contou que, quando ficou grávida, Lula lhe oferecera dinheiro para abortar e acusou o ex-namorado de racista. O depoimento teve grande repercussão e abalou a candidatura de Lula.

No *Jornal Nacional* do dia seguinte, os dois lados foram ouvidos. A jornalista Maria Helena Amaral, ex-assessora de Collor, denunciou que Miriam Cordeiro havia recebido dinheiro do PRN para aparecer no programa eleitoral do partido. Mas a ex-namorada de Lula disse que participou do programa espontaneamente e confirmou as denúncias contra o candidato do PT.

No dia 16, o noticiário sobre as eleições presidenciais dividiu espaço no *JN* com a notícia sobre o resgate do empresário Abílio Diniz, proprietário do grupo Pão de Açúcar, seqüestrado uma semana antes. O apresentador William Bonner informou que a polícia de São Paulo havia cercado uma casa no bairro do Jabaquara, zona sul da cidade, onde o empresário era mantido refém. A repórter Isabela Assumpção resumiu como se deram a ação policial e as negociações com os seqüestradores. O empresário seria libertado no dia seguinte.

Como os seqüestradores de Abílio Diniz se diziam membros do MIR (Movimento de Esquerda Revolucionário), grupo terrorista chileno, tentou-se uma ligação entre os seqüestradores e o PT. Começaram a circular informações sobre uma suposta apreensão de camisetas do partido com os seqüestradores. O fato poderia ter forte impacto negativo na campanha de Lula. A TV Globo começou a receber pressões tanto para divulgar como para omitir a versão. Fez o que lhe cabia. Apurou os fatos com as autoridades. Ouviu o secretário de Segurança de São Paulo, Luiz Antônio Fleury Filho, o diretor da Polícia Federal, Romeu Tuma, e o ministro da Justiça, Saulo Ramos. Nenhum dos três confirmou a versão sobre as camisetas e a TV Globo decidiu não dar a informação. No ar, foi lida uma nota do governo: "O ministro da Justiça Saulo Ramos disse agora à noite, em Brasília, que o seqüestro do empresário Abílio Diniz não tem nada de político."

No fim da edição, foram apresentados os resultados da última pesquisa de intenção de voto realizada pelo Ibope, dando 47% para Collor e 46% para Lula. Alexandre Garcia informou que se tratava de um empate técnico e que a tendência de crescimento de Lula, iniciada dez dias antes, se mantinha. "Esta pesquisa está prevendo uma grande decisão para a primeira eleição presidencial em 29 anos, porque ninguém está morrendo de véspera. A decisão vai ser amanhã mesmo", concluiu.

O segundo turno das eleições ocorreu no dia 17 de dezembro, um domingo. Desde o início da manhã, a Rede Globo acompanhou todo o processo eleitoral: a votação, a apuração, a contagem e a totalização dos votos. Até a terça-feira, dia 19, a emissora ficou no ar sem interrupções, informando os telespectadores no *Fantástico*, nos telejornais, nos programas especiais e nos flashes ao longo da programação. Os blocos sobre eleições dentro dos telejornais tiveram como âncoras Alexandre Garcia e Joelmir Beting e contaram com a participação de Paulo Henrique Amorim, Renato Machado, William Bonner, Celso Freitas, Sergio Chapelin e Marcos Hummel.

Fernando Collor de Mello ganhou as eleições com 35.089.998 votos (42,75%). Luiz Inácio Lula da Silva obteve 31.076.364 votos (37,86%). A abstenção chegou a 11.814.017 (15,40%). Foram computados 3.107.893 votos nulos (3,76%) e 986.446 votos em branco (1,20%). Levando-se em conta apenas os votos válidos (não computando os nulos e brancos), Collor obteve 53% e Lula 47%.

A edição do debate

Entre o primeiro e o segundo turno da eleição, houve dois debates entre os candidatos do PRN, Fernando Collor, e do PT, Luiz Inácio Lula da Silva. O primeiro, transmitido dos estúdios da TV Manchete, no Rio de Janeiro, em 3 de dezembro. O segundo, dia 14, dos estúdios da TV Bandeirantes, em São Paulo. Os dois debates foram transmitidos das 21h30 às 24h, por um *pool* formado pelas quatro principais emissoras de televisão do país: Globo, Bandeirantes, Manchete e SBT.

Quatro mediadores – Alexandre Garcia (Globo), Boris Casoy (SBT), Marília Gabriela (Bandeirantes) e Eliakim Araújo (Manchete) – se revezaram, um em cada bloco, fazendo a primeira pergunta aos candidatos. Participaram também os jornalistas Joelmir Beting (Globo), Luís Fernando Emediato (SBT), Fernando Mitre (Bandeirantes), Carlos Chagas (Manchete, no primeiro debate) e Villas-Boas Corrêa (Manchete, no segundo debate), responsáveis pelas perguntas dos três primeiros blocos. O quarto e último bloco foi dedicado a perguntas entre os próprios candidatos.

Joelmir Beting conta que o clima estava bastante tenso no segundo e último debate. As pesquisas de intenção de voto vinham dando empate técnico entre Collor e Lula e o debate, realizado a três dias das eleições, era encarado como o momento decisivo da campanha presidencial. "Aquele momento foi de adrenalina total. Acho que a única pessoa calma era eu, porque o resto do pessoal nem respirava, jornalistas, convidados, assessores e os dois candidatos", conta Beting. O debate refletiu bem o clima político no país e a preocupação com o futuro governo, qualquer que fosse o eleito. Basta rever comentários e perguntas dos jornalistas naquele momento decisivo da campanha.

As perguntas da TV Globo abordaram três temas: dívida pública e calote, feita para Collor, previdência social, feita para Lula, e as relações com o Congresso, especialmente em ano de eleição, feita para Collor. Na pergunta sobre dívida pública, Beting demonstrou antever qual seria o principal desafio que o país enfrentaria no futuro próximo. "Se eleito, o senhor pretende mudar as regras do jogo mexendo em prazos de aplicação, índices de correção monetária, qual a sua proposta de governo para a dívida pública e para o dinheiro do povo em banco?" Collor desviou-se da pergunta e usou subterfúgios. Meses depois, no primeiro dia de governo, confiscou os depósitos bancários.

Os demais participantes fizeram perguntas duras. Boris Casoy, mediador do SBT, destacou as mudanças que ocorriam então na política e na economia dos países comunistas – que o jornalista resumiu como "a falência do Estado-empresário" – e perguntou se o fato serviria de lição para o Brasil. Embora apresentada aos dois candidatos, a questão era mais difícil para o candidato Lula, que tinha propostas esquerdistas de governo. "Pediria aos senhores que se posicionassem sobre as transformações dos países comunistas sob o aspecto econômico e de que maneira esses fatos, essas transformações podem ser aproveitadas no Brasil como lição", formulou Casoy.

Luís Fernando Emediato, também do SBT, dirigindo-se a Lula, criticou o programa de governo do PT : "Está claro aqui, nas páginas 13 e 15 do seu programa, que o projeto econômico, social e político do PT não consiste apenas em ganhar a eleição, o que seria apenas o primeiro passo. Está aqui. O seu caminho histórico é fazer uma reforma radical, uma revolução socialista. O senhor sabe que isso é perigoso." Emediato interpelou também Fernando Collor, que se apresentava como candidato dos pobres e diferente dos demais políticos. O jornalista lembrou que Collor pertencera a vários partidos conservadores, afirmou que ele tinha feito em Alagoas o mesmo que outros políticos e perguntou: "O senhor teria coragem de confessar que era um político como esses que o senhor critica e agora o senhor mudou e é um santo?" Ao longo do programa, Emediato e os outros jornalistas queixaram-se: nem Lula nem Collor tinham respondido às perguntas.

O jornalista Villas-Boas Corrêa, que representava a TV Manchete, lastimou que a campanha eleitoral, "que teve seus grandes momentos, tenha também atravessado momentos lamentáveis". Disse estar preocupado com o debate direto que seria travado dali a pouco entre Lula e Collor, pediu que mantivessem alto nível na reta final: "Que os dois candidatos não demonstrem, não passem para o público a impressão de que ambos são indignos do exercício da Presidência da República."

Fernando Mitre, da TV Bandeirantes, citou a entrevista de um brasileiro pobre a uma revista dizendo que votaria em Collor porque na primeira semana de governo ele "vai mudar a nossa vida". Perguntou então aos dois candidatos sobre as expectativas que estavam criando entre os necessitados, e disse a Collor: "O senhor não teme, se eleito, numa fase de uma descrença muito grande, uma frustração profunda e até perigosa, podendo contribuir para algo semelhante a uma desagregação do país?"

A Rede Globo apresentou duas edições desse último debate, no dia seguinte à sua realização: uma no jornal *Hoje* (por volta das 13h) e outra no *Jornal Nacional*. O segundo resumo provocou grande polêmica. A Globo foi acusada de ter favorecido o candidato do PRN, tanto na seleção dos momentos como no tempo dado a cada candidato, já que Fernando Collor teve um minuto e meio a mais do que o adversário.

O PT chegou a mover uma ação contra a emissora no Tribunal Superior Eleitoral. O partido queria que novos trechos do debate fossem apresentados no *Jornal Nacional* antes das eleições, como direito de resposta, mas o recurso foi negado. Em frente à sede da Rede Globo, no Rio de Janeiro, atores da própria emissora, junto com outros artistas e intelectuais, protestaram contra a edição.

José Bonifácio de Oliveira Sobrinho (Boni), então vice-presidente de operações da Rede Globo, numa matéria publicada pela *Folha de S. Paulo* no dia 17, disse que a CGJ cometera um erro de avaliação e fizera uma edição favorável a Collor. A orientação da direção da empresa, afirmou, era que os dois candidatos recebessem um tratamento igual, o que não acontecera no compacto do *Jornal Nacional*, que refletiu "com uma pitada de exagero" a superioridade de Collor sobre Lula.

Boni conta como foi: "Eu me lembro que vi a edição do jornal *Hoje* e a edição da noite, que eu achei que não tinha ficado correta. Ela não tinha favorecido o Collor de uma maneira extrema, mas tinha dado uma vantagem maior do que a que ele teve na realidade. Eu estava em Angra e, imediatamente depois, me ligou a *Folha de S. Paulo* perguntando se eu tinha visto as duas edições e o que eu achava. Eu não tinha falado com o Dr. Roberto, não sabia quem tinha mexido, não sabia nada. Eu disse assim: 'Eu acho que ela não correspondeu ao que ocorreu no debate.'"

Boni se lembra de também ter dito à *Folha* que não acreditava que a edição do *JN* tivesse influenciado de forma decisiva as eleições. Isto porque, segundo o Ibope, a audiência total do debate (somadas todas as emissoras que compunham o *pool*) fora de 66 pontos, maior do que a do *JN* do dia seguinte, que apresentou 61 pontos. "O debate deu mais audiência do que o *Jornal Nacional*. Então mais gente viu o debate do que viu a edição. A edição não foi, portanto, a razão da vitória do Collor. O Collor – Armando Nogueira expressa isso claramente – ganhou o debate do Lula de 3x2 e na edição que foi ao ar no *JN* ganhou de 3x1. Tiraram um gol do Lula. Essa é a questão: proporção. Mas quando você volta atrás e vê que a edição deu menos audiência do que o debate, se pergunta como pôde influenciar mais. Mas o que aconteceu, eu não sei, não participei, só vi no ar. Respondi à *Folha* que não concordava com a edição, mas sem acusar ninguém."

Roberto Marinho reagiu à declaração do Boni na *Folha* numa entrevista que o jornal publicou no dia seguinte. "Boni é o melhor diretor de televisão do Brasil, mas nunca o tive como especialista em questões eleitorais", afirmou. Segundo o presidente das Organizações Globo, a edição do *JN* tinha resumido de maneira correta o que acontecera no debate, já que Collor realmente havia tido uma performance melhor do que a de Lula. "O debate foi de maior felicidade para Collor e de infelicidade para Lula", afirmou.

A própria liderança do PT, no dia seguinte ao debate, se mostrou abatida, reconhecendo que Lula não se saíra bem no confronto com Collor. Como noticiou o *Jornal do Brasil*, na manhã que precedeu a edição do *Jornal Nacional*, "um sentimento de frustração marcara as avaliações que o comando da campanha petista fazia sobre a participação de Lula no debate com o candidato do PRN. ... O próprio candidato do PT admitiu que sua exibição não provocara o mesmo impacto do debate anterior. 'Eu poderia ter sido mais incisivo e fazer mais denúncias', declarou Lula aos jornalistas que o aguardavam no portão da sua casa em São Bernardo do Campo."

Em entrevista à revista *Imprensa*, publicada em junho de 1995, o então deputado José Genoíno afirmou: "Quando terminou aquele debate, nós petistas tínhamos consciência de que o Lula havia se saído mal. ... A edição do segundo debate favoreceu o Collor? Sim. Mas resultou de um desempenho ruim do Lula nesse debate. A Executiva do partido se reuniu na manhã seguinte, antes do *Jornal Nacional*, e já tinha clareza de que Lula havia perdido o debate. E perder o debate, naquela disputa extremamente radicalizada, polarizada, era um risco muito grande para a vitória na eleição. A edição do debate exagerou nesse ou naquele ponto, mas partiu de um fato real, evidente para qualquer jornalista e para qualquer militante do PT. Nós nos saímos mal. A gente não pode culpar o outro para esconder um erro nosso."

João Roberto Marinho se lembra de ter comentado com Armando Nogueira, logo depois de o jornal *Hoje* ir ao ar, que achou boa a edição do debate, mas sem entrar em detalhes. Ele não se recorda se deu uma orientação específica para que aquele resumo fosse repetido no *Jornal Nacional*. "Esse não é o meu estilo de trabalhar. Normalmente, numa cobertura como aquela, eu discuto as linhas gerais, os nossos objetivos mais amplos, os nossos compromissos éticos, que não mudam, mas vale sempre relembrar. Discutimos coisas como, por exemplo: dar mais ênfase aos programas dos candidatos e relegar a um segundo plano o disse-me-disse da luta política. Gosto de conhecer os formatos de programas propostos, discuti-los. Mas, uma vez estabelecida a orientação geral, não intervenho, rotineiramente, no dia-a-dia, na feitura do trabalho."

João Roberto diz, no entanto, que tão logo viu, no ar, a edição do debate feita para o *Jornal Nacional*, achou-a bem melhor do que a feita para o *Hoje*: "A edição do *Jornal Nacional* refletiu melhor o debate, que teve um vencedor. Depois que vi no ar, gostei sem dúvida mais da edição do *JN*. A edição do *Hoje* foi uma edição com excessiva preocupação de equilibrar o que não teve equilíbrio e, portanto, fugiu do que aconteceu. Em inúmeras entrevistas eu já dei essa minha opinião. A última delas, se não estou enganado, ao *Roda Viva*, da TV Cultura, talvez há uns oito anos." João Roberto conta, porém, que o assunto, pela repercussão que teve, sempre foi tema de discussão interna. "Aos poucos, depois de refletir sobre o assunto e com o distanciamento que o tempo dá, eu tenho uma avaliação diferente dos fatos. Depois desses anos todos, eu acredito que as duas edições estavam erradas: uma exagerou para um lado e a outra ficou aquém para o outro. De qualquer forma, eu debito os dois erros à inexperiência de todos nós na época. É preciso sempre ter em mente que aquela era a primeira eleição para presidente na era da televisão de massa. Não passa pela minha cabeça que os equívocos tenham sido cometidos por má-fé. Não passou na época. E não passa hoje, depois de tantos anos."

A edição do debate apresentada no *Hoje* foi realizada por Wianey Pinheiro, mas não há consenso sobre a responsabilidade direta pela edição do *JN*. As versões são conflituosas, o que torna impossível, a partir dos depoimentos dos personagens diretamente envolvidos nas decisões da época, chegar a uma conclusão definitiva sobre o que de fato se passou naquela tarde/noite. Armando Nogueira e Alice-Maria afirmam que a edição foi feita, à revelia deles, por Alberico de Sousa Cruz e Ronald de Carvalho. No entanto, Alberico nega qualquer envolvimento no episódio. Ronald de Carvalho, por sua vez, assume inteiramente a responsabilidade e diz que editou o debate como se editasse um jogo de futebol, mostrando os melhores momentos de cada um dos times, mas deixando claro que houve um vencedor. Ele diz que fez a edição sozinho, sem ajuda de terceiros, mas é desmentido pelo editor de texto Octavio Tostes, que assegura ter participado do trabalho, cumprindo ordens de Ronald, a quem acusa de, deliberadamente, favorecer Collor. Passados tantos anos, Tostes diz que não se lembra exatamente dos trechos de Collor e Lula que foi orientado a incluir na edição.

A leitura dos diversos depoimentos, publicados a seguir, comprova que as versões para o episódio são múltiplas e, talvez, sem coincidência entre elas. Impossível chegar a alguma conclusão definitiva sem que se decida, a priori, que a verdade está com um personagem e não com outros. O grande problema para um trabalho como este, que busca reconstituir um momento histórico de tal relevância, é que todos os profissionais envolvidos formam o primeiro time do jornalismo brasileiro e são todos merecedores de crédito. A cadeia de acontecimentos que leva a um episódio é mesmo fluida e reconstituí-la anos depois com base apenas na memória é uma tarefa ingrata. Ainda mais quando o episódio é visto imediatamente depois de "acontecer" como erro por alguns e como acerto por outros. Esse é o típico acontecimento em que a soma das partes não explica o todo. É como a história de quatro testemunhas de um acidente, por exemplo. Cada uma com um ângulo único e parcial de visão: todas contam uma história diferente e ninguém está mentindo – são recortes de um todo que não pode ser apreendido em sua totalidade. A edição do debate é algo semelhante. O resultado está lá, mas é impossível reconstituir como se chegou a ele.

Hoje, João Roberto Marinho faz um balanço do episódio. Ele admite que a edição do debate provocou um inequívoco dano à imagem da TV Globo: "Foi um momento muito duro para nós. Porque nós temos a convicção de que tínhamos feito um trabalho excepcional a campanha inteira, um trabalho isento, procurando ajudar o eleitor a fazer as suas escolhas. Era a primeira vez que estava acontecendo uma eleição direta com a televisão sendo um veículo tão importante para essa nação. Nós estávamos orgulhosos do trabalho que a gente tinha feito. E, de um momento para o outro, por causa dessa diferença das edições, aquilo tudo foi por água abaixo, todo o trabalho feito durante a campanha foi esquecido e o fato que ficou foi a história da edição do debate, muito bem explorado politicamente. É frustrante."

João Roberto acha que críticas à edição do debate são naturais, mas rebate qualquer tentativa de vincular a edição a um ato de má-fé: "Nada nos causa mais indignação, a nós da família, do que a insinuação de que a edição do debate resultou de acordos espúrios. Aprendi com meu pai que jornalistas fazem jornalismo. E só há uma forma de um jornal, uma casa jornalística, se manter viva. É sendo independente. E nós não estamos atuantes há 79 anos à toa. Mas nada disso nos torna imunes ao erro, e a edição do debate de 89 talvez seja a melhor prova. Mas uma de nossas virtudes é aprender com as nossas falhas."

Nas eleições de 1994 e 1998, devido a divergências entre candidatos, não houve debates. Em 2002, quando eles se realizaram, a TV Globo já tinha consolidada a decisão de não mais editar debates políticos, limitando-se a apresentá-los na íntegra e ao vivo. Concluiu-se que um debate não pode ser tratado como uma partida de futebol. João Roberto explica: "Nós todos sempre usávamos essa metáfora. Collor tinha ganhado de 3x0, e o jornal *Hoje* mostrara um compacto como se a partida tivesse terminado em 3x2. O *Jornal Nacional* teria mostrado um compacto mais próximo do 3x0. Hoje, creio que foi errado comparar um debate político a uma partida de futebol", diz. "Na edição de um jogo", prossegue, "basta mostrar os gols, os principais passes, os impedimentos, as faltas mais graves e as expulsões para que se tenha em três minutos uma boa idéia de uma partida. Mas uma disputa de idéias é diferente, especialmente numa eleição. As paixões estão sempre tão acesas que condensar um debate de duas horas de duração em cinco ou seis minutos, sem cometer injustiças, é praticamente impossível", conclui João Roberto.

Hoje, a TV Globo adota como norma não editar debates; eles devem ser vistos na íntegra. Porque, ao condensá-los, necessariamente bons e maus momentos dos candidatos terão de ficar de fora, segundo a escolha de um editor ou um grupo de editores. E haverá sempre a possibilidade de um dos candidatos considerar que um dos seus momentos que não entraram era prova cabal de seu bom desempenho ou que um determinado momento de seu adversário, deixado de fora, era prova cabal do seu pior desempenho. Tudo porque o debate, realizado na véspera da eleição, é o instante de maior tensão, em que o radicalismo está mais exacerbado, e onde a razão fria e objetiva se faz ausente.

A seguir, os depoimentos dos profissionais diretamente envolvidos na questão:

Depoimentos*

ARMANDO NOGUEIRA (diretor da CGJ):

"O episódio representou uma deslealdade de um escalão abaixo da minha direção. Eu tinha um diretor chamado Alberico de Sousa Cruz que, à minha revelia, juntamente com um editor chamado Ronald de Carvalho, deformou a edição que nós tínhamos exibido no jornal *Hoje*, versão inclusive aprovada por João Roberto Marinho. Ele telefonou para mim; eu não estava. Telefonou para Alice-Maria para dizer que tinha gostado muito da edição que saiu no *Hoje*. Então, quando a Alice me contou (eu cheguei do almoço), eu disse: 'Então vamos reproduzir a edição do *Hoje* no *Jornal Nacional*.' Ela passou essa orientação para o Alberico. Eu reforcei para o Alberico. E o Alberico, à minha revelia, mandou fazer alterações, das quais eu só tomei conhecimento no ar. Então, eu estava diante de um caso típico de deslealdade, de traição profissional, traição funcional. Eu fiquei muito desapontado com isso. Eu tive uma conversa com o Dr. Roberto em que eu lastimei que a gente tivesse dado aos nossos detratores elementos para nos condenar, quando na realidade a gente não precisava fazer nada daquilo. Porque na prova provada dos fatos e dos números, Lula tinha perdido o debate. Então por que deturpar a edição? O que se fez, à revelia da direção do jornalismo e à revelia da própria família Marinho, foi marcar um gol contra a TV Globo, que não serviu nada para a TV Globo. Pelo contrário. Deu aos desafetos, aos detratores, um pretexto para eles denunciarem a TV Globo como falsária. Foi má-fé do Alberico, que servia não à empresa, mas servia ao Collor, à *entourage* do Collor. Aquilo foi um desserviço à Rede Globo. Foi um caso típico de deslealdade profissional desse rapaz, que era uma pessoa de minha confiança e que nega até hoje e vai continuar negando até no juízo final. Mas eu, no juízo final, continuarei a responsabilizá-lo por isso."

ALBERICO DE SOUSA CRUZ (diretor de telejornais de rede):

"Ronald me ligou e disse o seguinte: 'Alberico, eu recebi instruções da Alice-Maria, transmitindo algumas determinações do João Roberto Marinho e do Dr. Roberto.' Eu falei: 'Ô Ronald, eu não quero saber desse assunto. Você cuida dele com quem te transmitiu as informações.' Ele falou: 'A família está achando que a edição do *Hoje* foi manipulada a favor do Lula. Então, o João Roberto passou à instrução seguinte: para fazer uma coisa direita, que não é para ser favorável ao Lula nem ao Collor. Foi a instrução que eles me passaram.' Eu falei: 'Olha, eu não quero cuidar desse assunto. Porque eu estou cuidando dos números e eu não vou ver edição nenhuma.' Como eu não recebi nenhuma instrução, nem do Dr. Roberto, nem do João Roberto e nem de ninguém, eu falei: 'Ronald, eu não vou cuidar. Se você recebeu orientação da Alice, você se entenda com ela.' E o Ronald não me ligou

* *Os titulares exerciam os cargos abaixo na época dos acontecimentos.*

mais. Depois, por volta de sete e meia, ele me telefonou novamente. Não tinha ninguém para mostrar a edição; a Alice não queria ver e o Armando não estava lá. E eu falei assim: 'Olha, eu também não vou ver, Ronald.' E vi a edição no ar. A edição refletiu o que tinha acontecido durante o debate. Ela é prejudicial ao Lula do ponto de vista de notícia? É, porque o Lula foi muito mal no debate! Então, qualquer editor sério teria feito o que o Ronald fez. Eu concordo plenamente com aquela edição. Só digo uma coisa: eu não tenho nenhuma responsabilidade sobre ela. Mas nenhuma! Eu não desci, sequer, para ver a edição. Eu não fui à redação. Eu não estive na ilha. Eu estava na minha sala. Eu tinha outra missão, que era cuidar dos números. Eu não estava com a responsabilidade de saber o que ia para o ar no *Jornal Nacional*, e nem no *Hoje*. Então, esse negócio do debate, eu quero encerrar isso. Para mim é uma manipulação que se fez contra mim por uma razão muito simples: é que o Dr. Roberto depois me escolheu como diretor de jornalismo. Eu vejo falar em crise na redação, que ameaçavam brigar comigo. Mas eu continuei na Globo do mesmo jeito, sem ninguém falar nada comigo. Todo mundo continuou na Globo. Quem é que saiu da Globo por não concordar com o debate? Isso aconteceu quando eu fui nomeado diretor da CGJ, três meses depois. Porque se houvesse uma crise, teria acontecido antes. Se alguém não tivesse concordado com a edição, teria assumido a posição ali. Mas continuou tudo a mesma coisa. O Armando me nomeou coordenador da cobertura da posse do Collor! Se ele desconfiava que eu havia participado de um negócio desse como me nomeou para isso?"

Alice-Maria (diretora executiva da CGJ): "Eu vi o debate em casa. No dia seguinte, cheguei de manhã, como de hábito. O Wianey Pinheiro estava respondendo pela redação e conversamos sobre como seria a edição do debate. Acertamos os detalhes da matéria, sempre com a preocupação de manter a isenção que marcou toda a nossa cobertura da campanha eleitoral. Cobrir os fatos, sem tomar partido e com o cuidado de dar tempo igual para os dois candidatos. A matéria foi ao ar no jornal *Hoje*, do jeito que combinamos. O Armando Nogueira me ligou, dizendo que a edição estava correta, que o João Roberto Marinho tinha falado com ele e que deveríamos repetir a mesma matéria no *Jornal Nacional*. Telefonei imediatamente para o Pinheirinho e falei do telefonema do Armando. O principal assunto do dia estava pronto para o *JN*. De tarde, eu estava na sala do Armando quando o telefone tocou. Era o Alberico, diretor de telejornais de rede. Ele tinha chegado de São Paulo, onde fora acompanhar o debate. Disse para o Armando que tinha visto a edição do *Hoje* e achou que a gente não havia dado a dimensão exata, que era preciso fazer uma edição maior para o *Jornal Nacional*. Queria acrescentar umas falas. O Armando concordou e frisou que a nova versão tinha que ser igualmente isenta, que precisávamos manter a postura de toda a nossa cobertura. Eu estava na sala do Armando, quando o *Jornal Nacional* foi ao ar. Ao ver a edição do debate, levei um susto. A matéria do *JN* não tinha nada a ver com a do *Hoje*. O Alberico ignorara a orientação que recebera. Na verdade, ele tinha traído a confiança do Armando e alterado completamente a edição. Na época, muita gente disse que a matéria do *JN* mudou o resultado da eleição no Brasil. Eu não acredito. Mas aquela matéria, certamente, mudou a história do telejornalismo da Globo."

RONALD DE CARVALHO (editor de Política):

"Quando eu cheguei à emissora já estava editado o compacto do debate, feito pelo Wianey Pinheiro. Eu vejo e percebo que o compacto estava 'descompensado' porque mostrava um empate. O Wianey pegou os melhores momentos do Collor e os melhores momentos do Lula e fez um compacto absolutamente isento. Só que quando eu vi aquilo, pensei que eu poderia ser isento o tempo todo durante a campanha mas, naquele momento, não cabia isenção. Cabia mostrar a realidade. Aliás, a isenção era mostrar a realidade, o que não estava mostrado naquele compacto. Até entendo que o Pinheiro possa ter querido seguir exatamente a instrução que nós tínhamos recebido do Armando Nogueira de equilíbrio. Mas naquele momento não cabia equilíbrio. O jornal *Hoje* ainda estava no ar e já tinha passado o compacto, quando eu recebo um telefonema da Alice-Maria. Ela disse: 'Olha Ronald, refaz o compacto do debate. Eu não quero no *Jornal Nacional* o mesmo debate do jornal *Hoje*. Faz uma outra edição.' Perguntei: 'Mas por que, Alice-Maria?' E ela disse exatamente o que eu disse: 'Eu achei que o debate está muito pasteurizado, está muito igual, e na verdade o debate não foi assim.' Eu disse: 'Olha, eu também acho que não foi assim.' A única instrução que eu recebi foi essa: 'Reedite o debate, faça um novo compacto.' Sabendo, ou antevendo, ou intuindo no que poderia dar, eu chamei o meu editor que era o Octavio Tostes, e disse: 'Octavio, deixa que quem vai para a ilha sou eu.' Eu percebi que não era justo colocar uma pessoa frágil segurando aquela responsabilidade, editar o compacto de um debate presidencial na véspera da eleição, sabendo que um dos concorrentes havia ganho aquele debate e que o compacto deveria refletir aquilo. Eu tinha certeza de que aquilo teria conseqüências e não era justo que ficasse sob a responsabilidade do Octavio Tostes. Seguramente isso iria estourar nas costas dele. Então, pensando nisso eu disse: 'Octavio, sai da ilha porque eu vou editar.' Portanto, toda a responsabilidade pela edição é minha. Eu não recebi instrução de ninguém de como fazer, nem transferi a ninguém a tarefa de fazer. É bom que fique claro. Ninguém da família Marinho, Armando Nogueira, Alice-Maria, ninguém me disse o que fazer. Apenas a Alice me pediu que refizesse a edição, mais nada, nenhum critério da edição desse compacto me foi passado. O Alberico de Sousa Cruz foi para a emissora de São Paulo acompanhar o debate e lá ficou. Ele não estava aqui no dia em que foi feito o compacto. Portanto, não participou absolutamente de nada disso. O *Jornal Nacional* estava quase começando quando ele chegou ao Rio e me perguntou por telefone: 'Como é que está o compacto? É o mesmo do *Hoje*?' Eu disse: 'Não, a Alice me pediu para mudar.' Ele disse: 'E você já mudou?' 'Já mudei e falei com ela. Ela disse que não queria ver e eu já mandei a fita para subir', respondi. Ele então não me perguntou mais nada. Até porque estava em cima da hora. O *Jornal Nacional* ia começar, ele não teria tempo sequer de ver a fita para dizer se gostou ou não. Ele viu o debate no ar. Ele não teve nenhuma participação nessa história. Eu, desde o primeiro momento, sempre tenho dito e repito: o único responsável pela edição do debate fui eu. Não recebi instrução de ninguém."

Wianey Pinheiro (editor regional de São Paulo):

"Eu fiz questão de pedir para minha secretária achar o Alberico de Sousa Cruz, para eu dar uma pincelada nas coisas. Aí demorou, ele ligou. Ele quis saber o que é que tinha. Fui à ilha, pegar as minhas anotações e do Carlinhos Peixoto, repassei e ele sugeriu duas mudanças. Mas o que me estranhou foi principalmente ele ter se referido à pesquisa do Vox Populi. 'Você recebeu a pesquisa?', 'Recebi', 'Você vai dar, né?', 'A princípio, não, né Alberico? Acho uma pesquisa desimportante, feita por telefone, da Vox Populi' [A Globo geralmente dava os dados do Ibope e do DataFolha], 'Não, hoje é muito importante esse negócio. Dê sim.' Aí fui lá e fiz uma nota singela da pesquisa. Bom, chegou a hora, o jornal foi para o ar. Imediatamente após a execução do jornal, eu estava terminando uma conversinha, fiz um lanche e já tinha marcado para duas e meia uma reunião com o grupo do *Jornal Nacional*. Aí, me ligou primeiro a Alice-Maria, dizendo: 'Parabéns, ótimo o jornal. Tenho orientação para você repetir o resumo do debate que você colocou no *Hoje*.' Eu falei: 'Tudo bem, Alice. Nós vamos almoçar, comer alguma coisa e voltamos.' Antes ainda de eu sair, me ligou o próprio Armando Nogueira, dizendo: 'Olha, assisti e quero te dar parabéns. Aliás, falei com o João Roberto, eles gostaram muito. Então, é o seguinte: não mexa em nada.' Eu disse: 'Vou mexer, vou trocar umas artezinhas. Mas o conteúdo será exatamente o mesmo.' Aí veio o período da tarde, o outro grupo. Eu até brinquei com o Octavio Tostes: 'Você é felizardo.' Porque ele teria, por hipótese, que fazer uma nova edição. 'Então você vai me ajudar em outras coisas. O debate é só aquilo', falei. Chamei o Delfim Fujiwara, que era de arte, dei uma orientação para mexer em alguma coisinha. E segue o andor. A surpresa acontece quando eu ouvi um ruído maior na última ilha, do lado esquerdo do corredor. Aí fui lá. Estava o Octavio Tostes descabelado, dizendo: 'Não consigo mandar a fita no horário.' 'Mas do que se trata?', perguntei. 'Eu recebi a orientação: tenho que mexer muito no debate', respondeu. A coisa me deu um incômodo muito grande. Eu falei: 'Octavio, me mostra.' Aí ele me mostrou só cerca de dois minutos. Foi o suficiente para eu dizer: 'Tá bom.' Acontece que aí a informação já tinha chegado na redação e alguns amigos já sabiam que tinham estado lá o Alberico de Sousa Cruz e o Ronald de Carvalho, então editor-chefe de política, e deram algumas orientações. Aí eu me descontrolei. A edição que a direção de jornalismo da CGJ elogiou e pediu para repetir é a mesma edição a que a família Marinho assistiu, gostou e deu ordem para repetir. Um fenômeno que talvez algum dia se saiba é o que aconteceu entre uma e meia da tarde e sete e meia da noite. O que aconteceu para ter essa mudança e, por orientação direta do Alberico, se cometer aquela violência. São coisas que eu não sei discernir sobre elas. Só acho que o jornalismo da Globo não merecia ter sofrido aquela violência."

CARLOS PEIXOTO (editor de texto do jornal *Hoje*):

"Eu procurei assistir ao debate no dia anterior e anotei, vendo em casa, alguns pontos, já meio me preparando para o trabalho da manhã. Na manhã do dia seguinte, eu procurei entrar em contato com o editor-chefe de Política, que era o Ronald de Carvalho. Liguei várias vezes para a casa dele e a secretária eletrônica tocava e não atendia. Bom, eu tomei a seguinte decisão: já que não tem a orientação 'põe isso, põe aquilo', eu vou dividir por temas, por exemplo, habitação, poupança. Fiz a coisa temática e decidi dar um tempo mais ou menos equilibrado para cada um dos assuntos, para cada um dos candidatos. Enfim, se nessa um falasse um minuto e 20 segundos e o outro falasse 40 segundos, na outra o outro seria compensado, de tal forma que a gente iria chegar no final com o tempo parecido para os dois candidatos. Lembro que a edição ficou com qualquer coisa em torno de oito minutos. O jornal ia ao ar a uma da tarde. Por volta de meio-dia, o Pinheiro desceu e perguntou: 'Como é que está a edição?' E eu falei: 'Estou terminando, estou na ilha 10 terminando. Daqui a pouco te mostro.' Aí terminei (não me lembro quem era o editor de imagens que estava trabalhando comigo), fechei e chamei: 'Olha, vou te mostrar como que está.' Ele olhou, prestou atenção e saiu da ilha 10, no segundo andar. E veio para a sala do editor-chefe, pegou o telefone, sentou na poltrona e ligou para o Armando Nogueira: 'Armando, está desse jeito, desse jeito, fala isso, fala aquilo, no final um fecha falando isso.' Tinha o episódio do Collor dizendo que se tivesse dinheiro compraria um som igual ao do Lula e tinha o Lula dizendo que o caçador de marajá não passava de um caçador de maracujá. Aí o Armando falou que esse negócio de caçador de maracujá era uma grande bobagem e pediu para tirar isso. A única alteração feita foi essa: que tirasse a referência meio infantil do ponto de vista da articulação política de idéias. E eu fui lá e tirei. Isso causou um pequeno desequilíbrio: o tempo do Collor ficou um pouco maior, ficou com quatro minutos e 30 e pouco e o Lula com quatro e pouco. Então o que eu me lembro foi isso, não teve ingerência nenhuma, não teve pressão nenhuma. Não teve nenhum plano diabólico, nenhuma teoria conspiratória. Eu acho que, ao cuidar dos temas com tempo equilibrado, eu estava reproduzindo as orientações que tinham sido definidas para que a gente agisse naquele momento. Anteriormente tinha havido algumas reuniões e falou-se nessas coisas. Havia essa intenção de dar tratamento equilibrado e não teve qualquer tipo de ingerência. Era uma redação extremamente rica de valores pessoais e profissionais."

OCTAVIO TOSTES (editor de texto do *JN*):

"Recebi na reunião de espelho do *JN*, das duas da tarde, a orientação do Wianey Pinheiro para pegar a edição do *JH*, trocar as artes para que ficassem no padrão gráfico do *JN* e repetir no *JN* a edição do *JH*. Quando eu estava assistindo ao VT, na ilha 10, o Ronald de Carvalho entrou e disse textualmente: 'É para fazer uma edição com o pior do Lula e o melhor do Collor. Põe aquele negócio da sub-raça' (um deslize do Lula que ao querer dizer que a fome transformava os nordestinos em uma sub-raça, acabou dando a sensação de que ele considerava os nordestinos – dos quais ele é um representante – uma sub-raça. Foi um momento infeliz do Lula e o Ronald pediu que eu o usasse). Houve mais uma orientação, que confesso esqueci. Fiz a edição com o editor de imagens Francisco Tambasco. O Ronald deu as orientações citadas e o Alberico de Sousa Cruz mais duas. O Pinheiro entrou na ilha, entre quatro e cinco da tarde, e perguntou se eu estava repetindo a edição, porque repetir era a orientação, segundo o Armando Nogueira – citado pelo Pinheiro –, do Comitê (referência interna aos acionistas e altos dirigentes da Globo). Eu disse: não foi essa a orientação que recebi do Ronald e do Alberico. Resposta do Pinheiro: 'Então é com você.' Não recebi nenhuma orientação direta do Armando, a não ser a passada pelo Pinheiro de repetir a edição do *JH*. Também não recebi nenhuma orientação direta da Alice. A ordem para que a edição do *Hoje* fosse refeita veio do Ronald de Carvalho e do Alberico de Sousa Cruz, diretamente a mim, na ilha 10. Alberico pediu que se pusessem na edição duas coisas, das quais não me lembro se eram deslizes do Lula ou falas favoráveis do Collor. Certamente não eram coisas favoráveis ao Lula. Não havia da parte do Ronald e do Alberico qualquer preocupação com isenção. Foi uma edição manipulada. A orientação do Ronald de Carvalho, como disse antes, foi 'fazer uma edição com o pior do Lula e o melhor do Collor'. Alberico de Sousa Cruz esteve comigo duas vezes. Uma na ilha 10, no meio da tarde, e depois assistiu ao VT pronto na ilha 7, no início do corredor, onde a edição foi finalizada. Deu o OK para o VT subir, o que aconteceu às 15 para as oito, fora do *deadline*. Ronald de Carvalho deu a orientação inicial e não fez mais nada. Eu fiz a edição, seguindo as ordens dele e do Alberico. A edição mancha a história da Globo e, em escala muito menor, mas gravíssima no nível individual, é uma nódoa na minha carreira. Mesmo podendo consolar a consciência com a certeza de que em nenhum momento eu formulei nada, apenas cumpri ordens, não me eximo da responsabilidade de jornalista por ter feito aquilo. E é porque não me eximo que compartilho esta responsabilidade com os co-autores que me deram as ordens: Ronald de Carvalho e Alberico de Sousa Cruz."

FRANCISCO TAMBASCO (editor de imagens do *JN*):

"Octavio Tostes me disse que tinha a edição do debate para fazer e que devia ser igual à do jornal *Hoje*. E nós começamos a editar. Nós fizemos a primeira versão e foi passada para a direção. Foi o Ronald de Carvalho que levou. Aí ele desceu: 'Tem que mudar tal coisa.' E a gente fez a segunda mudança e a fita subiu novamente para a direção. E desceu novamente com o Ronald: 'Ainda não está legal, vamos ter que fazer uma outra mudança.' Isso aconteceu umas quatro ou cinco vezes. A primeira era uma versão imparcial como deveria ser, como a versão do jornal *Hoje*. E no final, depois de umas quatro ou cinco edições, ficou aquela que foi ao ar. A primeira versão igualava, dava o mesmo peso aos dois candidatos. A primeira edição, que para o Octavio estava boa, foi dada na mão do Ronald de Carvalho. Ele subiu e levou até a direção. Lá, eu acho que era o Alberico quem via e mandava a fita descer. E cada vez que descia tínhamos que fazer uma nova mudança. E o Ronald de Carvalho acompanhava as alterações. Na ilha, ficávamos eu, Octavio Tostes e ele, na retaguarda, olhando e acompanhando tudo. Eram mudanças rápidas: tira aqui, põe ali. A gente tinha que fazer rápido porque estava em cima da hora do jornal. Ronald ficava esperando para levar o novo material para a direção ver e Octavio falou: 'Pô cara, está ficando desequilibrado o debate!', e ele respondeu: 'Mas não sou eu que estou fazendo isso.' Eu lembro como se fosse ontem o Ronald falando 'Isso não sou eu quem decide.' Ele até riu: 'Eu estou levando lá para cima e eles estão pedindo para fazer os cortes.' Eu fiquei surpreso porque eu li uma matéria há pouco tempo em que o Ronald assumiu toda a edição do debate. E não foi isso. É mentira. Ao contrário, na época, ele negou totalmente a responsabilidade. Ele falou 'não sou eu' e riu: 'São eles lá em cima. Eu só estou levando.' Eu me recordo que quando o Ronald vinha com um novo corte, já era beneficiando o Collor. Ele não precisava falar nada, Octavio olhava para mim e eu olhava para o Octavio. A gente começou a sentir que estava saindo do caminho inicial. Porque havia, na época, na TV Globo, uma regrinha que dizia que os dois candidatos tinham que falar com o mesmo tempo. E isso era cronometrado. Se o Collor falasse 30 segundos, a fala do Lula tinha que ter 30 segundos. Então, a idéia original, a primeira idéia, era colocar 30 segundos de um candidato falando uma determinada coisa e 30 segundos do outro, mas não prejudicando ninguém, nem beneficiando ninguém. Essa foi a idéia, mas foi sendo trocada no decorrer da edição e deu o que deu. Eu não me lembro de nenhuma frase do Ronald [referindo-se à frase relatada por Octavio Tostes: "Vamos pôr o pior do Lula e o melhor do Collor."]. Também não me lembro de nenhuma recomendação específica para a edição. Eu acho difícil alguém se lembrar. O trabalho de edição é muito corrido, são muitas informações ao mesmo tempo. Mas a edição foi refeita umas quatro ou cinco vezes. É fácil calcular porque a primeira versão estava com o tempo equilibrado, igual para os dois. Para ficar com um minuto e 30 de diferença. Você não tira esse minuto e 30 numa edição só. O trabalho foi sendo feito por etapas. Na verdade, não era só cortar o tempo de um e deixar do outro. Tinha, se não me engano, substituição de respostas. E cortar é mais fácil, você vem cortando. Mas o trabalho era tirar uma resposta e colocar uma outra. Isso era mais trabalhoso e isso que foi importante na edição. Não foi só cortar o tempo. O contexto da entrevista é que mudou bem."

Jornal Nacional: debate Collor/Lula (15 dez 1989)*

APRESENTADOR CID MOREIRA - IN: "A campanha eleitoral do segundo turno teve o seu momento mais importante na noite de ontem. Foi o duelo entre os dois candidatos pela televisão. O debate durou quase três horas e foi transmitido por um *pool* formado pelas quatro principais redes de TV. Reveja agora alguns momentos do debate."

CANDIDATO LULA (LULA) - IN (*14"*): "É preciso saber de antemão que desde 1980, portanto já há dez anos atrás, e quando foi fundado o Partido dos Trabalhadores, ele foi fundado na base da liberdade política, na base da liberdade da autonomia sindical, na base do pluralismo político..."

CANDIDATO COLLOR (COLLOR) - IN (*29"*): "... de um lado está a candidatura do centro-democrático, por mim representada, do outro está uma candidatura que esposa teses estranhas ao nosso meio, teses marxistas, teses estatizantes, teses que não primam pelos princípios democráticos consagrados na nova carta constitucional até porque o partido daquele que é meu adversário se negou a assinar, ou a não assinar, mas votou contra o texto constitucional."

CID MOREIRA - OFF: "O Tratamento das Greves" (cartela).

LULA - IN (*10"*): "... e vamos tentar criar instrumentos para fazer com que categorias essenciais passem a ser tratadas como categoria essencial do ponto de vista do salário que cada uma vai receber..."

COLLOR - IN (*26"*): "... agora há outro tipo de greve, que é a greve política, que é a greve patrocinada pela CUT, que é a greve patrocinada pelo braço sindical do outro candidato, essa greve política é feita apenas para realçar, colocar no noticiário as suas lideranças, e esse grevismo político já recebeu uma resposta drástica, uma resposta negativa da sociedade que não aceita mais esse grevismo político..."

CID MOREIRA - OFF: "A Questão do Nordeste" (cartela).

LULA - IN (*13"*): "... o problema do Nordeste não é um problema de seca, é um problema de cerca, daí o porquê ele defendia a reforma agrária senão morreriam milhões e milhões de nordestinos, como está aí a imprensa dizendo e o IBGE afirmando que é possível até nascer uma sub-raça..."

COLLOR - IN (*21"*): "... eu quero de alguma maneira repelir essa insinuação de que nós sejamos uma sub-raça, até porque sub-raça eu não sou, como eu também acredito que o meu adversário também não seja sub-raça, somente pelo fato de ter nascido no Nordeste. A prova de que não somos sub-raça, deputado, é que estamos aqui disputando a eleição presidencial, duas pessoas com origem no Nordeste..."

CID MOREIRA - OFF: "A Violência na Campanha" (cartela).

COLLOR - IN (*23"*): "... nós nunca fomos intolerantes, baderneiros e bagunceiros para irmos lá, para fazer o que eles fazem e o que fizeram nos nossos comícios. Agora mesmo, fora de uma manifestação, numa passeata, uma jogadora de basquete, a Norminha, foi agredida, agredida

* *Na época, o jornal* Hoje *não era arquivado e, por isso, não se tem cópia da edição.*

covardemente por seis marmanjos que brandiam a bandeira vermelha com a foice e o martelo do PT. Isso é uma atitude democrática?..."

LULA - IN (*30"*): "... e eu que durante várias vezes, o meu partido foi acusado de violência, eu acredito que pouca gente nesse país foi vítima de violência como foi o Lula em toda a sua vida política. Portanto, eu estou tranqüilo que cumpri com o dever cívico enquanto a pessoa preocupada em elevar o nível de consciência política do nosso povo, e estou tranqüilo de que essa contribuição será e foi ouvida pelo nosso povo."

CID MOREIRA - OFF: "Salários" (cartela).

LULA - IN (*17"*): "... uma pergunta que queria fazer ao meu adversário era a seguinte: quais as medidas concretas que você tomaria caso um político seu, um político do seu partido, tentasse legislar em causa própria, tentasse fazer uma legislação para tirar proveito pessoal do seu projeto de lei?"

COLLOR - IN (*38"*): "... eu tenho um caso concreto. Recentemente, o deputado Renan Calheiros, líder do PRN na Câmara dos Deputados, encaminhou um projeto de lei para congelar os salários já polpudos dos senhores deputados federais e dos senhores senadores da República e, como disse aqui há pouco, como deputado do PT, passa a ganhar 200 mil cruzados novos, mais de 100 vezes, mais de 100 vezes o salário mínimo do país, que tem mordomias com operações em hospitais caríssimos, e esse projeto de lei foi solicitada a urgência urgentíssima a todos os partidos. O PT se negou assinar..."

CID MOREIRA - OFF: "Os Acordos Políticos" (cartela).

COLLOR - IN (*28"*): "... o ex-governador Leo-nel Brizola afirmou que o vice do outro candidato, afirmou com letras maiúsculas, que o vice do outro candidato é corrupto. Eu queria saber do outro candidato: o ex-governador Leonel Brizola está mentindo ou seu candidato a vice-presidente é realmente corrupto?"

LULA - IN (*24"*): "O Brizola disse que o Bisol contraiu um empréstimo que ele considera imoral e o Bisol disse que o empréstimo é correto e que vai processar o Brizola. Ora, obviamente que quando eu fiz a aliança com o Brizola eu não pedi pro Brizola passar a gostar do Bisol e nem pedi pra o Bisol para perdoar o Brizola. O que eu pedi era para que os dois entendessem que o momento maior era ganhar as eleições..."

COLLOR - IN (*20"*): "... é rigorosamente inacreditável, o ex-governador Brizola chama o candidato a vice do adversário de corrupto e o candidato acha perfeitamente normal, apenas pede para que os dois não se digladiem, não se xinguem nesse período, para tirar proveitos eleitorais, para que não afete a questão eleitoreira..."

APRESENTADOR ALEXANDRE GARCIA (AG) - IN (*15"*): "... estamos iniciando a última parte do último debate desta campanha eleitoral para as últimas palavras dos dois candidatos. Por sorteio, vai falar em primeiro lugar o candidato Fernando Collor de Mello e, por último, o candidato Luiz Inácio Lula da Silva..."

COLLOR - IN (*26"*): "... eu gostaria de transmitir a todos vocês a minha enorme confiança de que continuaremos juntos no próximo dia 17, sim, no dia 17 nós vamos dar um 'não' definitivo à bagunça, à baderna, ao caos, à intolerância, à intransigência, ao totalitarismo, à bandeira vermelha, vamos dar 'sim' à nossa bandeira, essa que está aqui, a bandeira do Brasil, a bandeira verde, amarela, azul e branca..."

LULA – IN (*30"*): "... nós que pertencemos à classe trabalhadora sabemos perfeitamente bem que a nossa luta titânica é para escapar da fome, é para escapar do desemprego, é para escapar da favela debaixo de uma ponte, em função não de méritos pessoais, mas em função da competência de uma categoria profissional, em função da competência de milhares de brasileiros, em função da competência dos partidos com que eu me orgulho estar aliado, eu hoje estou disputando a presidência da República para ganhar no dia 17..."

A posse do novo presidente e o Plano Collor

Fernando Collor de Mello tomou posse em 15 de março de 1990 e, no dia seguinte, anunciou medidas de choque contra a inflação, provocando perplexidade no meio político e em toda a população. A medida mais radical determinava que os saques da poupança, das aplicações financeiras e das contas correntes seriam reduzidos ao máximo de 50 mil cruzados novos (o equivalente a quase 6 mil reais hoje), ficando o que estivesse acima desse limite retido no Banco Central pelo prazo de 18 meses. Essa foi a maior intervenção do Estado em bens privados realizada na história do país.

Ainda antes da posse, Fernando Collor havia solicitado ao Banco Central que decretasse feriado bancário por três dias. Fechados na quarta-feira, dia 14, os bancos só abririam na segunda, 19. A medida, segundo o presidente eleito, visava conter as especulações e boatos, permitindo ao governo anunciar a reforma econômica em clima calmo.

O anúncio do Plano se realizou no auditório do Ministério da Fazenda, com a ministra Zélia Cardoso de Melo e alguns membros da equipe econômica, como Ibrahim Eris (presidente do Banco Central), Antônio Kandir (secretário de Política Econômica) e Eduardo Modiano (presidente do BNDES). A repórter Ana Paula Padrão relatou os fatos do auditório, ao vivo, enquanto os jornalistas Paulo Henrique Amorim, Joelmir Beting e Lillian Witte Fibe comentavam o que estava acontecendo do estúdio da TV Globo.

A Globo divulgou em primeira mão, minutos antes do anúncio do Plano, as principais medidas econômicas, inclusive o bloqueio dos cruzados novos. Mas a operação era tão inusitada e complexa que o comentarista Paulo Henrique Amorim, ao explicar o seu funcionamento, se confundiu e deu uma informação errada. Joelmir Beting lembra o episódio: "A entrevista coletiva para o anúncio do Plano estava marcada para as 15h e ficou definido que eu ficaria no estúdio a partir de 13h. Uma e meia acabou o jornal *Hoje*, e entrou o *Vídeo Show* e uma série qualquer. Eu fiquei nos intervalos fazendo chamadas para o anúncio do Plano e dizendo alguma coisa a respeito da situação econômica do país. Era uma sexta-feira, dia útil. O Brasil parou. Quem não estava em casa, estava na vitrine da esquina, nos escritórios. De repente, às 14h30, a caminho das 15h, Paulo Henrique Amorim entra chutando as portas do estúdio, literalmente, com um papel na mão: 'Eu já peguei o plano, está aqui, vamos soltar agora.' Então, a gente entrou ao vivo e eu falei: 'Senhoras e senhores, vamos agora dar as linhas básicas do plano que vai ser anunciado dentro de minutos. Já temos em primeira mão as informações com Paulo Henrique Amorim, que acabou de chegar do Ministério da Fazenda.' E ele disse: 'A partir de agora todo depósito a partir de 50 mil cruzados, vai ficar bloqueado.' Eu falei assim: 'Quer dizer que eles vão bloquear também a renda futura, a receita futura, o depósito futuro, além do que está depositado?' 'Sim, Joelmir, sinto informar que você vai ter que sobreviver com 50 mil a partir de hoje.' Eu achei que havia um erro da parte do Paulo Henrique, não podia imaginar que o governo pudesse fazer uma coisa semelhante. A câmera cortou para mim e eu estava boquiaberto. Eu não podia desmenti-lo, mas também não podia acreditar naquilo, então eu fiquei nesse contrapé, nesse vácuo. No dia seguinte o *Jornal do Brasil* publicou uma foto minha na primeira página com expressão de espanto. Estava escrito 'a cara da nação': era a minha cara. Eu fiquei com a cara da nação no lançamento do Plano Collor: não era de espanto, era de pavor."

Naquela noite, o *Jornal Nacional* foi praticamente todo dedicado ao assunto. Para explicar o que mudava na vida do brasileiro com a reforma econômica, os comentaristas foram acionados. Joelmir Beting falou sobre os preços das mercadorias, Lillian Witte Fibe sobre os investimentos no *overnight* e na poupança e Paulo Henrique Amorim sobre a nova regra para o reajuste dos salários. Foi dada ênfase também às reformas administrativas, que extinguiam autarquias e fundações, empresas públicas e de economia mista.

Depois do *JN*, foi ao ar, através de um *pool* formado pelas principais redes de televisão do país, uma entrevista coletiva de Zélia Cardoso de Melo e dos ministros Antônio Rogério Magri e Bernardo Cabral. A transmissão foi dos estúdios da Globo em Brasília. Seis jornalistas se revezavam nas perguntas, entre eles Joelmir Beting e Alexandre Garcia.

No dia seguinte, 17 de março, Lillian Witte Fibe e Carlos Monforte entrevistaram, ao vivo, a ministra Zélia Cardoso de Melo nos estúdios da Rede Globo em Brasília. Os repórteres tentaram esclarecer as dúvidas mais comuns da população, perguntando sobre consórcios, cartões de crédito, mensalidades escolares, dívidas e empréstimos.

A entrevista teve muita repercussão devido ao tom incisivo usado por Lillian Witte Fibe, que insistiu para que a ministra esclarecesse pontos obscuros do Plano: "Um dos trechos que mais pegaram foi quando ela não quis responder como ia remunerar naquele mês a caderneta de poupança, que pela regra teria que ser corrigida pelos 84% de inflação, a última herança do governo Sarney. Eles não iam dar os 84% e ela não queria dizer. Então eu fiquei perguntando: 'Mas, por favor, eu não entendi, se eu não entendi, o telespectador talvez também não tenha entendido.' E ela brigava comigo, dizendo que já tinha respondido. Mas as pessoas precisavam saber as coisas que eu perguntava para a Zélia: 'Como é que paga a mensalidade escolar? Como é que paga o condomínio, se não tem dinheiro no banco? Como é que fica o cheque especial?' E ela não tinha resposta para nada. Aquele plano era sem pé nem cabeça, como a história veio provar. Mas, na época, eu não sabia disso, eu só queria entender o que estava acontecendo. Não tinha nenhuma bola de cristal, não sabia que ia ser aquela confusão toda que veio a ser depois, com recessão, inflação. Eu só fazia perguntas imediatas."

Apesar de Zélia Cardoso de Melo não ter respondido a parte das perguntas dos repórteres da Globo, a entrevista esclareceu muitos pontos obscuros do Plano e, por isso, alguns trechos foram repetidos no *Jornal Nacional* daquela noite. Naquela mesma edição, Mônica Waldvogel também entrevistou a ministra. A repórter lembra: "A Zélia passou uma tarde e um começo de noite na Globo, dando entrevistas para Paulo Henrique Amorim, Lillian Witte Fibe, Joelmir Beting. E eu fiquei acompanhando também. Quando os assessores da ministra viram que ela estava insegura, eles começaram a ir todos para emissora também, para ajudá-la nos intervalos das entrevistas. A Globo ficou praticamente a programação inteira transmitindo informações sobre o plano. A cada coisa que ela falava, ampliava a contradição. Foi quando deu o *insight* do que seria aquele governo. Eles estavam fazendo um plano extremamente violento, sem que tivessem se preparado para as respostas mais óbvias ou básicas da vida das pessoas."

Gilnei Rampazzo também se lembra do episódio: "As medidas econômicas eram tão inusitadas, tão malucas, geraram tanta perplexidade, que o próprio governo não teve dúvida em se instalar no prédio da Globo. Zélia Cardoso de Melo, João Santana, Kandir, enfim, todos os ministros recém-nomeados ficaram se revezando no estúdio com Joelmir Beting, com Lillian Witte Fibe, com Paulo Henrique Amorim, para tentar explicar aquela maluquice que eles tinham feito. O plano era tão complicado que era realmente necessário colocá-los lá para explicar e ficaram o dia inteiro. No primeiro, no segundo dia, dúvidas iam chegando, e eles em debates, explicações, entrevistas. Isso durou uns dois ou três dias até a perplexidade começar a se amenizar um pouco."

Ana Paula Padrão confirma que os dias que se seguiram ao anúncio do plano foram dramáticos, porque os telefones da Rede Globo não paravam de tocar. Os telespectadores tinham reclamações e dúvidas dos mais diferentes tipos, desde como quitar a última parcela de uma dívida até o que fazer para pagar uma cirurgia urgente. "E não é que a equipe econômica não tivesse respostas para dúvidas particulares", comenta ela, "eles não tinham respostas para dúvidas básicas, como o que fazer com as dívidas do cartão de crédito. Então, virou uma loucura, mas a gente tentou fazer o que pôde. Nos dias que se seguiram, medidas provisórias foram saindo, porque eles foram percebendo os erros, os problemas."

1

2

3

4

5

1. Cid Moreira apresentando o *Jornal Nacional* com o selo "Eleições 89" (*JN*, 1989).

2. Carlos Monforte e Lillian Witte Fibe entrevistando a ministra da Economia, Fazenda e Planejamento Zélia Cardoso de Melo sobre o lançamento do Plano Collor (17 mar 1990).

3. Alexandre Garcia mediando o debate entre Collor e Lula no segundo turno das eleições de 1989 (14 dez 1989).

4. Armando Nogueira, diretor da CGJ, acompanhando os resultados parciais das eleições de 1989 (16 nov 1989).

5. Roberto Marinho, presidente das Organizações Globo, com Boni, Armando Nogueira, Alice-Maria, os apresentadores Cid Moreira e Sergio Chapelin e os jornalistas e comentaristas LillianWitte Fibe, Alexandre Garcia, Joelmir Beting e Paulo Henrique Amorim (década de 1980).

Frente às muitas dúvidas da população em relação às medidas econômicas, no domingo seguinte, logo depois do *Fantástico*, o próprio Fernando Collor foi à televisão para explicar o Plano. O presidente deu uma entrevista exclusiva, ao vivo, aos jornalistas Paulo Henrique Amorim e Joelmir Beting. Ao ser perguntado sobre qual era a garantia de que o dinheiro confiscado seria devolvido após 18 meses, ele respondeu: "A garantia é que eu assino embaixo."

Já no final de 1990, no entanto, o Plano Collor começou a dar sinais de fraqueza. A inflação, o desemprego e a recessão voltaram a fazer parte da vida do brasileiro. O governo, então, resolveu lançar, em 31 de janeiro do ano seguinte, um novo pacote econômico, que ficou conhecido como Plano Collor 2. Entre as principais medidas, foram extintos o *overnight*, o BTN, o BTN fiscal e os outros indexadores da economia; congelados preços e salários; e criada uma taxa referencial de juros para o mercado financeiro. Para incentivar a concorrência no setor industrial, deu-se início ao cronograma de redução das tarifas de importação.

Naquele dia, a edição do *Jornal Nacional* dedicou cerca de 40 minutos de seu noticiário ao assunto. Com entrevistas exibidas ao vivo durante o telejornal, buscou-se explicar as novas medidas à população. Em Brasília, Mônica Waldvogel entrevistou Zélia Cardoso de Melo no Ministério da Economia, enquanto Alexandre Garcia conversava com o Antônio Kandir e Ibrahim Eris no estúdio da TV Globo. No Rio, Rodolfo Gamberini entrevistou o líder sindical Luís Antônio de Medeiros, e, em São Paulo, Carlos Nascimento falou com o economista da Fipe (Fundação Instituto de Pesquisas Econômicas) Juarez Rizzieri, especialista em cálculo de inflação.

As novas medidas anunciadas pelo governo, no entanto, não tiveram os efeitos esperados. Assim como a recessão e a inflação aumentaram, o índice de descontentamento da população com a política econômica também. O resultado foi a demissão de Zélia Cardoso de Melo e sua equipe em 9 de maio de 1991.

PARTE IV [1990-1995]

JN: Impeachment no Brasil e Guerra no Mundo

1

Alberico de Sousa Cruz Assume a Direção do Jornalismo

Mudanças na CGJ

Em abril de 1990, houve mudanças substanciais na Central Globo de Jornalismo. Os diretores Armando Nogueira e Alice-Maria, responsáveis pelo *Jornal Nacional* desde sua estréia, deixaram seus cargos, depois de 24 anos na emissora. Assumiu o comando da CGJ Alberico de Sousa Cruz, até então o diretor de telejornais de rede. O editor de política, Ronald de Carvalho, tornou-se diretor editorial, sendo substituído no seu antigo posto por Alexandre Garcia. Carlos Henrique Schroder, até então editor de Nacional, foi nomeado diretor de produção.

Outros profissionais também trocaram de posição. Paulo Henrique Amorim passou a chefiar a sucursal de Nova York no lugar de Lucas Mendes, enquanto a editoria de Economia, antes sob sua responsabilidade, transferiu-se para São Paulo, sob a chefia de Joelmir Beting.

Essas mudanças na cúpula do Jornalismo da TV Globo, no entanto, não significaram uma mudança de rumo no noticiário da emissora e no seu carro-chefe, o *Jornal Nacional*. Edson Ribeiro, um dos editores do *JN* desde 1972, assumiu a chefia do telejornal, no lugar de Fabbio Perez, que foi escalado para dirigir o Jornalismo da Globo em Brasília, no lugar de Gilnei Rampazzo. O novo editor-chefe deu continuidade ao trabalho realizado anteriormente.

As Novidades do Jornal Nacional

Em 1991, surgiu a primeira novidade dessa nova fase do *Jornal Nacional*: um quadro com a previsão do tempo, apresentado por Sandra Annenberg. Ela foi a primeira figura feminina a aparecer diariamente, num quadro fixo, no *JN*. Antes, apenas a jornalista Valéria Monteiro havia apresentado o telejornal aos sábados e blocos de notícias no período das Olimpíadas de 1988.

O quadro do tempo era produzido em São Paulo e gerado para o Rio por volta das 19h. Mas, naquela época, os equipamentos meteorológicos no Brasil eram ainda precários e o índice de erro nas previsões, muito grande. Sandra Annenberg lembra: "Não se fazia previsão com cinco dias de antecedência. Mal se conseguia acertar da manhã até a noite. Aquilo era muito duro porque a gente levava a sério, e era para ser levado a sério. Tentávamos fazer o que faziam as televisões norte-americanas e inglesas, principalmente a BBC, que foi a precursora da previsão do tempo no mundo."

A apresentação do quadro seguia um padrão bastante diferente do atual. Sandra Annenberg, por exemplo, não ficava todo o tempo de frente para o telespectador: "Eles achavam que assim eu dividiria a atenção com o mapa. Como o mapa era a grande estrela, eu tinha que levar o público até ele e, para isso, eu dava as costas para o telespectador. Eu falava para os meus chefes: 'Eu não posso dar as costas para o telespectador. Eu sempre aprendi que você tem que falar de frente para as pessoas.' Mas eles achavam que não, que eu tinha que levar o público até o mapa e mostrar onde estavam as coisas. Então, assim foi."

A grande novidade do *Jornal Nacional*, entretanto, apareceria em 1992. Naquele ano, o telejornal começou a usar reconstituição de fatos, em forma de desenhos ou de gravações com atores. O trabalho, um recurso nos casos em que a emissora não tinha a imagem do acontecimento, era realizado pelo departamento de arte da CGJ, sob a direção de Alexandre Arrabal.

Ao longo de 1992, a demanda pelas reconstituições cresceu tanto que, em outubro, foi montada uma espécie de subdepartamento dentro do departamento de arte somente para realizá-las. Era uma equipe de 20 pessoas – 16 ilustradores e quatro editores de videografismo – sob o comando de Roberto Simões e Hélio Bueno. Em geral, gravava-se a cena com figurantes. Mas, quando não havia tempo para gravações, a solução era recorrer aos desenhistas Ricardo Rocha, no Rio, e Walter da Silva Gomes, em São Paulo. Ágeis profissionais, eles conseguiam concluir a seqüência do ocorrido em cinco ou seis pranchas e em, no máximo, duas horas. As gravações levavam, em média, o dobro desse tempo.

Roberto Simões recorda: "A dificuldade estava diretamente ligada ao evento. Se era um assalto a banco, joalheria, a gente já tinha os movimentos, as ações mais ou menos codificadas dentro da cabeça. A gente sabia como fazer a seqüência. Se fosse alguma coisa nova, inusitada, tinha que partir do zero, da descrição do repórter que estava no local, isso quando havia repórter."

Depois de gravadas, as cenas reconstituídas por atores passavam por um processo de computação denominado "solarização" e "posterização", que acentuava o contraste da imagem, tornando-a um negativo. No caso de menores de idade, eram utilizados pequenos quadrados para desfocar o rosto, o chamado "efeito mosaico". Esses recursos eram usados para deixar bem claro que se tratava de uma reconstituição (ou uma simulação, como se preferiu chamar depois) e para preservar a identidade dos atores.

Em 1991, Edson Ribeiro deixou o *Jornal Nacional*, que passou a ser editado por Carlos Absalão, substituído tempos depois por Xico Vargas. O telejornal ganhou, então, uma orientação um pouco mais investigativa e começou também a se aproximar mais do público, produzindo mais matérias ligadas à comunidade, ao direito do cidadão e a comportamento de modo geral.

Assim que assumiu o cargo de editor-chefe do *Jornal Nacional*, Carlos Absalão reuniu-se várias vezes com Ronald de Carvalho para discutir o formato do telejornal. As reuniões foram precedidas de outras, sem a presença de Absalão, com a cúpula da CGJ – Alberico, Ronald e Schroder – que estudava pequenas mudanças de rumo para o telejornal. O *JN* era sempre extremamente noticioso e pretendeu-se, sem mudar o seu perfil, inserir nele um pouco mais de reportagens exclusivas, de longo alcance.

Absalão fala sobre o primeiro dia em que o *JN* foi produzido a partir desse princípio: "Como editor-chefe, eu tinha a obrigação de ver todas as matérias antes de exibir. E eu fui vendo, ao longo da tarde, as matérias que já estavam prontas ou que estavam sendo editadas, até que finalmente eu vi uma matéria e fiquei pasmo com a força dela. Começava com um sujeito de uns 50 anos, sentado em uma cadeira de hospital, com rodinhas atrás. Ele tinha sofrido um enfarte, respirava com dificuldade, falava com um fiapo de voz. Nesse fiapo de voz, você ouvia a dor do enfarte. E ele não tinha assistência. Então, a gente começou com essa matéria, muito forte do ponto de vista da saúde pública. O que a gente imaginou? 'Precisamos mostrar a realidade como ela é.' O cidadão que não tem recursos está exposto a essa realidade. A matéria teve uma repercussão muito grande. No dia seguinte, o diretor do hospital foi exonerado."

Absalão, no entanto, acredita que, na tentativa de consolidar esse conceito, alguns excessos foram cometidos, com a presença de muitas matérias sobre violência no noticiário. Isso aconteceu principalmente em 1991, sobretudo quando o telejornal teve de enfrentar a concorrência da novela infantil *Carrossel*, exibida no mesmo horário pelo SBT. A condição de líder do *Jornal Nacional* nunca foi ameaçada, mas o telejornal perdera alguns pontos.

Geneton Moraes Neto, então editor-chefe adjunto do *Jornal Nacional*, comenta o fato: "Claro que o *JN* nunca teve sua audiência ameaçada. Mas tinha momentos em que o SBT crescia. Não vencia, nem chegava perto disso, mas crescia. Isso foi com a novela *Carrossel*. E tinha também o *Chaves*. Eu até brinquei uma vez que eu tinha que queimar meus neurônios com o grande objetivo de evitar que os telespectadores acompanhassem as aventuras do Chapolin Colorado. Nessa época, houve momentos de crítica ao *JN* porque começamos a dar muita manchete policial. Eu me lembro de uma que entrou por acaso. O que é que eu fazia? Eu escrevia as manchetes que o Sergio Chapelin e o Cid Moreira liam e ficava pedindo aos editores para separar umas imagens, que a gente chama de *teaser*, para ilustrar as manchetes do jornal. Alguém disse: 'Olha, teve um caso em São Paulo de um cara que jogou ácido na cara da mãe e está preso.' Eu disse: 'Então separa uma imagem.' Só que, às vezes, não dava tempo de eu ver todas aquelas imagens, e o *teaser* subia direto. Não precisava ver todas também, né? Eram imagens da própria matéria. Só que, por azar, separaram a imagem da mulher ferida, queimada. E isso foi para o ar, na escalada do *JN*, e deu margem para que se criticasse o que a direção do *Jornal Nacional* estava fazendo."

Tão logo esses excessos foram notados, Alberico de Sousa Cruz determinou que a rota inicial fosse retomada. "Uma coisa é apostar em matérias exclusivas, de impacto, de real interesse do público. Outra, bem diferente, é cair em qualquer coisa que pareça sensacionalismo. Este nunca foi o caso do *Jornal Nacional*. Mas o bom conceito de que ele desfruta é tão grande que, mesmo matérias que passariam como normais em outros telejornais de horário nobre, no *JN* causam celeuma. Tudo durou pouco, logo mandamos mudar", relembra Carlos Henrique Schroder, então diretor de produção.

Um Novo Conceito de Produção

Com Alberico de Sousa Cruz na direção da CGJ, foram implementadas mudanças na produção e na realização das matérias jornalísticas. A proposta do novo diretor era fazer um jornalismo com muitas entradas ao vivo, e que fosse mais próximo do dia-a-dia do cidadão. A primeira providência para conseguir isso foi repensar o conceito do CPN (Centro de Produção de Notícias), o antigo modelo de produção dos telejornais. Decidiu-se entregar nas mãos do editor-chefe a responsabilidade por todo o noticiário a ser apresentado. Nesse novo modelo, o papel da produção seria mais de apoio.

A nova estrutura descentralizada ajudava a reduzir o número de erros. Como o editor está o tempo todo em contato com o repórter, ele pode controlar todas as etapas da realização das matérias e saber exatamente o rumo que vão ter. Como explica Carlos Henrique Schroder: "O editor-chefe passou a ficar, de fato, responsável pelo telejornal. Antes você ficava absolutamente dependente da produção. Nesse novo modelo, o editor-chefe e a sua equipe passaram realmente a coordenar o jornal. A produção ajuda a levantar informações, mas quem detém o controle é o editor-chefe."

Informatização do Jornalismo

No início dos anos 1990, a CGJ foi toda informatizada, o que representou um ganho de tempo muito grande para o Jornalismo. Os computadores passaram a interligar *online* todas as praças, repórteres e editores.

1

2

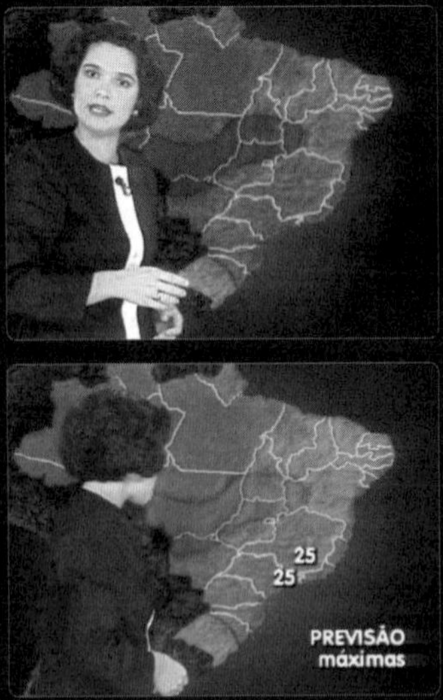

1. O diretor da CGJ, Alberico de Sousa Cruz, na redação do Jornalismo em São Paulo (s/d).

2. Quadro do tempo apresentado por Sandra Annenberg. Para não desviar a atenção do telespectador, em alguns momentos a apresentadora dava as costas para o público (*JN*, 8 jul 1991).

3. Bastidores da gravação do quadro com a previsão do tempo com Sandra Annenberg (s/d).

4. Reconstituição feita por Roberto Simões para o *Jornal Nacional* (s/d).

3

4

O processo de informatização começou com Armando Nogueira e foi concluído na gestão de Alberico de Sousa Cruz. Na sua primeira fase, o responsável pela operação foi o jornalista Luiz González e, na segunda, Carlos Peixoto. Eram eles que faziam a ligação do Jornalismo com a Central Globo de Informática.

A informatização implicou a adoção de um sistema de controle de conteúdo muito mais forte do que se tinha até então. "Antes, era tudo no papel: cada alteração no script exigia dez cópias. Você batia à máquina, ia correndo na xerox, tirava as cópias, saía distribuindo para o operador do teleprompter, para o apresentador etc. Era uma loucura", lembra Carlos Peixoto.

Carlos Absalão conta que a informatização acelerou muito a produção do *Jornal Nacional*, mas, no início, a nova tecnologia também provocou situações embaraçosas: "Quando acabava o *JN*, o espelho do jornal que ficava na tela do computador era movido para um outro arquivo, mas continuava fisicamente ocupando espaço. E aí a gente sugeriu que a informática programasse uma tecla que, quando você acionasse, eliminasse o espelho daquela janela. Para ganhar tempo, porque senão nós tínhamos que ir destruindo retranca por retranca para poder ter o espelho do dia. E, para evitar que as outras pessoas tivessem acesso a essas funções, eles classificaram alguns como 'clientes especiais'. Quem eram? Os editores-chefes e os diretores. Mas a gente foi vendo que isso criava situações constrangedoras. Às vezes, Alberico de Sousa Cruz entrava na página para ler o texto de locução do apresentador, tocava o telefone e ele ficava numa ligação e passava para outra etc. e deixava o espelho aberto, sem terminar o que nele estava fazendo. E nós, na redação, queríamos fazer alterações, acrescentar informação, mexer, pôr créditos, e não podíamos, porque a página estava trancada. O Basys [antigo sistema de editoração e paginação] era assim. Eu tinha que parar tudo, pegar o telefone, às vezes falava com a secretária dele, às vezes com o próprio Alberico: 'Ô Alberico, o pessoal está querendo mexer, acho que você prendeu aí sem querer.' Era um constrangimento." A partir daí o sistema foi se aperfeiçoando, incorporando novas ferramentas de informática, para dar cada vez mais agilidade à edição do telejornal.

Fórmula 1

A Rede Globo começou a acompanhar as corridas de Fórmula 1 em 1972, quando foi realizado o primeiro Grande Prêmio no autódromo de Interlagos, em São Paulo. A prova não contou pontos para o Campeonato Mundial. Somente em 1973 o país passou a fazer parte do calendário oficial da competição. Era o início da história do esporte da velocidade no Brasil. A partir de então, os treinos, a história dos pilotos e das equipes e os momentos mais marcantes das corridas foram notícia no *Jornal Nacional*.

Fittipaldi e Pace – Na década de 1970, um dos destaques das matérias de esporte no *JN* eram as vitórias dos pilotos Emerson Fittipaldi e José Carlos Pace. A primeira grande conquista do Brasil no Mundial de Fórmula 1 foi no ano de 1972, quando Fittipaldi ganhou o título de campeão na temporada.

Dois anos depois, o *Jornal Nacional* acompanhou os preparativos da corrida que ia decidir o título da temporada de 1974. Nas pistas, Emerson Fittipaldi brigava pela conquista de mais um campeonato mundial. A transmissão da prova, disputada no circuito de Watkins Glen, nos Estados Unidos, foi a primeira produção internacional realizada pelo escritório da TV Globo em Nova York.

No *JN* do dia 4 de outubro de 1974, o enviado especial da TV Globo Luciano do Valle informou, através de audiotape, os resultados dos primeiros treinos para a prova. Três pilotos brigavam pelo título mundial: Clay Regazzoni, Emerson Fittipaldi e Jody Schekter. O brasileiro terminou a corrida em quarto lugar. Mesmo fora do pódio, conquistou o título de bicampeão mundial na categoria. A vitória foi noticiada no *JN* no dia 7 de outubro. Em meados da década de 1970, o piloto lançou uma equipe brasileira de corrida, com o patrocínio da empresa Copersucar, mas o carro obteve poucos resultados e a equipe se desfez no início de 1980.

O brasileiro José Carlos Pace conseguiu a primeira vitória na Fórmula 1 no Grande Prêmio do Brasil, no circuito de Interlagos,

1. *O piloto Emerson Fittipaldi comemorando vitória na Fórmula 1 (década de 1970).*

em 1975. Emerson Fittipaldi ficou com o segundo lugar. No ano de 1977, Pace morreria em um acidente aéreo. A notícia foi ao ar no *Jornal Nacional* no dia 19 de março; o bloco do telejornal, apresentado diretamente de São Paulo, informava que o Conselho Nacional de Desportos (CND) havia decretado luto oficial de três dias em todo o esporte brasileiro pela morte do piloto.

Piquet – No final da década de 1970, outro brasileiro começou a despontar como uma das grandes revelações na Fórmula 1. No *Jornal Nacional* de 29 de julho de 1978, Fernando Vannucci informou que Nelson Piquet estreava no Grande Prêmio da Alemanha. Dois meses depois, uma matéria do repórter José Hawilla no *JN* mostrava que Piquet tinha assinado contrato com a equipe Brabham.

Piquet conquistou o primeiro título de campeão em 16 de outubro de 1981, no Grande Prêmio de Las Vegas, nos Estados Unidos. Na matéria do *Jornal Nacional* no dia se-

2. *O repórter Reginaldo Leme entrevistando o piloto Nelson Piquet na conquista do bicampeonato mundial (JN, 15 out 1983).*

3. *O repórter Reginaldo Leme cobrindo o Grande Prêmio do Japão de Fórmula 1 (JN, 18 out 1991).*

guinte ao da vitória, o piloto se emocionou ao ser entrevistado por Reginaldo Leme. O repórter conta que Piquet tentou se conter até a última pergunta, mas após alguns segundos em silêncio começou a chorar.

O piloto voltou a ser destaque no *Jornal Nacional* em 15 de outubro de 1983, quando conquistou o segundo título mundial de Fórmula 1, no Grande Prêmio da África do Sul. O principal adversário de Piquet era o piloto francês Alain Prost, que não conseguiu terminar a prova.

Quatro anos depois, a briga pelo título foi entre o inglês Nigel Mansell e Nelson Piquet. O campeonato ficou com o brasileiro, depois que Mansell sofreu um acidente nos treinos do Grande Prêmio do Japão, que o afastou da prova e do título.

Em 1991, Nelson Piquet deixou a Fórmula 1 e foi competir na Fórmula Indy. Em maio do ano seguinte, nos treinos para as 500 milhas de Indianápolis, o piloto sofreu o pior acidente da sua carreira, que o deixou com um sério ferimento no pé. Em 1993, Piquet voltou para disputar as 500 milhas, mas não concluiu a prova.

Senna – O brasileiro de maior sucesso na história do automobilismo mundial foi Ayrton Senna. Uma das primeiras entrevistas do piloto no *Jornal Nacional* foi em 9 de dezembro de 1983. A matéria mostrava que Senna havia assinado contrato com a equipe Toleman para correr na Fórmula 1. O piloto revelava que a proposta, nesse primeiro ano, era garantir uma vaga no pódio, ficando entre os três primeiros colocados. Senna conseguiu concretizar o seu objetivo no Grande Prêmio de Mônaco, quando ficou com o segundo lugar na prova.

O *Jornal Nacional* noticiou com destaque as vitórias de Senna na Fórmula 1. O auge da carreira do piloto foi em 1991. Naquela temporada, Senna obteve 7 vitórias, 12 pódios e atingiu a marca de 96 pontos no campeonato. Foi também, em 1991, que o piloto conseguiu vencer o Grande Prêmio do Brasil, no autódromo de Interlagos.

A consagração como tricampeão de Fórmula 1 veio no Grande Prêmio do Japão. O único piloto que ameaçava Senna na temporada era Nigel Mansell. Porém, em virtude de um erro do piloto, o carro de Mansell rodou e foi parar fora da pista. Ninguém mais poderia tirar o título de Senna.

Em 1993, Senna, como piloto da McLaren, tentava superar o bom desempenho da equipe Williams. Mesmo não competindo com o melhor carro, o brasileiro voltou a brilhar e venceu o Grande Prêmio do Brasil. A comemoração do piloto, ao lado da torcida que carregava a bandeira do Brasil nas pistas de Interlagos, foi uma das

4. *Senna comemorando com a bandeira brasileira depois da vitória do Grande Prêmio do Brasil, no circuito de Interlagos (28 mar 1993).*

5. *Comemoração de Senna com a torcida em Interlagos (28 mar 1993).*

6. *Senna no pódio após a vitória no Grande Prêmio de Mônaco (set 1992).*

imagens mais emocionantes da história da Fórmula 1.

Na temporada de 1994, o melhor piloto da Fórmula 1 iria correr pela Williams, no melhor carro da categoria. No dia 1º de maio, Senna morreria em um acidente no Grande Prêmio de Ímola, na Itália. A cobertura do acidente e da morte do piloto foi apresentada no programa *Fantástico*. O *Jornal Nacional* acompanhou os momentos mais emocionantes do velório pelas ruas de São Paulo e mostrou as principais investigações sobre as causas do acidente.

Rubinho e Schumacher - Com a morte de Senna, a esperança da torcida brasileira ficou com Rubens Barrichello. Em 4 de setembro de 1999, a Ferrari anunciou a contratação de Rubinho. A notícia foi ao ar no *JN*, com uma reportagem de João Pedro Paes Leme. O companheiro de equipe de Barrichello, o alemão Michael Schumacher, é um dos mais importantes pilotos da atualidade. Com sucessivas vitórias, conseguiu bater o recorde do argentino Juan Manuel Fangio, cinco vezes campeão mundial, conquistando seu sexto título em 12 de outubro de 2003. No dia seguinte, o *Jornal Nacional* noticiou a festa da Ferrari no Grande Prêmio do Japão: além do título para Schumacher, Rubens Barrichello tinha vencido a prova.

2

Coberturas Internacionais

Os escritórios da Rede Globo no exterior – sobretudo o de Londres – continuavam muito ativos no início dos anos 1990, período rico em grandes acontecimentos internacionais, como os conflitos no Oriente Médio e o aprofundamento das transformações no mundo socialista.

Guerra do Golfo

No dia 2 de agosto de 1990, o Kuwait foi invadido por tropas iraquianas. Era o início de um longo conflito que levaria à Guerra do Golfo. No dia 6, a ONU impôs um boicote econômico ao Iraque e, dois dias depois, o presidente americano George Bush anunciou o envio de tropas à Arábia Saudita. Durante cinco meses, tentou-se em vão chegar a uma solução pacífica. Até que os Estados Unidos estabeleceram o dia 15 de janeiro de 1991 como data-limite para a retirada dos iraquianos do Kuwait.

A crise foi acompanhada, passo a passo, pelo *Jornal Nacional* e pelos outros telejornais da Rede Globo. A cobertura foi uma das mais complexas operações montadas pela CGJ até então. Dois dias depois da invasão do Kuwait, o repórter Pedro Bial, a produtora Bel Bicalho e o cinegrafista Luiz Demétrio Furkin já estavam no Golfo Pérsico. O correspondente conta que nenhum dos dois países queria recebê-los, nem o Kuwait, nem o Iraque. Os Emirados Árabes aceitaram, mas os repórteres não podiam, nas matérias, revelar onde estavam, nem transmitir imagens que pudessem identificar o lugar. Depois de quase um mês nos Emirados Árabes, a equipe da Globo foi para Amã, na Jordânia. De lá, conseguiu entrar no Iraque, onde o clima era bastante tenso. Acreditava-se que os Estados Unidos iam bombardear o local a qualquer momento.

Pedro Bial lembra que fez ali aquela que considera a sua reportagem mais emocionante da guerra. "A gente foi ao acampamento dos operários da Mendes Junior e parecia uma história literária de realismo fantástico. Era uma cidade brasileira em pleno deserto. Já tinham vivido lá dez mil pessoas. Naquela época, tinha só 300. Eles construíram uma estrada lindíssima, aliás, a estrada que vai de Bagdá para Amã. Eles queriam ir embora, estavam morrendo de medo e desesperados. Então, quando a gente chegou, foi mais do que uma equipe de reportagem, foi a tábua de salvação deles. Foi impressionante. Todos queriam falar, o desespero e o alívio de ver alguém, o microfone da Globo", lembra o repórter. O encerramento da matéria – exibida em 4 de setembro – foi gravado em frente à rodovia: "Todos os dias, os operários olham a bela estrada que construíram com tanto suor e que agora não pode levá-los a lugar nenhum."

Em setembro, o Iraque expulsou de Bagdá todos os jornalistas estrangeiros – entre eles o repórter da Globo – e suspendeu a concessão de vistos. O Ministério da Informação também proibiu as transmissões de imagens via satélite. As últimas informações que Pedro Bial pôde mandar da capital iraquiana foram por telefone.

Silio Boccanera estava de férias no Brasil quando o Kuwait foi invadido pelas tropas de Saddam Hussein. Mas no início de setembro, foi enviado para a Jordânia – o local mais próximo à região do conflito a que se conseguia chegar então – e registrou a realidade dos refugiados de guerra. Numa de suas reportagens, mostrou um acampamento próximo à fronteira do Iraque, onde 60 mil pessoas enfrentavam o calor do deserto em condições precárias. No final daquele mês, Silio Boccanera conseguiu entrar em Bagdá, junto com o cinegrafista Sergio Gilz e o assistente Edson Nascimbeni. Naquela ocasião, houve uma crise diplomática, pois muitos estrangeiros não conseguiam visto de saída do Iraque, tornando-se reféns de Saddam Hussein. O repórter acompanhou as negociações do embaixador Paulo Tarso Flecha de Lima com o governo iraquiano para a liberação dos brasileiros que trabalhavam no país. No dia 4 de outubro, o *JN* mostrou a chegada dessas pessoas ao Brasil. Silio Boccanera acompanhou o "vôo da liberdade" entre Bagdá e Brasília.

A guerra propriamente dita ainda não havia começado: somente em 17 de janeiro de 1991 os Estados Unidos lançaram as primeiras bombas sobre Bagdá. A notícia do bombardeio foi dada em primeira mão pela Rede Globo, que furou inclusive a imprensa internacional. A emissora divulgou a informação alguns minutos antes da CNN. Geneton Moraes Neto lembra o episódio: "Aníbal Ribeiro estava no terminal do computador, quando piscou o flash de uma linha da agência EFE: 'Começou o bombardeio em Bagdá.' Aníbal então gritou: 'Começou a guerra!' Por sorte, o William Bonner estava numa ilha de edição, porque ele fazia e apresentava o *Jornal da Globo*. Eu me lembro que saímos os dois correndo para a cabine de locução. Foi tudo em questão de segundos. 'Pára a novela, que começou a guerra.' O cara interrompeu a programação, caiu um *slide* e Bonner deu a notícia. Voltou todo o mundo correndo para a redação. Eu peguei o telefone e liguei para o Paulo Henrique Amorim, chefe do escritório de Nova York. Depois de interromper a novela que o Brasil inteiro estava vendo, eu falei com a maior excitação do mundo: 'A gente já deu a notícia da guerra.' Paulo Henrique respondeu: 'Mas que guerra?! A TV aqui não deu esse negócio ainda.' Foi o maior susto que eu tomei em toda a minha vida. Eu fiquei amarelo, branco, azul, verde. Será que a gente tinha dado uma informação errada? Mas, para meu alívio, a TV americana noticiou o início dos bombardeios dois minutos depois."

Naquele momento, os repórteres da TV Globo já tinham sido deslocados para a região. Carlos Dorneles passou três meses em Israel junto com Bel Bicalho e o cinegrafista Paulo Zero. Silio Boccanera foi novamente para a Jordânia com Luiz Demétrio Furkin: "Todo o mundo queria chegar ao Iraque, mas o governo não estava deixando. Ao contrário: os jornalistas estavam sendo expulsos de lá. Fomos então para a Jordânia, que era o lugar mais próximo, na expectativa de conseguir entrar no Iraque. A outra área de ataque era na Arábia Saudita, onde estavam as tropas norte-americanas. Nós fomos depois para lá e ficamos nesses dois pontos do conflito."

A cobertura da Guerra do Golfo trouxe uma novidade para o jornalismo da Rede Globo. Pela primeira vez, os correspondentes apareceram conversando entre si. Numa época em que a transmissão ao vivo ainda era uma operação arriscada, sujeita a inúmeras falhas, aquilo foi uma ousadia. Carlos Henrique Schroder comenta: "Foi uma decisão rápida da empresa de apostar na cobertura *in loco*. Nós mandamos quatro repórteres para aquela região. E quando a gente descobriu que podia fazer entradas ao vivo de lá, começamos a usar os repórteres trazendo as informações do dia e falando entre si. Foi um diferencial enorme."

Para acompanhar a guerra foi praticamente criada uma editoria especial. O assunto ocupava um bloco inteiro do *Jornal Nacional*. Esse bloco era produzido à parte, com editores próprios, e apresentado de um estúdio separado, tendo como âncora Ernesto Paglia. A equipe de arte do Jornalismo, coordenada por Roberto Simões, criou um cenário com o mapa do Oriente Médio, no qual Paglia indicava os locais de combate. Toda vez que ele apontava um local no mapa, havia uma fusão para as imagens desse lugar; depois voltava para o apresentador, que então chamava o repórter que estava lá. Para explicar melhor a guerra, o *JN* também contou com a análise de dois especialistas em estratégias militares: o professor Geraldo Cavagnari, da Unicamp, e o jornalista Roberto Godoy, da Agência Estado.

Apesar de toda a estrutura montada pela TV Globo, foram inúmeras as dificuldades na cobertura do conflito. Em Israel, por exemplo, havia uma censura prévia às matérias das televisões estrangeiras. Antes de serem geradas, eram analisadas por um censor. Por conta do fuso horário, a rotina de trabalho dos correspondentes também era desgastante. Carlos Dorneles conta que o dia da equipe em Jerusalém começava às 7h da manhã e só terminava de madrugada, depois que o *Jornal Nacional* ia ao ar no Brasil.

Dorneles lembra que o estresse e o cansaço eram tão grandes que, certo dia, chegou a entrar dormindo no *Jornal da Globo*: "Estava acordado havia três dias. Se eu estivesse conversando com alguém em pé, e não estivesse falando, eu dormia. Tinha que me segurar. Estava completamente demolido, estressado, sem entender direito como é que as coisas estavam funcionando. Num dia, pediram que a gente entrasse no *Jornal da Globo*. Eu fiquei esperando por umas três ou quatro horas. A gente ficou na sala de edição. Paulo Zero deitou no chão e Bel Bicalho também. E eles dormiram. Eu coloquei um tampão de olho, me escorei no telefone e fiquei esperando. Normalmente, antes de entrar no ar, alguém falava no telefone: 'Dorneles, já vão te passar lá para dentro do estúdio. Daqui a um minuto você entra.' Mas eu acabei dormindo. E fiquei sonhando com maravilhas e não com guerra. Até que, nos meus devaneios, ouvi a voz do Bonner ao longe falando assim: 'Dorneles como é que está a situação aí?' Eu imaginei que ele estava me preparando para a entrada e respondi: 'Tudo a mesma coisa: um soldadinho para cá, um soldadinho para lá; uma bombinha aqui, uma bombinha ali.'" William Bonner lembra o episódio: "Eu estava vendo a hora em que Dorneles ia soltar um palavrão. Foi o maior pânico no *switcher* [a sala de controle de transmissão do jornal]: 'Ele não sabe que está no ar.' Aí, eu falei: 'Dorneles, há poucos instantes, os telespectadores da Rede Globo tiveram a oportunidade de ouvir direto, ao vivo, de Nova York, o correspondente Paulo Henrique Amorim. E ele nos dizia que o Congresso americano ainda não tem posição formada a respeito disso. Nós sabemos que a situação na Jordânia é também dramática, porque o rei foi para um lado e não sei o quê. Dorneles, e aí em Jerusalém?' Então, nós perdemos o contato com Jerusalém. Eu fui saber, muito tempo depois, que, na hora em que o Dorneles entendeu o que tinha acontecido, baixou o telefone e falou para o Paulo Zero, cinegrafista: 'Eu estava no ar. Ai meu Deus.' E desligou o telefone na minha cara."

O repórter Pedro Bial também conta as dificuldades que enfrentou para conseguir entrar no Iraque depois do início dos bombardeios. À espera do visto, ele e o cinegrafista Sergio Gilz ficaram presos em Amã. Só conseguiriam chegar a Bagdá um dia depois do cessar-fogo. E, mesmo assim, com a interferência do governo de Fidel Castro, com quem Alberico de Sousa Cruz conseguiu negociar. Mesmo já tendo terminado a guerra, a equipe da TV Globo ainda realizou diversas reportagens. No dia 8 de março, no entanto, Bial e Gilz foram obrigados a deixar o Iraque junto com os demais correspondentes estrangeiros. Eles seguiram de carro pela estrada que ligava Bagdá à capital da Jordânia.

O Fim da URSS

Em agosto de 1991, descontente com as reformas que Mikhail Gorbachev vinha realizando na URSS, a linha dura do Partido Comunista Soviético aproveitou-se das férias do presidente para decretar estado de emergência. No dia 18, funcionários da KGB cercaram a casa de campo de Gorbachev enquanto o vice-presidente Gennady Yanayev anunciava publicamente o seu afastamento. O comitê de linha dura que assumiu o governo era formado por ministros, generais e pelo presidente da KGB, Vladimir Kryuchkov, e chefiado por Yanayev, até então homem de confiança do presidente deposto.

O repórter Pedro Bial e o cinegrafista Sergio Gilz estavam a caminho da Sibéria para realizar uma reportagem sobre os crimes de Stálin quando, em escala em Moscou, no dia 18 de agosto, receberam a notícia do golpe de Estado. Gilz conta como foi: "Íamos fazer um *Globo Repórter* na Sibéria. Os planos eram voar Londres–Moscou e no dia seguinte seguir viagem. Chegamos à noite, jantamos com nosso produtor local e acertamos nossa partida para o dia seguinte. Pela manhã, Pedro Bial bateu nervosamente na porta do meu quarto dizendo que estava acontecendo um golpe de Estado. Nosso produtor havia ligado, avisando que Gorbachev estava desaparecido. Saímos para o centro de Moscou e só víamos tanques pelas ruas. No coração do comunismo, ninguém poderia imaginar o que viria acontecer. Só podíamos pensar no pior. Entramos em contato com a Globo no Rio, pois precisávamos mandar matéria para o *JN* daquela noite. Ninguém entrava nem saía de Moscou. Por sorte, as comunicações não haviam sido cortadas. Fomos para o escritório de uma agência de notícias internacional onde, enquanto eu conversava por telefone com Schroder, no Rio, acertando nossa cobertura, Bial tentava entender o que estava, efetivamente, acontecendo. Foram algumas noites sem dormir e muita tensão."

Apesar de não estarem credenciados e não poderem participar das entrevistas coletivas da junta golpista, Pedro Bial e Sergio Gilz cobriram os acontecimentos nas ruas de Moscou. A primeira matéria para o *JN* mostrava as manifestações do povo contra o golpe, enquanto nenhuma agência de notícias mencionava a resistência. Eram imagens do protesto: o povo barrando a passagem do exército e subindo nos tanques enviados para cercar o Parlamento russo. Naquele dia, o presidente da Rússia, Boris Yeltsin, de cima de um tanque, convocou uma greve geral e pediu ao povo que resistisse aos golpistas. A população fez vigília em frente ao Parlamento da república russa para protegê-lo de qualquer ataque de tropas de choque, enquanto tropas leais a Yeltsin – trinta tanques e blindados – se aproximavam para defender o presidente.

No dia seguinte, 20 de agosto, o mundo reagia ao golpe de Estado que tirara o presidente soviético do poder. O *Jornal Nacional* mostrou a repercussão em diferentes países: Luís Fernando Silva Pinto e Carlos Dorneles, nos EUA, Valéria Sffeir e Silio Boccanera, na Europa, e Luiz Fernando Lima, em Cuba (onde se encontrava para cobrir os Jogos Pan-americanos).

Os movimentos de resistência aumentavam ainda mais. Pedro Bial mostrou uma manifestação em frente ao Parlamento russo que reuniu cerca de 50 mil pessoas. Boris Yeltsin pediu a dissolução da junta e convocou a multidão para resistir até o fim. No início da noite, o Comitê de Emergência mandou 30 tanques, 40 blindados e cerca de mil soldados para a primeira ação militar após o golpe – a invasão do Parlamento, de onde Yeltsin comandava as manifestações populares. Os confrontos entre os moscovitas e as tropas golpistas duraram toda a madrugada.

O golpe de Estado na URSS fracassara. A junta que tentou derrubar Gorbachev abandonou o Kremlin no dia 21 de agosto e fugiu de avião, enquanto o presidente deposto voltou a Moscou e reassumiu o governo. Naquele dia, o *Jornal Nacional* noticiou: "O mundo respira aliviado com a vitória da democracia." Gorbachev voltou, mas o grande herói do episódio foi Boris Yeltsin, que desde o início organizou o movimento de resistência popular.

Pedro Bial acompanhou a festa dos soviéticos no dia em que Gorbachev reassumiu o poder. O repórter viu as pessoas, que antes evitavam a calçada em frente à KGB, passando sem medo diante do prédio da polícia secreta soviética. A cena de um homem dando um chute na porta de vidro da KGB ilustrava bem o sentimento de liberdade do povo russo naquele momento. A imagem foi captada com exclusividade pelo cinegrafista Sergio Gilz e depois requisitada pelas redes de televisão do mundo todo.

Bial e Gilz também presenciaram a derrubada da estátua de Félix Dzerzhinski – fundador da KGB em 1918 – que ficava em frente ao prédio da polícia secreta. Com a ajuda de cordas e um guindaste, a estátua de ferro – símbolo de um tempo negro para os soviéticos – foi arrancada.

Aqueles três dias foram o começo do fim do comunismo soviético. O movimento golpista que pretendia fortalecer a URSS acabou decretando sua falência. Entre as inúmeras medidas tomadas por Gorbachev após o golpe, estava o endosso a todos os decretos que Yeltsin promulgara desde 19 de agosto, inclusive um que proibia as atividades do Partido Comunista da república russa. Em seguida, Gorbachev decidiu acabar com o PC soviético. O fracasso do golpe também fortaleceu o movimento das repúblicas que lutavam pela soberania. Em poucos dias, a Federação Russa, as repúblicas bálticas – Letônia, Estônia e Lituânia – e a Ucrânia declararam sua independência.

No dia 8 de dezembro de 1991, a Rússia, a Ucrânia e a Bielo-Rússia – que respondiam por 70% da população da URSS e pela maior parte das riquezas do país – criaram a Comunidade de Estados Independentes (CEI). A decisão se chocava com os planos de Gorbachev de criar uma União de Estados Soberanos para substituir a URSS. Nos dias que se seguiram, as demais repúblicas soviéticas foram aderindo à CEI, com exceção da Geórgia e do Azerbaijão (que só ingressaram na Comunidade em 1993) e das repúblicas bálticas. No dia 21 daquele mês, os presidentes da Armênia, Bielo-Rússia, Cazaquistão, Federação Russa, Moldávia, Quirguistão, Tadjiquistão, Turcomenistão, Ucrânia e Uzbequistão assinaram acordo que declarava extinta a União Soviética e estabelecia formalmente a Comunidade de Estados Independentes. No Natal de 1991, Mikhail Gorbachev, no poder havia mais de seis anos, renunciou. Logo depois de seu discurso, a bandeira vermelha com a foice e o martelo foi retirada do Kremlin e, em seu lugar, subiu a bandeira russa.

Pedro Bial mais uma vez acompanhou de perto os acontecimentos em Moscou. Naquele dia, o repórter entrou ao vivo interrompendo por alguns minutos o programa *Roberto Carlos Especial*. A União Soviética deixou de existir oficialmente no dia 31 de dezembro daquele ano. A Federação Russa foi reconhecida pela comunidade internacional como sua legítima sucessora.

GUERRA CIVIL NA IUGOSLÁVIA

Um dos maiores dramas da Europa Oriental teve como palco a Iugoslávia, nação erguida no pós-guerra com a união de seis repúblicas (Eslovênia, Croácia, Bósnia-Herzegovina, Sérvia, Montenegro e Macedônia), além de duas províncias autônomas (Kosovo e Voivodina). Desde 1945, o país vivia sob o regime comunista, estabelecido pelo ditador Josip Broz, o marechal Tito, que fundou a República Federal Socialista da Iugoslávia. Após sua morte, em 1980, os comunistas começaram a perder o controle do país. As divergências entre a Sérvia, principal república da Iugoslávia, e as demais regiões se agravaram. Em 25 de junho de 1991, depois de um plebiscito, a Eslovênia e a Croácia declararam independência. Slobodan Milosevic, eleito presidente da Sérvia em 1989, não aprovou a autonomia das duas repúblicas e teve início uma sangrenta guerra civil.

Poucos dias após o início dos ataques à Eslovênia – primeira república a ser bombardeada pelo Exército iugoslavo controlado pelos sérvios –, o correspondente Silio Boccanera e o cinegrafista Luiz Demétrio Furkin foram para Liubliana, capital eslovena. Durante uma semana, a equipe da Rede Globo enviou matérias para o *Jornal Nacional* mostrando a situação do país durante o conflito entre as forças locais e as tropas federais. Os repórteres foram até o aeroporto da cidade, onde eram grandes os estragos causados pelos bombardeios. Nas estradas ao sul da Eslovênia, ficaram no meio do fogo cruzado, mas conseguiram captar imagens impressionantes dos ataques da Força Aérea iugoslava sobre os rebeldes eslovenos.

Em 8 de julho de 1991, a Iugoslávia firmou acordo de paz com a Eslovênia. Logo em seguida, entretanto, o exército invadiu a Croácia e, com a ajuda das milícias sérvias locais, passou a ocupar um terço de seu território. A Rede Globo não enviou nenhum correspondente internacional para a Croácia e a cobertura do *JN* foi feita basicamente com imagens produzidas pelas agências de notícias internacionais. A Comunidade Européia e a ONU intervieram no conflito, que durou até janeiro de 1998, quando os territórios ocupados pelos sérvios foram entregues definitivamente à administração croata.

Seguindo os passos da Eslovênia e da Croácia, a Bósnia-Herzegovina também declarou sua independência. Num referendo realizado em fevereiro de 1992, a maioria da população votou a favor da soberania, enquanto os sérvios defenderam a permanência da república na Iugoslávia. Com isso, começaram os confrontos em Sarajevo, capital da Bósnia-Herzegovina, em que muçulmanos, croatas e sérvios destruíram-se uns aos outros. A Iugoslávia não participou oficialmente do conflito, mas forneceu apoio financeiro e militar às milícias sérvias, que rapidamente controlaram mais da metade da república. Iniciou-se uma "limpeza étnica" das áreas ocupadas e campos de concentração começaram a surgir. A situação em Sarajevo chamou a atenção da comunidade internacional, que via todos os dias imagens chocantes do conflito. A população civil da Bósnia estava sendo dizimada, praticamente ao vivo, diante das câmeras das inúmeras redes de televisão.

A guerra na Bósnia completou um ano em abril de 1993. Àquela altura, já havia 135 mil civis mortos, sendo três mil crianças. Mais de um milhão de refugiados não tinham para onde ir. Pedro Bial e Sergio Gilz acompanharam um dos vôos noturnos promovidos pela ONU para lançar alimentos e medicamentos para a população bósnia, numa operação batizada de "Promessa de Prover". No avião, que voava a uma altitude de três mil metros para evitar os bombardeios, os correspondentes aprenderam noções básicas de pára-quedismo e tiveram que usar máscaras de oxigênio nos momentos em que os mantimentos eram lançados. Para registrar a missão, o cinegrafista foi amarrado a um cabo que permitia que ele chegasse à ponta da rampa, quando a parte traseira do avião se abria para o lançamento das caixas. O vôo partiu da Alemanha e durou seis horas e meia, duas delas sobrevoando a Bósnia.

Pedro Bial e Sergio Gilz presenciaram de perto os horrores da guerra quando foram enviados para Sarajevo, em julho 1994. Os dois saíram de Zagreb, capital da Croácia, em um avião da ONU, junto com as tropas de paz. "Havia sempre a possibilidade de o avião ser alvejado, o que nos obrigava a tirar uma das proteções extras dos coletes à prova de bala que tínhamos nas costas e peito e sentar sobre ela. Na chegada, o avião taxiou bem próximo a uma proteção de sacos de areia para que pudéssemos sair com um risco menor de sermos atacados pelas tropas sérvias. O caminho do aeroporto para o hotel era a parte mais difícil. Nesse momento, ficávamos mais tempo expostos aos franco-atiradores", lembra Sergio Gilz.

Durante cerca de 20 dias, a equipe percorreu a capital da Bósnia, completamente devastada pelas bombas lançadas sobre a cidade em dois anos de conflito. Apesar de, na época, ter sido estabelecido um cessar-fogo entre sérvios e muçulmanos, diariamente esse acordo era violado. Munidos de capacete e colete à prova de bala, cinegrafista e repórter percorreram as trincheiras acompanhados por militares brasileiros que faziam parte da força de paz da ONU. Em uma dessas ocasiões, uma bomba explodiu a cerca de 20 metros do local onde estavam.

Bial e Gilz registravam momentos dramáticos da população de Sarajevo. Da janela do hotel onde ficavam, puderam gravar imagens de uma das mais perigosas avenidas da capital, que ficou conhecida como "Sniper's Avenue" (avenida dos franco-atiradores). Homens, mulheres, idosos e crianças atravessavam a rua

1

2

3

1. O apresentador William Bonner chamando o repórter Carlos Dorneles direto de Israel durante a cobertura da Guerra do Golfo (*JN*,17 jan 1991).

2. Paulo Francis comentando de Nova York o conflito no Golfo Pérsico (*JN*, 17 jan 1991).

3. O repórter Ernesto Paglia comentando o conflito da Guerra do Golfo (*JN*, 17 jan 1991).

4. Roberto Simões, designer do *Jornal Nacional*, com o mapa que ilustrou o conflito do Golfo (1991).

4

1

2

3

1. O repórter Silio Boccanera na cobertura da guerra civil da Iugoslávia. Ao fundo, população civil eslovena fugindo do ataque do exército iugoslavo (*JN*, 2 jul 1991).

2. O repórter Pedro Bial, direto de Moscou, na renúncia do presidente Mikhail Gorbachev (*JN*, 25 dez 1991).

3. Em primeiro plano, o cinegrafista Sergio Gilz na "Sniper´s Avenue" ou avenida dos Franco-Atiradores, em Saravejo (1994).

4. O repórter Pedro Bial e o cinegrafista Sergio Gilz com tropas militares durante a cobertura da guerra civil da Iugoslávia (1994).

4

correndo, temendo serem alvos dos atiradores, que não poupavam ninguém. A cena se repetia diariamente. "Era um trecho de uns 50 metros e nunca se sabia quando eles atirariam. Horas passavam sem um único tiro. Lembro de um dia em que gravei a imagem de um grupo de pessoas atravessando correndo e, entre elas, havia uma menina de 12 anos. Sua expressão de pavor no rosto resume toda a história da guerra", descreve Sergio Gilz.

No final de 1995, depois de quase quatro anos de guerra civil na Iugoslávia, chegou-se finalmente a um acordo, conhecido por "Acordo de Dayton", cidade norte-americana onde foram realizadas as negociações. O conflito na Bósnia – que deixou 250 mil mortos e 2,5 milhões de refugiados – foi considerado o mais sangrento da Europa desde a Segunda Guerra Mundial. Em 21 de novembro, dia em que foi anunciado o acordo de paz, o *JN* encerrou seu noticiário com uma edição das imagens que marcaram o mundo durante aqueles quatro anos ao som da música "Miss Sarajevo", cantada por Luciano Pavarotti e Bono, vocalista da banda irlandesa U2. A canção pedia paz.

Outras Coberturas Internacionais

Morte do aiatolá Khomeini – Em 5 de junho de 1989, as avenidas da cidade de Teerã, no Irã, ficaram completamente vazias. Nas ruas e nas fachadas dos prédios, panos pretos e bandeiras simbolizavam o luto da população pela morte do líder político e espiritual, o aiatolá Khomeini. O repórter Carlos Dorneles e o cinegrafista Luiz Demétrio Furkin viajaram para o Irã para cobrir o velório e o enterro do líder iraniano. As reportagens foram apresentadas com exclusividade no *Jornal Nacional*.

As imagens da cobertura retratavam a tristeza do povo iraniano, que se reuniu no deserto para prestar a última homenagem a Khomeini. Na matéria do *JN*, Dorneles noticiou que no local onde o corpo estava sendo velado milhares de pessoas cantavam e se autoflagelavam, numa demonstração de dor e desespero. O resultado da manifestação foi trágico: oito mortos e 500 feridos. A agência nacional de informação do Irã calculou que dez milhões de pessoas acompanharam o enterro. Carlos Dorneles e Luiz Demétrio sobrevoaram de helicóptero o local onde se concentrava a multidão. "Eu me arrepio até hoje com a imagem. Milhões de pessoas vestidas de preto no meio daquele deserto amarelo-escuro, aquele preto que lá no meio parecia o olho de um furacão ou de um vulcão. Era uma coisa viva, que se mexia, que eram aquelas pessoas se batendo para demonstrar a sua dor até sangrar", comenta Dorneles.

No *JN* do dia seguinte, a reportagem mostrava pessoas tentando tocar pela última vez em Khomeini durante o cortejo. Os soldados não conseguiram controlar a multidão. Com

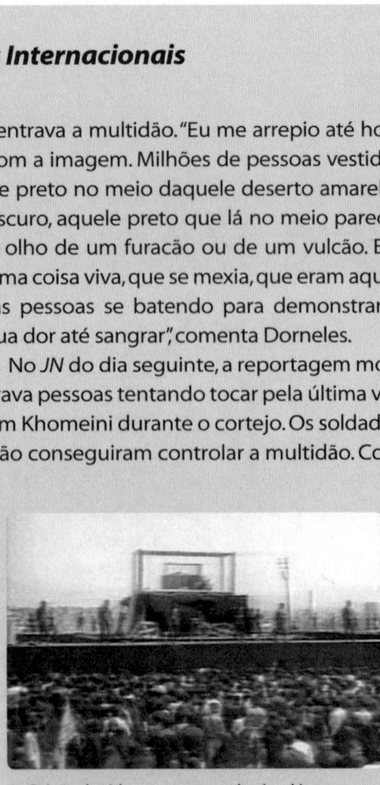

1. *Caixão de vidro com o corpo do aiatolá Khomeini cercado por milhares de iranianos (JN, 6 jun 1989).*

2. *O repórter Carlos Dorneles durante a cobertura da morte do aiatolá Khomeini, no Irã (JN, 6 jun 1989).*

o tumulto, o caixão se abriu e o corpo caiu no chão. O enterro foi realizado somente seis horas depois, em um local a 30 quilômetros do centro de Teerã. Os rituais de autoflagelação não paravam. Encerrando a matéria, Carlos Dorneles concluía: "Até o final, a população quis provar que foram raras as vezes na história em que um povo seguiu seu líder com tanto radicalismo como esse seguiu o aiatolá Khomeini."

Crise no Sudeste asiático – Em meados da década de 1990, uma crise nas economias dos chamados "tigres asiáticos" – Coréia do Sul, Taiwan, Cingapura, Tailândia, Indonésia, Malásia e Hong Kong – ganhou proporções internacionais, atingindo bolsas de todo o mundo. Os países do Sudeste asiático eram considerados, até então, exemplos de desenvolvimento econômico acelerado, baseado no crescimento da exportação de bens de consumo, investimentos de capital estrangeiro e aproveitamento de mão-de-obra barata. A ampliação das exportações e os bons resultados na área de tecnologia aqueceram os mercados internos destes países e elevaram muito os salários. Assim, a competição com os outros mercados foi se tornando difícil.

A partir de julho de 1997, o investimento de curto prazo do mercado internacional, atraído principalmente pelos lucros financeiros quase instantâneos, mostrou a outra face de sua presença naqueles países. A especulação de investidores e a evasão de capitais em busca de outros "endereços de oportunidade" obrigaram os "tigres asiáticos" a desvalorizarem as suas moedas, revelando assim a fragilidade do sistema financeiro da Ásia.

A crise econômica foi noticiada em 23 de outubro de 1997, quando a bolsa de Hong Kong sofreu a sua pior baixa. Mas foi a partir do dia 28 que o *Jornal Nacional* deu mais destaque para a crise. O repórter William Waack explicou por que as baixas nas bolsas de valores da Ásia também afetavam os mercados da Europa, Estados Unidos e América Latina: "Com a Ásia em crise, diminuem os negócios das grandes empresas internacionais naquela região. Os investidores vão em busca de aplicações com menos riscos do que ações. Os mercados internacionais são presos uns aos outros. Nem Londres, a maior praça financeira da Europa, consegue se livrar de uma tendência que começou na Ásia e acabou tomando conta até dos investidores dos Estados Unidos: o medo. É mais psicologia do que economia: os indicadores econômicos dos países mais fortes do mundo, no momento, são bons. Mas muita gente achou que no mundo inteiro as ações de grandes empresas estavam mesmo supervalorizadas e aproveitou os últimos dias para vender. Foi a hora em que o placar da bolsa em Londres se encheu de vermelho: a cor das ações em baixa. Queda em Londres é queda em Nova York. E queda em Nova York é queda em Hong Kong. E começa tudo outra vez."

No *Jornal Nacional* do dia seguinte, o apresentador Carlos Nascimento trouxe notícias mais animadoras: a bolsa de Hong Kong fechara com alta e as bolsas de Tóquio, Londres e Paris haviam subido. A má notícia era que o Brasil, ao contrário do resto do mundo, parecia ainda estar amargando os efeitos da crise. A bolsa de São Paulo havia sofrido, pela segunda vez na semana, a maior queda do mundo.

Só a partir de 1998, os países do Sudeste asiático começaram a reestruturação dos seus setores financeiros, com apoio do FMI e do G7, grupo que reúne os sete países mais industrializados.

Segunda "Intifada" – Em 1987, uma rebelião popular contra a ocupação dos territórios palestinos pelos israelenses deflagrou uma série de manifestações violentas. Com pedaços de pau e pedras, os palestinos enfrentaram o exército de Israel. O levante, que ficou conhecido como "Intifada", ou "revolta das pedras", foi acompanhado com destaque no *Jornal Nacional*. Os confrontos duraram sete anos e só foram contidos em 1993, quando o presidente da Autoridade Nacional Palestina, Yasser Arafat, e o primeiro-ministro de Israel, Yitzak Rabin, assinaram um acordo de paz, em Oslo, na Noruega.

A violência na região foi noticiada novamente no *JN* no ano de 2000. No dia 28 de setembro, Ariel Sharon, líder do partido de oposição da extrema direita israelense, fez um discurso reafirmando o controle sobre os territórios reivindicados pelos palestinos. Naquele mesmo mês, Sharon fez uma visita à mesquita de Al Aqsa, na parte árabe de Jerusalém. Os palestinos encararam a visita como uma provocação. Era o começo de uma nova "Intifada", dessa vez mais violenta.

Uma reunião entre o primeiro-ministro de Israel, Ehrud Barak, e Yasser Arafat foi marcada para tentar um acordo de paz. No dia 3 de outubro, véspera do encontro, o *JN* exibia imagens que mostravam que a violência na região não tinha diminuído. No telejornal, o repórter Ernesto Paglia destacou que o exército de Israel tinha lamentado a morte de um menino palestino de 12 anos, que morreu nos braços do pai. As imagens mostravam um homem pedindo em vão que os soldados parassem de atirar.

O presidente americano Bill Clinton promoveu um novo encontro entre os líderes

3. *Casas bombardeadas no campo de refugiados palestinos no sul da Faixa de Gaza, em Israel (JN, 24 mai 2004).*

4. *O repórter Marcos Losekann conversando com palestinos no campo de refugiados "Brasil", em Israel (JN, 24 mai 2004)*

de Israel e da Palestina, mas o acordo de paz não foi firmado. Em 2001, Ariel Sharon foi eleito primeiro-ministro de Israel. A situação se agravou ainda mais nos anos seguintes. A segunda "Intifada" vem sendo marcada pela ação de homens-bomba dos grupos terroristas Hamas e Jihad.

Em 28 de setembro de 2001, quando a "Intifada" completou um ano, o *Jornal Nacional* exibiu uma matéria de Marcos Losekann resumindo as causas e conseqüências do conflito e mostrando imagens dos combates e os parentes das vítimas chorando nos cemitérios.

No início de dezembro, Yasser Arafat foi impedido pelo Estado de Israel de se locomover na Cisjordânia. Naquele mesmo mês, o *JN* levou ao ar, durante uma semana, a série "Convívio e Guerra", com matérias do repórter Marcos Uchoa e do cinegrafista Paulo Pimentel sobre o cotidiano de palestinos e israelenses sob a Intifada. Os dois visitaram sobreviventes de atentados e tiroteios, como uma adolescente israelense de 15 anos que teve o cérebro afetado por um estilhaço de metal durante um atentado a bomba. Na cidade palestina de Hebron, uma psicóloga que fazia um trabalho especial com vítimas da violência, mostrou desenhos e pinturas de crianças que aprenderam a dizer a palavra "tiro" antes de falarem "papai" e "mamãe". A partir de maio de 2004, o Jornalismo da TV Globo passou a contar com a presença do correspondente Marcos Losekann, em Jerusalém, acompanhando o conflito na região.

3

Coberturas Nacionais

A Rio-92

Entre os dias 3 e 14 de junho de 1992, representantes de 178 países filiados à ONU vieram ao Rio de Janeiro participar da Conferência Mundial sobre Meio Ambiente e Desenvolvimento, a Rio-92. O governo brasileiro investiu quase 50 milhões de dólares na realização do evento, que tinha como objetivo definir políticas mundiais de proteção ambiental. As Forças Armadas foram acionadas para cuidar da segurança do Rio durante os 11 dias em que os olhos do mundo se voltaram para a cidade.

A Rede Globo investiu na cobertura do evento. O jornalista Octavio Tostes, então um dos editores de política do *Jornal Nacional*, foi deslocado para trabalhar com Fabbio Perez numa editoria criada especialmente para o evento. Na ocasião, chegou a ser elaborado um dicionário sobre meio ambiente para orientar os jornalistas.

As equipes foram divididas em duas frentes: a primeira, coordenada por Carlos Nascimento e Valéria Monteiro, ficava no Riocentro, sede da conferência, e a segunda no Aterro do Flamengo, onde ocorreu o Fórum Global, evento paralelo que reuniu cerca de 25 mil pessoas, entre integrantes de movimentos sociais e organizações não-governamentais, membros da sociedade civil e acadêmicos.

A Globo escalou alguns dos seus melhores repórteres e comentaristas para a cobertura, entre eles: Ernesto Paglia, Mônica Waldvogel, Beatriz Thielmann, Ana Paula Padrão, Sandra Moreyra, Neide Duarte, André Luiz Azevedo, Paulo Henrique Amorim, Ilze Scamparini, Francisco José, Sandra Passarinho, Sônia Bridi, Leilane Neubarth, Pedro Bial, Maurício Kubrusly, Alexandre Garcia e Joelmir Beting.

No Riocentro, o repórter Carlos Nascimento comandou os trabalhos, direto de um estúdio montado no local. O então diretor da Central Globo de Jornalismo, Alberico de Sousa Cruz, havia decidido que o jornalista seria uma espécie de âncora móvel do *Jornal Nacional*. Sergio Chapelin e Cid Moreira apresentavam o jornal no estúdio e Nascimento se deslocava para os locais dos eventos. Ao lado da jornalista Valéria Monteiro, ele apresentou ao vivo não apenas o *Jornal Nacional*, mas também o jornal *Hoje* e outros telejornais. Essa experiência seria repetida mais tarde nas coberturas do *impeachment* de Fernando Collor, em Brasília; da Copa do Mundo de 1994, nos Estados Unidos; e da morte de Ayrton Senna, no autódromo de Ímola, na Itália.

Ao vivo no Aterro do Flamengo, a repórter Fátima Bernardes apresentou a cobertura do Fórum Global. Os participantes discutiam os temas abordados no Riocentro e pressionavam os representantes dos países ricos a assumirem responsabilidades em relação à ecologia. No local também ocorreram eventos culturais, como apresentações de dança, música, costumes regionais e cerimônias religiosas.

Nas duas semanas em que esteve em atividade, o Fórum Global foi visitado por figuras ilustres, como o presidente do Fundo das Nações Unidas para a Infância e Adolescência, James Grant, e o primeiro-ministro alemão Helmut Kohl. Merece destaque a presença do Dalai Lama do Tibete, que participou de uma cerimônia na manhã do dia 5, quando, com outros seis líderes espirituais, abençoou o Fórum.

No dia anterior, o Dalai Lama concedeu uma entrevista exclusiva ao repórter Maurício Kubrusly e defendeu a política de não-violência para todos os povos de todas as religiões. Kubrusly conta como conseguiu falar com o líder espiritual budista: "Eu acho que a gente deve sempre tentar o impossível. Disseram que não dava para falar com o Dalai Lama. Eu consegui chegar no tradutor dele no Brasil – eu imaginei que existiria um – e foi ele quem abriu a porta para mim. Eu não me lembro por que, mas as coisas às vezes acontecem. Às vezes o repórter dá, como eu dei, a sorte de falar com a pessoa certa."

Um dos temas mais polêmicos da Rio-92 foi o Tratado da Biodiversidade, que estabelecia medidas para preservar as espécies vivas do planeta. O documento assegurava a soberania dos países sobre os seus recursos naturais, que deveriam ser explorados de forma racional. O Brasil foi o primeiro a assinar, seguido por 152 outros países, como Alemanha, Itália, França, Canadá, Japão e Inglaterra. A principal resistência veio dos Estados Unidos. No *Jornal Nacional* do dia 5, a repórter Beatriz Thielmann explicou: "A grande discussão é o direito de propriedade que os países donos das reservas passam a ter sobre toda a matéria-prima que for retirada da natureza. Por conta disso, os Estados Unidos não querem assinar o acordo. Algumas empresas norte-americanas não concordam com esse tipo de pagamento. A biodiversidade não é só uma discussão ecológica. É sobretudo um debate político e econômico."

A Floresta Amazônica, o ecossistema com a maior variedade de espécies animais e vegetais do planeta, conferia ao Brasil a condição de superpotência no assunto. Ao vivo da Amazônia, o repórter Marcos Losekann falou sobre os benefícios que o país poderia obter se o acordo fosse de fato firmado: "É nesse tesouro que os países do mundo inteiro estão de olho. A cura para o câncer ou para a Aids, por exemplo, pode sair da Amazônia, assim como tantos outros tipos de remédio, alimentos, cosméticos e produtos agrícolas descobertos pelos povos da floresta. O Instituto Nacional de Pesquisa da Amazônia já sabe recolher e separar os componentes. Mas ainda não tem tecnologia e recursos para desenvolver as pesquisas. Depende da boa vontade dos países ricos."

Antes de embarcar para o Brasil no dia 11, o presidente americano George Bush fez um discurso reafirmando que não assinaria o acordo, pois os cuidados com o meio ambiente não eram mais importantes do que os empregos do povo americano.

O presidente dos Estados Unidos chegou à Rio-92 no dia 12, em meio a uma reunião histórica no plenário do Riocentro, quando 114 líderes dos mais diferentes regimes discursaram sobre o destino da Terra. O presidente Fernando Collor foi o primeiro, seguido, entre outros, pelo primeiro-ministro inglês John Major, o chanceler alemão Helmut Kohl, o presidente de Cuba, Fidel Castro, o presidente do México, Carlos Salinas, e o presidente da Argentina, Carlos Menem.

Fidel Castro foi o mais aplaudido. Ele disse que a mais ameaçada das espécies era a humana e pediu que o dinheiro da corrida armamentista fosse usado para desenvolver o Terceiro Mundo e evitar a destruição do planeta. George Bush declarou, em seu discurso, que não estava no Brasil para pedir desculpas e afirmou que os esforços americanos para proteger a biodiversidade iam muito além do tratado que ele se recusava a assinar.

Paulo Henrique Amorim foi o único repórter brasileiro a fazer uma pergunta a Bush na entrevista coletiva que o presidente norte-americano concedeu no dia seguinte: "Quando o senhor voltar para casa hoje, o senhor vai passar duas ou três horas sobrevoando a Floresta Amazônica. O senhor acha que os 250 milhões de dólares do seu programa 'Floresta para o futuro' vão ajudar a mudar alguma coisa?" "Acho que sim", respondeu Bush, "E muitas pessoas aqui concordam comigo. Quero saudar Collor pelas medidas que ele está tomando para salvar a Amazônia."

De Nova York, o repórter Carlos Dorneles informou que o desempenho de Bush na Rio-92 estava repercutindo mal na imprensa norte-americana. As redes de televisão e seus adversários na corrida eleitoral criticavam o presidente. De Londres, a repórter Valéria Sffeir afirmou que, na Europa em geral, a situação era similar, com televisões e jornais europeus tratando o Brasil como herói e Bush como vilão da Conferência.

MORRE AYRTON SENNA DO BRASIL

O tricampeão mundial de Fórmula 1 Ayrton Senna morreu no dia 1º de maio de 1994 durante o Grande Prêmio de San Marino, realizado no autódromo de

Ímola, na Itália. Senna perdeu o controle do carro, que se chocou violentamente contra um muro a 300km/h, na saída da curva Tamburello.

A Rede Globo acompanhou ao vivo o acidente, pois transmitia naquele momento a corrida de Ímola. Roberto Cabrini, que estava no local, seguiu imediatamente para o hospital, em Bolonha, para onde Senna foi levado minutos depois. De lá, o repórter enviou para o Brasil – através de um telefone celular – boletins sucessivos sobre o estado do piloto. O país inteiro parou.

Às 13h40 (horário de Brasília), coube a Cabrini a difícil tarefa de anunciar a morte de Senna para os milhões de telespectadores que aguardavam ansiosamente alguma notícia do ídolo: "Eu sabia que era como anunciar a morte de um parente próximo de cada um dos brasileiros. Era preciso manter a precisão das informações e, ao mesmo tempo, passar emoção. Esta era a forma de se demonstrar todo o apreço e respeito que o Brasil tinha pelo Senna. Então eu disse: 'Morreu Ayrton Senna da Silva, uma notícia que a gente jamais gostaria de dar.'"

O *Fantástico* daquele domingo foi especialmente dedicado à cobertura da morte de Senna. Foram ao ar imagens do acidente e da reação emocionada dos fãs. As ruas de São Paulo e Rio de Janeiro ficaram desertas. Nos estádios de futebol, as torcidas improvisaram faixas e cartazes e gritaram o nome do piloto. O locutor esportivo Galvão Bueno, que transmitia o GP de San Marino, falou emocionado sobre a perda do ídolo e amigo pessoal.

Ao vivo da Itália, o repórter Pedro Bial mostrou imagens exclusivas feitas no box da Williams, antes da corrida. Ayrton Senna aparecia contemplando o carro com fisionomia grave durante um longo período. Na véspera do Grande Prêmio em Ímola, o piloto austríaco Roland Ratzenberger havia morrido durante os treinos. Senna havia se declarado preocupado com a falta de segurança na Fórmula 1.

No texto do repórter: "Como todo piloto, Ayrton Senna sempre cumpria um ritual de concentração antes da corrida. Hoje, Ayrton ficou mais tempo do que de costume contemplando o carro. Mãos espalmadas sobre o aerofólio. Fisionomia grave. Foram cinco longos minutos em que Ayrton parecia infinitamente sozinho. Ele veste o capuz pela última vez. Ele põe o capacete pela última vez. Olha de novo para o carro. Não mexe um músculo. Sai dos boxes para entrar na história do esporte. E crivar de dor um país, nesse fim de semana feito de tragédia."

Passados dez anos, Pedro Bial comenta: "Eu estava em Londres. Era o meu dia de folga, e estava vendo a corrida quando Senna bateu. Aí, eu fui fazer a barba e a mala. E, poucas horas depois, já estava em Bolonha. Cheguei lá, Roberto Cabrini estava cobrindo. Comecei, então, a ver umas fitas que estavam no caminhão, antes de entrar, ao vivo, no *Fantástico*. Eu vi umas imagens de antes da corrida em que ninguém tinha prestado atenção. Senna aparecia olhando para o carro. E eu imediatamente fiz um texto em cima daquelas imagens, porque era muito esquisito o jeito com que ele olhava aquele carro antes da corrida."

No *Jornal Nacional* do dia 2 de maio, o apresentador Sergio Chapelin informou que Itamar Franco, que assumira a presidência em 1992 depois do *impeachment* de Fernando Collor, havia se empenhado pessoalmente para facilitar o translado o corpo de Senna. O presidente decretou luto oficial de três dias e ponto facultativo nas repartições públicas de São Paulo no dia 5, quando seria realizado o enterro no cemitério do Morumbi. Da Itália, Pedro Bial informou sobre a repercussão da morte de Senna. A notícia foi manchete nos jornais de todos os países europeus e abriu a maioria dos telejornais. Em Portugal, a repórter Miriam Dutra entrevistou a namorada de Senna, Adriane Galisteu, que tinha visto o acidente pela televisão.

No dia 4 de maio, o corpo de Senna chegou a São Paulo e foi levado para a Assembléia Legislativa, onde seria velado. Os repórteres Caco Barcellos e Glória Maria cobriram o cortejo, que durou três horas. O clima era de grande comoção. Cerca de um milhão de pessoas foi às ruas. Na Marginal Tietê, a avenida mais movimentada do país, uma corrente humana foi formada para dar passagem ao corpo. O velório, que durou mais de 22 horas, foi acompanhado pela repórter Beatriz Thielmann e contou com a presença de cerca de 240 mil pessoas.

Naquela noite, Carlos Nascimento ancorou o *Jornal Nacional* direto da Assembléia Legislativa de São Paulo. Em homenagem a Senna, foi exibido um VT com Milton Nascimento cantando "Canção da América", a música predileta do piloto.

O enterro aconteceu na manhã do dia 5 de maio e a Rede Globo transmitiu, ao vivo, toda a cerimônia, com narração de William Bonner. À noite, Carlos Nascimento apresentou parte do *Jornal Nacional,* também ao vivo, do autódromo de Interlagos, onde Senna ganhou os GPs do Brasil em 1991 e 1993. O repórter Renato Machado acompanhou as últimas homenagens ao piloto, antes da saída do corpo em direção ao cemitério do Morumbi. A irmã do piloto, Viviane Senna, agradeceu ao povo brasileiro pelas manifestações de carinho.

De Interlagos, Nascimento encerrou o *Jornal Nacional*: "Aqui, Senna não apenas correu e foi campeão. Ele ajudou a redesenhar o trajeto do autódromo em recentes reformas, sempre com a preocupação de preservar a segurança. E é daqui que nós nos despedimos. Da curva do 'S'. De Senna."

Dez anos depois da morte de Ayrton Senna, entre 15 e 20 de março de 2004, o *Jornal Nacional* exibiu uma série especial de reportagens em homenagem ao piloto, realizada pelos repórteres João Pedro Paes Leme, Sônia Bridi e Pedro Bassan. A série reconstituiu a sua trajetória profissional, revelou detalhes da sua vida pessoal e apresentou o legado que o cidadão Senna deixou para o Brasil, com o trabalho do Instituto que leva o seu nome. Este é o caso de projetos como "Se Liga" e "Acelera", que investem em material e treinamento para a educação de mais de 160 mil crianças em 22 estados brasileiros.

A série também mostrou como a morte de Senna teve um impacto definitivo nas normas de segurança dos circuitos e dos carros de Fórmula 1, a partir daquele momento mais reforçados e capazes de proteger todo o corpo dos pilotos dentro do *cockpit*. João Pedro Paes Leme voltou ao autódromo de San Marino, onde o traçado da curva Tamburello foi redesenhado. Admiradores passaram a depositar flores na grade próxima ao muro contra o qual o carro do piloto se chocou.

A Violência em Foco

No início dos anos 1990, a violência e o desrespeito aos direitos humanos voltaram os olhos do mundo para o Brasil. Entre 1992 e 1993 o país foi manchete na imprensa estrangeira por conta de chacinas e massacres ocorridos em metrópoles como São Paulo e Rio de Janeiro. O *Jornal Nacional* noticiou e acompanhou com detalhes as investigações desses crimes que se tornariam exemplos históricos de falta de segurança, despreparo policial e abuso de poder.

O Massacre do Carandiru

Às 16h20 de 2 de outubro de 1992, 341 policiais da Tropa de Choque de São Paulo receberam ordens para invadir o Pavilhão 9 da casa de detenção do Complexo do Carandiru. Os soldados deveriam conter uma rebelião que tivera início com uma briga entre os líderes de dois grupos de internos. Vinte minutos após a invasão, a PM abandonou o local. Na ação, mais de 100 presos foram mortos. O fato ficou conhecido como Massacre do Carandiru e entrou para a história como a mais violenta ação dentro de uma penitenciária brasileira.

O *Jornal Nacional* daquela noite exibiu imagens do motim no presídio, com presos correndo sobre os telhados dos pavilhões e parentes do lado de fora do prédio desesperados à espera de notícias. Os detalhes da tragédia, no entanto, só seriam divulgados no dia seguinte, numa matéria da repórter Isabela Assumpção. Os presos do Pavilhão 9 haviam queimado colchões e incendiado as celas. A tropa de choque cercou o Carandiru e os policiais entraram com cães, bombas e armas pesadas. O balanço oficial da Secretaria de Segurança Pública contabilizava 111 mortos, 35 feridos e 3.500 tiros disparados, tendo 540 acertado seus alvos. Nenhum policial morreu.

O Massacre do Carandiru aconteceu dias depois de o jornalista Caco Barcellos ter denunciado, no livro *Rota 66*, a existência de um esquadrão da morte dentro da Polícia Militar de São Paulo. Como alguns dos oficiais da PM citados no livro como matadores participaram do massacre, o repórter foi chamado para a cobertura, pois tinha informações importantes a divulgar.

Caco Barcellos conta os detalhes: "Os comandantes das duas unidades da PM que mataram 111 presos, Arivaldo Sérgio Salgado, do COE [Companhia de Operações Especiais], e Wanderley Mascarenhas, comandante do Gate [Grupo de Ações Táticas Especiais], tinham sido citados no ranking dos matadores do meu livro, na quarta e na quinta posições, com mais de 30 assassinatos cada um. A cobertura me obrigou, pela primeira a vez, a ficar frente a frente com os oficiais mais violentos que havia denunciado. O nosso encontro foi em frente ao portão principal da casa de detenção. Foi uma oportunidade para gravar as imagens de quase todos eles. Percebi que eles também aproveitaram para me 'fotografar', como costumam dizer quando pretendem pôr alguém na lista dos marcados. Eu estava relativamente seguro, no meio de uma multidão de jornalistas que aguardava alguma chance de entrar nos pavilhões onde os presos haviam sido mortos. A situação era extremamente tensa, por causa da pressão dos parentes, que jogavam pedras nos policiais, forçavam a abertura dos portões e reclamavam da falta de informações sobre o número de mortos e feridos."

O *JN* acompanhou o drama dos parentes dos detentos que protestavam contra a ação da polícia. Até o dia 4, a direção do Carandiru ainda não havia divulgado a relação dos mortos e os parentes dos presos se aglomeravam na porta do presídio à espera de informações. No Instituto Médico Legal, foram proibidos de ver os corpos. O diretor da instituição disse que as condições dos cadáveres poderiam ser muito chocantes.

Somente no dia 5 de outubro, os jornalistas puderam entrar no Pavilhão 9. O *Jornal Nacional* exibiu uma matéria de Caco Barcellos em que o repórter mostrava as marcas da destruição do Carandiru e ouvia a versão dos sobreviventes sobre a atuação policial. Segundo os depoimentos, a violência havia começado na escadaria de acesso ao segundo andar. Os presos contaram ainda que muitos feridos foram atirados dos andares mais altos pelo vão do elevador.

Caco Barcellos conta como foi: "Os bilhetes que os presos jogaram do alto dos pavilhões para o pátio, onde nós estávamos, foram fundamentais para se chegar rápido aos pontos onde a maior quantidade de presos foi morta. Já dentro dos corredores, com os PMs do lado de fora, ficou mais fácil trabalhar, entrevistar os presos com liberdade e, principalmente, procurar as marcas reveladoras do tipo de ação que a polícia havia adotado. Minha experiência de sete anos de investigação, para identificar as vítimas da PM, me ajudou muito nesta hora a encontrar os vestígios de execução nos corredores dos pavilhões e especialmente dentro das celas. As paredes mostravam uma linha uniforme de orifícios, marcas de rajadas de metralhadoras, apontadas certamente na altura das áreas vitais, cabeças e peito dos presos. Também encontramos indícios importantes nos objetos pessoais. As camas superiores dos beliches apresentavam perfurações características de projéteis disparados de baixo para cima. E não havia nenhum sinal que indicasse alguma reação dos presos, nenhuma marca de tiros disparados de dentro para fora. Esses detalhes técnicos foram fundamentais para se poder afirmar que não havia ocorrido um tiroteio entre detentos e policiais, como afirmava o comando da Polícia Militar, mas sim um massacre."

O Massacre do Carandiru teve muita repercussão, atingindo o alto escalão do governo de São Paulo. Em 7 de outubro, o secretário de Segurança Pedro

Franco de Campos, responsável pela ordem de invasão do presídio, pediu demissão do cargo. No mesmo dia, o então governador de São Paulo, Luiz Antônio Fleury, reconheceu que a atuação da PM fora criminosa. O diretor do Carandiru, José Ismael Pedrosa, e mais três oficiais envolvidos no massacre foram afastados, entre eles o comandante do Gate, Wanderley Mascarenhas, que admitiu ter disparado rajadas de metralhadora contra os presos.

O massacre foi noticiado no mundo inteiro. Nos Estados Unidos, centenas de emissoras de TV exibiram imagens da rebelião. Jornais americanos e europeus usaram palavras como "sangrento", "atrocidade" e "massacre". O Brasil foi denunciado à Comissão Interamericana de Direitos Humanos da Organização de Estados Americanos (OEA), o maior organismo de monitoramento do respeito aos direitos humanos no continente. A acusação baseava-se nas evidências de uso indiscriminado da violência, como o fuzilamento de presos com armas como fuzis Colt AR-15, submetralhadoras HK e Beretta.

A Justiça Militar abriu um inquérito e indiciou 121 policiais militares. Um ano depois, em outubro de 1993, o *JN* informou que o processo continuava em andamento sem nenhum resultado prático. Em 1996, o caso seria transferido para a Justiça Comum, mas durante o período grande parte das acusações – como as de lesão leve e grave – prescreveram. Muitos dos envolvidos continuaram na Polícia, alguns tendo sido inclusive promovidos.

Em resposta à ação movida pela mãe de um dos detentos que pedia indenização pela morte do filho, ainda em 1996, o Tribunal de Justiça de São Paulo decidiu que a ação da PM na invasão do Carandiru havia sido legítima. O *Jornal Nacional* do dia 4 de maio divulgou trecho do documento que declarava que "a culpa foi das vítimas, que iniciaram a rebelião, destruíram todo um pavilhão do Carandiru e forçaram a sociedade, através da Polícia Militar, a se defender".

Em 28 de novembro de 2000, o *JN* anunciou o julgamento do coronel da reserva Ubiratan Guimarães, que comandara a invasão do Carandiru. Em oito anos, o processo sobre o caso já acumulava 150 volumes e mais de 20 mil páginas. O julgamento começou em 20 de junho de 2001 e durou dez dias. As sessões foram acompanhadas pelo repórter Caco Barcellos. Mas o tribunal não pôde ser filmado e o *Jornal Nacional* teve que usar simulação feita por computador para mostrar a localização dos defensores, acusação, juiz, júri e réu. O perito Osvaldo Negrini, que fizera o laudo do massacre, explicou aos jurados que 75% dos presos morreram nas celas por disparos feitos de fora para dentro, concluindo que não houvera confronto e que a intenção da polícia era matar.

Ubiratan Guimarães foi responsabilizado por 111 mortes e cinco tentativas de homicídio. Foi condenado a 632 anos de prisão em regime fechado. Entretanto, sendo réu primário, tendo comparecido a todas as etapas do processo e mantendo endereço fixo, o coronel pôde recorrer da sentença em liberdade. Em 2002, o complexo presidiário de Carandiru foi desativado e, posteriormente, implodido.

Em 1993, na madrugada de 23 de julho, oito meninos de rua que dormiam em frente à igreja da Candelária, no Centro do Rio, foram mortos a tiros. O *Jornal Nacional* noticiou com detalhes o crime, que chocou o país. Sônia Bridi fez uma reconstituição dos assassinatos e apresentou depoimentos de alguns sobreviventes, que acusaram policiais militares de terem matado por vingança. No dia anterior, os garotos haviam quebrado o vidro de uma patrulha do 5º BPM em protesto pela prisão de outros dois meninos.

A polícia fez o retrato falado de um dos PMs a partir do depoimento de um sobrevivente que se escondera em cima de uma banca de jornais. O soldado José Marcelino da Penha Jr. foi reconhecido e preso. Dois outros soldados – Marco Antônio Teixeira e Marco Antônio Pereira – também foram detidos.

O repórter Marcelo Canellas mostrou o desespero de mães que foram à Candelária temendo que seus filhos estivessem entre os mortos. O repórter Sandro Dalpícolo acompanhou uma passeata que reunira à tarde centenas de pessoas em protesto contra o extermínio dos meninos e forneceu dados sobre a violência contra menores no Brasil. No primeiro semestre daquele ano, 320 crianças haviam sido mortas.

De Nova York, o correspondente Paulo Henrique Amorim informou que as agências internacionais e emissoras de TV haviam se reportado à chacina mencionando como suspeitos esquadrões da morte formados por soldados da PM. Amorim entrevistou o diretor da America's Watch, uma organização norte-americana de defesa dos direitos humanos, que investigara o massacre dos presos do Carandiru, em São Paulo. Kenneth Wrath afirmou que, no Brasil, "a Justiça Militar não investiga, não julga e não condena PM".

No fim do *Jornal Nacional* foi exibida uma reportagem da repórter Glória Maria. Na terça-feira dia 15 de julho, uma semana antes da chacina, a repórter havia gravado entrevistas na Candelária para uma matéria sobre solidariedade. Entre os menores com quem ela falou, estavam três dos assassinados. A reportagem mostrava imagens dos meninos com a artista plástica Ivone Bezerra de Melo, que desenvolvia um trabalho de assistência na Candelária havia meses – e que passara a noite com os sobreviventes, após a chacina. Um dos garotos, que seria assassinado em pouco mais de uma semana, dizia que só sairia da rua quando abrissem uma escola boa para as crianças.

Na edição do dia seguinte às mortes, o *Jornal Nacional* continuou acompanhando as investigações. A perícia havia concluído que uma arma-padrão da PM fora utilizada na chacina: três revólveres de calibre 38. A repórter Isabela Scalabrini informava que o então secretário da Polícia Civil do Rio de Janeiro, Nilo Batista, havia determinado o recolhimento para averiguação das armas de todos os soldados que estiveram em serviço no Centro do Rio no dia do crime.

No hospital Souza Aguiar, a repórter Cristina Serra informou sobre o estado de saúde de dois sobreviventes: Wagner dos Santos e Marco Antônio Alves da

1

2

3

4

5

6

1. O apresentador Cid Moreira e a repórter Valéria Monteiro ancorando o *Jornal Nacional* direto do Riocentro durante a Rio-92 (12 jun 1992).

2. Sergio Chapelin e o repórter Carlos Nascimento ancorando o *Jornal Nacional* direto do Riocentro durante a Rio-92 (12 jun 1992).

3. Chefes de Estado posando para foto oficial no Riocentro durante a Rio-92 (*JN*, 13 jun 1992).

4. A repórter Beatriz Thielmann na cobertura da Rio-92 no Riocentro (*JN*, 13 jun 1992).

5. O repórter Maurício Kubrusly entrevistando o Dalai Lama durante a Rio-92, no Rio de Janeiro (*JN*, 4 jun 1992).

6. Entrada ao vivo do repórter Francisco José, direto do fundo do mar para o *Jornal Nacional*, durante a Rio-92 (4 jun 1992).

1

2

1. Multidão nas ruas de São Paulo acompanha o cortejo fúnebre do piloto Ayrton Senna (*JN*, 5 mai 1994).

2. Carro do Corpo de Bombeiros leva o corpo do piloto Ayrton Senna pelas ruas de São Paulo (*JN*, 5 mai 1994).

3. Tonico Ferreira entrevistando um dos sobreviventes do Massacre do Carandiru (9 out 1992).

4. Vítimas da chacina na favela de Vigário Geral, no Rio de Janeiro (30 ago 1993).

3

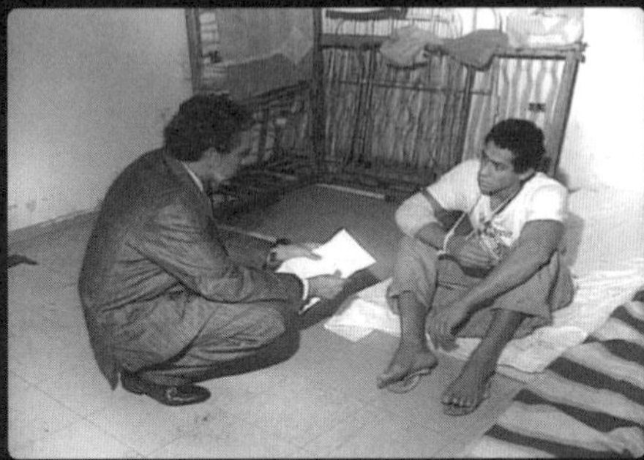

4

Silva. Os dois menores estavam sob proteção policial. A repórter também mostrou no Instituto Médico Legal o desespero das mães que reconheceram os filhos entre as crianças mortas.

O crime motivou um protesto formal da Comunidade Econômica Européia. O *JN* informou que os 12 países do grupo, em documento divulgado em Bruxelas, pediram às autoridades brasileiras que tomassem providências para punir culpados e livrar crianças da violência.

No *Jornal Nacional* do dia 26, o repórter Marcelo Canellas mostrou que o Rio de Janeiro ainda chorava a morte das crianças assassinadas. Na praça da Candelária, velas e cartazes eram depositados como monumentos de luto improvisados. Ativistas do mundo inteiro chegavam ao Rio para protestar contra o crime. Um deles, americano e membro de uma organização em defesa dos direitos dos negros, comparou a violência dos policiais brasileiros à da polícia de Los Angeles.

As emissoras de TV e a imprensa escrita da Europa continuavam a dar destaque à chacina da Candelária. De Londres, o correspondente Silio Boccanera informou que as reportagens citavam o crime como mais um capítulo de uma tragédia rotineira nas grandes cidades brasileiras: matança de crianças com indiferença das autoridades. A Anistia Internacional em Londres enviou mensagem aos ministros da Justiça e Relações Exteriores e ao governador do Rio pedindo proteção física para as testemunhas e sobreviventes do massacre.

Wagner dos Santos denunciou o soldado Marcos Vinícius Borges Emanuel, o tenente Marcelo Cortes, o serralheiro Jurandir Gomes da França e o soldado Cláudio Luís dos Santos como participantes da chacina. Um ano e meio depois, Wagner sofreu novo atentado. Em nova sessão de reconhecimento, ele identificou o policial Carlos Jorge Liafa, que foi preso em 12 de abril de 1996. O Programa de Proteção à Testemunha conseguiu asilo para Wagner na Suíça. Em 25 de abril, o ex-soldado Nelson de Oliveira dos Santos Cunha confessou ter participado da chacina e acusou, além de Marcos Emanuel, mais dois policiais: Marco Aurélio Alcântara e Maurício da Conceição Filho.

No dia 29 de abril, começou o julgamento dos acusados. O mundo inteiro olhava para o Brasil. Ombro a ombro com a imprensa brasileira, 22 correspondentes estrangeiros, representando os principais jornais, revistas, agências de notícias, emissoras de TV e rádio dos Estados Unidos e Europa cobriram o julgamento. O repórter Roberto Kovalick fez a cobertura para a Rede Globo e mostrou o reencontro, antes do início da sessão, de Wagner dos Santos – que voltara ao Brasil para depor – com a irmã, de quem estava afastado havia 15 anos.

O *Jornal Nacional* mostrou trechos do depoimento do soldado Marcos Emanuel. Ele confessou ter participado da chacina, mas disse que havia atirado em apenas um dos meninos. Segundo ele, o culpado pela maioria dos crimes era o policial Maurício da Conceição, já morto. A Associação de Defesa dos Menores argumentou que a confissão era uma manobra para conseguir uma pena reduzida. Roberto Kovalick explicou aos telespectadores que, caso Emanuel fosse condenado pela morte de apenas uma das crianças, a pena chegaria a, no máximo, 30 anos e, como era réu primário, o PM estaria livre em dois anos. O depoimento do soldado inocentou outros três acusados que já estavam presos havia três anos.

Dez anos depois do crime, apenas três, dos dez policiais citados, estavam cumprindo pena. O ex-policial Marcos Vinícius Emanuel foi condenado a 300 anos de reclusão em regime fechado, Nelson de Oliveira dos Santos Cunha, a 18 anos, e Marcos Aurélio Dias Alcântara, a 204 anos.

Chacina de Vigário Geral

Trinta e sete dias após o assassinato dos menores na Candelária, o *Jornal Nacional* noticiou novo atentado aos direitos humanos. Em 29 de agosto de 1993, um comando de quase 40 homens, encapuzados e armados, invadiu a favela de Vigário Geral, no Rio de Janeiro, e assassinou 21 pessoas. A chacina era uma represália à morte de quatro policiais militares, dias antes, em uma emboscada de traficantes de drogas. Nenhum dos mortos, porém, tinha antecedentes criminais.

O fato teve destaque no *Jornal Nacional* daquele dia através das reportagens de Sonia Bridi, Domingos Meirelles, Sandra Moreyra e André Luiz Azevedo. Como não tinha imagens do crime, o telejornal apresentou uma simulação, com a ajuda de atores e ilustrações, de todas as etapas da ação dos assassinos. Depois de incendiarem quatro trailers numa praça, os matadores, divididos em três grupos, cercaram e invadiram a favela. Eles chegaram de carro ou a pé, atravessando a passarela sobre a linha do trem, e abriram fogo contra bares e casas, chegando a matar oito pessoas de uma mesma família. A reconstituição foi feita com base no depoimento do sobrevivente Jadir Inácio. No momento da chacina, ele estava no bar onde nove pessoas foram assassinadas e só escapou porque se fingiu de morto.

Os moradores de Vigário Geral se revoltaram e tomaram conta das ruas, atirando pedras contra os carros de polícia. Os trens pararam de circular nas proximidades, os acessos à favela foram fechados e a polícia foi impedida de entrar e retirar os mortos. As imagens no *JN* mostraram a zona de guerra em que tinha se transformado o local. Os protestos só pararam com a chegada do vice-governador do estado, Nilo Batista, que chegou a admitir que os assassinos eram policiais. O governador Leonel Brizola divulgou uma nota oficial afirmando que o massacre tinha características de uma "inadmissível operação de vingança".

A chacina provocou uma crise sem precedentes na Polícia do Rio. Doze oficiais foram exonerados, e o próprio comandante geral da PM, coronel César Pinto, entregou o cargo. No Congresso Nacional, deputados pediram a intervenção federal no Rio de Janeiro.

O *JN* acompanhou a repercussão do massacre e as investigações sobre o caso. Numa reportagem exibida no dia 2 de setembro, Sandra Moreyra retratou o medo que dominou a favela. As imagens mostraram as faixas pretas de luto nas janelas das casas, as placas de "vende-se" em diversos barracos e os moradores, traumatizados pela violência, lavando o sangue dos muros. No dia 6, 28 agentes da Polícia Militar foram indiciados, expulsos da corporação e presos. Foram acusados de fazerem parte do grupo de extermínio "Cavalos Corredores", conhecido pela truculência com que entrava nas comunidades.

Em 15 de setembro, o *Jornal Nacional* antecipou o conteúdo do relatório final numa reportagem de André Luiz Azevedo: entre os participantes do massacre, a maioria era de agentes da Polícia Militar. O relatório também confirmou que a causa da chacina era a vingança pela morte dos quatro policiais na emboscada de traficantes. Mais tarde descobriu-se que um desses policiais mortos era chefe dos "Cavalos Corredores".

Dez anos depois da chacina em Vigário Geral, apenas cinco, de um total de 40 policiais denunciados pelo Ministério Público, tinham sido condenados pelo crime. Desses, apenas dois cumpriam pena e três estavam soltos. Outros três policiais estavam foragidos, cinco haviam morrido e 27 absolvidos.

Olimpíadas

Munique *(1972)* - p.57-9

Montreal - Em 1976, a Rede Globo adquiriu os direitos de transmitir os Jogos Olímpicos de Montreal da rede de televisão norte-americana ABC e enviou uma equipe de jornalismo chefiada por Pedro Luís Paoliello e coordenada por Leonardo Gryner. Câmeras portáteis registravam em detalhes as reações de cansaço, dor, alegria e sofrimento dos atletas no final das provas, enfatizando o "lado humano" dos Jogos. Um dos pontos altos da cobertura foi a apresentação da ginasta romena Nadia Comaneci. Ela conquistou a primeira nota máxima da história da ginástica olímpica.

Moscou - Os Jogos em Moscou em 1980 foram marcados pelo boicote decretado pelos Estados Unidos em resposta à invasão soviética no Afeganistão, em 1979. Apenas 81 países compareceram às Olimpíadas daquele ano. A Rede Globo e a TV Cultura foram as únicas emissoras brasileiras que cobriram os Jogos. Pela primeira vez, foi enviada uma equipe de reportagem encarregada de fazer matérias exclusivas para o *Jornal Nacional*.

O repórter Roberto Feith, então correspondente em Londres, realizou várias matérias que retratavam o contexto político e as dificuldades econômicas enfrentadas pela população na URSS naquele momento. A repórter Monika Leitão entrevistou com exclusividade o atleta de salto triplo João do Pulo para o *JN*, logo após a conquista de sua medalha de bronze. O brasileiro, que quebrara o recorde mundial no Pan-Americano no México, se declarou prejudicado pelo sorteio que selecionava a ordem dos atletas para o salto.

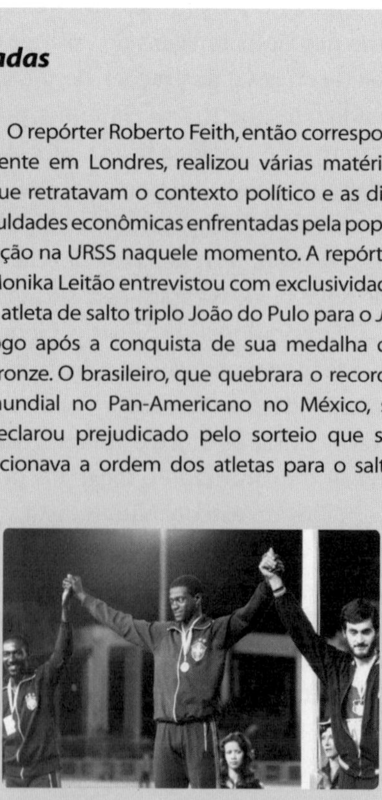

1. *João do Pulo conquistando medalha de ouro no salto triplo durante os Jogos Pan-Americanos da Cidade do México (1975).*

2. *Apresentação da ginasta romena Nadia Comaneci nas Olimpíadas de Moscou (JN, 25 jul 1980).*

Los Angeles – Nos Jogos Olímpicos de 1984, a emissora contou com um satélite exclusivo, ligando Los Angeles ao Rio de Janeiro durante 15 horas diárias. As principais partidas dos esportes coletivos – basquete, vôlei e futebol –, as provas finais de natação e atletismo e os especiais de ginástica foram transmitidos ao vivo. As imagens exibidas eram da emissora americana ABC – que comprou com exclusividade os direitos de transmissão das Olimpíadas de 1984 – e das dez equipes de reportagens enviadas do Brasil, que se detiveram especialmente na atuação dos esportistas brasileiros. Para isso contou com seis câmeras exclusivas na transmissão dos jogos.

Durante 15 dias, o último bloco do *Jornal Nacional* apresentou reportagens dos enviados especiais. Em 28 de julho, na abertura dos Jogos, cerca de 13 minutos do noticiário do *JN* foram dedicados ao assunto. Ao longo da edição, os locutores Galvão Bueno e Osmar Santos entraram ao vivo direto do estádio de Los Angeles, com informações sobre a cerimônia de abertura. O telejornal conseguiu um furo de reportagem ao exibir uma entrevista da repórter Glória Maria com Carl Lewis. Escondida em um corredor diante do ponto onde estacionavam os ônibus dos atletas, a repórter surpreendeu o velocista pouco antes do início da solenidade de abertura das Olimpíadas e conseguiu que ele antecipasse como seria o juramento olímpico.

As Olimpíadas de Los Angeles também foram marcadas pelo boicote. Em 1984 foi a vez de os soviéticos boicotarem os Jogos Olímpicos, assim como acontecera quatro anos antes, em Moscou.

3. *O locutor Osmar Santos na cobertura das Olimpíadas de Los Angeles (1984).*

Seul – A Rede Globo enviou para Seul um grupo de 66 profissionais. A transmissão dos Jogos foi realizada por um *pool* de TVs brasileiras, que reunia as redes Globo, Bandeirantes, Manchete e SBT. O projeto da emissora era transmitir os principais jogos coletivos, dar cobertura total às atividades dos atletas brasileiros e acompanhar, com flashes ao vivo, momentos decisivos dos esportes individuais. Os dois últimos blocos do *Jornal Nacional* eram apresentados por Valéria Monteiro e Sérgio Éwerton, em um estúdio montado para as Olimpíadas no Rio de Janeiro. Uma crônica do jornalista e diretor da CGJ, Armando Nogueira, era apresentada diariamente no telejornal.

Um fato marcante foi o escândalo do *doping* do velocista canadense Ben Johnson, que bateu o recorde mundial dos 100 metros rasos com o tempo de 9s79. Depois de admitir que se dopava, Johnson foi suspenso do esporte por dois anos. Sua medalha de ouro foi cassada, e o norte-americano Carl Lewis, segundo colocado na prova, acabou sendo apontado como vencedor.

Barcelona – A Rede Globo enviou 60 profissionais e montou uma emissora no IBC (International Broadcasting Center), em Barcelona, para acompanhar os Jogos Olímpicos em 1992. Entre as novidades da cobertura estava a aquisição de um equipamento belga inteiramente digital que possibilitava a câmera lenta ao vivo, sem a necessidade do replay, e um canal de satélite exclusivo 24 horas por dia.

O *Jornal Nacional* exibiu, diariamente, blocos dedicados inteiramente às olimpíadas. Fernando Vannucci e Valéria Monteiro apresentavam as notícias direto do estúdio da TV Globo em Barcelona. As reportagens não se limitaram às provas e abordaram também o que acontecia fora dos Jogos: a cidade, a torcida, as acomodações e o dia-a-dia dos atletas.

O desempenho do Brasil, que contou com uma delegação de 200 atletas naqueles Jogos Olímpicos, foi aquém do esperado. Sua primeira medalha em Barcelona foi conquistada pelo nadador Gustavo Borges, nos 100 metros livres. O brasileiro chegou em segundo lugar, mas, devido a um erro na marcação eletrônica, sua colocação só foi confirmada dez minutos depois, quando os juízes assistiram à prova na televisão.

O *Jornal Nacional* do dia 1º de agosto anunciou a oitava medalha de ouro da história olímpica do Brasil, conquistada por Rogério Sampaio no judô, categoria meio-leve. A seleção masculina de vôlei, com Tande, Geovanni, Maurício, Marcelo Negrão, entre outros, conseguiu um título inédito ao ganhar a primeira medalha de ouro para um esporte coletivo do país em Olimpíadas. O diretor da Divisão de Esportes da Globo Luiz Fernando Lima, na época repórter de Esportes, comenta: "A medalha do vôlei em 1992 fechou um ciclo de mais de uma década de evolução do vôlei no Brasil. Antes, era um esporte fechado, praticado por poucos clubes. E isso que vale para o vôlei, vale para outras várias modalidades olímpicas."

Atlanta – Cem anos haviam se passado desde os primeiros Jogos da era moderna, realizados em Atenas, na Grécia, em 1896. Atlanta registrou esse centenário produzindo o maior evento esportivo do século XX, com a participação de dez mil atletas de 197 países. A Rede Globo enviou aos Estados Unidos cerca de 100 profissionais. O significativo aumento em pessoal, quando comparado às duas últimas Olimpíadas, unido à estrutura montada – estúdio no local, com dois satélites disponíveis 24 horas por dia –, é representativo do investimento da emissora para a cobertura do evento.

4. *O repórter Maurício Kubrusly entrevistando o jogador Oscar Schmidt, da seleção masculina de basquete, nos Jogos Olímpicos de Atlanta (1996).*

Na cobertura das Olimpíadas de Atlanta, a Rede Globo contou com as imagens oficiais, geradas pela rede norte-americana ABC, que comprara os direitos de transmissão do evento, além das produzidas por suas câmeras exclusivas. Outro destaque foi a videoconferência estabelecida entre a equipe da emissora e a Vila Olímpica – lugar onde não é permitida a presença de jornalistas –, o que possibilitava que os atletas da delegação brasileira fossem entrevistados depois de um dia de atividades ou na véspera de uma prova.

O *Jornal Nacional* acompanhou em detalhes os momentos mais marcantes do Jogos. Alguns dos destaques do telejornal foram a entrevista no estúdio com a seleção feminina de vôlei comandada pelo técnico Bernardinho e uma matéria do repórter Marcos Uchoa, que conversou com Gustavo Borges logo depois da conquista da medalha de prata pelo nadador.

A delegação brasileira conquistou 15 medalhas. Na estréia do vôlei de praia como esporte olímpico, o ouro coube ao Brasil com a dupla Jacqueline e Sandra. A prata ficou com outra dupla brasileira, Adriana Samuel e Mônica. As equipes femininas de basquete e vôlei também subiram ao pódio, conquistando ambas a medalha de prata.

Sydney – Os Jogos Olímpicos de Sydney foram os últimos realizados no século XX. Devido ao fuso horário de mais de 14 horas entre Austrália e Brasil, as competições eram exibidas durante a madrugada. A programação olímpica da Rede Globo visava a mostrar ao telespectador a excelência de atletas reunidos num evento desses. Foram produzidos programas especiais sobre atletas das Olimpíadas passadas, perfis de atletas brasileiros com depoimentos e imagens de arquivo e reportagens sobre a Austrália para que o telespectador conhecesse melhor o país sede dos Jogos. Os estúdios da Rede Globo em Sydney ocupavam uma área de 800m², onde também estavam localizados a redação do jornalismo e as ilhas de edição. A cobertura contou ainda com uma videoconferência com a Vila Olímpica, assim como em Atlanta, que permitia que os repórteres conversassem com o atleta dentro da Vila Olímpica. Para a transmissão das imagens para o Brasil, a emissora dispôs de dois satélites, o que possibilitava que ela exibisse um evento ao vivo e recebesse, simultaneamente, uma outra competição ou uma reportagem.

A programação durante as Olimpíadas começava no *Jornal Nacional*, que apresentava a relação das próximas competições a serem transmitidas durante a madrugada e o resumo dos resultados do dia anterior. Depois do telejornal, eram exibidos flashes ao vivo durante a programação e, em seguida, cerca de nove horas contínuas de transmissão das competições.

O *Jornal Nacional* apresentou dois blocos diários sobre os Jogos. Do estúdio do Rio de Janeiro, William Bonner e Fátima Bernardes davam as últimas notícias. Os repórteres Marcos Uchoa, Ana Paula Padrão, Pedro Bial, Mauro Tagliaferri, Carlos Dorneles, Pedro Bassan e Renato Ribeiro noticiavam as competições e o dia-a-dia da delegação brasileira. O telejornal chegou a mostrar ao vivo algumas provas como o revezamento 4x100 metros do atletismo masculino no dia 28 de setembro de 2000.

A delegação brasileira contou com 205 atletas e suas grandes promessas eram o tenista Gustavo Kuerten, a especialista do salto em distância Maurren Higa Maggi, as duplas de vôlei de praia feminino – Adriana Behar e Shelda, Sandra e Adriana Samuel – além das seleções de futebol e de vôlei masculino. Os atletas brasileiros trouxeram para casa 12 medalhas – seis de prata e seis de bronze – frustrando a expectativa de superar as 15 medalhas obtidas em Atlanta em 1996.

5. *O repórter João Pedro Paes Leme na cobertura das Olimpíadas de Sydney entrevistando Leila, jogadora da seleção feminina de vôlei (2000).*

4

Coberturas Políticas e Econômicas

IMPEACHMENT DO PRESIDENTE

Três meses depois da posse de Fernando Collor, em junho de 1990, surgiram as primeiras denúncias de corrupção no governo, atingindo naquele momento apenas o segundo escalão. Em outubro, as denúncias passaram a envolver pessoas próximas ao presidente e o nome de Paulo César Farias – ex-tesoureiro da campanha de Collor – apareceu, pela primeira vez, como intermediário de negócios entre o empresariado e o governo. A partir daí, os escândalos e as denúncias se sucederam e, a cada mês, novos nomes eram apontados. Mas foi somente no dia 24 de maio de 1992 que as denúncias atingiram diretamente o presidente da República. Numa entrevista à revista *Veja*, Pedro Collor acusou o irmão de manter uma sociedade com "PC Farias" (como ficou conhecido o ex-tesoureiro), que seria seu testa-de-ferro nos negócios.

Durante toda a semana seguinte, o *Jornal Nacional* dedicou grande parte de seu noticiário à crise política que se instalara no governo. As denúncias rapidamente tiveram repercussão no Congresso Nacional. No dia 25 de maio, o telejornal informou que a Polícia Federal instauraria inquérito para apurar as denúncias contra Collor. O presidente, por sua vez, pediu a abertura de uma ação penal com base na Lei de Imprensa para responsabilizar o autor das denúncias por crime contra a honra.

O procurador-geral da República, Aristides Junqueira, também pediu a abertura de inquérito para a apuração de crimes contra a administração pública federal, atribuídos ao presidente Fernando Collor, à ex-ministra Zélia Cardoso de Melo, a PC Farias e ao piloto de avião Jorge Bandeira de Melo, acusado de intermediar a liberação de verbas no Ministério da Ação Social. Naquele dia, o presidente divulgou uma carta à nação na qual se dizia profundamente chocado com as declarações "insensatas e falsas" do irmão Pedro Collor. O documento teve alguns de seus trechos divulgados no *JN*.

Em 27 de maio, Pedro Collor, em companhia da mulher, Tereza, do seu advogado e de uma equipe médica, disse em entrevista coletiva que não poderia provar todas as acusações contra Fernando Collor e PC Farias que fizera à revista *Veja*, mas, mesmo assim, estava com a consciência tranqüila. Também tornou público o resultado dos exames de sanidade mental a que tinha se submetido. Segundo o laudo ele estava apto a realizar todos os atos de responsabilidade civil e não apresentava nenhum diagnóstico psiquiátrico.

Naquele mesmo dia, por solicitação de parlamentares do PT, o Congresso instaurou uma Comissão Parlamentar de Inquérito (CPI) para apurar as denúncias contra Paulo César Farias. A Rede Globo acompanhou passo a passo os trabalhos da CPI, desde a sua instalação até a leitura do relatório final, 85 dias depois. No dia 9 de junho, o repórter Álvaro Pereira assistiu às seis horas de depoimento de PC Farias no Congresso e apresentou no *JN* um resumo das suas declarações.

O cerco contra Fernando Collor apertou no dia 28 de junho, quando a revista *IstoÉ* publicou uma entrevista do motorista Eriberto França confirmando que a empresa Brasil-Jet, de Paulo César Farias, pagava as contas da Casa da Dinda, residência do presidente. A CPI descobriu, então, que a secretária particular do presidente, Ana Acioli, recebia depósitos de PC e de seus "fantasmas" (nomes fictícios de titulares de contas movimentadas pelo "esquema PC"). A prova material definitiva dos vínculos do presidente com o sistema de corrupção (um cheque utilizado na compra do Fiat Elba de Rosane Collor) foi localizada por Jorge Bastos Moreno, repórter do jornal *O Globo*.

No dia 24 de agosto, a Rede Globo transmitiu, ao vivo, a sessão de leitura do relatório final da CPI no Congresso Nacional. Foram lidas na íntegra as suas 200 páginas, redigidas pelo senador Amir Lando. Além de Paulo César Farias, foram apontados como os principais envolvidos Cláudio Vieira, Jorge Bandeira de Melo, Rosinete Melanias, Marta Vasconcelos, Ana Acioli, Najun Turner e José Roberto Nehring. Eles foram responsabilizados por crimes de corrupção, exploração de prestígio, falsificação, sonegação, formação de quadrilha, falso testemunho, entre outros. O relatório apontou as ligações de Fernando Collor com o esquema de corrupção. Estimava-se que um total de 6 milhões e 500 mil dólares haviam sido transferidos para os gastos pessoais do presidente.

No dia da leitura do relatório, uma parte do *Jornal Nacional* foi apresentada, ao vivo, do estúdio de Brasília, por Carlos Nascimento. Foi feito um histórico do caso desde as denúncias de Pedro Collor e apresentadas as principais conclusões da CPI. Em seguida, mostrou-se a repercussão do fato entre governadores e outros políticos. Paulo César Farias se disse inocente numa entrevista exclusiva concedida ao repórter Francisco José.

Diante das descobertas da CPI, que evidenciavam o envolvimento de Collor com PC Farias, o *impeachment* do presidente tornou-se o tema central dos noticiários da Rede Globo. Antes mesmo da conclusão do relatório, o *Jornal Nacional* registrou as primeiras manifestações populares exigindo o afastamento do presidente. Em 16 de agosto, nas principais capitais do país, o povo se manifestou vestido de preto contra os atos de corrupção e pela ética na política. Era uma resposta a Collor, que havia convocado a população para sair às ruas de verde e amarelo, em seu apoio. Dias depois, jovens estudantes de todo o país, pintando o rosto de verde e amarelo, também ganharam as ruas em protesto. No dia 21, cerca de 100 mil "caras-pintadas", como ficaram conhecidos, se reuniram numa passeata na avenida Rio Branco, no Centro do Rio.

Marcelo Canellas fazia parte da equipe que cobriu a manifestação dos estudantes. A imagem de uma jovem pintando o rosto do repórter e, em seguida, a lente da câmera, tornou-se um ícone desse período e foi repetida em diversas ocasiões em que o episódio era recordado.

No dia 1º de setembro, o *Jornal Nacional* registrou a solenidade de entrega do pedido de *impeachment*, assinado pelo presidente da Associação Brasileira de Imprensa (ABI), Barbosa Lima Sobrinho, e pelo presidente da Ordem dos Advogados do Brasil (OAB), Marcelo Lavenère, no Salão Verde da Câmara dos Deputados. Vinte e quatro dias depois, as deputadas Irma Passoni e Sandra Starling leriam, na Câmara, o parecer do relator Nelson Jobim pedindo a abertura de processo contra o presidente.

Finalmente, em 29 de setembro de 1992, a Câmara dos Deputados aprovou o parecer. A Rede Globo transmitiu ao vivo toda a sessão, que durou pouco mais de duas horas. Dos 503 deputados, 480 estavam presentes. Eles foram chamados um a um, por ordem alfabética, para dar seu voto ao microfone. O momento mais emocionante foi quando o deputado Paulo Romano (PFL-MG) disse o "sim" decisivo. O pedido de *impeachment* foi aprovado com 441 votos, muito além das previsões da própria oposição, cujos cálculos apontavam 380 votos favoráveis.

O *Jornal Nacional* desse dia foi inteiramente dedicado à votação na Câmara. Cid Moreira e Sergio Chapelin abriram o telejornal, chamando a atenção para a importância do fato: "A história do Brasil mudou nesta terça-feira. Pela primeira vez, a Câmara dos Deputados autoriza o julgamento de um presidente da República." Em seguida, Carlos Nascimento apresentou o telejornal, diretamente de Brasília, onde estavam os repórteres Alexandre Garcia, Renato Machado, Pedro Bial, Delis Ortiz e Heraldo Pereira.

No dia seguinte, Ibsen Pinheiro, presidente da Câmara dos Deputados, entregou pessoalmente o parecer contendo as denúncias contra Fernando Collor a Mauro Benevides, presidente do Senado Federal. Em menos de duas horas, o documento foi aprovado. À tarde, o pedido de *impeachment* já estava no plenário do Senado, que se tornou a partir de então o tribunal de julgamento do presidente por crime de responsabilidade.

Fernando Collor, como determinava a lei, foi afastado do cargo compulsoriamente por 180 dias e substituído, em 2 de outubro, pelo vice-presidente Itamar

Franco. Carlos Nascimento fez a narração, ao vivo, do seu afastamento e cobriu, junto com Renato Machado, a posse do novo presidente. Em 29 de dezembro, ocorreu o último julgamento de Collor. Antes do final, diante da tendência dos senadores de afastá-lo definitivamente do cargo e suspender seus direitos políticos, ele resolveu renunciar. Mesmo com a renúncia, o julgamento prosseguiu e o presidente afastado foi condenado, por 76 votos a três, à inelegibilidade e à inabilitação por oito anos para o exercício de cargos públicos.

O Caso PC Farias

Indiciado em 41 inquéritos criminais, Paulo César Farias teve a prisão decretada alguns meses depois do *impeachment* do presidente Collor, em 31 de junho de 1993. No mesmo dia, desapareceu e o Brasil ficou sem notícias dele até setembro daquele ano, quando o repórter Marcelo Rezende localizou, em Buenos Aires, o homem que o ajudou a fugir do país, o chileno José Ramón Irribarra.

PC Farias deixou o Brasil, com o piloto Jorge Bandeira, num bimotor paraguaio. Depois de várias escalas, desembarcou em Buenos Aires, de onde dias depois seguiu para um destino desconhecido. Os detalhes de sua fuga foram contados por José Ramón Irribarra a Marcelo Rezende no *Fantástico* de 12 de setembro. Cinco dias depois, o repórter daria novo furo ao apresentar no *Jornal Nacional* a revendedora de automóveis de Buenos Aires usada por PC Farias para fazer contatos com o Brasil.

O paradeiro de Paulo César Farias, entretanto, continuava desconhecido. O tesoureiro da campanha de Fernando Collor só seria localizado em Londres, 130 dias depois da sua fuga, pelo repórter Roberto Cabrini. A notícia foi divulgada, com exclusividade, por Lillian Witte Fibe no *Jornal da Globo*, em 20 de outubro de 1993. No dia seguinte, o encontro de Cabrini com PC, registrado pelo cinegrafista Sergio Gilz, foi exibido no *Jornal Nacional*.

Onze quilos mais magro, com os cabelos grisalhos e sem os famosos bigodes, Paulo César Farias recebeu o jornalista num pequeno apartamento em Londres, um dos seus endereços na cidade. Apesar de ter se negado a dar entrevista, acabou falando sobre vários assuntos: seu plano de fuga; os riscos por que passou; sua vida de fugitivo, primeiro na Argentina e depois em Londres; seus contatos com Fernando Collor. Disse que era um arquivo vivo muito importante e que sua vida corria perigo.

Roberto Cabrini conta com detalhes como foi a investigação que permitiu localizar Paulo César Farias em Londres:

> "Em dezembro de 1992, quando estava sendo votado o *impeachment* do Collor, Paulo César Farias saiu do país. Ele ainda não era fugitivo da Justiça, mas ninguém sabia do seu paradeiro. Como ainda não tomava tantas precauções, deixou alguns rastros que me possibilitaram chegar até ele, juntamente com a equipe da Globo no Brasil. Dando

vários telefonemas, a gente chegou à conclusão de que ele estaria possivelmente em Barcelona, no Hotel Ritz. Então, lá fui eu. No hotel, me informaram que não tinha ninguém registrado com esse nome. Conversei com alguns funcionários e um garçom descreveu uma pessoa com características semelhantes, que estaria no sétimo andar. Pensei: 'Só tem um jeito de constatar isso: me hospedando aqui.' Consegui um lugar no mesmo andar dele. Do meu quarto, liguei para o tal hóspede. A pessoa que atendeu falou um 'alô' em nosso bom e velho português, e aí eu acelerei ao máximo: 'Sr. Paulo César Farias, como vai?', 'Como? Com quem estou falando?'. Aí eu vi que era ele mesmo, ou não responderia dessa forma: 'Sr. Paulo César, meu nome é Roberto Cabrini, eu sei que o senhor não está querendo ser localizado, mas eu preciso falar com o senhor.' Ele disse: 'Não tem problema. É que eu não deixo o nome lá embaixo, porque a imprensa fica me assediando. Mas terei o máximo prazer em atendê-lo.' Fui ao quarto dele. Logo depois, chegou um português, chamado Fernando, e ligou um tal de Raul. Eram pessoas da Sanal, uma empresa baseada em Paris, que dá assessoria a brasileiros: providencia aluguel de táxi, arruma reservas em hotel etc. Então, prestei atenção naqueles nomes. Consultei PC para ver se ele me daria uma entrevista quando o *impeachment* do Collor fosse devidamente julgado pelo Congresso. Ele falou: 'Ligue para mim.' E me deu dois telefones de pessoas ligadas à Sanal. Gravei a entrevista, saí que nem um louco, mas peguei congestionamento e cheguei atrasado ao satélite. Eu tinha um furo de reportagem na mão e só consegui gerar para o Brasil às nove da noite, quando o *Jornal Nacional* já tinha terminado. Como só eu sabia onde estava Paulo César Farias, a gente resolveu guardar esse material e pôr no ar no dia seguinte. Mas, umas dez ou onze horas, a *Folha de S. Paulo* conseguiu localizar o PC e publicou uma matéria no dia seguinte. Foi a maior frustração que eu tive na minha vida, mas o episódio me deu a energia de que eu precisava. A frustração serviu de combustível para eu investigar com uma força de vontade que talvez eu não tivesse em outra circunstância. Seis meses depois, Paulo César Farias se tornou um fugitivo da Justiça. Acompanhei avidamente todo o noticiário. Eu tinha algo que pouquíssimas pessoas tinham na época: os contatos dele na Europa. Passei a ligar para a Sanal e notei uma atitude estranha das pessoas, especialmente desse Raul. Ele era muito resistente: 'Eu não sei de nada. Por favor, não me ligue mais.' E ele passou a não mais atender ao telefone. Até que consegui o número da casa dele e continuei ligando. Essa foi uma vertente da investigação. Aí surgiu um outro detalhe também importante: havia uma empresa de turismo em Londres onde trabalhava uma brasileira, chamada Bia. Ela ligou para a embaixada e para vários jornalistas. Dizia que, dias antes, o dono dessa empresa a tinha procurado para fazer uma reserva em condições e características que ela nunca tinha feito: o nome do inquilino não poderia aparecer; tinha que ser um prédio que tivesse conexão com a garagem, porque a pessoa não podia ser vista; precisava alugar uma limusine com vidro escuro; conseguir vários celulares. Ela achou estranho: 'Deve ser alguém que está tentando fugir da Justiça, de repente até o PC.' Mas ninguém prestou atenção. Quando ela me contou isso, eu resolvi marcar um encontro com ela. Combinamos que ela conseguiria o endereço do prédio e passaria para mim. Eu, paralelamente, continuava atrás da Sanal. Até que um dia a Bia conseguiu o endereço. O prédio chamava-se Europa House e ficava na Randolph Avenue. O primeiro dia em que eu fui lá, fiquei uma hora e conversei com várias pessoas. Num determinado dia, Bia me contou que uma empresa de limusine tinha sido rejeitada pelo tal inquilino porque tinha motoristas brasileiros. Consegui localizar essa empresa e eles realmente me confirmaram a história. Mas só passei a fazer plantão mesmo em frente ao prédio quando conseguimos levantar o nome, que estava escrito a lápis no contrato, de uma pessoa que iria efetuar os pagamentos desse imóvel. O nome era Raul, justamente para quem eu ligava na Sanal. Passei a dar plantão em frente ao prédio. Era inverno, fazia muito frio, e eu ficava na rua, indo de um lado para o outro. E foi se aproximando a época de eu ir para o Japão, porque eu cobria Fórmula 1. Eu estava pressionado porque ia ficar 20 dias fora. Na véspera da viagem, decidi: vou para o 'tudo ou nada'. O meu vôo saía às dez e meia da manhã. Pensei: 'Vou passar a madrugada aqui, mas vou ver se alguém chega.' E ninguém chegava. Duas pessoas do escritório se revezavam comigo na vigília: o arquivista Antonio Silva e o produtor Edson Nascimbeni. Naquela noite, intensifiquei o turno de vigia, porque queria ter uma definição. Combinei com esses dois amigos. Quando eu cheguei lá para pegar o meu turno, Antonio me contou que tinha visto alguém que parecia ser o Paulo César Farias. Só que eu fiquei em dúvida porque ele não enxergava bem, usava uns óculos enormes. Fui para o escritório, liguei para a casa do Raul, ele atendeu o telefone, e mais uma vez me garantiu que não sabia de nada. Voltei para o ponto de observação. Acho que quando era uma da manhã, eu estava do outro lado da esquina quando vi duas pessoas voltando e, de longe, uma delas me pareceu ter as características físicas do Paulo César Farias. Eu me aproximei a passos largos, mas eles entraram no edifício. Quando cheguei, já estavam no fim do corredor, e iam fazer uma curva para tomar o elevador. Eu os vi numa fração de segundos, mas tive a nítida impressão que um deles era o PC. Tentei interfonar, não obtive sucesso. Fiquei mais um tempo, não aconteceu nada. Pensei: 'Será que eu estou sugestionado?' Porque eu estava há muito tempo pesquisando, tinha a frustração em relação à matéria de Barcelona, o negócio do nome escrito no contrato, do motorista brasileiro rejeitado e a reação estranha das pessoas da Sanal. Voltei para casa e disse: 'Preciso dar um xeque-mate.' Às oito e quinze da manhã, eu liguei para o Raul. Ele próprio atendeu e eu falei: 'É o seguinte: eu estou ligando porque o jogo acabou. Eu sei onde está Paulo César Farias. Já tenho uma matéria pronta.' 'Que história é essa?', ele respondeu. Eu senti que estava no caminho certo e falei o seguinte: 'Olha, a matéria está entrando no *Jornal Nacional* hoje, mas acho que ele merece a chance de se manifestar', 'Então, você sabe onde ele está? Fala o endereço', Quando dei o endereço, ele perdeu a voz. Eu por dentro gritei: 'Gol!' Aí ele falou assim: 'Fique calmo. Não põe essa matéria no ar, pelo amor de Deus, que ele vai te dar uma entrevista', 'Que garantias eu tenho?', 'A garantia da minha palavra, eu sou uma pessoa de bem, ele vai falar contigo. Qual seu número?'. Dei o número. 'Ele vai falar com você hoje.' E desligou o telefone. Pensei: 'Esse homem vai fugir.' Eu liguei para o Edson Nascimbeni, que morava mais próximo da Randolph Avenue: 'Edson, você vai agora para aquele endereço, porque eu acabei de confirmar: é o PC e ele vai fugir!' Ele foi correndo e eu fiquei num nervosismo muito grande. Duas horas depois, Raul me liga: 'Paulo César Farias está abalado, irritado, mas falou que lembra de você de Barcelona. Fique tranqüilo. Eu estou indo para Londres porque eu vou ajudar a coordenar isso daí.' Eu, evidentemente, não embarquei para o Japão. De madrugada, fui encontrar PC num outro prédio diferente daquele que eu tinha achado – fiquei sabendo que ele tinha dois apartamentos em Londres. Tive que ir sozinho e parar nuns cinco lugares diferentes para alguém ver se eu não estava sendo seguido pela polícia. Quando cheguei ao local do encontro, Paulo César Farias me entregou uma carta me cumprimentando por tê-lo localizado: 'Isso aqui é uma prova que você me localizou, só que eu não vou dar entrevista', 'Como não vai dar entrevista? Eu vou ter que fazer 20 minutos de matéria para o *Jornal Nacional*, como eu vou falar 20 minutos de uma carta?' Aí consegui convencê-lo a deixar o cinegrafista filmar. Liguei para o Sergio Gilz. Ele passou no escritório, pegou a câmera e, em pouco tempo, já estava lá. O PC se recusou a dar uma entrevista oficialmente, mas foi falando comigo e eu fui anotando. Eu nem podia me comunicar com Gilz, porque o português e o Raul estavam me vigiando o tempo todo, mas pensei: 'Se ele é esperto, vai filmar tudo.' Só quando PC saiu – a imagem mostra ele indo embora num táxi – é que pude finalmente conversar com Sergio Gilz: 'Você filmou tudo?' 'Filmei', me respondeu. Foi um alívio!"

No dia seguinte à exibição da matéria de Cabrini no *Jornal Nacional*, Paulo César Farias – que até então tinha passado incógnito em Londres – foi descoberto pela imprensa inglesa. Nesse mesmo dia, o governo brasileiro pediu sua extradição. Como não havia um acordo oficial entre Brasil e Inglaterra, especulava-se sobre a possibilidade de PC ser trocado por Ronald Biggs, o famoso assaltante que vivia no Rio foragido da polícia britânica. O governo inglês descartou essa hipótese e, no dia 3 de novembro, aceitou o pedido de extradição. A polícia londrina tentou então capturar PC Farias, mas não conseguiu localizá-lo. Ele tinha fugido para a Tailândia.

Paulo César Farias foi preso em Bangcoc no dia 29 de novembro, devido à denúncia de um turista brasileiro que o viu andando pelas ruas. O repórter Roberto Cabrini foi enviado especialmente à cidade e descobriu onde estava hospedada Elma Farias, a mulher de PC. Ela lhe concedeu uma entrevista exclusiva e fez um desabafo emocionado, acusando Fernando Collor de ser o "chefe maior" de todo o esquema montado por seu marido. Disse que o ex-presidente sairia impune de toda a história, enquanto PC Farias pagaria por todos os crimes sozinho. Pediu que as autoridades brasileiras agissem com justiça e afirmou que temia pela vida do marido. "Eu vi empresários, vi empreiteiros, vi políticos almoçando e jantando na minha casa", afirmou ela, "mas os grandes do Brasil não têm interesse na vida de Paulo César."

PC Farias foi extraditado para o Brasil. Julgado, foi condenado a quatro anos de prisão por sonegação fiscal e a sete por falsidade ideológica. Cumpriu um terço da pena e, em 28 de dezembro de 1995, recebeu liberdade condicional. Seis meses depois, no dia 23 de junho de 1996, foi assassinado. Seu corpo foi encontrado ao lado do corpo da namorada, Susana Marcolino, em sua casa de praia, em Maceió. Elma Farias morrera um ano antes, de um ataque do coração.

O Plano Real e a Eleição de FHC

Depois do *impeachment* de Fernando Collor, Luiz Inácio Lula da Silva tornou-se o favorito para as eleições presidenciais de 1994. Até maio daquele ano, o candidato do PT liderava as pesquisas, obtendo quase a maioria absoluta da preferência do eleitorado. Mas meses antes da eleição foi lançado o Plano Real, com impactos imediatos sobre os índices de inflação e o poder de compra da população. A estabilidade monetária deu grande popularidade a Fernando Henrique Cardoso, candidato da coligação PSDB-PFL, que tinha sido ministro da Fazenda do governo Itamar Franco e um dos autores do plano econômico.

O Plano Real era a sétima tentativa, desde 1986, de se conter a inflação a partir de um pacote de medidas econômicas. Desvinculada da moeda vigente, o cruzeiro real, foi criada a unidade real de valor (URV), que serviria de referência de cálculo para preços e contratos firmados desde sua criação, em 1º de março. Cada URV correspondia a 1 dólar e o cruzeiro real se desvalorizaria até que entrasse em circulação o real, equivalendo à URV.

O *JN* exibiu diversas matérias explicando para a população as medidas econômicas. No momento de transição entre as duas moedas, começou a ser usada uma tabela de conversão de valores de difícil compreensão, e o desafio do Jornalismo era informar os telespectadores da maneira mais simples possível. Para realizar tal empreitada, foram mobilizados profissionais das diferentes praças – entre eles, Ana Paula Padrão, Marcelo Canellas, Marcelo Rezende, César Tralli, Roberto Kovalick, Renato Machado, Beatriz Thielmann, Isabela Scalabrini, Ilze Scamparini e Sandra Moreyra. Os repórteres acompanhavam as reuniões e entrevistas da equipe econômica e davam informações sobre as medidas que estavam sendo tomadas para a implantação da nova moeda a partir de 1º de julho.

No primeiro dia de circulação do real, o *JN* apresentou reportagens mostrando o impacto da nova moeda nos grandes centros urbanos. Em Brasília, Ana Paula Padrão informou que, na hora de converter o valor dos produtos para o real, diversos estabelecimentos aproveitaram para aumentar os preços. Ricardo Von Dorff, de Porto Alegre, mostrou as semelhanças entre as moedas antigas e as novas e alertou a população para possíveis confusões.

O *Globo Repórter* daquele dia foi todo dedicado ao novo plano econômico. O programa abriu espaço para que os telespectadores tirassem suas dúvidas. No estúdio em Brasília, o ministro da Fazenda, Rubens Ricupero, e o presidente do Banco Central, Pedro Malan – mediados pelo jornalista Joelmir Beting –, responderam, ao vivo, a perguntas da população, feitas através de ligações gratuitas para um telefone que a Rede Globo disponibilizou.

O repórter Heraldo Pereira comenta a importância que o jornalismo da Globo teve no processo de implantação do Plano Real: "Na verdade, o Plano Real nasceu com a URV. E explicar na televisão o que era URV, que ia ser o embrião do Plano Real, não era uma tarefa fácil. A URV era uma referência, uma sigla e o país conviveu meses com essa referência, que ia se transformando. Nisso, a Globo teve um papel fundamental. Através de todos os seus telejornais, especialmente o *Jornal Nacional*, a população brasileira aprendeu a conviver com uma moeda que, de fato, não existia e que nunca existiu, que era a URV. E foi assim até que o real foi implantado de fato."

1

2

3

4

5

1. Estudante pintando o rosto do repórter Marcelo Canellas na passeata pelo *impeachment* do presidente Collor, na Candelária, no Rio de Janeiro (21 ago 1992).

2. Congresso Nacional no dia da votação do *impeachment* do presidente Fernando Collor de Mello (*JN*, 29 set 1992).

3. Senadores e deputados comemorando no Congresso Nacional a aprovação do *impeachment* do presidente Fernando Collor de Mello (*JN*, 29 set 1992).

4. Delis Ortiz no dia da votação do *impeachment* do presidente Fernando Collor (*JN*, 29 set 1992).

5. Fernando Collor de Mello e Rosane Collor deixando o Palácio do Planalto depois do *impeachment* (*JN*, 2 out 1992).

6. Roberto Cabrini entrevista PC Farias em Londres (*JN*, 21 out 1993).

6

1. Carta de PC Farias para Roberto Cabrini (20 out 1993).

2. O repórter Roberto Cabrini em Bangcoc, na Tailândia, onde PC Farias foi preso (*JN*, 1º dez 1993).

3. O candidato do PSDB, Fernando Henrique Cardoso, em comício em São Paulo (*JN*, 1º out 1994).

4. O candidato do PSDB, Fernando Henrique Cardoso, votando nas eleições presidenciais de 1994 (*JN*, 15 nov 1994).

5. Ministro da Fazenda Rubens Ricupero detalhando o Plano Real em entrevista ao jornalista Joelmir Beting (*JN*, 30 jun 1994).

6. Conversa do jornalista Carlos Monforte com o ministro da Fazenda Rubens Ricupero que foi captada por antenas parabólicas e provocou a demissão do ministro (3 set 1994).

1

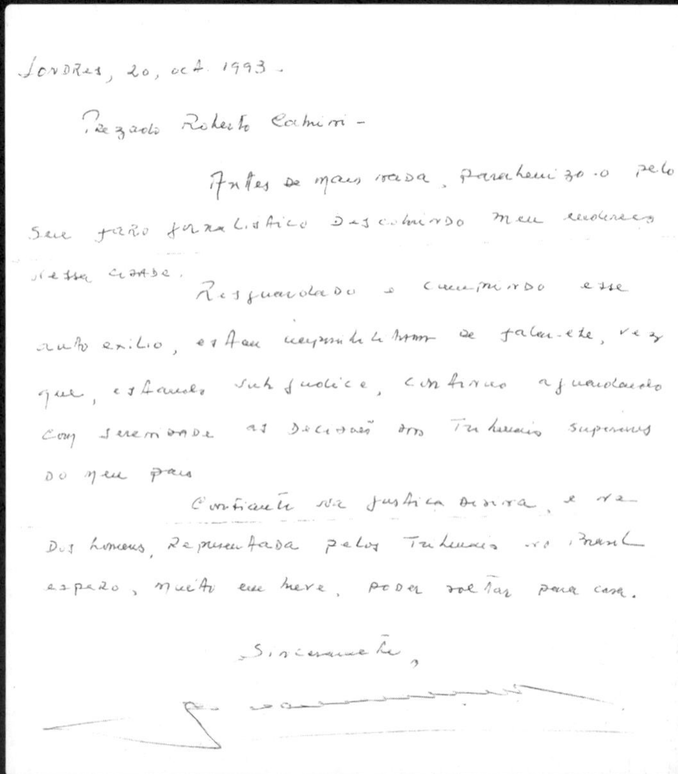

Londres, 20, oct. 1993.

Prezado Roberto Cabrini –

Antes de mais nada, parabenizo-o pelo seu faro jornalístico descobrindo meu endereço nessa cidade.

Resguardado e cumprindo esse auto exílio, estava impossibilitado de falar-lhe, vez que, estando sub judice, continuo aguardando com serenidade as decisões dos Tribunais superiores do meu país.

Confiante na justiça divina, e na dos homens, representada pelos Tribunais no Brasil espero, muito em breve, poder voltar para casa.

Sinceramente,

2

3

4

5

6

Nas semanas seguintes, o *JN* continuou dando destaque à adaptação da economia e da população brasileiras à nova moeda. Naquele momento, a sucessão presidencial estava em andamento e o plano econômico do governo se tornou ponto principal dos debates entre os candidatos. As pesquisas de opinião começaram a registrar o crescimento da candidatura de FH.

No dia 2 de setembro, Rubens Ricupero – que, em abril, substituíra Fernando Henrique como ministro da Fazenda – foi aos estúdios da TV Globo gravar uma entrevista com o jornalista Carlos Monforte para ir ao ar no *Jornal da Globo*. Enquanto esperavam o início das gravações, uma conversa informal entre os dois foi captada acidentalmente por algumas antenas parabólicas domésticas que estavam na mesma freqüência do sinal emitido via satélite pela Embratel. O incidente teve grandes repercussões, pois Ricupero admitiu usar eleitoralmente os indicadores econômicos positivos do governo em favor do candidato do PSDB. Entre outras afirmações, disse não ter escrúpulos de esconder o que era ruim e divulgar o que era bom. O ministro chegou a citar a Rede Globo, alegando que ele, Rubens Ricupero, era um "achado" para a emissora, que em vez do "apoio ostensivo" à candidatura FH podia colocá-lo nos seus telejornais, numa espécie de apoio indireto.

No dia seguinte, a Rede Globo divulgou uma nota sobre o comentário do ministro, afirmando que não apoiava qualquer dos candidatos e que fazia uma cobertura isenta da campanha eleitoral: "A Rede Globo esclarece que o noticiário que transmite sobre o plano econômico tem o objetivo único de informar corretamente os telespectadores. E afirma que sempre apoiará qualquer medida que vise a acabar com a inflação, que é o mais cruel de todos os impostos, porque só aflige os mais pobres."

Carlos Monforte comenta o episódio: "O ministro tinha dado entrevistas desde as sete da manhã sobre o Plano Real, do *Bom Dia* até o *Jornal da Globo*, isso falando em termos de Rede Globo, fora as rádios e jornais que o entrevistaram todo dia. No *Jornal Nacional*, ele conversou ao vivo com Ana Paula Padrão. Quando acabou o telejornal desligaram-se as câmeras e as luzes. Estávamos na sala de reuniões do Ministério da Fazenda. Nós íamos gravar uma entrevista para o *Jornal da Globo*. Lillian Witte Fibe, editora e apresentadora do telejornal, estava em São Paulo, e nós íamos entrar ao vivo. Mas tinha um problema de som: o técnico passava para lá e para cá. Então, o ministro começou a falar sem parar, e eu querendo anotar o roteiro, as perguntas que iria fazer na entrevista com ele. De repente, depois de 20 minutos de conversa, Alexandre Garcia liga para o meu celular: 'O que é que vocês estão falando aí?' 'Eu não estou falando nada', respondi. 'Estão ligando para cá, porque o ministro está falando mal do governo etc.', disse ele. E, aí, eu falei para o Ricupero: 'Olha, é melhor ficar quieto, porque estão ouvindo o que você está falando.'"

Carlos Monforte conta que o episódio marcou sua vida profissional: "Nos dois dias seguintes, eu não dormi de tão preocupado. Embora eu tenha a consciência tranqüila, tenha absoluta certeza de que eu não feri a ética profissional, não procurei atrapalhar a vida do ministro, nem provocar nenhum tipo de celeuma dentro do processo eleitoral, nem prejudicar a emissora – a história me marcou."

O incidente resultou em um pedido público de desculpas do ministro e, posteriormente, no seu pedido de demissão. Para substituí-lo, o presidente Itamar Franco chamou o então governador do Ceará, Ciro Gomes. Por causa do episódio, partidos de oposição chegaram a pedir a impugnação da candidatura de FHC, alegando que Rubens Ricupero teria deixado claro que o governo federal estava ajudando o candidato do PSDB. O fato, no entanto, não prejudicou Fernando Henrique, que venceu as eleições ainda no primeiro turno.

Durante os meses que precederam as eleições de 3 de outubro, o *Jornal Nacional* acompanhou, diariamente, as campanhas dos principais candidatos à presidência. Sob a coordenação de Carlos Amorim, diretor de Eventos Especiais da CGJ, a Rede Globo preparou uma grande cobertura, com equipes espalhadas pelas principais capitais de todo o país. Foram envolvidos cerca de dez mil profissionais, entre jornalistas, técnicos e pesquisadores. A partir de 28 de setembro, a emissora ampliou o espaço dedicado às eleições. O assunto passou a ocupar em média dois blocos em cada um dos seus telejornais.

Além do presidente, também foram escolhidos, naquele ano, 27 novos governadores, 54 senadores, 513 deputados federais e 1.059 deputados estaduais. O TSE criou um conjunto de normas para regular a cobertura eleitoral no rádio e na televisão. Entre outras coisas, as emissoras eram obrigadas a dar o mesmo espaço e tratamento aos candidatos na sua programação e proibidas de veicular propaganda política (fora do horário eleitoral gratuito) ou difundir opinião favorável ou contrária a candidato, partido ou coligação.

A legislação eleitoral determinou também que a realização de debates entre os presidenciáveis só seria permitida se as emissoras assegurassem a presença de todos os candidatos. Só seria admitida alguma ausência se o veículo de comunicação comprovasse haver convidado o candidato com antecedência mínima de 72 horas. O debate poderia ser feito de duas formas: num único dia ou em dias diferentes, sendo que a escolha dos participantes de cada dia seria feita através de sorteio. Por esse motivo, a Globo preferiu não promover nenhum debate. O diretor da CGJ, Alberico de Sousa Cruz, em matéria publicada no jornal O *Globo* em 13 de junho de 1994, explicou: "Se fizermos um debate reunindo nove candidatos vai ficar uma loucura total, ou seja, o telespectador não conseguirá descobrir nada. Pensamos, então, em produzir dois debates. Só que a Justiça Eleitoral não permite que a gente escolha quais serão os candidatos de cada dia. Ela exige que isso aconteça através de sorteio ou de um acordo entre os partidos. E aí fica difícil, pois não saberemos se vai dar para confrontar os principais concorrentes."

Alexandre Garcia comenta que o Jornalismo da Globo tomou muitos cuidados para obedecer à legislação e evitar críticas: "Embora nós julgássemos que tínhamos feito uma cobertura isenta em 1989, ainda assim tomamos cuidados redobrados em 1994. Eu lembro que fiquei no estúdio dando o resultado das eleições, acompanhando a apuração passo a passo. Começava dando boca de urna do Ibope no dia mesmo da eleição, lá pelas cinco da tarde, e aí não parava até o resultado final. Era uma maratona."

No dia 3 de outubro, a programação da TV Globo foi toda voltada para a cobertura da votação. Começou com o *Bom Dia, Brasil*, às 7h, e seguiu com *flashes* nacionais e locais. Os jornalistas William Bonner, Carlos Nascimento, Joelmir Beting e Alexandre Garcia ancoraram e comentaram as transmissões em rede nacional durante todo o dia. Os repórteres Ernesto Paglia e Carlos Dorneles acompanharam Lula e Fernando Henrique, os dois candidatos favoritos nas eleições presidenciais. Nos estúdios do Rio, São Paulo, Belo Horizonte, Brasília e Recife, outros jornalistas se encarregaram das coberturas regionais, entre eles, Fátima Bernardes, José Roberto Burnier e Carlos Monforte.

O *Jornal Nacional* mostrou como tinham sido as eleições em todo o Brasil. Os repórteres acompanharam o dia da votação, espalhados por diferentes estados do país: Alagoas (Beatriz Castro), Amazonas (Marcos Losekann e Pedro Bial), Bahia (José Raimundo), Ceará (Leilane Neubarth), Distrito Federal (Ana Paula Padrão e Delis Ortiz), Maranhão (Marcelo Rezende), Mato Grosso (Graziela Azevedo), Mato Grosso do Sul (Caco Barcellos), Minas Gerais (Ilze Scamparini e Orlando Loureiro), Pará (Domingos Meirelles), Paraná (Idenilson Perin, Sandro Dalpícolo e Dulcinéia Novaes), Rio de Janeiro (Roberto Kovalick, Sandra Moreyra e Sônia Bridi), Rio Grande do Sul (Flávio Porcelo), Rondônia (Marcelo Canellas), Santa Catarina (Ricardo Von Dorf), São Paulo (Britto Jr., Neide Duarte, César Tralli e Helena de Grammont), Sergipe (Sandra Passarinho) e Pernambuco (Francisco José).

O TSE decidiu começar a apuração apenas no dia 4. A partir de então, a Rede Globo ficou direto no ar até o dia 7, quando foi feito um balanço final das eleições. Durante a semana, o *Jornal Nacional* mostrou os resultados parciais das eleições para presidente e governador. Os repórteres passaram a acompanhar o trabalho dos escrutinadores e fiscais de partidos nas principais juntas apuradoras do país. A CGJ e a Central Globo de Informática (CGI) trabalharam juntas e criaram mapas e gráficos ilustrativos para que o eleitor tivesse uma visão geral da contagem dos votos.

Antes de o TSE encerrar a apuração em todo o Brasil, o país já conhecia o nome de seu próximo presidente. Fernando Henrique obteve 54,3% dos votos válidos, seguido por Luiz Inácio Lula da Silva, com 27,1%. Enéas Carneiro chegou em terceiro lugar, com 7,4% dos votos, à frente de tradicionais políticos nacionais, como Orestes Quércia, que obteve 4,4%, e Leonel Brizola, com 3,2%.

PARTE V [1995-2004]

JN: Democracia, Globalização e Terror

1

Evandro Carlos de Andrade Assume a Direção do Jornalismo

Eu entrei na TV Globo aos 64 anos, com espírito de João XXIII, que fez o Concílio Vaticano II e só saiu quando Deus chamou. É possível que, se os Marinho concordarem, eu também só saia quando Deus chamar. EVANDRO CARLOS DE ANDRADE

Em 1995, o jornalista Evandro Carlos de Andrade assumiu a direção da Central Globo de Jornalismo em substituição a Alberico de Sousa Cruz. Evandro vinha da imprensa escrita. Estava havia 24 anos no comando do jornal O *Globo*, onde foi fundamental no projeto de Roberto Marinho de modernizar o diário, levando-o à condição de líder absoluto no Rio de Janeiro e um dos mais importantes do país.

Na Rede Globo, Evandro Carlos de Andrade deu continuidade ao trabalho que sempre o caracterizou e que em 40 anos de profissão deu-lhe uma das mais sólidas reputações no jornalismo brasileiro. Sua gestão foi marcada pelo aprofundamento da linha investigativa no noticiário, pela ênfase nas questões relativas à cidadania e pelo fortalecimento do jornalismo comunitário. "Mais Brasil e menos Brasília" era uma frase que Evandro gostava de repetir, não para diminuir a importância do noticiário político, mas para realçar a política no que ela tinha de importante para a vida dos brasileiros comuns. Com Evandro, também veio o jornalista Luis Erlanger, então editor-chefe do jornal. Na Rede Globo, ele assumiu o cargo de diretor editorial, ao lado de Carlos Henrique Schroder, que a partir daquele momento se tornou diretor de planejamento.

O próprio Evandro afirmava que praticou na televisão os mesmos princípios que o guiaram no jornal: em suas palavras, um jornalismo isento, imparcial, sem amigos, sem inimigos, sem assuntos vetados, sem recomendações, sem preconceitos de qualquer natureza, obediente à lei e respeitoso dos direitos das pessoas. Evandro dizia que nunca teve problemas com os acionistas e que esses princípios sempre vigoraram: "Nem uma única vez foram violados por eles. Eu conto um episódio que acho muito ilustrativo. No início de 1998, o Roberto Irineu telefonou e disse: 'Fulano telefonou e pediu para não dar no *Jornal Nacional* a notícia tal. Vê o que é isso.' Eu liguei para o pessoal do *Jornal Nacional* e a notícia não seria dada porque eles achavam que não era importante. Eu retornei a ligação para o Roberto Irineu e disse que nós não pretendíamos divulgar, mas como fora pedido para não dar, nós tínhamos a obrigação de divulgar. Ele concordou. E nós divulgamos a notícia. Se o fulano não tivesse pedido, a matéria não teria ido ao ar. Daí resultou um princípio: pedir para divulgar a notícia é legítimo, e o editor decide se merece ser divulgada ou não, se é relevante e interessante para o público. Agora, pedir para não dar é uma falta de respeito ao jornalista. Porque é dever da nossa profissão divulgar a notícia."

Segundo Schroder, Evandro foi o homem certo para o momento que a Globo vivia. "Depois de Alberico, um nome forte, de personalidade forte, somente alguém como o Evandro. Ele teve a capacidade de motivar a todos nós de imediato. Era um homem com uma experiência vastíssima, que vivia jornalismo 24 horas por dia, sabia o que queria e gostava de enfrentar desafios. De imediato, conquistou a todos nós, com um jeito claro e reto de decidir, de propor os projetos dele. Foi um momento de muita excitação."

Luis Erlanger relembra aquele período inicial: "Os princípios elementares do bom jornalismo independem do veículo: tanto faz se é televisão, se é rádio, se é jornal. Agora, havia uma preocupação com relação à credibilidade. Ninguém discutia a qualidade das novelas da Globo, mas havia um ranço, injusto na maior parte dos casos, quando as pessoas se referiam ao 'debate Collor–Lula', à 'campanha das diretas'. As medidas tomadas por Evandro buscavam credibilidade, ainda que estivessem na contramão da prática corrente. Eu me lembro de que ele decidiu, por exemplo, que a pessoa que vive do jogo do bicho deveria ser chamada de 'contraventor' e não de 'banqueiro do jogo do bicho', porque banqueiro tem uma conotação positiva. Eram pequenas sutilezas que faziam diferença."

Evandro Carlos de Andrade também realizou algumas mudanças técnicas nas reportagens. A primeira foi em relação ao recurso do contraplano durante as entrevistas. Erlanger comenta: "Em geral, o entrevistado dava as respostas com a câmera fechada nele e, em seguida, o repórter fazia as perguntas, gravando e regravando quantas vezes achasse necessário para que, quando fosse editado, tudo saísse perfeitinho. Às vezes soava um pouco artificial. Ficava o entrevistado mexendo o maxilar sem falar nada, enquanto era gravada a imagem do repórter na entrevista. Conversamos e decidimos que se é um 'pingue-pongue', pergunta e resposta, grava-se a entrevista exatamente na seqüência em que ela acontece, com repórter perguntando e entrevistador respondendo." Uma outra decisão foi recorrer menos ao *stand up*, ou seja, ao repórter falando em primeiro plano sobre um fato que acontece em segundo plano. O uso exagerado desse recurso, na opinião da direção, acabava prejudicando o conteúdo das reportagens.

As duas primeiras marcas que Evandro imprimiu na Globo foram: a criação da Globo News, o primeiro canal de notícias brasileiro 24 horas por dia, e a designação de jornalistas para apresentar todos os telejornais da casa. Foram duas decisões ousadas. A primeira significava a montagem de uma estrutura complexa, que envolvia grandes riscos operacionais e comerciais. A outra implicava substituir profissionais do mais alto padrão, experimentados, sucesso absoluto de público e crítica havia muitos anos.

Amauri Soares, que assumiria a função de editor-chefe do *Jornal Nacional* em 1995, pouco depois de Evandro assumir a Central Globo de Jornalismo, afirma que o novo diretor não encontrou dificuldades para introduzir suas reformas: "Primeiro, pelo seu estilo: claro, preciso, enérgico, incontestável. Segundo, porque as mudanças que chegaram eram absolutamente positivas, desejadas. Evandro contou com a colaboração de toda a CGJ. Na medida em que ele ajudou a equipe a expandir os seus horizontes, ampliar os seus limites, sua capacidade, a equipe colaborou mais e mais com ele. Eu presenciei dois momentos marcantes. No início, as pessoas olhavam com desconfiança para ele: um jornalista que não era de televisão, chegando para comandar o Jornalismo da TV Globo. Um tempo depois, numa reunião com a equipe de São Paulo, com cerca de 150 pessoas no auditório, Evandro fez um balanço das coisas, falando sobre o jornalismo em que ele acreditava, passando a limpo alguns episódios. E aí o Ernesto Paglia perguntou para ele: 'Mas, Evandro, afinal de contas, você está gostando disso aqui? Você está gostando da gente?' E o Evandro não conseguiu responder. Ele disse: 'Você não sabe o orgulho que eu tenho...' e parou, começou a chorar, e a equipe aplaudiu. Só uma pessoa como o Evandro conquista essa mudança: do olhar de desconfiança do início àquele momento de absoluto desprendimento, de contato íntimo. Evandro conquistou a todos com aquele jeito duro, enérgico dele, porque ele era um jornalista que trabalhava todo dia pelo jornalismo, e fazia isso por cada um de nós. Cada um de nós se sentia respaldado, protegido, liderado por ele, da maneira mais autêntica que pode haver. Evandro trabalhava pelo ofício de todos nós."

A estréia da Globo News aconteceu no dia 15 de outubro de 1996. Para viabilizar o projeto, Evandro trouxe de volta à emissora Alice-Maria, ex-diretora executiva da CGJ e uma das criadoras do *Jornal Nacional*.

Jornalistas como Apresentadores

Em março de 1996, Cid Moreira e Sergio Chapelin, dupla de apresentadores que havia se tornado, ao longo dos anos, marca do *Jornal Nacional*, foram substituídos por William Bonner e Lillian Witte Fibe. O objetivo da mudança era colocar à frente do telejornal jornalistas profissionais, envolvidos com a produção das matérias. Buscava-se, assim, dar maior credibilidade às notícias e dinamizar as coberturas. Como o próprio Evandro Carlos de Andrade afirmou: "Nós queremos que os apresentadores respondam o máximo possível sobre os textos que lêem." William Bonner passou a ser também o editor responsável pelos assuntos nacionais e Lillian Witte Fibe, pelos assuntos econômicos.

Schroder comenta que a substituição dos apresentadores foi uma decisão muito difícil, sobretudo devido à competência e à popularidade de Cid Moreira e Sergio Chapelin, atestada pelos números das pesquisas de opinião: "Todas as pesquisam indicavam o êxito dos nossos locutores. Mas eu sentia a necessidade ao longo dos anos de ter jornalistas na bancada, para que houvesse agilidade. Na primeira conversa com Evandro, mencionei isso, e ele foi absolutamente receptivo, dizendo que, como espectador, tinha a mesma impressão. E deu sinal verde para o projeto". Havia muitos obstáculos, como ele conta: "Vendo retrospectivamente, parece que foi uma decisão fácil de tomar. Mas não foi. Qualquer mudança no *Jornal Nacional* é muito complicada, porque se trata do principal telejornal da casa e do país. E um dos principais programas da TV Globo."

Schroder complementa argumentando que, apesar da dificuldade, tinha certeza de que a medida daria mais dinamismo ao telejornal: "Ter jornalistas como apresentadores dá a possibilidade de improvisar, de intervir no noticiário no momento em que ele está no ar. Permite a realização de entrevistas ao vivo, perguntas a repórteres, a entrevistados. Permite um arredondamento de certas matérias. Esse nunca foi o papel dos locutores, a quem apenas cabia ler o que tinha sido escrito. Por mais competentes que fossem, e eram monstros sagrados da locução, os melhores do país, eles não foram formados para desempenhar o papel de jornalistas. Fazer a mudança com eles seria desonesto em primeiro lugar com eles próprios. Foi uma decisão difícil, mas histórica."

A troca dos apresentadores talvez tenha sido, em toda a história do *JN*, a inovação que o público mais sentiu, acostumado que estava com a voz grave de Cid Moreira desde a estréia do telejornal. O afastamento do locutor não foi, no entanto, total. Ele continuou aparecendo, esporadicamente, lendo editoriais, que manifestavam a opinião da empresa sobre determinados assuntos. Sergio Chapelin deixou completamente o *JN*, mas continuou na emissora apresentando, às sextas-feiras, o programa *Globo Repórter*.

Interesse Público e Interesse do Público

Evandro Carlos de Andrade acreditava que o noticiário do *Jornal Nacional* deveria atender tanto ao "interesse público" quanto ao "interesse do público". E era a busca pelo equilíbrio entre esses dois interesses que ele recomendava aos editores: "É claro que o telejornal tem que atender ao 'interesse público', isto nem se discute; mas o 'interesse do público' também precisa ser satisfeito. Em jornalismo, 90% do que se divulga só servem para conversa durante o jantar, não modificam a vida das pessoas em nada. A vida é modificada por uns tantos atos do governo, que definem a cobrança de mais impostos, a proibição disso ou daquilo, o aumento de preços, a alteração dos salários e dos direitos. Mas o 'interesse do público' também é fundamental, para que as pessoas tenham o que conversar. Já imaginaram chegar a um jantar e perguntarem se você leu o artigo 3º da lei nº5.432? Seria insuportável um jantar movido a leitura de legislação."

Amauri Soares que assumira o posto de editor-chefe do *JN* em 1995, ficou, no entanto, pouco tempo no cargo. Em setembro de 1996, Roberto Muller deixou a direção de jornalismo de São Paulo e, para substituí-lo, Evandro decidiu indicar Amauri, por sugestão de Schroder. A mudança criava um problema: quem seria o novo editor-chefe do *Jornal Nacional*? Erlanger e Evandro lembraram-se de Mário Marona, com quem tinham trabalhado por muitos anos no *Globo*. Marona, que naquele período chefiava a editoria de treinamento do jornal, aceitou o desafio na hora. Assim que se tornou editor-chefe do telejornal, Marona realizou mudanças, mantendo o espírito noticioso do *Jornal Nacional* em todas as áreas, mas aumentando a participação das matérias leves e de comportamento, matérias mais do interesse do público.

Foi uma decisão combinada com Evandro. Marona conta: "Eu tive uma conversa com ele antes de sair do *Globo*. Ele achava que eu podia ser útil no *Jornal Nacional* porque eu tinha uma certa aptidão para fazer coisas populares. Populares, mas de bom gosto. Eu detesto violência, detesto sangue e não gosto de cena chocante em telejornal, assim como não gosto de foto chocante em jornal impresso. Eu me especializei, no *Globo*, em fazer bons títulos e matérias bem populares sem escorregar para o terreno do sensacionalismo, do popularesco."

A mudança, no entanto, em alguns momentos, gerou críticas à Rede Globo. A principal acusação era que a emissora estava deixando para segundo plano notícias relevantes para privilegiar curiosidades do mundo animal e a vida de celebridades. Erlanger rebate: "A orientação nunca foi a de popularizar o *JN* e isso nunca aconteceu de fato. Uma coisa é ter matérias leves. Outra coisa é fazer um jornal popularesco, o que nunca aconteceu. Houve apenas uns poucos episódios, que podemos contar nos dedos. Esses poucos episódios, no entanto, foram tão intensamente explorados pela imprensa que ficou a impressão de que eles aconteceram freqüentemente, o que é uma inverdade."

Uma das edições do *JN* mais polêmicas foi a do dia 28 de julho de 1998, quando nasceu Sasha, filha da apresentadora Xuxa. O assunto ocupou mais de dez minutos do telejornal, enquanto o leilão da Telebrás e da Telesp, que iria acontecer no dia seguinte, ficou com menos de quatro minutos. Erlanger comenta: "Quatro minutos, em televisão, representam um enorme espaço. E o assunto merecia, mesmo sendo árido. Sasha teve mais tempo, porque houve uma transmissão ao vivo, o que sempre toma mais tempo, com perguntas e respostas."

Mário Marona defende a edição e afirma que não noticiou o nascimento da filha de Xuxa em detrimento das privatizações: "O *Jornal Nacional* não é muito diferente do jornal impresso. O primeiro bloco é o que tem a manchete, os assuntos mais importantes. E, naquele dia, o primeiro bloco tratava das privatizações. Aí vinha mais um bloco, depois outro, outro e o quinto, que era sobre a Sasha. É mais ou menos assim que um jornal impresso é organizado. O primeiro caderno é Economia, Política, Cidade, e o último caderno é o cultural e de amenidades. Esse último caderno não pode, no jornal impresso, ser feito levando em consideração o outro. Você tem seis páginas para fechar: 'Ah, eu não vou fazer seis páginas porque o primeiro caderno trata de não sei o quê.' Não existe esse critério. Aí, o que eu fiz? O primeiro bloco do *JN* dava a privatização e no último bloco – que seria o segundo caderno – entrariam as matérias leves, chamadas de 'boa noite'. E eu dei a Xuxa. Uma matéria grande, sim, e ainda pus uma entrada ao vivo, porque nós tínhamos a possibilidade de entrevistar a Xuxa com exclusividade. Fiz e faria de novo. Primeiro, a matéria não fez mal a ninguém. Era verdadeira, não tinha mentira nenhuma ali. Era uma matéria sobre celebridade, sobre gente importante. O assunto estava sendo discutido por todo o mundo, e eu não fazia telejornal só para intelectual, eu fazia para minha mãe, para minha tia, para minha empregada. Pode ter tido, isso é discutível mesmo, espaço demais, mas não teve mentira, não teve manipulação. E não vejo motivo para a Globo se retratar. Falava-se muito, na época, sobre a gravidez da Xuxa. Havia muita história em torno desse assunto. As revistas populares cobriram tudo ao longo de nove meses. Eu acho uma postura muito elitista, na hora que acontece o nascimento da criança, comentado no país inteiro, o *Jornal Nacional* assumir uma pose: 'Isso não é assunto para nós.'"

Luis Erlanger tem opinião semelhante: "A Sasha certamente teve no *Jornal Nacional* um espaço menor do que, por exemplo, o casamento da Lady Di. Se for ver, aquele também era um assunto irrelevante, que não mudava em nada a vida dos brasileiros, e, na época, foi amplamente noticiado em todos os veículos de comunicação. No dia do nascimento da Sasha, nada de relevante deixou de ser dado no *Jornal Nacional*, o que aconteceu foi que aumentamos o tamanho do telejornal. Na ocasião, aquele era um assunto de interesse, tanto assim que foi notícia de destaque em todos os outros veículos. A mídia impressa tratou o fato da mesma maneira."

Outra polêmica, no mesmo período, foram três extensas reportagens do *Jornal Nacional* sobre o romance de uma macaca do zoológico de Brasília. Na primeira, exibida em 30 de março de 1998, a repórter Zileide Silva mostrou que o comportamento de uma babuína no Jardim Zoológico da capital federal estava atraindo a atenção do público. Zileide fez uma brincadeira ao atribuir a um grupo de animais valores e sentimentos humanos, como amor, ciúme e traição: a macaca, chamada Capitu, atravessava um lago de sete metros para encontrar o macaco Eliseu, abandonando sua família – o "marido" Otelo e o filhote Tadeu.

Mário Marona comenta: "A matéria não tinha a menor importância, mas era engraçadíssima. Era perfeita para um 'boa noite' do *Jornal Nacional*, e eu pus no ar. Por que o *JN* não pode ter coisas engraçadas, não pode ter *features*? Tem que ter. Isso deixa o jornal mais leve, mais interessante. Eu nunca tive vergonha de fazer matéria popular. Pelo contrário, sempre buscava o que, para mim, eram preciosidades. Não me lembro como aquela matéria chegou, mas quando vi que era com Zileide Silva, que sempre faz matérias de política, achei interessante: era uma enorme quebra de expectativa. O telespectador conhece a Zileide como uma repórter séria. De repente, aparece a repórter fazendo matéria sobre uma macaca adúltera. Isto era legal, ia chamar a atenção, e eu aproveitei."

O triângulo amoroso formado por Capitu, Eliseu e Otelo voltou a ser tema do *Jornal Nacional* em 22 de maio. A repórter Delis Ortiz informou que uma outra macaca, Jaqueline, tinha sido enviada para o zoológico para ser a nova companheira de Eliseu, e destacava que, dessa forma, o romance de Capitu estava próximo do fim. Uma semana depois, a repórter Cristina Serra registrou a aproximação entre Jaqueline e Eliseu, enquanto Capitu voltava a se dedicar, exclusivamente, a Otelo e Tadeu.

Os dois episódios, que aconteceram em períodos muito próximos, freqüentaram as discussões da direção da CGJ, entre Evandro, Erlanger e Schroder. Erlanger lembra: "Evidentemente, tudo num telejornal é a dosagem. Todos os tipos de reportagem são bem-vindos, mas, no momento em que se pende mais para um lado ou para o outro, a essência do telejornal pode ficar descaracterizada. Não há nada de errado em noticiar o nascimento de Sasha ou exibir matérias leves. Mas quando a dosagem passa a ser um ruído, em vez de balancear melhor o telejornal, esse tipo de matéria vira problema. Para isso existe a direção. Foram apenas alguns episódios, poucos, e concentrados num certo período. Detectado, porém, o possível desequilíbrio, o próprio Evandro orientou a equipe no sentido de acabar com ele. Marona foi um excelente editor-chefe e soube ele mesmo, dentro das características dele, reequilibrar o *JN*. Nunca se pretendeu mudar a sua essência. O *JN* de Marona deu todas as notícias sérias que tinha de dar. Sempre deu. As matérias premiadas, como 'Favela Naval', 'Contrabando na Marinha', 'Precatórios' e 'Máfia dos fiscais', apenas para citar algumas, foram todas da gestão Marona."

Um episódio marcante de "interesse público" apresentado no *Jornal Nacional* nesse período foi a entrevista exclusiva com Fernando Collor, realizada pela repórter Sônia Bridi, em março de 1997, quase cinco anos depois do *impeachment*. A entrevista foi gravada em Miami, onde o ex-presidente estava morando. Collor concordou em falar ao telejornal desde que a conversa não fosse editada ou cortada. E assim foi. A entrevista durou 11 minutos e acabou ocupando todo o último bloco do telejornal.

O Collor que os telespectadores viram no vídeo parecia totalmente descontrolado. Irritado com as perguntas, gritou, deu socos na mesa e chegou a chamar a repórter de "filhotinha". Mário Marona conta: "A tensão da entrevista foi crescendo de tal maneira e as declarações do Collor ficaram tão fortes, que a pusemos inteira no ar. Eu me lembro que a entrevista estava sendo gerada, ao vivo, de Nova York e eu tive que falar com o Erlanger que estava boa demais e ia derrubar quase um bloco inteiro do *JN*. Quando você 'ouve' um silêncio enorme na redação pode ter certeza que o jornal está bom. E naquele dia aconteceu isso. No intervalo entre uma fala e outra não se ouvia um barulho sequer. Estava todo o mundo grudado na televisão. Erlanger, então, ligou para o Evandro, desligou e disse: 'Está resolvido, pode botar no ar o tempo que quiser.'"

Collor reagiu com raiva às insinuações de que estaria envolvido num suposto esquema de PC Farias com a máfia italiana. Quando questionado sobre o processo por sonegação de impostos a que respondia na Receita Federal, o ex-presidente respondeu: "Eu não estou sendo julgado pela Receita Federal. Isto é outra mentira. Não estou sendo julgado coisa nenhuma. E não existe processo legal formado. Isso é uma mentira, uma pantomima, uma patuscada dessas autoridades que estão tentando, de alguma maneira, me vincular a atividades de terceiros." Mas Collor estava sendo processado sim. Já tinha sido inclusive publicado no *Diário Oficial* que a Receita Federal estava cobrando 8,6 milhões de reais do ex-presidente.

Novos Quadros e Participações

No período de Evandro, o *Jornal Nacional* sofreu outras mudanças. Foram criados novos quadros, com a participação de comentaristas especializados. Essa nova fase incluiu as participações de Galvão Bueno, comentando esporte, e do meteorologista Carlos Magno, que passou a comandar o quadro da previsão do tempo.

Arnaldo Jabor também começou a participar do telejornal, analisando os mais variados assuntos: da gravação do clip do cantor Michael Jackson na favela Santa Marta (fevereiro de 1996) ao acordo firmado entre o Brasil e os Estados Unidos para a utilização da base de lançamento de foguetes em Alcântara, no Maranhão (abril de 2001). Jabor comentou até futebol, na Copa da França, em junho de 1998.

A partir de 11 de agosto de 1997, o *Jornal Nacional* passou a contar com o sistema *closed caption*, tecnologia que permite legendar tudo o que é dito no telejornal. A utilidade do serviço é enorme: de acordo com o IBGE, existem cerca de seis milhões de pessoas com deficiência auditiva no Brasil.

A Redação como Cenário e uma Nova Estética

Em 1996, a troca de apresentadores coincidiu com a mudança do cenário do *Jornal Nacional*. Alexandre Arrabal e sua equipe foram os responsáveis pela nova concepção, que manteve a estética implantada por Hans Donner nos anos

1980. O cenário continuou com suas linhas sinuosas, porém com características mais dinâmicas, e maiores possibilidades para a câmera passear no estúdio e explorar diferentes efeitos de luz.

O diretor Jorge Queiroz ajudou a definir essa nova concepção cenográfica do *JN*, que manteve o azul que é sua marca registrada. A principal novidade em relação ao cenário anterior foram os logos do *JN*, que passaram a ser sustentados por um fio quase imperceptível, dando a idéia de flutuarem no ambiente. No cenário anterior, esses logos eram bidimensionais, aerografados no fundo.

No dia 26 de abril de 2000, quando a Rede Globo comemorava seus 35 anos, o *Jornal Nacional* sofreu uma completa reformulação. O telejornal deixou o estúdio tradicional para ser apresentado de dentro da redação. A bancada dos apresentadores – totalmente modificada e transformada em área de trabalho dos jornalistas, com um monitor e um computador – foi transferida para um mezanino, construído em uma das extremidades da redação, a três metros e meio de altura do chão.

Na abertura do telejornal, uma grua passou a mostrar as atividades da redação, passeando, lentamente, no sentido da bancada. Nesse movimento, entram em cena sete painéis de 12 metros de largura presos ao teto que, no final, formam um grande planisfério estilizado, com o Brasil no centro.

Durante o telejornal, quando a câmera está na altura dos olhos dos apresentadores, a redação não pode ser vista. Quando a câmera sobe um pouco, é revelada, ao fundo, a redação com monitores de TV, computadores e os outros profissionais envolvidos na realização do *JN*.

Este novo cenário do *Jornal Nacional* também foi desenvolvido por Alexandre Arrabal e uma equipe de diretores de arte, mas sem que houvesse uma encomenda específica da direção geral da emissora. Segundo Alexandre Arrabal, a equipe percebia que Evandro Carlos de Andrade sentia necessidade de um cenário que dialogasse melhor com o público e com a instantaneidade da notícia.

O novo formato é único no mundo e une dois tipos de cenário: apresenta a redação ao fundo e simultaneamente ilustra os assuntos com imagens gráficas atrás dos apresentadores. Todas as mudanças vieram acompanhadas de inovações tecnológicas. As ilustrações, por exemplo, são projetadas por um refletor. Em vez de inseridos por *chromakey*, os selos passaram a ser sobrepostos, misturando-se ao fundo real da redação. A imagem é formada à medida que o apresentador começa a falar no assunto. A produção de selos é diária, sempre de acordo com os assuntos que serão abordados no noticiário daquele dia.

Em 2002 o *chromakey* voltou a ser utilizado, dessa vez em conjunto com a técnica de sobreposição das imagens no fundo real. Isto permitiu que as figuras voltassem a ter profundidade e perspectiva, sem perda do impacto da sobreposição de objetos sobre o fundo da redação e bancada.

Em fevereiro de 1998, a apresentação do *Jornal Nacional* foi novamente alterada. Lillian Witte Fibe saiu do telejornal e assumiu a edição e a apresentação do *Jornal da Globo*. Sandra Annenberg assumiu o seu lugar em caráter provisório e, no mês seguinte, o *JN* passou a ser apresentado por William Bonner e Fátima Bernardes. Em setembro de 1999, Marona, editor-chefe desde 1996, foi chefiar o jornalismo de Brasília. Bonner acumulou, então, as funções de âncora e editor-chefe do telejornal.

Ele conta que, quando assumiu o comando do *Jornal Nacional*, estabeleceu, em combinação com Evandro, um conjunto de regras para pautar diariamente a produção do telejornal: "Redigi um decálogo que não mostro para ninguém. Praticamente todos os dias abro ele no meu computador e fico lendo aquilo para ver se estou descumprindo algum dos compromissos que assumi comigo mesmo sobre como fazer aquilo ser o mais importante veículo de notícias do Brasil. O *Jornal Nacional* tem uma história a ser preservada, e tem a obrigação, como fonte única de informação da maior parte da população brasileira, de mostrar aquilo que eu apelidei – como se fosse uma função de teclado de computador – de 'F4'. O jornal tem que ter todos os dias aquilo que de mais importante aconteceu no Brasil e no mundo. Se ele tiver 40 minutos de produção, ele vai ter isso e mais uma porção de coisas. Se ele tiver 21 e meio, ele vai ter só isso. Eu dou um jeito, diminuo a cobertura disso e daquilo, elejo o que é jornalisticamente mais importante para dar ao repórter."

Fátima Bernardes, que além de apresentar o *Jornal Nacional*, começou também a participar da edição, conta como passou a ser a sua rotina na TV Globo: "Eu chego à redação um pouquinho antes das duas horas. Participo da reunião sobre o 'espelho' do dia e da reunião de pauta. Aí, cada um fica responsável pela edição de uma parte do jornal. Eu fico com a edição das chamadas. São três, que vão ao ar entre o fim da tarde e o início da noite. Escrevo o texto, ponho no ar alguns trechos de matérias editadas para despertar a curiosidade do telespectador. Além dessa parte, eu tenho uma outra atribuição, que é supervisionar os repórteres que fazem o *Jornal Nacional*, dar conselhos aos mais jovens, fazer observações sobre a postura, a melhor forma de dar a notícia. Além disso, como eu gravo a última chamada às sete horas, sete e dez, e o *Jornal Nacional* vai ao ar às oito e quinze, nesse intervalo assumo a tarefa de monitorar as agências de notícias, para saber se alguma coisa nova aconteceu, porque os editores estão nas ilhas, sem condições de fazer esse trabalho. O público não sabe que você faz isso tudo. Eu ainda encontro muita gente que acha que chego às seis e meia na Globo para me maquiar, ficar com duas pessoas me abanando para estar sequinha na hora e botar uma roupa bonita. Não tem problema. O importante é que, sendo também editora e tendo participado da feitura do jornal, se no ar alguma coisa der errado, eu tenho toda a possibilidade de improvisar para que aquilo seja o mais natural, para que o público continue achando que não aconteceu nada de errado."

1

2

1. Os apresentadores William Bonner e Lillian Witte Fibe na bancada do *Jornal Nacional* (1996).

2. Cid Moreira lendo editorial na nova fase do *Jornal Nacional* (1º abr 1996).

3. Comentário de Arnaldo Jabor sobre a queda do avião da TAM em São Paulo (*JN*, 1º nov 1996).

3

1

2

3

4

5

1. Evandro Carlos de Andrade, diretor da Central Globo de Jornalismo (s/d).

2. Na Central Globo de Jornalismo, Carlos Henrique Schroder, diretor de Planejamento, Evandro Carlos de Andrade, diretor-geral, e Luis Erlanger, diretor editorial (25 jun 1997).

3. Redação da Central Globo de Jornalismo no Rio de Janeiro (s/d).

4. Estréia do comentário esportivo de Galvão Bueno no *Jornal Nacional* (1º abr 1996).

5. Os apresentadores do *JN*, Fátima Bernardes e William Bonner (2 jul 2004).

1

2

3

1. O repórter Carlos Magno apresentando quadro da previsão do tempo (*JN*, 4 abr 1996).

2. Redação do Jornalismo no Rio de Janeiro (jun 2004).

3. Bancada atual do *Jornal Nacional* (jul 2004).

2

Jornalismo: Comunidade, Política e Economia

NOVA SEDE PARA A TV GLOBO DE SÃO PAULO

Uma mudança importante realizada por Evandro Carlos de Andrade foi a reformulação do jornalismo da Rede Globo em São Paulo. A mudança coincidiu com a conclusão da construção de uma nova sede naquela cidade, projeto que vinha sendo desenvolvido havia alguns anos. Com 16.500 metros quadrados de área construída, a nova sede – localizada na avenida Chucri Zaidan, continuação da avenida Luiz Carlos Berrini – inaugurou uma fase inédita no telejornalismo. Pela primeira vez no país, uma estação de televisão funcionava inteiramente em sistema digital, da captação de imagens de rua até a transmissão dos telejornais, tudo informatizado e equipado com tecnologia de última geração.

A sede da TV Globo em São Paulo, durante muitos anos, foi na praça Marechal Deodoro, no centro da cidade. Lá, eram produzidos alguns programas jornalísticos e todo o noticiário da sucursal que abastecia os telejornais de rede. Como o espaço era pequeno, a Globo acabou se espalhando por alguns imóveis por perto. A redação do *Fantástico*, por exemplo, ficava na avenida Angélica e a do *Globo Rural*, na rua Gabriel dos Santos.

O novo prédio foi construído pensando especificamente no funcionamento do Jornalismo, fato inédito até então. Segundo Carlos Henrique Schroder, a redação não mudou só estruturalmente: "Ali as pessoas passaram a trabalhar com mais tranqüilidade. Tem ilha de boa qualidade, máquinas corretas, boas condições de trabalho. Você respira um ar diferente dentro da redação."

A nova sede foi inaugurada em 29 de janeiro de 1999 e, logo em seguida, a TV Globo de São Paulo passou a produzir integralmente e gerar telejornais de rede, como o *Hoje* e o *Jornal da Globo*.

A TV Globo já tinha uma tradição de jornalismo comunitário que vinha desde 1966, quando cobriu as enchentes no Rio de Janeiro. Naquela época, a emissora mostrou sua preocupação em relação às questões da comunidade, valorizando o papel do jornalismo na prestação de serviços. Seguindo esse princípio, na década de 1970 a emissora criou o *Bom Dia São Paulo* e, no início da década de 1980, outros programas especialmente voltados para os problemas locais: o *Globo Cidade* e os *Praças-TV* (*RJ-TV*, *SP-TV*, *NE-TV*, *MG-TV* e *DF-TV*).

Com a chegada de Evandro à direção da CGJ, houve um fortalecimento dessa tendência. A grande novidade foi o formato dos noticiários, que passaram a ser mais profundos nas investigações e mais incisivos nas denúncias e nas cobranças às autoridades públicas. Esse processo começou em São Paulo, quando Amauri Soares se tornou editor-regional.

O repórter Carlos Tramontina conta como foi: "Amauri Soares percebeu que havia um espaço a ser preenchido em São Paulo, e que se esse espaço fosse preenchido com competência, com qualidade, com prestação de serviço, ele poderia ser o embrião de um projeto nacional. Discutiu-se muito o que poderia ser feito até que a rede comprou a idéia. E foi um estrondoso sucesso: ganhamos muitos prêmios naquele ano e no ano seguinte."

O *SP-TV 1ª edição* foi o primeiro telejornal a concretizar o projeto em 1998, pondo cidadãos e autoridades frente a frente para debater os problemas da cidade. Foi uma experiência-piloto que começou antes mesmo da mudança de sede. O telejornal passou a se voltar mais para a população local, com informações sobre problemas de cada bairro, oferta de empregos e defesa do consumidor. Abriu-se espaço para o público denunciar práticas ilegais e reclamar de empresas, de órgãos do governo e de concessionárias de serviços públicos.

Logo no primeiro mês, o índice de solução dos problemas apresentados foi bastante alto. Segundo Schroder, mais de 90% dos primeiros casos levantados no telejornal foram resolvidos. O sucesso foi tanto que a CGJ resolveu, no ano seguinte, aplicar o mesmo modelo de jornalismo também no Rio de Janeiro e, depois, ampliá-lo para as afiliadas. Com o tempo, todos os telejornais locais passaram a ser dedicados a informações sobre cidadania, prestação de serviço e utilidade pública.

"O telespectador que está enfrentando um problema fala diretamente com a autoridade pública. A gente apenas serve de intermediário, deixando que os dois dialoguem. Eu acho que, com esse conceito, as autoridades passaram a dar maior credibilidade ao nosso jornalismo. No início, nem o prefeito, nem o governador nos entendiam. Achavam que o nosso objetivo era brigar. No entanto, com o tempo, eles viram que aquele espaço que a Globo estava dando era uma oportunidade de aproximação deles com a comunidade", conta Schroder.

Apesar de o jornalismo comunitário estar mais diretamente ligado aos telejornais locais, o conceito acabou se ampliando e influenciando também a produção dos telejornais de rede, inclusive o *Jornal Nacional*. Alguns casos de denúncia – como o da máfia dos fiscais e o da falsificação de remédios –, que começaram nos noticiários locais, ganharam repercussão nacional, pautando não apenas telejornais de rede, mas também a mídia impressa.

Evandro acreditava que o telejornalismo da Globo deveria contribuir para melhorar situações críticas no Brasil: "Assim como contribui para a unidade da língua portuguesa, deve contribuir para uma noção de cidadania. Nós acabamos com o 'bláblábla' da política. Conversa fiada de político não tem espaço no telejornalismo da Globo. Acabamos com isso, porque convertemos as questões legais e os procedimentos de Estado em coisas que afetam o público. Se não afeta, não nos interessa. Você tem a medida concreta daquilo que se reflete no público: o preço do remédio, a falsificação de remédio. Nós denunciamos a falsificação de remédios. Foi um choque quando o *Jornal Nacional* denunciou. Temos de ter a capacidade de fazer, e isso resultar sempre em alguma coisa, pelo menos em um constrangimento da autoridade. Como a poluição da Baía de Guanabara, esse vexame, ou a língua negra na praia. Tudo isso é de interesse do povo."

Investigação e Denúncia

O desenvolvimento do jornalismo comunitário na Rede Globo foi acompanhado pelo fortalecimento do jornalismo investigativo. Um marco dessa fase foi a denúncia de contrabando envolvendo as Forças Armadas, feita pelo *Jornal Nacional* no dia 16 de junho de 1997. Em uma reportagem exclusiva, os jornalistas Caco Barcellos, Roberto Cabrini e Fernando Molica mostraram que navios de guerra da Marinha estavam sendo usados para transportar compras particulares da tripulação. Essas mercadorias, que em alguns casos ultrapassavam a cota permitida pela Receita Federal, entravam no Brasil sem passar pela alfândega. Segundo o *JN*, o esquema de compras envolvia um subtenente da reserva e um comerciante de Miami. As mercadorias, na maioria eletrodomésticos, eram encomendadas nos EUA e levadas para Portugal, onde eram embarcadas nos navios da Marinha. De lá, vinham para o Rio de Janeiro, sem passar por qualquer fiscalização.

Outro marco foram as reportagens sobre corrupção realizadas em São Paulo naquele período. O Jornalismo da Globo fez uma devassa na vida da Câmara Municipal, o que resultou numa série de denúncias contra o prefeito Celso Pitta. Outro destaque foram as reportagens sobre irregularidades envolvendo clubes de futebol e seus dirigentes. O trabalho de investigação dos repórteres da Globo ajudou as comissões parlamentares de inquérito que foram abertas no Senado e na Câmera Federal em 2000 e 2001. Em algumas das reportagens foi fundamental o uso de microcâmeras, que permitiram o flagrante dos delitos.

O uso de tal recurso, entretanto, exige cuidados éticos. A CGJ estabeleceu como norma que o equipamento seria utilizado apenas quando estritamente necessário para tornar evidente, na cobertura de um assunto de interesse público, algo que seria impossível de ser comprovado com uma câmera comum. O critério seria a importância e relevância do tema para o interesse público e a total impossibilidade de se fazer de outra maneira.

Escândalo dos precatórios

Em dezembro de 1996, foi instalada uma CPI no Senado Federal para apurar irregularidades na emissão de títulos precatórios (dívidas resultantes de sentenças judiciais). A fraude consistia na negociação dos títulos pelas prefeituras de vários municípios do país com o objetivo de arrecadar dinheiro. O golpe foi descoberto primeiramente, nos estados de Santa Catarina e Pernambuco, mas foi com o envolvimento da prefeitura de São Paulo que o escândalo ganhou destaque nacional. Com as investigações, logo apareceram documentos que comprovavam a ligação do então prefeito Celso Pitta com o esquema.

Apesar de o tema ser complexo, era importante que a opinião pública entendesse do que se tratava. No caso, até o nome da CPI – "CPI dos Precatórios" – era um entrave ao entendimento. No dia 20 de fevereiro de 1997, Ana Paula Padrão usou um dicionário para explicar aos telespectadores o significado de "precatório", palavra até então praticamente desconhecida da maioria da população.

A partir daquele mês, o Jornalismo da emissora entrou firme na cobertura. Segundo o repórter Carlos Tramontina, aquele foi um período de imensa efervescência jornalística para a praça de São Paulo, com grandes resultados e uma enorme redução do distanciamento da TV Globo local em relação ao cidadão paulista : "Nunca tínhamos feito uma cobertura de um período de administração pública daquela maneira. Jamais falamos de um prefeito como falamos daquela vez. Jamais fizemos tantas matérias denunciando falcatruas, má administração e desvio de dinheiro público. Foi um momento de aprendizado para nós. Denunciamos e afirmamos sempre com base em fatos."

A notícia sobre o envolvimento de Celso Pitta no escândalo dos precatórios foi ao ar em 17 de março. Tramontina informou que a Polícia Federal havia encontrado uma nota do Banco Vetor em nome de Nicéia Pitta, na época mulher do prefeito de São Paulo. O documento, de março de 1996, apresentava o valor de 2.700 reais para o pagamento do aluguel de um carro. O banco era apontado pela CPI como uma das instituições financeiras que mais lucraram com a compra e venda dos títulos públicos. Em seguida, começaram a aparecer outros documentos que envolviam no caso os assessores mais próximos de Pitta.

O *JN* noticiou que, no ano de 1994, quando Paulo Maluf era prefeito de São Paulo e Pitta, seu secretário de Finanças, o município havia pedido quase um bilhão de reais ao governo federal para quitar dívidas judiciais. Mas os relatórios do Tribunal de Contas da prefeitura revelaram que apenas 30% desse dinheiro foram destinados ao pagamento das dívidas. A repórter Ana Paula Padrão informou que a CPI acusara o então coordenador da dívida pública de São Paulo, Wagner Baptista Ramos, de ser o inventor da fórmula que aumentava os valores dos precatórios.

Em agosto de 1997, o relatório final da CPI concluiu que tinham sido emitidos títulos acima do valor dos precatórios devidos pela prefeitura de São Paulo. Essas operações foram idealizadas no Departamento de Dívida Pública da Secretaria de Finanças, durante a gestão de Paulo Maluf. A CPI indiciou 17 pessoas e 161 empresas pelo golpe.

Em março de 1998 Pitta e Maluf foram condenados à perda dos direitos políticos, acusados de improbidade administrativa. O prefeito de São Paulo ainda teve a perda do mandato acrescida à sua pena e os bens bloqueados pela Justiça. A condenação, no entanto, só seria aplicada quando o caso fosse julgado em última instância, o que poderia levar cinco anos – tempo suficiente para Celso Pitta terminar sua gestão na prefeitura de São Paulo. Ambos os acusados recorreram da sentença.

Em 1999, por três vezes chegou-se a pedir a abertura do processo de *impeachment* de Celso Pitta, mas o prefeito conseguiu sair ileso em todas. Em julho do ano seguinte, a Câmara de Vereadores de São Paulo rejeitou mais um pedido de *impeachment*. Celso Pitta foi afastado da prefeitura em duas ocasiões, em março e maio de 2000. Em ambas, no entanto, voltou ao cargo beneficiado por recursos judiciais.

Em novembro de 2001, foi decretada a prescrição dos crimes de responsabilidade e falsidade ideológica que teriam sido cometidos por Paulo Maluf. O ex-prefeito completara 70 anos em setembro e a lei prevê que a pena de septuagenários seja reduzida à metade, assim como o prazo prescricional. Com isso, Maluf estava livre das acusações desde novembro de 2000 e não poderia mais ser julgado por aqueles crimes, segundo a juíza Adriana Pillegi de Soveral, da 8ª Vara Criminal Federal.

Em 2004, mais um escândalo envolvendo o nome de Paulo Maluf foi noticiado no *Jornal Nacional*. Uma matéria do repórter César Tralli exibida no dia 7 de maio mostrou extratos bancários comprovando a existência de contas milionárias do ex-prefeito de São Paulo na Suíça. A reportagem destacava ainda que os documentos liberados pela Justiça em Genebra revelavam que o político transferira boa parte desse dinheiro para seu filho. Maluf negou todas as acusações.

Celso Pitta e Wagner Baptista Ramos, contudo, continuaram respondendo a processo pelo desvio de 600 milhões de reais da prefeitura de São Paulo para o pagamento de precatórios. Em 2004 Celso Pitta ainda respondia a 17 processos civis, a maioria por mau uso ou desvio de dinheiro público, e a um processo criminal por falsidade ideológica.

Máfia dos fiscais

Outro escândalo no governo de Celso Pitta foi a descoberta de um dos maiores esquemas de corrupção na administração pública brasileira: a "máfia dos fiscais". Em São Paulo, funcionários da prefeitura cobravam propinas para não denunciar irregularidades no comércio, nas construções e em outras áreas que desobedeciam as normas municipais.

A primeira acusação contra os fiscais corruptos foi feita pela comerciante Soraia da Silva. Em 1998, ela alugara um antigo salão de beleza para montar uma academia de ginástica, no bairro de Pinheiros, na capital paulista, mas o imóvel estava irregular e os fiscais da prefeitura pediram 30 mil reais para fornecer o alvará de funcionamento. Indignada, a comerciante decidiu procurar a TV Globo. Soraia concordou em gravar com uma microcâmera toda a negociação com o fiscal. No dia 2 de dezembro, o *Jornal Nacional* mostrou com exclusividade o flagrante da corrupção. O chefe da administração regional de Pinheiros, Marco Antonio Zepini, foi preso recebendo propina da comerciante em troca da liberação do imóvel. No escritório do fiscal, foram encontradas agendas que revelavam os códigos utilizados pela quadrilha.

Depois do flagrante, surgiram novas denúncias contra outras administrações regionais. Em dois meses de investigação, mais de 600 reclamações chegaram ao Ministério Público. Descobriu-se que os fiscais extorquiam dinheiro de pequenos comerciantes, vendedores ambulantes e empresas responsáveis por coletas de lixo. Fiscais, engenheiros e assessores começaram a ser presos. A TV Globo de São Paulo acompanhou com destaque a história, mostrando os documentos que revelavam a ação da quadrilha e divulgando o nome dos principais acusados. A partir das denúncias, o escândalo ganhou destaque nacional, sendo manchete nas primeiras páginas dos jornais em todo o país. Participaram da cobertura os repórteres Valmir Salaro, Caco Barcellos, Alberto Gaspar e Marcos Losekann.

A principal denúncia contra a quadrilha foi feita ao vivo no *SP-TV*, no dia 5 de fevereiro de 1999. No programa, apresentado por Chico Pinheiro, o presidente do Sindicato dos Camelôs Independentes do Município de São Paulo, Afonso José da Silva, confirmou o envolvimento do então deputado Hanna Garib no esquema de corrupção.

No sábado após a denúncia, Chico Pinheiro foi ao Rio de Janeiro para apresentar o *Jornal Nacional* ao lado de Sandra Annenberg. O espelho do telejornal já estava pronto quando os dois foram avisados de que chegara uma nota em cima da hora. Para espanto do jornalista, era a informação de que o camelô Afonso José da Silva fora baleado e estava em estado grave no hospital.

Chico Pinheiro lembra como foi: "Eu já estava no estúdio, na bancada do *Jornal Nacional*, quando avisaram: 'Olha, tem uma informação que vocês ainda não têm, vai aparecer no teleprompter e a Sandra lê ao vivo.' Quando a lauda apareceu, eu quase caí de costas: 'Está internado em estado gravíssimo num hospital em

São Paulo o líder dos camelôs Afonso José da Silva, que foi baleado hoje à tarde quando dois homens invadiram a casa dele, o dominaram e tentaram executá-lo. Colocaram no chão, deram quatro tiros no peito e fugiram sem nada levar. Essa semana no *SP-TV* da Rede Globo...' – enquanto a Sandra lia essa nota, apareciam imagens minhas fazendo entrevista com ele – '...Afonso José da Silva denunciou um esquema de extorsão de dinheiro contra camelôs, chefiado, segundo ele, pelo deputado Hanna Garib.' Eu saí dali completamente atordoado. Liguei para São Paulo para ter informação. Ele estava na UTI, em estado gravíssimo e dificilmente sobreviveria àqueles quatro tiros. Eu tive vontade de tomar um avião, ir para São Paulo rápido, para visitar a família. Você não sabe muito o que fazer diante disso e, ao mesmo tempo, você tem um pouco de medo do que pode acontecer. Mas, um mês depois, o seu Afonso estava de novo no *SP-TV*, com o braço engessado junto ao peito, dizendo: 'Estou aqui para exigir a prisão do mandante do meu assassinato frustrado.' E voltou a denunciar o deputado Hanna Garib. Não se pôde confirmar e condená-lo pela tentativa de homicídio, mas, para muitas pessoas, ficou a suspeita de que havia uma ligação forte dele com todo esse esquema."

Em março, para averiguar o grande volume de denúncias, foi criada uma CPI na Câmara Municipal. A Globo acompanhou detalhadamente os trabalhos da Comissão e iniciou investigações próprias que resultaram em denúncias exclusivas. As reportagens eram requisitadas quase diariamente pela polícia e pelos promotores da Justiça como reforço às suas investigações. Foram examinados documentos oficiais, da prefeitura e da Câmara Municipal, visitados órgãos públicos, entrevistados delegados e promotores e analisados contratos públicos. Tudo para descobrir o quanto São Paulo perdia por ano por causa da corrupção na administração pública. Concluiu-se que o valor seria em torno de um bilhão e 55 milhões de reais.

Três meses depois do início dos trabalhos de investigação na Câmara, os deputados votaram pelo fim da CPI. Mas o caso das propinas voltaria aos noticiários em março de 2000, depois de uma série de denúncias de Nicéia Pitta, já então separada do prefeito de São Paulo, Celso Pitta. Ela ligou para a TV Globo e procurou o repórter Chico Pinheiro para relatar os principais detalhes do sistema de corrupção da administração paulista.

O depoimento seria apresentado no *Jornal Nacional*, mas ficou tão extenso e trazia denúncias tão graves que foi exibido no *Globo Repórter*, no dia 10. Nicéia contou que o prefeito tinha comprado o voto dos vereadores para encerrar a CPI da Câmara que apurava a máfia dos fiscais, disse que Pitta sabia da emissão ilegal dos títulos públicos e revelou novos nomes envolvidos no escândalo dos precatórios. Um dos resultados da denúncia foi a reabertura da CPI no Senado Federal. Outros esquemas de corrupção também foram revelados, como a compra de remédios superfaturados pela Secretaria Municipal de Saúde.

Na entrevista de Nicéia Pitta, também surgiram denúncias contra personalidades de grande influência na política nacional. A ex-mulher do prefeito paulista contou que o senador Gilberto Miranda era o intermediário na cobrança de uma dívida do município de São Paulo com a empreiteira OAS, que pertencia ao genro do senador Antônio Carlos Magalhães.

No final do programa, o apresentador Sergio Chapelin leu uma nota divulgada por Antônio Carlos Magalhães na qual o então senador afirmava jamais ter telefonado para Celso Pitta e sua mulher ou para Gilberto Miranda. ACM desafiou os assessores do prefeito a provarem o contrário.

Chico Pinheiro lembra que depois de ter gravado a entrevista com Nicéia Pitta temeu que o material não fosse ao ar: "Havia uma denúncia que atingia o senador Antônio Carlos Magalhães, então presidente do Senado, mais do que isso, proprietário de uma afiliada da Rede Globo e uma personalidade de grande influência política em todo o país. Então, eu fiquei muito preocupado. Eu fiz o papel do repórter: gravei e entreguei ao meu superior, que por sua vez foi procurar o superior dele, o diretor da CGJ, Evandro Carlos de Andrade. Eu me perguntava como a Rede Globo trataria desse assunto tão delicado. Fiquei muito preocupado. Eu até compreenderia que, sendo uma denúncia sem comprovação por parte da Nicéia, e atirando tão alto, a empresa preferisse não botar no ar. Mas pensava, ao mesmo tempo, que se a gente não pusesse no ar, como é que ficaríamos? E qual não foi minha surpresa quando, depois de uma reunião da direção, eu recebo a informação de que a gente daria a história na íntegra e, dada a sua relevância dentro do processo de revitalização de valores éticos do país, o tema seria tratado não no âmbito do telejornalismo comunitário, mas iria se tornar um programa inteiro, um *Globo Repórter*, num horário de grande audiência da Globo. E assim aconteceu. Tudo o que era notícia, que era relevante, elemento fundamental para a construção de consciência de cidadão, de cidadania, foi ao ar. Então, eu comprovei, se alguma dúvida ainda me restava, que o Jornalismo da TV Globo não tem amigos para proteger, não tem inimigos para perseguir e que tem, sim, compromisso com o interesse público. Comprovação que a gente depois veio vendo em várias reportagens não só do nosso jornalismo comunitário, mas no *Jornal Nacional*."

Escândalo da Previdência

A fraude da Previdência foi um dos maiores escândalos já descobertos no Brasil, e teve como um dos momentos mais importantes a prisão da advogada Jorgina Maria de Freitas Fernandes, em 1997. A história começou em 1991 com uma denúncia de aposentadorias milionárias no município de São Gonçalo, no Rio de Janeiro. As investigações, entretanto, mostraram que se tratava apenas de um erro de cálculo do Dataprev, órgão responsável pela informática da Previdência. Mesmo assim, a Justiça Estadual resolveu investigar outras varas no estado e descobriu, em São João de Meriti, uma quadrilha de fraudadores.

A notícia tinha ido ao ar no *Jornal Nacional* em 17 de abril de 1991, quando a Procuradoria de Justiça do Rio apresentou as provas do escândalo. Eram vários os tipos de golpes, aplicados por advogados da Baixada Fluminense. Os mais comuns consistiam em falsos pedidos de aposentadoria por invalidez e em cálculos superestimados das indenizações. A quadrilha, responsável pelo desvio de mais de 600 milhões de dólares, envolvia 20 pessoas, entre elas o juiz Nestor do Nascimento e a advogada Jorgina de Freitas Fernandes.

O repórter André Luiz Azevedo foi o primeiro a dar, no *Jornal Nacional*, a notícia sobre as fraudes e a mostrar os documentos que comprovavam o movimento de quantias milionárias no Fórum de São João de Meriti. Devido à repercussão, o juiz Nestor do Nascimento tentou impedir o trabalho do repórter, mas pouco tempo depois foi destituído do cargo e a equipe da TV Globo pôde dar continuidade ao seu trabalho.

André Luiz lembra como foi: "Em São João de Meriti, tinha um juiz que estava começando a investigação, que estava absolutamente chocado com o que estava vendo. Era o juiz Élio Assumpção. Estava apavorado porque a pessoa que ele estava investigando sentava ao lado dele, o juiz Nestor do Nascimento, titular daquela vara. E quando me viu chegar, ele teve uma intuição: 'Esse cara é a minha salvação.' E resolveu fazer uma quase parceria comigo. O juiz falou assim: 'Olha, você está aqui, é repórter, é testemunha, então, eu vou te mostrar tudo.' Ele percebeu que era uma questão de segurança para ele. Então, a investigação começou com Justiça e Imprensa juntos. Eu fiz imagens do juiz Nestor Nascimento, comecei a levantar a história. E logo um dia depois, quando cheguei no Fórum, o Nestor Nascimento tinha colocado um aviso na porta proibindo a minha entrada. Mais um dia e ele já estava sendo afastado, e eu continuei apurando com a ajuda do cinegrafista Fernando Calixto e do produtor Domingos Xisto. Pela primeira vez, nós mostramos como era feita a fraude, depois a aritmética absurda desse roubo que multiplicava as indenizações e deu um prejuízo de 600 milhões de dólares. Depois a história foi para o Tribunal de Justiça. Assumiu o desembargador Dorestes Baptista e eu me transformei em parceiro dele também. Nós começamos a investigar e cada vez conseguimos mais informações sobre dinheiro desviado para o exterior. Também descobrimos o 'personagem' chamado Jorgina de Freitas. Ela era uma advogada pobre da Baixada Fluminense, e quando pela primeira vez depositou dez milhões de dólares no Citibank, ela disse que era herdeira da família imperial brasileira. Era uma história maravilhosa. Ela afirmou que era herdeira da família imperial e, por isso, tinha dez milhões de dólares para depositar!"

O *Jornal Nacional* acompanhou toda a investigação e todos os desdobramentos do escândalo. O telejornal noticiou a prisão e o julgamento dos acusados, que responderam por crime de peculato (uso do cargo público em benefício próprio) e por apropriação indevida (uma vez que os advogados não repassavam o dinheiro das indenizações a seus clientes). Foram todos condenados, inclusive o juiz Nestor do Nascimento, preso em julho de 1992.

Jorgina de Freitas Fernandes, que recebeu uma pena de 23 anos de prisão, conseguiu escapar antes de sua sentença ser proferida. Ficou foragida por cinco anos, até que o repórter Roberto Cabrini a localizou na Costa Rica. Depois de sete meses de investigação, mais de 300 telefonemas, várias idas à Baixada Fluminense e viagens a Miami e à Costa Rica, o jornalista ficou frente a frente com a fraudadora, no Hotel Marriot, em San José. A entrevista foi exibida com exclusividade no programa *Globo Repórter*, no dia 31 de outubro de 1997.

Roberto Cabrini contou, em uma matéria exibida em 1º de novembro no *Jornal Nacional*, que levou três meses para identificar quem coordenou a fuga e mais dois para conseguir o primeiro contato com Jorgina, que estava sendo procurada pela Polícia brasileira e pela Interpol. Na Costa Rica, o repórter e o cinegrafista Orlando Moreira esperaram cinco dias para conseguir a entrevista. Os dois tiveram vários encontros desmarcados, passaram noites de espera em lugares perigosos, tudo para que a advogada tivesse certeza de que a polícia também não a havia encontrado.

"Uma mulher em constante estado de pânico e muitos segredos": foi assim que Roberto Cabrini descreveu a sua impressão da advogada. Na entrevista, que durou quatro horas, a fraudadora disse que não tinha roubado o dinheiro da Previdência. "Se não roubou, por que fugiu?", perguntou o repórter. Ela respondeu que saíra do país porque temia pela própria segurança.

Um dos principais momentos da entrevista foi o susto que Jorgina levou quando um empregado do hotel bateu na porta do quarto. Apesar do medo, continuou negando ter participado das fraudes e disse que não acreditava que a Polícia brasileira estivesse procurando por ela. Afirmou que nunca usou passaportes falsos e que apenas trocou o nome de Jorgina Fernandes para Maria Fernandes. No entanto, de acordo com o depoimento de um médico, ela já tinha feito oito plásticas na tentativa de mudar as feições.

Roberto Cabrini lembra como localizou Jorgina de Freitas e como conseguiu convencê-la a dar a entrevista à Globo: "Eu cheguei até Jorgina começando pela Baixada Fluminense, em Nova Iguaçu. Eu fui lá e mapeei as pessoas que se relacionavam com ela. Quando eu chegava a essas pessoas e me apresentava como repórter, eu fazia de tudo, menos perguntar pela Jorgina. Uma técnica que eu gosto muito de usar é a de mostrar que já sei muita coisa. No caso da Jorgina esse método foi muito importante. Eu passei a saber tanto sobre ela que as pessoas achavam que eu já sabia de tudo e passaram a me revelar nomes, depois telefones, endereços. Então, eu levantei algumas informações com pessoas em Nova Iguaçu, depois passei a levantar em Miami e na Costa Rica. Depois de muitos telefonemas e muita conversa, consegui descobrir que ela estava na Costa Rica e consegui também ter acesso a ela. A polícia tem uma grande vantagem sobre um repórter quando investiga algo: pode grampear telefones; o repórter não pode fazer isso. Mas, por outro lado, um repórter não chega necessariamente para prender, pode dar à pessoa a oportunidade de se manifestar, de contar o seu lado da história, e esse é um argumento que funciona muito bem. E foi assim que eu consegui não só chegar até Jorgina, mas fazer com que ela falasse comigo."

Jorgina de Freitas Fernandes se entregou três dias depois da exibição da entrevista pela Rede Globo. Para cobrir sua prisão, a repórter Cristina Serra foi enviada à Costa Rica. A polícia em San José informou que a advogada decidira se entregar porque vinha sendo chantageada pelos próprios seguranças contratados para protegê-la. A fraudadora foi extraditada para o Brasil em abril de 1998. No ano seguinte, a Justiça lhe concedeu o direito de cumprir pena em regime semi-aberto. Pelo seu trabalho jornalístico, Roberto Cabrini recebeu, em 1997, o prêmio Previdência Social, concedido pelo governo federal.

Escândalo do TRT

Na história dos crimes de corrupção do Brasil um dos personagens mais conhecidos é o juiz Nicolau dos Santos Neto. O *Jornal Nacional* deu grande cobertura ao escândalo da obra superfaturada do Tribunal Regional do Trabalho de São Paulo. O prédio em construção havia custado 230 milhões de reais; desse valor, 169 milhões foram desviados. As primeiras denúncias contra Nicolau partiram do seu ex-genro, Marco Aurélio de Oliveira.

Caco Barcellos e o cinegrafista Marco Antônio viajaram até Miami para fazer uma matéria sobre o apartamento de luxo que Nicolau havia comprado na cidade. Em um cartório na Flórida, souberam que o imóvel havia sido vendido para uma empresa com filial nos Estados Unidos. O jornalista tentou obter alguma informação sobre a venda e descobriu que era mais um golpe do juiz. Caco Barcellos conta que só desvendou o mistério depois que entrou no prédio com a ajuda de um brasileiro que estava fazendo uma reforma no apartamento de Nicolau: "O plano era fazer uma visita como se fôssemos companheiros de trabalho do carpinteiro para não chamar a atenção. Fomos até a garagem, onde fizemos o desembarque dos sacos das ferramentas. Entre elas, a nossa câmera. Impressionados com o luxo do apartamento, gravamos sem parar, dando destaque aos objetos pessoais do juiz: as correspondências com o nome dele, fotografias dos parentes nas paredes, e cada detalhe reforçava a nossa convicção de que o apartamento ainda era dele e que a venda não passava de uma manobra de seus advogados para enganar a Justiça e evitar o confisco de seu patrimônio construído com o dinheiro público." A matéria foi ao ar no *Jornal Nacional* no dia 7 de agosto de 2000.

Nicolau dos Santos foi preso em 8 de dezembro de 2000, depois de ficar sete meses foragido, tendo sido condenado a oito anos de prisão por lavagem de dinheiro e tráfico de influência. Em julho de 2003, uma liminar concedeu prisão domiciliar para o juiz, que alegava sofrer de depressão e pressão alta.

O senador Luiz Estevão, também envolvido no escândalo do TRT de São Paulo, recebia cheques da construtora Incal, responsável pela obra, e era o maior beneficiário do desvio do dinheiro do TRT-SP. Luiz Estevão perdeu o mandato por falta de decoro e foi acusado de estelionato, formação de quadrilha, falsidade ideológica, peculato e corrupção passiva.

O MST no Pontal do Paranapanema

O Movimento dos Trabalhadores Sem-Terra (MST) foi criado durante o primeiro Encontro Nacional dos Trabalhadores Rurais, no estado do Paraná, no ano de 1984. Antes de virar manchete nos principais veículos de comunicação, o movimento se organizara e reunira milhares de pessoas em todo o país. Dez anos depois da sua criação, o então editor-regional da Central Globo de Jornalismo, Amauri Soares (pouco antes de assumir no Rio o cargo de editor-chefe do *Jornal Nacional*), chamou a atenção de Marcelo Rezende para uma nota publicada em um jornal do interior paulista que citava as ações do MST. O repórter decidiu checar a história e viajou para o Pontal do Paranapanema, no oeste de São Paulo, área que na época concentrava o maior número de invasões.

Durante oito meses, Marcelo Rezende acompanhou o cotidiano dos sem-terra. Sua primeira reportagem sobre o assunto foi ao ar no *Jornal Nacional* em 25 de outubro de 1994. Na matéria, o repórter explicava que as ações do MST eram coordenadas e planejadas em sigilo por um pequeno grupo liderado por José Rainha. Mostrou também que a sede do movimento funcionava numa fazenda de cinco mil hectares, em São Paulo, desapropriada havia um ano. No local, já estavam assentadas 200 famílias.

Os números do MST impressionavam: somente no ano de 1994, ocorreram 90 invasões, em 21 estados; os mais atingidos eram Rio Grande do Sul, Paraná e São Paulo. Nos acampamentos, todos os membros seguiam ordens estabelecidas pelos líderes. Organizado e com uma forte orientação política, o movimento crescia em várias regiões do país.

Amauri Soares lembra que o *Jornal Nacional* fez uma cobertura muito extensa e aprofundada da questão dos sem-terra no Pontal do Paranapanema e comenta que o impacto foi enorme: "Porque ninguém tinha a dimensão do seu alcance, como era sua base, sua militância, sua organização. Nós mostramos tudo isso no *Jornal Nacional*. As pessoas não tinham idéia de que o Movimento dos Sem-Terra estava aglutinando uma massa de desempregados que saía da cidade e voltava para o campo porque não tinha outra opção. Na verdade, foi um movimento social que se formou e ganhou dimensão quase em silêncio."

A repercussão da matéria foi imediata. No dia seguinte, um grupo de fazendeiros, impressionados com a organização do movimento e com medo de que suas terras fossem invadidas, pediu ao governo federal que agilizasse a reforma agrária. Eles achavam melhor que a questão fosse encaminhada de forma negociada para evitar conflitos. Mesmo com o destaque dado ao tema, o Incra não tomou nenhuma providência para evitar as ocupações e os possíveis confrontos entre sem-terra, policiais e fazendeiros. Na época, o governo de São Paulo tentou convocar os proprietários das áreas invadidas para que eles delimitassem as terras que pertenciam ao estado. Mas a proposta não deu certo.

Um ano depois, o problema persistia. Em 22 de outubro de 1995, uma matéria do *JN* mostrava que mais três fazendas do Pontal tinham sido invadidas. A reportagem descrevia as ocupações, que geralmente ocorriam à noite para evitar o confronto com a polícia. "Em segundos, o alvo começa a ser atacado. Os arames são cortados um a um e as cercas são arrancadas. É o ritual da posse, sacramentado pelos tratores rasgando a terra", narrava Marcelo Rezende.

Com as invasões cada vez mais freqüentes, o MST conseguiu atrair a atenção da opinião pública para o problema da reforma agrária. Os confrontos estavam se tornando cada vez mais violentos. Um dos mais sérios envolvendo trabalhadores rurais e policiais aconteceu em Corumbiara, no estado de Rondônia, em agosto de 1995. Nove manifestantes e dois policiais foram mortos. Quase um ano depois, ocorreram novas mortes, dessa vez em Eldorado dos Carajás, no Pará.

Massacre de Eldorado dos Carajás

Em 17 de abril de 1996, por volta das 17h um grupo de 300 trabalhadores sem-terra impediu a passagem de carros e caminhões na rodovia PA-150, no extremo sul do Pará. O principal motivo da manifestação era a demora do Incra em desapropriar a fazenda Macaxeira, de 40 mil hectares. Os policiais tentaram dispersar os manifestantes lançando bombas de efeito moral, mas os sem-terra começaram a atirar pedras e pedaços de pau sobre os PMs. A polícia recuou por alguns instantes, porém a reação veio em seguida, com disparos de metralhadora.

Um cinegrafista da TV Liberal, afiliada da Rede Globo no estado do Pará, registrou cenas do massacre e do desespero dos sem-terra. As imagens foram apresentadas para todo o Brasil com exclusividade pelo *Jornal Nacional*. A repórter Marisa Romão estava no local no momento em que começou o tiroteio e chegou a intervir pedindo que a polícia parasse de atirar na direção de um barraco onde estavam mulheres e crianças. No final do conflito, havia 19 mortos e dezenas de feridos.

O legista Badan Palhares, da Unicamp, foi até Eldorado dos Carajás para averiguar o caso. No laudo, o médico declarava que sete dos sem-terra tinham sido espancados a golpes de foice e depois executados a tiros, e que os outros haviam sido assassinados à queima-roupa. Logo após o incidente, o capitão Raimundo Lameira, que comandou a ação da polícia, foi afastado do cargo e o coronel Mário Pantoja, responsável pela PM, admitiu que houvera excesso.

Dois dias depois do confronto que chocou o país, o repórter Marcelo Canellas foi enviado para Eldorado dos Carajás, ficando no local quase um mês. Os sem-terra voltaram a bloquear a estrada no Pará, em uma manifestação contra o massacre. Naquele mesmo dia, o *Jornal Nacional* apresentou uma crônica de Arnaldo Jabor indagando quais eram os verdadeiros culpados pelo massacre no Pará. Para Jabor, por trás das armas dos soldados havia muitas pessoas envolvidas: "Há os comandantes violentos da PM que captam a impaciência dos chefes políticos. Há a violência rotineira dos latifundiários e há as elites que odeiam a miséria."

O massacre foi destaque em vários outros programas jornalísticos da emissora. Um editorial do *Globo Rural* do dia 21 de abril afirmava que o confronto revelava a incompetência do Brasil em resolver os seus problemas agrários. O apresentador Nelson Araújo afirmou que parecia que o país não tinha se convencido de que a questão da terra dependia de uma solução política, e não de polícia.

Outro destaque da cobertura foi a entrevista realizada pelo repórter Carlos Monforte com o então presidente da República Fernando Henrique Cardoso e exibida no *Jornal Nacional*. O presidente afirmou que o Incra precisava de mudanças e que o governo e os sem-terra deveriam trabalhar juntos pela reforma agrária.

O julgamento dos envolvidos no massacre só foi realizado em 16 de maio de 2002. O repórter Jonas Campos, da TV Liberal, mostrou que no banco dos réus estavam o coronel Mário Pantoja e o capitão Raimundo Lameira. Pantoja foi considerado culpado e condenado a 228 anos de prisão. Já Raimundo Lameira foi absolvido por falta de provas. Pantoja, por ser réu primário, pôde recorrer e responder ao processo em liberdade.

Governo FHC

Eleições 1998

A eleição de 1998 foi a primeira em que o chefe do Executivo pôde disputar a reeleição. No início de 1997, o então presidente Fernando Henrique Cardoso havia conseguido a aprovação, em primeiro e segundo turnos, na Câmara dos Deputados da emenda constitucional instituindo a possibilidade de um presidente ter dois mandatos consecutivos. Em junho, o Senado confirmou a decisão da Câmara.

No dia 4 de outubro, a população escolheu, além do presidente da República, deputados, governadores e senadores. Fernando Henrique disputou a sucessão presidencial com Luiz Inácio Lula da Silva (PT), Ciro Gomes (PPS) e mais nove candidatos. Cerca de 61 milhões de eleitores, de 537 cidades brasileiras, utilizaram as urnas eletrônicas naquele ano, o dobro das eleições anteriores..

Um memorando interno da Rede Globo denominado "Regras das Eleições 98", assinado por Roberto Irineu Marinho, então vice-presidente das Organizações Globo, afirmava que a palavra-chave do Jornalismo da emissora era "isenção". Como muitos ocupantes de cargos executivos eram candidatos à reeleição, a recomendação era que as solenidades de inauguração de obras públicas fossem cobertas "com foco exclusivo na importância das obras, reduzindo-se ao mínimo a presença das autoridades".

Em 15 de agosto, Chico Pinheiro, que apresentava o *Jornal Nacional* naquela noite, informou que Lula havia protestado no Ceará, em entrevista coletiva, contra o que considerava discriminação de todos os meios de comunicação à sua candidatura. Lula também acusava o governo de pedir e conseguir dos meios de comunicação que suprimissem informações sobre a seca e o desemprego. "Enquanto o governo tem 10, eu, que sou segundo, tenho 1, o Ciro que é terceiro não tem nada e o Enéas desapareceu. É campanha de um candidato único", protestou o líder do PT.

Após a matéria, a emissora respondeu às acusações de Lula através da seguinte nota, lida por Chico Pinheiro:

> Na parte que a atinge, a TV Globo repele as acusações do candidato Luiz Inácio Lula da Silva. O tempo destinado em nossos telejornais a notícias sobre essa fase da campanha é o adequado e tem sido dividido com equilíbrio entre os candidatos principais. Além disso, a Globo divulga atos do governo segundo os interesses que os mesmos possam ter para o povo. Foi a TV Globo que denunciou os efeitos danosos da seca do Nordeste, cobrindo o assunto exaustivamente, e apresenta os índices de desemprego de acordo com o interesse jornalístico e não para servir a campanhas eleitorais de quem quer que seja. A TV Globo respeita a lei, não persegue e nem rejeita candidato algum.

As pesquisas de opinião apontavam, desde o início, para a reeleição de Fernando Henrique Cardoso já no primeiro turno. No final de setembro, a Rede Globo divulgou sua primeira pesquisa. Segundo o Ibope, Fernando Henrique Cardoso tinha 47% das intenções de voto, Lula 24% e Ciro Gomes 9%.

Naquele ano, a Rede Globo não realizou debate no primeiro turno, novamente devido ao grande número de candidatos (12), como já acontecera em 1994. A legislação obrigava que todos os candidatos fossem chamados ou, não havendo acordo entre eles, que fosse feito um sorteio para a realização do debate em diferentes dias, mas essa solução sempre foi considerada descabida, pois dá margem a que o candidato principal debata apenas com outros de partidos nanicos. De qualquer forma, Fernando Henrique recusou-se a participar dos debates ou a fazer acordos. O então presidente alegava que o país estava em meio a uma grave crise econômica, que absorvia todas as suas atenções. A expectativa da Globo era a realização do debate no segundo turno, se houvesse segundo turno.

No dia 28 de setembro, Lula e Ciro Gomes falaram juntos em São Paulo sobre a importância do segundo turno, que para eles possibilitaria um maior debate sobre os problemas nacionais. "O debate é para você permitir que a sociedade faça um juízo de valor sobre as coisas que ela está ouvindo ou assistindo. Isso não se permitiu. O presidente da República não quis debate antes e durante [a campanha], e não é apenas com os candidatos, mas com a sociedade brasileira", afirmou Lula. Ciro Gomes reforçou a indignação do candidato do PT e disse que os dois estavam juntos num ato de militância e luta.

No dia 3 de outubro, o *Jornal Nacional* foi inteiramente dedicado às eleições, que seriam realizadas 12 horas depois. O telejornal mostrou o resultado da última pesquisa Ibope/Rede Globo, anunciando que 106 milhões de brasileiros estavam prontos para as urnas. Fernando Henrique Cardoso confirmava sua liderança, com 49% dos votos, segundo os números apresentados por Renata Capucci. Lula tinha 24% do eleitorado, Ciro Gomes 10% e Enéas Carneiro 2%. A repórter mostrou ainda gráficos com o desempenho dos candidatos ao longo das pesquisas, realizadas desde o final de setembro.

O presidente Fernando Henrique se reelegeu ainda no primeiro turno, com 35.936.918 votos (53,6%). Luiz Inácio Lula da Silva recebeu 21.475.348 (31,71% do total), Ciro Gomes 7.426.235 (10,97%) e Enéas Carneiro 1.447.076 (2,14%). O *Jornal Nacional* do dia seguinte às eleições exibiu uma matéria mostrando os derrotados e os campeões de votos em vários estados. De Brasília, a repórter Delis Ortiz informou que já estava encerrada a totalização dos votos nas urnas eletrônicas de todo o país, restando ainda parte das urnas convencionais.

Em seu primeiro discurso, no dia 7 de outubro, o presidente reeleito reafirmou o compromisso de cortar despesas do governo. A repórter Zileide Silva, direto de Brasília, ressaltou no *Jornal Nacional* que "em 35 minutos de pronunciamento, o presidente repetiu cinco vezes que os juros tinham que baixar para a economia voltar a crescer". Naquela noite, o telejornal foi ancorado por Renato Machado e Fátima Bernardes. William Bonner encontrava-se no Palácio da Alvorada, em Brasília, para uma entrevista exclusiva com Fernando Henrique Cardoso, que seria exibida ao vivo naquela mesma noite.

Ao longo de toda a cobertura das eleições, a Rede Globo exibiu flashes em sua programação, além de resultados de pesquisas e explicações sobre a utilização das urnas eletrônicas. O programa *Eleições 98*, apresentado por Alexandre Garcia no dia do pleito, com comentários de Franklin Martins, mostrou curiosidades sobre a votação e entrevistas com candidatos. Já o *Boca de Urna* acompanhou ao longo do dia os resultados parciais da apuração.

Crises econômicas: os efeitos da globalização

Depois da posse, o maior desafio de Fernando Henrique Cardoso foi manter a estabilidade do real e ao mesmo tempo promover o crescimento econômico. O ministro da Fazenda, Pedro Malan, teve papel estratégico para que o governo pudesse seguir as diretrizes traçadas. Nesse período, o capitalismo vivia uma de suas piores fases nos últimos 50 anos. De 1994 a 2001, cinco graves crises internacionais atingiram o Brasil e as conseqüências foram dramáticas.

O jornalista Joelmir Beting lembra: "O Brasil foi atropelado de fora para dentro num momento em que a globalização se deu pelo viés financeiro. Começamos a importar a gripe dos outros países, que nos atingia como pneumonia. A crise do México, em 1995, já perverteu todo o processo de estabilidade brasileira, até chegar ao colapso da Argentina, em 2001. Aí surge a idéia do contágio que estava na semântica da mídia, uma idéia de crise global importada."

A primeira crise a abalar a economia brasileira foi a mexicana. Em dezembro de 1994, a passagem da paridade com o dólar para um câmbio a

JN

1. Vista aérea da sede da TV Globo em São Paulo (s/d).

2. Redação da Central Globo de Jornalismo em São Paulo (jan 1999).

3. Nicéia Pitta revelando para o repórter Chico Pinheiro o esquema de corrupção na prefeitura de São Paulo (*Globo Repórter*, 10 mar 2000).

JN

1. O repórter Roberto Cabrini localiza, na Costa Rica, Jorgina de Freitas, acusada de fraude no INSS do Rio de Janeiro (*Globo Repórter*, 31 out 1997).

2. Máfia dos fiscais: prisão em flagrante de Marco Antonio Zepini, chefe dos fiscais na subsede da prefeitura regional de Pinheiros, em São Paulo (*JN*, 2 dez 1998).

3. Paulo Maluf se defendendo das acusações de desvio de dinheiro para contas no exterior (*JN*, 10 mai 2004).

4. Confronto entre manifestantes do MST e policiais militares em Eldorado dos Carajás, no Pará (*JN*, 18 abr 1996).

5. O repórter Marcelo Rezende numa das primeiras reportagens sobre o MST no Pontal do Paranapanema, em São Paulo (*JN*, 7 out 1995).

1

2

3

4

5

3,46 o peso resultou na perda de dez bilhões de dólares para os investidores estrangeiros e mexicanos. A partir daí, ocorreu a astronômica fuga de capitais do México, muito noticiada pela imprensa. Desencadeou-se, então, uma fase de instabilidade econômica que se propagou rapidamente para o Brasil e a Argentina.

Em 1997, o desmoronamento do modelo econômico dos chamados "tigres asiáticos" fez com que as principais bolsas de valores do mundo registrassem baixas históricas. Conseqüentemente, os investimentos foram cancelados, principalmente em países emergentes como o Brasil. Já em 1998, num efeito dominó, a economia russa entrou em colapso e o país decretou moratória da dívida externa. Novamente, ocorreu uma onda de baixas nas bolsas de valores mundiais. As conseqüências da falência russa atingiram o Brasil, que teve suas reservas internacionais reduzidas. Em janeiro de 1999, o governo foi obrigado a depreciar o real e a moeda sofreu forte desvalorização.

Após o êxito econômico nos primeiros anos do governo Fernando Henrique, o Plano Real encontrava-se combalido por tantas crises e passou, em 1999, por um período de grave instabilidade monetária: a crise cambial. A evasão dos investimentos estrangeiros, o aumento da taxa de juros, a entrada do capital especulativo e a lentidão das reformas fiscais no Congresso puseram em xeque a credibilidade econômica brasileira.

O *Jornal Nacional* do dia 13 de janeiro de 1999 mostrou os reflexos mundiais desse transtorno. A queda das bolsas nos Estados Unidos e na Europa foi assunto no bloco internacional do noticiário. De Brasília, Zileide Silva acompanhou a agitação em Brasília. O destaque era a troca de Gustavo Franco por Francisco Lopes no comando do Banco Central, a flutuação do dólar como primeira medida de combate ao capital especulativo e a fuga das reservas monetárias. A repórter Delis Ortiz acompanhou o presidente Fernando Henrique pedindo apoio das instituições financeiras e dos governos internacionais à nova política econômica e rapidez na aprovação das reformas fiscais.

No dia seguinte, Ernesto Paglia fez uma reportagem mostrando a perda do poder de compra do brasileiro com a nova desvalorização da moeda. Logo depois, o mercado financeiro voltou a ser abordado numa matéria da correspondente internacional Sônia Bridi que mostrou que os acontecimentos se refletiam nos Estados Unidos. Mais uma vez, a bolsa de Nova York fechava em baixa.

Uma onde de boatos varreu o país na última semana de janeiro de 1999, dando conta de um suposto arrocho econômico baseado no confisco da poupança e na decretação de feriado bancário. O *Jornal Nacional* daquele dia mostrou a reação imediata do governo. Durante a inauguração da nova sede da Rede Globo em São Paulo, Fernando Henrique reuniu a imprensa para desmentir a onda de boatos, pois o governo temia uma corrida aos bancos de conseqüências desastrosas. A declaração do presidente, reiterando que não haveria confisco, entrou em plantão especial. Na reportagem de Brasília, o ministro da fazenda Pedro

Malan ratificou as palavras do presidente ao informar a manutenção da política econômica sem interferências no funcionamento bancário e tampouco a adoção de moratórias. Na edição do dia 4 de março, o novo presidente do Banco Central, Armínio Fraga, anunciou o aumento da taxa de juros e a autonomia para interferir no câmbio contra a ação dos especuladores.

Crise energética

Em 2001, o país enfrentou a maior crise energética de sua história. A população se assustou com a possibilidade de um "apagão", e o governo Fernando Henrique recebeu duras críticas. Para contornar o problema, viu-se obrigado a formular um plano de emergência. Em 1º de junho, lançou o Programa Estratégico Emergencial de Energia Elétrica, um plano de controle do consumo de energia nas regiões Nordeste, Sudeste e Centro-Oeste. A meta era reduzir o consumo em 20%, sob pena de corte e cobranças de sobretaxas.

O racionamento atingiu os setores da indústria e do comércio, mas as empresas conseguiram traçar estratégias para mudar a direção dos negócios. A população também respondeu bem à campanha de corte de energia e conseguiu atingir as metas propostas pelo plano de racionamento.

Os telejornais da Rede Globo participaram intensamente da campanha para racionar energia. A principal preocupação do *JN* era explicar as propostas do governo e esclarecer as dúvidas do consumidor. A equipe de reportagens levou ao ar diversas matérias em tom didático, entrevistando técnicos e famílias em suas residências e mostrando medidas domésticas que proporcionavam economia de energia. Além disso, o *JN* abordou também as providências tomadas pelos setores da indústria e do comércio.

A energia começou a ser pauta no *JN* no final de março de 2001. As razões da crise foram exploradas pelos repórteres. Notícias sobre como o desperdício de água e as alterações climáticas afetavam a produção de energia eram levadas ao ar quase diariamente. No dia 5 de maio, o repórter César Menezes mostrou como a falta de chuva fizera do verão de 2001 o mais seco dos últimos dez anos no Sudeste e no Centro-Oeste. Como o sistema brasileiro é o hidrelétrico, os fenômenos naturais atingem diretamente o processo de produção de energia. Mas o problema não ocorreu somente por causa das alterações climáticas. A falta de planejamento e investimentos por parte do governo também foi discutida pelo telejornal.

No mês de maio, o espaço dedicado ao tema passou a ser ainda maior. No dia 8, o repórter William Waack apresentou alguns gráficos, divulgados pelo Ministério de Minas e Energia. O primeiro indicava o volume de água armazenado na região Sudeste. O repórter mostrou que nos últimos três anos utilizara-se mais água do que seria prudente. Outros gráficos assinalavam o aumento do consumo e a queda de investimentos no setor entre 1998 e 2001. William Waack explicou que o governo estava em situação difícil, já que não tinha recursos para aplicar em geração de energia e não conseguia atrair investidores.

Em 18 de maio, o governo anunciou oficialmente o Programa. Já na escalada, o assunto era o principal tema do *JN*:

> Um choque nas suas contas. Uma revolução nos seus hábitos. O governo ataca o bolso para convencer os brasileiros a poupar energia. A ordem é diminuir o consumo em 20%. E quem não cumprir pode ficar no escuro. O *Jornal Nacional* traduz o plano nacional de racionamento.

Sobre a cobertura do plano de racionamento, o repórter Ari Peixoto conta: "Nós trabalhamos muito. Todo dia tinha uma matéria diferente para fazer, pois queríamos mostrar como as pessoas deviam agir. Todo dia tínhamos que arrumar personagem para mostrar."

No dia seguinte ao anúncio do plano, o primeiro e segundo blocos do *Jornal Nacional* foram inteiramente dedicados ao assunto. O planejamento das indústrias, dos shopping centers, dos trabalhadores rurais e dos profissionais liberais foram pautas das matérias. As reportagens continuaram a esclarecer dúvidas dos consumidores. O *JN* divulgou também um pronunciamento do presidente Fernando Henrique Cardoso, que respondeu duramente às críticas que o Programa vinha recebendo e reforçou que a economia de energia era uma batalha conjunta do governo e da sociedade.

Em 19 de fevereiro de 2002 foi oficialmente anunciada a data para o fim do racionamento: 28 de fevereiro. O *Jornal Nacional* informou que as metas haviam sido atingidas e que o governo continuaria estudando medidas para estimular a população a manter a redução do consumo de energia elétrica.

Privatizações

O governo Fernando Henrique Cardoso priorizou a transferência dos serviços públicos aos setores privados. Para isso criou o Programa Nacional de Desestatização (PND) e diversas empresas dos setores de eletricidade, telecomunicações, transporte, entre outros, foram incluídas no programa.

Em 14 de fevereiro de 1995, dois meses após Fernando Henrique tomar posse, o *Jornal Nacional* informou que uma das primeiras propostas na reforma da Constituição era a abertura do monopólio da Petrobras. Somente em 1997 a lei que permitia a entrada da iniciativa privada no setor petrolífero foi sancionada. Com isso, a Petrobras deixou de ser a única empresa no Brasil autorizada a pesquisar, explorar, refinar, exportar e importar petróleo. Para promover a regulamentação, a contratação e a fiscalização dessas atividades, foi criada a Agência Nacional de Petróleo (ANP).

Ao longo dos oito anos do governo, os processos de privatização tiveram grande repercussão entre os políticos e a população. As de maior destaque foram a da Companhia Vale do Rio Doce e a do sistema de telecomunicações.

O processo de privatização da Vale, a maior mineradora do mundo, foi marcado por intenso debate. No dia 29 de abril de 1997, data marcada para o leilão da companhia, o assunto ocupou grande parte do *Jornal Nacional*. William Bonner e Lillian Witte Fibe informaram que o governo lutava para derrubar as liminares que tentavam, na Justiça, impedir a venda da empresa.

Manifestantes contrários à proposta do governo cercaram o prédio da Bolsa no Rio de Janeiro e houve muita confusão. Um grupo de parlamentares da oposição tentou formar um cordão para evitar o confronto com a polícia. Para conter o protesto, policiais jogaram bombas de efeito moral na multidão e a equipe da Rede Globo também foi atingida. A repórter Ana Paula Araújo caiu no chão e foi socorrida pelo cinegrafista.

Após a derrubada de dezenas de liminares, o leilão da Vale do Rio Doce foi realizado em 6 de maio, oito dias após o previsto. O *JN* acompanhou o leilão e exibiu também imagens dos protestos na Bolsa de Valores. Apesar das manifestações, o leilão foi finalizado. O Consórcio Brasil, liderado pela CSN, arrematou 41,73% das ações da companhia. No dia 9 de maio, o *JN* mostrou a entrega do maior cheque já emitido no Brasil até então: 3.199.974.496 reais. O pagamento foi feito no Rio de Janeiro ao BNDES.

Concluída em 1998, a privatização do sistema brasileiro de telecomunicações também teve ampla repercussão. As empresas que compunham o sistema Telebrás foram vendidas. O território nacional foi repartido em quatro grandes áreas e as "teles" foram compradas por empresas privadas. A Embratel, responsável pelas chamadas de longa distância, tornou-se filial da norte-americana MCI (WorldCom). A regulação do setor foi entregue à recém-criada Agência Nacional de Telecomunicações (Anatel).

Em 29 de julho de 1998, o *JN* acompanhou a privatização do sistema Telebrás e mostrou a repercussão nas bolsas de Nova York e São Paulo. No dia seguinte, o telejornal exibiu uma matéria da repórter Ana Paula Padrão sobre como a privatização do setor telefônico na Inglaterra trouxera benefícios para o consumidor.

Quase cinco anos após o leilão da Vale do Rio Doce, em abril de 2002, o *Jornal Nacional* levou ao ar uma série de reportagens realizada por William Waack sobre os resultados da privatização nos setores de infra-estrutura. A série foi dividida em quatro edições: telefonia, energia, ferrovia e portos e rodovias. O repórter fez um panorama sobre o que aconteceu de negativo e positivo com os setores após a desestatização.

Sobre o setor energético, William Waack fez uma comparação entre o aumento do custo de vida e dos custos da eletricidade nas cidades de São Paulo e Rio de Janeiro. O custo de vida em São Paulo subira 24% e a eletricidade 32%. No Rio de Janeiro, o custo de vida subira 29% e a eletricidade 59%. William Waack explicou que os aumentos não eram "maldades premeditadas pelo governo e sim o resultado de três contas que estamos saldando ao mesmo tempo: os erros do passado, a crise do presente e as necessidades do futuro. Quem paga é você."

Na parte dedicada ao sistema ferroviário e portuário, o repórter apresentou um retrato atual do principal porto do país, o de Santos. Sobre as conseqüências da privatização, enfocou o ponto de vista dos trabalhadores da região. Em relação ao sistema rodoviário, disse que a privatização ainda estava no início e que a situação das principais vias do país era deficiente.

Os melhores resultados ocorreram no setor de telecomunicações. William Waack mostrou que a concorrência levou à queda dos preços e que o número de telefones fixos e celulares dobrara nos últimos dois anos. O acesso ao telefone aumentara e deixara de ser restrito às faixas de renda de maior poder aquisitivo. Nunca na história do Brasil o aparelho vendera tanto em tão pouco tempo.

Lei de Responsabilidade Fiscal

Uma das principais medidas do governo Fernando Henrique foi a criação da Lei de Responsabilidade Fiscal, sancionada em 4 de maio de 2000. Através dela, foram fixados limites para gastos e endividamentos das três esferas de governo (municipal, estadual e federal), de cada um dos poderes (Executivo, Legislativo e Judiciário), do Ministério Público e órgãos da administração direta.

Além de proibir que os estados gastem mais do que arrecadam, a lei impossibilita que governantes deixem contas para o mandato seguinte e tomem empréstimos no mercado financeiro. A esfera de governo que chegar a 95% do seu limite de despesas já não pode aumentar salários, contratar horas extras, admitir funcionários ou criar cargos. Como disse a jornalista Ana Paula Padrão em uma de suas reportagens: "É uma lei que impede um aventureiro de fazer o que bem entende para se eleger. É você dizer para o homem público: 'Você tem responsabilidades, existe uma lei e você vai para cadeia se não a cumprir.'"

O *Jornal Nacional* de 29 de setembro de 2000 exibiu uma matéria de William Waack sobre o tema. Dois dias depois, houve eleições para prefeitos e estes já governariam sob a Lei de Responsabilidade Fiscal. William Waack reforçou a idéia de que, com a nova lei, os municípios teriam que se comportar como empresas e que o cidadão estaria vigilante. "Má gestão pública tem sempre uma vítima certa: você. Agora, mais alguém poderá pagar por omissões ou má fé: os próprios prefeitos. A Lei de Responsabilidade Fiscal é o fim do cheque especial para os municípios", concluiu o jornalista na reportagem.

3

Jornalismo Seriado

Séries de Reportagens

Uma novidade do Jornalismo da Rede Globo implementada por Evandro Carlos de Andrade foi a apresentação de séries de reportagens, que se prolongavam por toda a semana nos telejornais da emissora. A idéia era oferecer ao telespectador uma abordagem mais aprofundada dos assuntos, ainda que dividida em capítulos. No *Jornal Nacional* foram vários os temas tratados, como contrabando de armas, uso de agrotóxicos, reciclagem de lixo, situação do idoso, menores infratores, casas de jogos ilegais e drogas nas escolas.

Merece destaque a série de seis reportagens denominada "Caminhos do Brasil", exibida entre 17 e 22 de junho de 1996, que marcou a estréia de Miriam Leitão no *Jornal Nacional.* A jornalista percorreu os mais variados estados do Brasil, como Roraima, Acre, Minas Gerais, Rio Grande do Sul e São Paulo, mostrando o impacto da estabilização da economia na vida das pessoas nessas diferentes regiões. Miriam Leitão fez uma radiografia das mudanças econômicas que o brasileiro tinha vivido no seu dia-a-dia depois do fim da inflação, apresentando dados sobre suas condições de vida em termos de alimentação, saúde e educação.

Carlos Henrique Schroder afirma que o aprofundamento na abordagem de alguns temas através das séries jornalísticas deu mais solidez ao telejornalismo da Rede Globo: "Foi um marco, porque deu mais credibilidade e trouxe um amadurecimento ao telejornalismo, que sempre foi acusado de superficialidade."

Passou-se a ter a preocupação de associar os assuntos abordados ao factual, ou seja, de relacioná-los a um fato ocorrido na semana ou no mês de exibição da reportagem. A série sobre professores, por exemplo, foi exibida entre os dias 13 e 18 de outubro de 2003, na semana em que se comemorava o Dia do Professor. As reportagens abordaram, entre outros assuntos, as condições de trabalho do professor em diferentes regiões do Brasil, os salários, o nível do ensino em todo o país.

"Fome no Brasil"

A série "Fome no Brasil", exibida no *Jornal Nacional* de 18 a 22 de junho de 2001, foi uma das mais premiadas na história do telejornal. Para produzir as matérias, o repórter Marcelo Canellas e o cinegrafista Lúcio Alves viajaram por seis estados e o Distrito Federal. A idéia partiu do próprio repórter, que pretendia traçar um mapa da fome no país, um problema que aflige tanto o interior e o sertão do Nordeste como as grandes capitais.

A idéia era antiga. Em 1998, Marcelo Canellas havia procurado a direção de jornalismo da Rede Globo e sugerido a pauta. O ponto de partida para as reportagens seriam os 50 anos de publicação do livro *Geografia da Fome*, do professor Josué de Castro. Mas a proposta foi recusada. Durante três anos, Canellas reuniu material para argumentar que, embora a fome fosse um tema muito discutido no país, ainda havia muito a ser mostrado. O repórter acabou convencendo a direção da CGJ.

Na primeira matéria, Canellas descreveu o problema da fome como

> uma tragédia a conta-gotas, dispersa, silenciosa, escondida nos rincões e nas periferias. Tão escondida que o Brasil que come não enxerga o Brasil faminto e aí a fome vira só número, estatística, como se o número não trouxesse junto com ele dramas, histórias, nomes.

Segundo dados oficiais, existem pelo menos 36 milhões de brasileiros que nunca sabem quando terão a próxima refeição. A cada cinco minutos uma criança morre no Brasil, a grande maioria vítima da fome. No texto de Marcelo Canellas, a descrição da triste estatística:

> Desde o início da reportagem já se passaram 5,5 minutos. Na contagem regressiva da fome, mais um luto, mais uma perda. Nossa maior fortuna indo embora. Nosso óbvio tesouro esquecido em lugarejos e favelas.

Ainda na primeira matéria, a equipe entrevistou uma lavadeira, Maria Rita Costa, de 51 anos, que sofria de desnutrição aguda. Marcelo Canellas conta que, depois da entrevista, foi à prefeitura da cidade de Araçuaí, Minas Gerais, providenciar uma ambulância para levá-la ao hospital. Segundo o repórter, ele não tinha como manter um distanciamento emocional: "Eu tinha que ser o mais discreto possível, porque não importava o que eu estava sentindo, e sim o que aquelas pessoas ali estavam sentindo. Mas isso não significa que a gente não fique pessoalmente destroçado com uma situação dessas, especialmente quando você lida com a morte."

No dia seguinte à exibição dessa primeira reportagem da série, Fátima Bernardes leu uma nota dizendo que os moradores de Araçuaí, onde vivia Maria Rita, avisaram à emissora que, duas semanas depois de dar a entrevista à equipe da Globo, a lavadeira falecera. Maria Rita fora vítima de pneumonia e desnutrição aguda.

Em outra matéria da série, Canellas mostrou que a fome pode ir além da humilhação e do sofrimento físico. Num hospital psiquiátrico em Cariri, no sul do Ceará, o repórter entrevistou o médico José Abagaro Filho, especializado em combater distúrbios provocados pela deficiência de nutrientes. Segundo o psiquiatra, está comprovada a existência de doença mental por desnutrição.

A migração também foi tema de uma das reportagens: a história de brasileiros que vieram para os grandes centros urbanos fugindo da fome e que, mesmo longe de casa, ainda viviam na miséria.

A última matéria mostrou uma ampla rede de solidariedade existente no Brasil, à espera de adesões. Atuam no país centenas de entidades de combate à fome, como Ação da Cidadania, Pastoral da Criança, Unicef e FAO (Food and Agriculture Organization), as duas últimas das Nações Unidas. Essas instituições agem de formas variadas, indo desde programas de geração de renda até a adoção de famílias pobres através do pagamento de mesadas.

A série sobre a fome teve grande repercussão. Diversas pessoas telefonaram para a redação oferecendo ajuda no combate ao problema. William Bonner diz que a série foi um marco, gerando um certo desconforto até mesmo em Brasília. "Coincidentemente, a primeira reportagem foi exibida no dia do aniversário do Fernando Henrique, quando se realizava um jantar no Palácio do Planalto. Juro por Deus que foi coincidência. Acho que estraguei o aniversário dele. Demos uma matéria na segunda, outra na terça, outra na quarta. Quando chegou na quinta-feira à tarde, o Fernando Henrique convocou uma coletiva em Brasília para anunciar mudanças nos programas sociais do governo. E nesse discurso ele falou: 'Às vezes a imprensa mostra coisas como se fossem novas. Como se não fossem de cinco séculos históricos. Parece que é tudo novo, que é tudo recente.' Ele estava incomodado. Não falou diretamente, mas evidentemente era um recado."

A equipe da TV Globo de Brasília responsável pela série – formada pela produtora Laura Fernandes, a editora Cida Hipólito e o operador de áudio Luiz Oliveira, além de Marcelo Canellas e Lúcio Alves – recebeu alguns dos principais prêmios de jornalismo no país, entre eles o Ayrton Senna de Jornalismo, o Barbosa Lima Sobrinho, o Imprensa Embratel e o Vladimir Herzog na categoria Documentário Especial. O repórter Marcelo Canellas se tornou, pela série de reportagens, o primeiro brasileiro a receber o prêmio Boerma de Jornalismo, concedido pela FAO.

Em Defesa dos Direitos Humanos

As questões relativas à defesa dos direitos humanos ocuparam progressivamente a pauta do *Jornal Nacional*. Em 1997, por exemplo, foram produzidas pelo telejornal várias matérias sobre trabalho infantil, mostrando diversas áreas pobres do Brasil onde crianças deixavam de freqüentar a escola para ajudar no sustento das suas famílias. Em 1999, a equipe de jornalismo da Rede Globo também apurou denúncias de exploração de mão-de-obra escrava em fazendas na Amazônia e no Pará, o que contribuiu para a conscientização da população e das autoridades.

O caso da Favela Naval

Entre as reportagens de denúncia em relação aos direitos humanos, merece destaque a do jornalista Marcelo Rezende sobre a violência policial, exibida no *Jornal Nacional* em 31 de março de 1997. A matéria começava mostrando um grupo de policiais militares extorquindo dinheiro, humilhando, espancando e executando pessoas numa blitz na Favela Naval, em Diadema, na Grande São Paulo. As imagens, gravadas por um cinegrafista amador nos dias 3, 5 e 7 de março, revelavam a extrema crueldade com que os PMs tratavam cidadãos indefesos no que, oficialmente, seria uma operação de combate ao tráfico de drogas.

Antes de exibir as imagens, o apresentador William Bonner advertiu que elas eram fortes, mas que o *Jornal Nacional* tinha o dever de denunciar. Já na primeira cena, os PMs param os carros e agridem com violência os ocupantes, que não oferecem qualquer resistência. O motorista de um dos automóveis é esbofeteado e levado para trás de uma parede por um dos policiais. Os outros conversam tranqüilamente enquanto se ouvem os gritos de súplica do rapaz que é espancado. O cinegrafista consegue pegar parte da cena em que o policial espancador chama o parceiro e, segundos depois, dispara um tiro. Os dois PMs então se afastam. Um deles guarda a arma e ri. "É como se nada tivesse acontecido", afirma o texto em *off* de Marcelo Rezende.

As imagens também mostram que o pelotão, de volta ao mesmo local dois dias depois, passa a cobrar pedágio para liberar as pessoas paradas no bloqueio. Não tendo como incriminar o dono de um Fusca, um soldado se vinga furando os pneus do carro. Em outra cena, depois de muitas agressões, um policial aparece assassinando um passageiro dentro de um carro. Era o mecânico Mário José Josino, que estava de férias e tinha ido visitar um amigo. Ele foi levado pelos colegas para o hospital público de Diadema, onde morreu horas depois.

Logo após a exibição das imagens, o apresentador William Bonner leu o editorial:

> Qualquer cidadão atacado por um policial é um ser indefeso diante do mais covarde dos criminosos. Covarde porque usa a autoridade para assaltar, torturar, assassinar a sangue-frio pessoas inocentes. As cenas repugnantes que o *Jornal Nacional* acaba de apresentar causam uma revolta que só pode ser atenuada por castigo severo e exemplar, que é o que se espera do governo e da Justiça do estado de São Paulo.

No dia seguinte à denúncia da violência da PM paulista, Ernesto Paglia foi até a Favela Naval e mostrou os moradores assustados, "gente que aprendeu a calar a boca e a respeitar o toque de recolher dos carrascos". O repórter identificou seis dos dez policiais do 24º Batalhão da Polícia Militar envolvidos na barbárie: o sargento Reginaldo José dos Santos, o cabo João Batista de Queiroz e os soldados Nelson Soares da Silva Júnior, Paulo Rogério Garcia Barreto, Rogério Neri Bonfim e Otávio Lourenço Gambra (conhecido como Rambo).

Entre o recebimento da fita e a exibição da primeira reportagem, Marcelo Rezende levou cinco dias confirmando a veracidade da história. Montou uma equipe com 13 profissionais, que o ajudaram nas investigações. Eles localizaram Gerson Capucci, que dirigia o carro no qual foi assassinado Mário José Josino, e várias outras testemunhas das violências policiais. Descobriram que, nos meses que antecederam o episódio, dezenas de denúncias haviam sido encaminhadas às autoridades sem que estas tivessem tomado qualquer providência.

Os repórteres descobriram também que o rapaz que levou o tiro atrás do muro, Sílvio Calixto, havia sobrevivido. Conseguiram localizá-lo e o convenceram a dar o seu testemunho. Marcelo Rezende conta como foi: "Nós tínhamos achado a família do Mário Josino, o mecânico que tinha sido morto. Tínhamos localizado onde ele estava enterrado. Tínhamos achado também os garotos que foram espancados em cima do capô do Passat. Faltava um deles, o Sílvio Calixto, um negro magrinho, tocador de cavaquinho. Aí, fizemos uma campana na porta dele no dia da Páscoa. Eu havia decidido que só poria a matéria no ar quando tivesse todas as testemunhas, porque senão, no dia seguinte, você não acha mais ninguém. Aí achamos. Era domingo de Páscoa. Voltei à redação e nós então editamos a primeira matéria, que é a fita em si, e a segunda matéria, com as testemunhas. E foi aquela confusão."

No *JN* do dia 2 de abril, os repórteres da Globo identificaram o tenente Wilson Góis Júnior, que estava na operação em Diadema mas que, até aquele momento, sequer tinha sido citado nas investigações. Localizaram também Ricardo Luis Buzeto, que estava foragido. Numa entrevista exclusiva ao repórter Carlos Tramontina, o cabo afirmou não ter participado das agressões: "Eu só observei. Não bati em ninguém. Não atirei em ninguém." Ao ser perguntado por que não impedira os policiais de agirem daquela maneira, ele respondeu: "Tendo em vista que eu nunca tinha trabalhado com aquele grupo antes, fiquei com receio de tomar alguma atitude e morrer."

Num editorial lido por Cid Moreira, o *Jornal Nacional* apontou a impunidade como uma das principais causas dos abusos praticados pela PM. Essa questão também foi tratada por Caco Barcellos. O repórter informou que mais de 200 inquéritos contra PMs – a maior parte por homicídio e por agressão – ficavam parados no cartório da 1ª Auditoria, alguns por mais de 20 anos, até muitos deles prescreverem. As irregularidades foram descobertas pelo promotor Antônio Ferreira Pinto. Dois desses inquéritos, que haviam estado parados irregularmente, por seis e 11 anos, envolviam um oficial bastante conhecido, o segundo-tenente Ariovaldo Sérgio Salgado, comandante do COI, unidade de elite da Polícia Militar de São Paulo envolvida no massacre do Carandiru.

O caso da Favela Naval foi assunto do *Jornal Nacional* durante toda a semana. Naquele período, o país viveu sob o impacto das imagens que exibiram a truculência da polícia militar. As reportagens chocaram o país. A Rede Globo recebeu inúmeros telefonemas, faxes e mensagens via Internet, que manifestavam a indignação da população. O próprio presidente da República, Fernando Henrique Cardoso, por meio do seu porta-voz, tornou pública sua revolta. A Assembléia Legislativa de São Paulo logo anunciou a criação de uma CPI para apurar o caso e o governador de São Paulo, Mário Covas, assinou a exoneração dos oficiais da PM responsáveis pela região. Os policiais envolvidos no episódio foram presos.

No dia 3, foi aprovado pelo Congresso o projeto de lei que transformava a tortura em crime punível com pena de até 21 anos de prisão. A lei 9.455 foi sancionada no dia 7 de abril de 1997, sete dias após a denúncia das torturas em Diadema pelo *Jornal Nacional*. Também no dia 3, a Comissão de Constituição e Justiça da Câmara aprovou a proposta de emenda constitucional que federalizava os crimes contra os direitos humanos. Em setembro daquele ano, o jornalista Marcelo Rezende recebeu o Prêmio Líbero Badaró de jornalismo.

Recontando os mortos da repressão

Entre as séries apresentadas no *Jornal Nacional* que exigiram um trabalho de investigação da equipe da Rede Globo destaca-se a "História Recontada". Exibida nos dias 2 e 3 de abril de 2001, as reportagens abordaram um crime guardado em segredo durante 32 anos. Depois de fazer várias pesquisas, realizar entrevistas e ouvir o depoimento de médicos legistas, o repórter Caco Barcellos conseguiu revelar uma farsa montada pelo regime militar para encobrir o assassinato de duas pessoas que lutavam contra a ditadura.

Durante um ano, Caco Barcellos investigou a morte de um casal no final da década de 1960. A primeira pista para a história surgiu com a denúncia de um militar do Exército brasileiro que presenciou a tortura e o assassinato dos dois jovens. Valdemar de Oliveira procurou a equipe do *Jornal Nacional* em fevereiro de 2000. O ex-soldado contou em detalhes todo o episódio: como o casal fora capturado pelos militares, o local da tortura e a forma como tinham sido mortos.

Caco Barcellos lembra das dificuldades que encontrou no início das investigações: "Meu primeiro objetivo foi descobrir se o relato era verdadeiro ou não. A falta de identificação do casal foi um grande obstáculo. O ex-agente lembrava-se apenas do codinome da mulher e que o casal militava na extinta Aliança Libertadora Nacional (ALN). Inicialmente, acreditei que fosse um casal de desaparecidos políticos. Mas, no confronto com a lista das 126 pessoas que desapareceram durante a ditadura, as datas e outros dados não coincidiam com nenhum dos casos. E os antigos militantes da ALN também me garantiram que

Notícia ao Vivo

A população da cidade do Rio de Janeiro parou no dia 12 de junho de 2000 para acompanhar ao vivo pela televisão o seqüestro do ônibus da linha 174 na rua Jardim Botânico. Durante cerca de quatro horas, o assaltante Sandro Nascimento manteve dez passageiros como reféns. O desfecho foi trágico. Depois de simular que havia matado uma das passageiras, o bandido desceu do ônibus usando a professora Geisa Firmo Gonçalves como escudo. Naquele momento, o soldado do Bope Marcelo de Oliveira Santos tentou matar o seqüestrador. As balas do policial, no entanto, atingiram apenas a refém, que levou ainda dois tiros disparados pelo assaltante e morreu. O bandido foi asfixiado pelos policiais, enquanto era levado ao hospital Souza Aguiar.

Enquanto a Globo News ficou no ar, direto, com imagens dramáticas do episódio, a TV Globo manteve sua programação normal, inserindo flashes em seus intervalos comerciais. A cobertura completa do seqüestro foi ao ar no *Jornal Nacional* daquela noite. Evandro Carlos de Andrade, na época diretor da CGJ, explica a decisão da emissora: "Nós tivemos dúvida em relação à TV aberta, uma vez que havia o receio de o seqüestrador estourar a cabeça de uma das reféns e nós mostrarmos a cena. Entendemos, depois, que nossa decisão de não dar continuidade à cobertura foi um erro. O que nós devíamos ter feito – e faremos daqui para frente – era alertar permanentemente o público, os pais, as famílias, para o risco de mostrarmos uma cena muito chocante. Cabe às famílias tomarem medidas de cautela. Nós achamos que devemos transmitir os acontecimentos. E, se fosse hoje, levaríamos ao ar também na TV aberta, porque é um fato que causa expectativa. E, se nós temos acesso, o público também deve ter. Caso contrário, estaremos censurando a informação."

1. *O assaltante Sandro Nascimento com uma refém no ônibus 174 (JN, 12 jun 2000).*

Foi exatamente o que aconteceu no dia 30 de agosto de 2001, quando o empresário e apresentador de TV Silvio Santos foi mantido refém durante oito horas dentro de sua própria casa pelo seqüestrador Fernando Dutra Pinto – o mesmo que seqüestrara a filha do apresentador, Patrícia Abravanel, dias antes. Daquela vez, a TV Globo manteve-se no ar, num plantão especial do jornal *Hoje*, interrompendo a programação normal. O primeiro flash ao vivo foi ao ar às 8h40, durante o programa *Mais Você*. A partir das 9h04, a emissora passou a transmitir direto do local, até às 14h55.

O jornalista Carlos Nascimento fez a narração ao vivo, com a ajuda das equipes de reportagem que estavam no local. Para a cobertura foram mobilizadas cerca de 50 pessoas, um helicóptero e uma motocicleta equipada com microcâmera, além de cinco unidades móveis, deslocadas para pontos estratégicos da cidade a fim de garantir o sinal ao vivo.

A TV Globo chegou a ser criticada pelo SBT – emissora de Silvio Santos – e outros veículos de comunicação por ter divulgado informações sobre o seqüestro de Patrícia Abravanel apesar dos apelos da família para que o caso fosse mantido em segredo. O seqüestro da filha do apresentador levantou uma antiga polêmica da imprensa: tornar público ou não esse tipo de crime. A Rede Globo noticiou o seqüestro de Patrícia no dia 21 de agosto, deixando claro que aquela era uma conduta adotada pela empresa desde 1990. Segundo a nota, a emissora reafirmava que só convenientemente informada a sociedade pode ajudar a combater os seqüestros, e que a omissão só beneficia os bandidos.

1

2

3

4

5

6

JN

1. Logotipo da série "Caminhos do Brasil" (*JN*, 17 jun 1996).

2. A repórter Miriam Leitão gravando reportagem para a série "Caminhos do Brasil", em Brasília (*JN*, 17 jun 1996).

3. Menina mostrando caderno da escola numa reportagem da série "Caminhos do Brasil" (*JN*, 17 jun 1996).

4. Série "Fome no Brasil" retratando o problema da fome no Vale do Jequitinhonha (*JN*, 18 jun 2001).

5. A lavadeira Maria Rita, uma das personagens da série "Fome no Brasil", que morreu semanas após a gravação da matéria (*JN*, 18 jun 2001).

6. O repórter Marcelo Canellas recebendo prêmio pela série de reportagens sobre a fome no Brasil (*JN*, 29 nov 2003).

1

2

3

4

5

JN

1. Imagens feitas por um cinegrafista amador da violência policial na Favela Naval, em Diadema, São Paulo (*JN*, 31 mar 1997).

2. Marcelo Rezende mostrando marca da violência policial na Favela Naval (*JN*, 1º abr 1997).

3. Caco Barcellos entrevistando o ex-soldado do Exército Valdemar de Oliveira para a série "História Recontada" (*JN*, 2 abr 2001).

4. Trabalho infantil em casas de farinha de Pernambuco (*JN*, 16 nov 1998).

5. Trabalho infantil nas plantações de fumo de Arapiraca, em Alagoas (*JN*, 27 ago 1999).

não havia nenhum desaparecido com as características relatadas pelo informante. Restava a possibilidade de encontrar as ossadas do casal. Convidamos nossa fonte para ir até o local da execução, que teria acontecido em um sítio de um coronel do Exército, na Baixada Fluminense. As pesquisas nos mapas da prefeitura, no entanto, mostraram que o sítio não existia mais. No lugar dele fora construída a sede de uma grande rede de supermercados. Era impossível fazer ali uma escavação para confirmar o assassinato do casal."

O repórter já tinha desistido da investigação quando encontrou o que procurava no livro *Mulheres que foram à luta armada*, do jornalista Luiz Maklouf Carvalho. Nele, o autor falava de uma jovem estudante, morta em um acidente de carro em companhia do marido, numa estrada próxima a Vassouras, no estado do Rio, em novembro de 1968. O caso teve grande repercussão na época, porque o casal era acusado de ter matado o oficial da Força Aérea americana Charles Chandler, suspeito de ser agente da CIA no Brasil. Na ocasião, o Exército identificou o casal como Catarina Helena e João Antônio, ambos estudantes da Faculdade de Filosofia da Universidade de São Paulo. "Para mim, a princípio, o que interessava eram as coincidências: características físicas do casal, organização onde militavam os dois, data da morte. Tudo coincidia. Havia apenas uma diferença de 70 quilômetros entre o local do acidente e o sítio da suposta execução", conta Caco Barcellos.

Depois de ver uma foto, Valdemar de Oliveira confirmou que a jovem citada no livro era a mesma que tinha sido torturada. Diante dessa informação, era preciso checar se a causa da morte de Catarina Helena eram realmente os ferimentos provocados pelo desastre de carro. O jornalista procurou, então, a família das vítimas para pedir a exumação. Os parentes do rapaz decidiram não colaborar com a investigação, pedindo, inclusive, que não fossem informados caso o resultado apontasse outra causa de morte que não o acidente.

A família da jovem também não quis colaborar, com exceção de um irmão, que dizia que a mãe nunca acreditara que a filha tivesse sido morta naquele acidente. "Era o combustível de que eu precisava para seguir em frente. Ele concordou em examinar comigo os ossos da irmã, que estavam depositados em um cemitério de São Paulo. O ex-soldado afirmava que o crime tinha sido com um disparo à queima- roupa na altura da nuca. Caso encontrássemos os ossos do crânio intactos significaria, para mim, o fim das investigações. Mas não foi o que aconteceu. Com os coveiros como testemunhas, nós encontramos uma fratura exatamente no ponto onde o informante disse que fora feito o disparo da arma", explica Caco Barcellos.

Foi pedida, então, a exumação do corpo para que se pudesse obter uma comprovação científica no Instituto Médico Legal. O repórter conta que, depois de três meses de trabalho, os peritos concluíram que o IML não tinha os equipamentos necessários para detectar a incrustação de metais em ossos enterrados há mais de 30 anos: "Foi preciso recorrer ao laboratório da USP, que apresentou o resultado com riqueza de detalhes e precisão científica: as fraturas encontradas no crânio da jovem não tinham sido provocadas pelo acidente de carro. A causa tinha sido um projétil de arma de fogo, devido à grande quantidade de chumbo nas bordas da fratura. Semelhante ao orifício de entrada de uma bala. Essa conclusão nos habilitou a informar que a verdadeira causa da morte da jovem estudante tinha sido omitida pelo Exército. O acidente até pode ter acontecido. Mas o certo é que alguém disparou um tiro de revólver à queima roupa na altura da nuca, exatamente como havia afirmado o ex-soldado no dia em que me procurou para fazer esta reportagem."

Após a exibição da segunda reportagem, uma nota no *Jornal Nacional* destacava que não era mais possível responsabilizar ninguém pela tortura e assassinato revelados por Valdemar de Oliveira, pois os crimes já tinham sido prescritos e os autores, anistiados por lei. Mesmo assim, o ex-militar recebeu ameaças de morte e teve que pedir apoio ao programa estadual de proteção à testemunha.

A equipe da TV Globo responsável pela reportagem – formada pelo cinegrafista Américo Figueiroa, o produtor Robson Cerântula e a editora Rosane Baptista, além de Caco Barcellos – recebeu o Prêmio Embratel de jornalismo na categoria Reportagem para Televisão no ano de 2001.

Trabalho infantil

Desde 1996, a exploração do trabalho infantil vem sendo tema de várias reportagens do *Jornal Nacional*. A primeira, do repórter Marcelo Canellas, foi exibida em outubro daquele ano, e contava a história dos dez filhos de dona Humbertina, que trabalhavam, durante todo o dia, em uma plantação de feijão na vila de Genipapo, no agreste da Paraíba. Um ano depois, o repórter voltou ao local para ver como estavam as crianças e constatou que nada tinha mudado. O caçula, de apenas cinco anos, que apareceu na primeira reportagem aprendendo a usar a enxada, já estava ajudando os irmãos na plantação.

Outra denúncia foi ao ar em 16 de novembro de 1996. O repórter José Raimundo mostrou que no interior da Bahia as escolas estavam praticamente vazias e que cerca de 20 mil adolescentes tinham deixado as salas de aula para trabalhar no corte do sisal. A reportagem acompanhava a dura rotina do seu Milton e seus dois filhos, Lucivaldo e Elialdo, que, de segunda a sábado, trabalhavam dez horas por dia. Por falta de tempo para estudar, os dois jovens não conseguiram concluir a primeira série do primeiro grau e tiveram que abandonar a escola.

O trabalho infantil voltou a ser destaque em 5 de novembro de 1997. Naquele dia, a chamada do *Jornal Nacional* mencionava mais um crime contra a infância. O repórter Ismar Madeira, da sucursal de Belo Horizonte, denunciou que, na cidade de Ubá, crianças e adolescentes eram a principal força de trabalho na região. Os donos das fábricas de móveis empregavam menores de 14 anos e não ofereciam os equipamentos necessários para a sua segurança. Graças à matéria, 84 fábricas foram autuadas pelo Ministério Público.

Outro caso de exploração de trabalho infantil que chamou a atenção foi o das crianças que trabalhavam nas casas de farinha em Jucati, no interior de Pernambuco. A matéria da repórter Beatriz Castro foi ao ar no dia 16 de novembro de 1998. As imagens das meninas Érica e Janaína, de 3 anos, sentadas no chão descascando mandioca chocaram os telespectadores. Segundo a Delegacia Regional do Trabalho, cerca de 1.600 menores trabalhavam nas casas de farinha da região.

No dia seguinte, o *Jornal Nacional* fez um editorial sobre o assunto informando que as autoridades de Pernambuco tinham conhecimento do problema havia seis meses, mas até então nenhuma providência fora tomada. O texto ressaltava que era desolador receber a notícia de que a situação das crianças de Jucati continuava a mesma. Bonner concluiu o editorial afirmando que "qualquer cidadão brasileiro sabe que 24 horas seriam tempo mais que suficiente para que o discurso fosse substituído pela ação".

Ainda em 1998, surgiram novos casos de exploração de mão-de-obra infantil. O repórter Marcelo Canellas lembra a imagem de uma menina carvoeira apresentada no *Jornal Nacional*. A cena não durava mais de sete, oito segundos, mas provocara tanta comoção que várias pessoas ligaram para a emissora querendo ajudar a menina. Uma dona-de-casa de São Paulo passou a dar um salário mensal para que a criança pudesse voltar a estudar.

Canellas conta: "Eu fui destacado para acompanhar o primeiro dia de aula dessa menina. Viajei até o sul do Pará, até a casa dela. Visitei as carvoarias para registrar que muitas crianças ainda estavam trabalhando lá. A reportagem mostrou o primeiro dia de aula da menina e a comoção dela tendo um contato com a escrita, aprendendo a ler. Eu me lembro que me chamou atenção que ela tinha um irmão menor e eu perguntei para o pai: 'Que idade tem esse menino?'. O pai disse: 'Não sei.' Eu pedi para ver a certidão de nascimento, ele procurou uns papéis em cima de uma caixinha e quase caí para trás quando olhei a certidão de nascimento. Era o dia do aniversário do garoto. Dei os parabéns e o pai ficou me olhando com aquela cara, a criança com aquela cara. Isso não saiu na reportagem porque fugia do contexto que a gente estava querendo mostrar, mas me impressionou muitíssimo e serviu de motor para propor pautas nesse sentido, de mostrar o quanto a pobreza acaba embotando as emoções."

4

Carlos Henrique Schroder Assume a Direção do Jornalismo

Mudança com Continuidade

Em 25 de junho de 2001, morreu Evandro Carlos de Andrade, aos 69 anos, de complicações de policitemia vera, doença hematológica benigna da qual vinha se tratando havia alguns anos. Em muito poucos casos, a doença evolui para mielofibrose, quando a medula deixa de produzir sangue, e este foi o caso de Evandro. Do diagnóstico da doença à morte passaram-se apenas seis meses, o que contribuiu ainda mais para entristecer o jornalismo da Globo. Mesmo em casa, doente, Evandro acompanhou até o fim o dia-a-dia de sua equipe. Na véspera de sua morte, pelo telefone, fez questão de participar das decisões, no que era assessorado de perto por Carlos Henrique Schroder.

No *Jornal Nacional* do dia 25, o apresentador William Bonner, já na escalada, informou: "O nosso jornalismo perde um profissional brilhante." Foi apresentado um perfil do jornalista, que começou sua carreira na histórica redação do *Diário Carioca* e passou pelo *Jornal do Brasil* e *Estado de S. Paulo* antes de assumir, por 24 anos, o cargo de diretor de redação de O *Globo*. Evandro havia 30 anos estava a serviço das Organizações Globo.

No encerramento do *JN*, William Bonner leu emocionado uma nota dos filhos de Roberto Marinho: "Evandro foi um dos principais colaboradores de nosso pai, contribuindo decisivamente com seu talento e profissionalismo para que O *Globo* e o Jornalismo da TV Globo conquistassem o prestígio e a liderança que hoje têm. Mas para nós – Roberto Irineu, João e José Roberto – fica também uma outra lembrança ainda mais forte do mestre, do conselheiro, do amigo dedicado e leal; de ética e dignidade de uma pessoa de caráter rígido e ao mesmo tempo carinhoso e apaixonado, que mais do que um exemplo de profissional serviu como uma lição de vida para todos que tiveram o privilégio de conviver com ele. É esse Evandro que nós e nossos colegas das Organizações Globo vamos guardar."

Três dias depois da morte de Evandro, Carlos Henrique Schroder assumiu a direção da CGJ. Schroder começara a trabalhar na TV Globo em 1985 como produtor e, havia seis anos, era diretor de planejamento da Central.

A primeira decisão de Carlos Henrique Schroder foi dar continuidade ao trabalho de seu antecessor. "Evandro Carlos de Andrade é uma personalidade que extrapola a própria TV Globo e o jornal O *Globo*. Ele marcou a história do jornalismo brasileiro. E os alicerces que plantou tinham que ser continuados, não havia dúvida quanto a isso", afirmou.

O apresentador William Bonner comenta a transição: "No início o Schroder optou por manter todas as normas que o Evandro havia implantado. Evidentemente que uma ou outra novidade editorial surgiu. O que houve foi um 'ajuste fino' de procedimentos.. Porque, afinal, foi Schroder quem operacionalizou o projeto do Evandro. Para ele, era muito fácil manter as normas anteriores porque comungava com elas."

Num primeiro momento, na hierarquia da CGJ, abaixo de Schroder ficaram quatro diretores. Ali Kamel, até então diretor executivo do jornal O *Globo*, onde tinha sido o editor-chefe por seis anos, foi convidado por Schroder para assumir uma diretoria executiva de Jornalismo, sob cuja responsabilidade ficaria a supervisão do *Jornal Nacional* e do *Bom Dia Brasil*, bem como da Editoria Rio e da Editoria de Brasília. Foi o único a vir de fora. A outra diretoria executiva ficaria a cargo de Amauri Soares, até ali editor-regional de São Paulo, a quem caberia supervisionar o *Jornal Hoje*, o *Jornal da Globo*, o *Globo Repórter*, o *Fantástico* e a Editoria São Paulo. Luiz Fernando Lima passou a ser o diretor executivo de Esportes, supervisionando todos os programas esportivos da Globo, como *Globo Esporte* e *Esporte Espetacular*, e todos os eventos esportivos, como transmissões de jogos, corridas de Fórmula 1, Copas do Mundo e Olimpíadas. Alice-Maria continuou como diretora editorial de Entretenimento, dando suporte jornalístico aos programas da linha de shows, e diretora da Globo News.

A dinâmica de trabalho na CGJ, com Schroder, manteve-se praticamente a mesma. O poder permaneceu descentralizado: os editores-chefes continuaram tendo plena liberdade para, junto com o seu grupo de editores, coordenar os telejornais e os programas jornalísticos sob sua responsabilidade. "A única coisa que a gente combina são as novidades que se quer apresentar. A gente discute primeiro antes de implantar. Hoje a evolução das coisas é tão rápida que, se você centralizar tudo, vai estar fazendo de maneira errada.", afirma Schroder.

Oito meses depois, houve nova mudança na estrutura da CGJ. Em abril de 2002, Amauri Soares deixou o Jornalismo para ocupar a direção da Globo Internacional, em Nova York, e suas atribuições passaram para Ali Kamel. Luiz Cláudio Latgé, que chefiava a sucursal de Brasília, assumiu como editor-regional em São Paulo. Foi substituído por Franklin Martins, comentarista de política da emissora, que combinou ficar no cargo por dois anos. Em 2004, Franklin deixou a chefia da sucursal de Brasília para ser exclusivamente comentarista, e foi substituído por Silvia Faria.

Acidentes e Tragédias

Naufrágio do *Bateau Mouche* – O barco *Bateau Mouche IV* afundou, às 23h50 do dia 31 de dezembro de 1988, matando 55 pessoas. Ele deixava a baía de Guanabara, levando 150 passageiros para assistir, do mar, à queima de fogos de artifício do réveillon na Avenida Atlântica. O barco, que estava superlotado, chegou a ser interceptado, por volta das 22h, pela Capitania dos Portos, que o fez voltar ao cais para a contagem dos passageiros. No entanto, dez minutos depois, foi liberado.

A Rede Globo concedeu amplo espaço no *JN* e em seus outros telejornais, para os desdobramentos da tragédia da noite de 31 de dezembro. Uma equipe da emissora, escalada para fazer a cobertura dos fogos da praia de Copacabana, estava a bordo de um veleiro quando aconteceu o naufrágio. O repórter Renato Machado cobriu todos os acontecimentos, inclusive a chegada dos sobreviventes e de corpos ao cais do Iate Clube. Como a equipe da TV Globo foi a primeira a chegar ao local, conseguiu imagens exclusivas. Entre os mortos estavam a atriz Yara Amaral e a mulher do ex-ministro do Planejamento Aníbal Teixeira.

"Quando tivemos a notícia de que acontecera um grande naufrágio e que havia muitos mortos, perguntei para onde estavam levando os corpos. Alguém me repondeu que era para o Iate Clube. Nós

1. *O repórter Renato Machado acompanhando o resgate das vítimas do naufrágio do* Bateau Mouche *(1º jan 1989).*

2. *A repórter Sandra Moreyra no Iate Clube do Rio de Janeiro, na cobertura do naufrágio do* Bateau Mouche *(1º jan 1989).*

entramos no Aterro e havia duas ambulâncias dos bombeiros em alta velocidade. Eu disse: 'Fica atrás delas e vai aonde elas forem!' E fomos. Quando entramos naquele Salva Mar, o portão rapidamente se fechou, mas conseguimos passar. No momento em que chegaram as primeiras vítimas, não tinha ninguém, nenhuma televisão, além da gente. Nós gravamos tantos corpos ali que teve uma hora que eu, chocado com tudo aquilo, disse para a gente ir embora", lembra Renato Machado.

Durante a semana, o *Jornal Nacional* dedicou grande parte de seu noticiário ao naufrágio do *Bateau Mouche*. No dia 3 de janeiro as reportagens ocuparam todo o terceiro e quarto blocos do telejornal. Em uma delas, a repórter Ilze Scamparini refez o percurso do barco na noite do réveillon, ao lado do sobrevivente Otávio Paulino, que, emocionado, relatou a tragédia daquela noite.

No Rio, desaba o Palace II – No dia 23 de fevereiro de 1998, segunda-feira de Carnaval, enquanto o *Jornal Nacional* mostrava a alegria da festa popular no país inteiro, registrava também uma tragédia no Rio de Janeiro: o desabamento de parte do edifício Palace II, na Barra da Tijuca, que destruiu 44 apartamentos. Construído pela Sersan, de propriedade do deputado federal Sérgio Naya (PPB-MG), o prédio tinha graves defeitos de estrutura e acabamento. Apesar do risco, 30 moradores buscavam seus pertences quando parte do edifício desabou, pouco depois de ter sido interditado pela Defesa Civil. Oito pessoas morreram soterradas. Era madrugada do domingo, e as primeiras notícias foram ao ar no *Fantástico*.

Durante toda a semana, o *JN* mostrou o drama dos moradores e acompanhou os bombeiros que procuravam corpos das vítimas entre os escombros. As matérias apontaram outros empreendimentos da Sersan também comprometidos e revelaram o perfil de Sérgio Naya, que na época já enfrentava mais de 900 ações na Justiça. Depois de ter a prisão decretada em dezembro de 1999, e revogada em seguida, o dono da construtora e responsável pela obra, foi absolvido em maio de 2001 pela tragédia do Palace II , mas teve cassados o mandato de deputado federal e o registro profissional de engenheiro.

O repórter Marcelo Canellas, um dos que cobriram a tragédia, recorda: "A arrogância de um homem poderoso, o desamparo de pessoas que ficaram sem ter o apoio de ninguém e a solidariedade imensa de toda a população do Rio de Janeiro: todas estas circunstâncias a gente pôde detectar na cobertura do Palace II. Foi muito comovente participar daquilo tudo."

Em 1º de janeiro de 1999, o *Jornal Nacional* exibiu um furo de reportagem. Os produtores da TV Globo se hospedaram num dos hotéis de propriedade de Sérgio Naya, em Orlando (EUA), e registraram, em vídeo amador, o réveillon de luxo do ex-deputado. Nas imagens, Naya aparecia negociando com um de seus convidados e reclamando da taça de champanhe que lhe serviram, que segundo ele, era "de pobre". Numa outra reportagem, o contraste: a festa de fim de ano dos ex-moradores do Palace II, que viviam em condições precárias em quartos de hotéis.

Em dezembro de 2002 Sérgio Naya foi julgado e condenado a dois anos e oito meses em regime aberto. A pena acabou sendo revertida em prestação de serviços comunitários e pagamento de 360 salários mínimos a entidades sociais. Em março de 2004, no entanto, Naya foi preso por falsidade ideológica e falsificação de documento público. Cento e seis dias depois, um pedido de *habeas-corpus* colocou o ex-deputado em liberdade novamente.

Das 176 famílias vítimas da tragédia, 118 entraram na Justiça contra Sérgio Naya. No entanto, até maio de 2004 as indenizações ainda não haviam sido pagas. Muitas famílias continuam morando em hotéis.

3. *Desabamento de parte do edifício Palace II, na Barra da Tijuca, no Rio de Janeiro (27 fev 1998).*

Atentados ao WTC

A prova de fogo da nova diretoria do Jornalismo aconteceria apenas três meses depois das mudanças. No dia 11 de setembro de 2001, o mundo assistiu ao desabamento do maior ícone da supremacia econômica norte-americana. As torres gêmeas do World Trade Center, em Manhattan, Nova York, vieram abaixo depois de serem atingidas, cada uma, por um Boeing 767. No mesmo dia, o prédio do Pentágono, centro do poder militar dos Estados Unidos, também foi atingido por um Boeing 757. Outro avião do mesmo tipo foi seqüestrado e derrubado a 130 quilômetros ao sul de Pittsburgh, na Pensilvânia.

Já no primeiro momento, a equipe da Rede Globo se mobilizou para informar aos telespectadores tudo que se passava. Ali Kamel lembra o episódio: "Quando cheguei à emissora, às 8h30, o Schroder já estava na sala dele. Em frente à minha mesa, há cinco aparelhos de TV sintonizados em diferentes canais. Eu estava conversando com a minha mulher ao telefone, porque ela se esquecera de me lembrar de um compromisso assumido para aquela noite. De repente, vi na Globo News, às 9h48, uma imagem de um prédio que me parecia familiar pegando fogo. Desliguei rapidamente o telefone, a tempo de ouvir que de fato se tratava mesmo de uma da torres do World Trade Center. Um bimotor, por acidente, teria se chocado contra o prédio. Essa era a primeira versão. Corri para a sala do Schroder, onde há 12 monitores de TV, e apontei para aquele com a torre em chamas. Eu era novo em televisão, estava ali desde julho daquele ano. Nunca tinha visto uma cena como a que se seguiria. Schroder deu um pulo, ligou imediatamente para o Amauri Soares (durante as manhãs, depois do *Bom Dia Brasil* o comando operacional do Jornalismo fica em São Paulo, de onde é gerado o jornal *Hoje*): 'Põe no ar o plantão, Amauri! O World Trade Center está pegando fogo! Põe no ar!', dizia Schroder."

A Rede Globo foi a primeira TV aberta brasileira a mostrar um flash do atentado terrorista nos EUA. Às 9h52 – apenas sete minutos após o choque do primeiro avião na Torre Norte – a emissora pôs no ar as primeiras imagens que chegavam da CNN, com narração de Carlos Nascimento. No início, todos achavam que se tratava de um acidente, e o primeiro plantão informou, apenas, que um avião se chocara com uma das torres do WTC.

Ali Kamel conta que Schroder logo pediu para o Centro de Documentação da TV Globo auxiliar Carlos Nascimento com informações. Quatro minutos depois do início do plantão, no entanto, sem aviso prévio, a transmissão foi encerrada. Kamel lembra: "Schroder ficou muito irritado. Telefonou novamente para São Paulo e disse ao Amauri: 'Por que tirou do ar? Deixa no ar, Amauri, deixa no ar! É o World Trade Center! Nem se sabem ainda as causas do incêndio. Põe novamente o plantão no ar, imediatamente!'" Às 10h02, a vinheta de plantão interrompeu novamente a programação e Carlos Nascimento continuou a narração.

Para Kamel, recém-chegado à televisão, o episódio foi um aprendizado: "Eu pensei com os meus botões: se estivesse em São Paulo, talvez também tivesse tirado o plantão do ar depois de quatro minutos. Na minha cabeça, naquele momento, a notícia já tinha sido dada. Mas eu estava completamente errado. A atuação de Schroder foi decisiva. Não fosse a irritação de Schroder e a sua decisão de mandar voltar o plantão, a Globo deixaria de ter transmitido, ao vivo, o choque do segundo avião contra a outra torre."

Schroder fala sobre os motivos que o levaram tomar aquela decisão: "Naquele instante, sequer sabíamos a causa do choque do avião na torre. As informações eram contraditórias, não havia nenhuma razão para sair do ar. Na hora, é tudo muito rápido, você decide tudo rapidamente com os elementos que tem ao seu dispor. Uma coisa é certa: um incêndio como aquele não acontece todo dia. Para mim, não havia outra decisão senão manter o plantão."

A partir daquele momento, começou a transmissão ao vivo, que se estendeu até às 14h, registrando 22 pontos de audiência. Os jornalistas Carlos Nascimento e Ana Paula Padrão ancoraram dos estúdios em São Paulo a cobertura das imagens que chegavam das redes de televisão norte-americanas e dos correspondentes em Nova York. Amauri Soares comandou a transmissão de dentro do *switcher*, comunicando-se com os dois apresentadores através de pontos eletrônicos. Enquanto um deles narrava os acontecimentos, Amauri Soares dizia ao outro quais imagens iriam entrar a seguir. Como estavam sem texto de apoio e não contavam com o teleprompter, Carlos Nascimento e Ana Paula Padrão dependiam dessa coordenação para acompanharem as imagens.

"Carlos Nascimento é um craque em narrações ao vivo. Não precisava provar mais nada, mas, ali, ele se superou. Ana Paula Padrão, com o conhecimento de quem morou por muitos anos em Nova York, como correspondente da Globo, estava também perfeita. Foi uma dupla extremamente feliz para um dia histórico como aquele", avalia Schroder.

Àquela altura, a sala de Schroder no Rio já começava a se transformar num centro de operações. Para lá se dirigiu imediatamente o diretor da Central Globo de Programação, Roberto Buzzoni, que concordou que a programação ficasse interrompida o quanto fosse necessário. Os três – Schroder, Kamel e Buzzoni – estavam diante do monitor com as imagens da TV Globo quando, às 10h03, o segundo avião se chocou contra a Torre Sul do World Trade Center, enquanto Nascimento entrevistava, por telefone, a então chefe do escritório da Globo em Nova York, Simone Duarte. Houve um momento de pausa na narração. Segundo Amauri Soares, era uma cena tão inacreditável que ele e Carlos Nascimento pensavam se tratar de uma reprise do primeiro acidente ou de uma cena de um filme que a CNN estava usando para ilustrar a transmissão.

De improviso, Nascimento chegou a dizer que poderia ser replay do primeiro choque, já que as imagens que estavam no ar eram da TV americana. Schroder relata: "Era evidente que não era replay, pois o avião se chocara na torre que não estava pegando fogo. Mas, ao vivo, no ar, às vezes é difícil perceber as coisas. Imediatamente pedi que o Amauri rodasse em São Paulo a cena novamente e pusesse no ar: estava provado, não era replay, mas um outro avião se chocando contra a outra torre. Tudo isso demorou poucos segundos, e o Carlos Nascimento pôde dizer ao público: 'Se havia alguma dúvida sobre se o que estamos vendo é ou não um atentado terrorista, a dúvida está desfeita.'"

A Rede Globo começou a falar em ataque terrorista antes mesmo da CNN. Logo em seguida chegou a informação de que mais dois aviões haviam caído nos Estados Unidos – um no Pentágono e outro em Pittsburgh, na Pensilvânia.

Naquele momento, a sala de Schroder já estava completamente tomada. Além dele, Buzzoni e Kamel, Fernando Bittencourt (diretor da Central Globo de Engenharia), Tom Florido (diretor da Central Globo de Informática, Administração e Patrimônio), e Luis Erlanger (diretor da Central Globo de Comunicação) estavam ali, cada um para oferecer os recursos necessários a uma operação que se arrastaria por muitas horas.

Em São Paulo, Amauri Soares mobilizava toda a redação para apoiar a dupla de apresentadores. "Amauri trabalhou muito bem, assim como toda a equipe de São Paulo. Transmitir durante quatro horas não é nada simples. E tudo funcionou perfeitamente. O escritório de Nova York, da mesma forma, trabalhou brilhantemente, superando todas as dificuldades", diz Schroder.

Durante toda a manhã, os correspondentes internacionais da Rede Globo fizeram entradas ao vivo, direto de Nova York, atualizando as informações e relatando aquilo a que estavam assistindo *in loco*. Pouco depois do ataque às torres, Edney Silvestre e o cinegrafista Orlando Moreira seguiram para a área dos atentados, onde a situação era caótica. "Dentro da área havia muita fumaça e não se enxergava nada", lembra o repórter. "A polícia não queria deixar que a gente passasse, nem de um lado, nem do outro, porque, obviamente, a cena era terrível. Orlando Moreira e eu tivemos que ir nos desviando para chegar até o local", relembra Edney.

Outro momento de grande impacto foi quando as pessoas começaram a se jogar do alto dos prédios, situação muito difícil para qualquer emissora de televisão. "Mas, naquele momento, não havia como decidir não transmitir, era impossível, tudo acontecia com uma rapidez muito grande. O que evitamos fazer foi repetir as cenas", lembra Schroder.

O momento de maior perplexidade foi quando a primeira torre ruiu. "Hoje, parece óbvio que elas cairiam. Mas, naqueles momentos, nada era óbvio. Parecia que ficaríamos vendo por muito tempo as duas torres pegando fogo, muito desespero, cenas já dantescas por si mesmas. Mas, de repente, a primeira torre ruiu, com a cena sendo descrita por Carlos Nascimento. Num primeiro instante, fração de segundos, houve a dúvida sobre o que era toda aquela poeira. Mas o Nascimento e o mundo logo perceberam. Era a primeira torre caindo. E, pouco tempo depois, a outra", lembra Kamel.

De fato, tudo ali era superlativo. "Nós, e o mundo, não tínhamos tempo para respirar, para digerir a tragédia imediatamente anterior. Mas a diferença é que, enquanto o mundo assiste, nós temos de assistir e trabalhar ao mesmo tempo, buscando explicações, análises. A sucessão de eventos é sem igual, quem poderá dizer o que foi mais chocante? Primeiro um avião se lança contra uma torre; depois, ao vivo, outro bate contra a segunda torre. Os prédios ardem em chamas, pessoas se jogam do alto. Em seguida, vem a notícia do ataque ao Pentágono, a gente corta a imagem e mostra ao mundo o centro militar mais poderoso do planeta parcialmente destruído. Depois, diante dos nossos olhos, e contra as expectativas, uma torre cai, depois a outra. E, por fim, a notícia da queda do avião na Pensilvânia. Tudo isso ao vivo, tudo isso muito rápido, diante dos olhos do mundo e nos obrigando a trabalhar horas seguidas não como meros espectadores, mas como transmissores de tudo aquilo, com a obrigação de narrar, informar, analisar. Foi uma jornada histórica", lembra Schroder.

Naquele dia, a primeira edição dos telejornais regionais e o *Globo Esporte* não foram exibidos. A programação normal da TV Globo só voltou a ser apresentada depois do final da cobertura do jornal *Hoje* (a narração ao vivo dos eventos se transformou no jornal *Hoje* daquele dia). Durante a tarde, Nascimento e Ana Paula Padrão permaneceram na bancada do telejornal, fazendo entradas ao vivo a cada intervalo comercial. Quando se trabalha em televisão, durante um evento como aquele, instaura-se uma verdadeira estrutura de guerra. "Por coincidência, a primeira coisa que o Schroder me disse quando eu comecei na TV era sobre isso. Ele me disse que se há um evento de grandes proporções ao vivo, a primeira coisa a fazer é dividir a equipe em duas. Uma se dedica à transmissão ao vivo; a outra cuida dos telejornais. Foi o que fizemos. Enquanto os fatos se desenrolavam, metade da equipe estava preparando o *Jornal Nacional*. É um trabalho de monstro e só por um milagre tudo sai certo. Porque, durante algumas horas, se trabalha com menos gente. Em Nova York, cada um dava a impressão de que tinha criado um duplo, tanto era o trabalho. Simone Duarte, a chefe do escritório, foi incansável", diz Kamel. Ele se recorda de que desceu de sua sala, no sétimo andar, para a redação do *JN* no térreo, mais ou menos às duas e meia da tarde. Toda a equipe estava reunida para discutir que matérias entrariam no ar, quem faria o quê: "Mas os acontecimentos ainda se desenrolavam. Mal cheguei, e todos corremos para frente dos monitores, porque estávamos mostrando cenas de um avião sobrevoando o céu de Washington. Era um sobressalto atrás do outro. No fim, deu tudo certo".

À noite, o *Jornal Nacional* apresentou uma edição especial com uma hora de duração, e seu noticiário bateu o recorde de audiência daquele ano. De cada cem televisores ligados no país no horário, 74 estavam sintonizados na Rede Globo. Segundo William Bonner, a edição do *JN* do dia 11 de setembro foi resultado de um trabalho heróico: "Todo o mundo se envolveu, aqui e no exterior, e o resultado foi uma riqueza de informações brutal. Essa equipe pequena conseguiu se mexer para fazer História. Eu acho que nada se compara àquilo."

O telejornal exibiu entrevistas com analistas políticos e especialistas em relações internacionais que não hesitaram em afirmar que o mundo seria outro depois daquela terça-feira. Aquela fora a maior agressão externa sofrida pelos Estados Unidos em seu território. No ataque ao WTC, 2.823 pessoas morreram, entre elas policiais e bombeiros que trabalhavam antes de os prédios desabarem. Somando-se todas as vítimas, inclusive as do Pentágono e do avião na Pensilvânia, 3.056 pessoas morreram nos atentados terroristas de 11 de setembro.

Já naquele dia o nome de Osama Bin Laden apareceu como suspeito de chefiar os atentados a Nova York e Washington. O terrorista, um dos mais procurados do mundo, já havia sido responsabilizado por um ataque a bomba ao próprio World Trade Center em 1993, que matara seis pessoas e deixara mais de mil feridos.

O escritório da Rede Globo em Nova York trabalhou intensamente na produção do *Jornal Nacional* naquele dia. Os correspondentes Edney Silvestre, Zileide Silva, Heloísa Villela, Jorge Pontual, a coordenadora Simone Duarte, a produtora Joana Studart Pereira e os cinegrafistas Orlando Moreira, Hélio Alvarez e Sherman Costa, além de Luís Fernando Silva Pinto em Washington saíram em busca de imagens que as redes de TV norte-americanas não mostravam. Foram entrevistadas pessoas nas ruas que sobreviveram à tragédia, inclusive brasileiros que estavam em Nova York. Durante o telejornal, Zileide Silva fez diversas entradas ao vivo, dando as últimas informações.

Edney Silvestre ressalta o esforço dos profissionais do escritório de Nova York para produzir o material que foi ao ar naquele dia. Das 18 pessoas que trabalhavam na redação, duas estavam de férias. Os vôos foram todos suspensos e as pontes de acesso à cidade, fechadas. O sistema de transportes entrou em colapso, e não havia metrô, ônibus ou mesmo táxis circulando em Manhattan, onde fica a sucursal da TV Globo. O repórter Arnaldo Duran, que passava férias na cidade, foi a pé do bairro do Queens, onde se hospedava, até o escritório para ajudar na cobertura dos acontecimentos. "Muitas pessoas do escritório que não eram jornalistas – a recepcionista, a moça que tomava conta dos assuntos financeiros –, colaboraram, entrando na Internet, assistindo à televisão e passando as notícias. Teve uma hora em que foi necessário operar uma câmera e todos os cinegrafistas estavam ocupados. Zileide Silva tinha que entrar no ar naquele momento e a Joana Studart, que é produtora, operou a câmera", lembra Edney Silvestre.

Minutos depois de o primeiro avião atingir uma das torres, o repórter Jorge Pontual, que embarcava num avião para Washington, onde cobriria uma manifestação contra o FMI, foi forçado a desembarcar com os demais passageiros. No aeroporto encontrou com o cinegrafista Hélio Alvarez, que também seguia para Washington. Com todos os acessos à ilha de Manhattam fechados, os dois pegaram uma carona em um carro de polícia, que tinha passe livre no local da tragédia. "Conseguimos atravessar todas as barreiras e chegamos lá perto. Gravamos as cenas de pessoas que tinham descido do prédio e estavam correndo, ainda cobertas de pó. Uma coisa dramática. Gente que tinha visto pessoas caindo e que ria porque tinha se salvado, aquele riso nervoso de quem só sabe que está vivo. Foi muito impressionante", recorda Jorge Pontual.

Em Londres, os repórteres Ernesto Paglia e Marcos Losekann acompanharam os reflexos dos atentados na Europa. De Beirute, no Líbano, o repórter Mounir Safatli deu informações, por telefone, sobre a repercussão no Oriente Médio.

Avaliando essa cobertura jornalística da TV Globo, Edney Silvestre acredita que foi naquele momento que a emissora mostrou que tem uma estrutura internacional que faz a diferença: "Enquanto os outros mostravam imagens compradas, imagens de satélites, a TV Globo tinha suas próprias câmeras e seus próprios repórteres." Um exemplo foram as imagens feitas por Orlando Moreira no "marco zero". O cinegrafista e o repórter Jorge Pontual foram dos poucos a entrar no local do desabamento das torres.

Jorge Pontual conta como ele e Orlando Moreira conseguiram chegar, furando o cerco montado pela polícia: "Nós fomos os primeiros a conseguir entrar no "marco zero". Foi no domingo à tarde. Tinha muita barreira, mas os policiais deviam estar cansados. Orlando Moreira dizia: 'Encosta nas paredes dos prédios, no outro lado da rua, e vai andando assim que eles não vão nos ver.' E assim a gente foi, sem ninguém ver. Até que chegamos lá e vimos os escombros ainda queimando. Aquilo era sufocante, de passar mal."

Orlando Moreira recorda o mesmo episódio: "Chegamos àquela primeira barreira de polícia e eles não deixaram a gente passar. Até que nós encontramos um policial que estava mais cansado, nos tornamos invisíveis aos seus olhos e conseguimos passar. Mais à frente tinha outra barreira. Falei: 'Pontual, vem comigo.' Passamos e, quando eu vi, saímos em frente ao World Trade Center, o mais perto possível dos escombros. Foi a primeira imagem que fizemos da tragédia. Antes, a única imagem que se tinha era daquelas câmeras fixas do governo norte-americano."

Em outubro de 2002, o *Jornal Nacional* foi indicado pela Academia Nacional de Artes e Ciências da Televisão dos Estados Unidos ao prêmio Emmy Internacional, pela cobertura dos atentados de 11 de setembro. Trabalhos do mundo inteiro concorreram ao prêmio, uma espécie de Oscar da televisão para emissoras estrangeiras. A TV Globo foi uma das quatro finalistas, ao lado da alemã RTL e das britânicas ITN e BBC. A vencedora, no entanto, acabou sendo a Rede BBC, que concorreu com sua série de reportagens sobre a tomada de Cabul pelas tropas americanas.

Schroder avalia que o sucesso daquela cobertura teve um significado especial para todos na CGJ: "Eu tinha assumido havia pouco tempo. O Ali Kamel era recém-chegado. Em agosto, durante o seqüestro de Silvio Santos, já tínhamos ficado sete horas ao vivo no ar. Foi como um treino do que viria pouco tempo depois, mas nada comparável ao 11 de setembro. Foi com o ataque às torres gêmeas que pudemos dar uma prova de que a equipe sempre esteve unida, preparada, e que a mudança de comando na CGJ foi, de fato, uma mudança na continuidade."

Quase um mês depois dos atentados, os Estados Unidos iniciaram a ofensiva militar contra a milícia talibã, que controlava o Afeganistão, e a rede terrorista Al Qaeda, comandada por Osama Bin Laden.

Enquanto os EUA se preparavam para a guerra, a CGJ se preparava para cobri-la. Não havia data marcada, o que obrigava a um plantão diário, madrugada adentro, com repórteres, editores, técnicos. O departamento de arte preparava um mapa virtual para mostrar os principais ataques, e para isso contou com a colaboração de estrategistas militares. Como a guerra não começava, aquilo implicava um esforço redobrado, pois as equipes que trabalhavam de noite tinham de descansar de dia.

A guerra começou às 13h30 (hora de Brasília) do domingo 7 de outubro. Na chefia do plantão, no Rio de Janeiro, estava o jornalista Tim Lopes. A repórter destacada para fazer a narração era Ana Paula Araújo. Tão logo o primeiro ataque foi confirmado, Tim pôs o plantão no ar e avisou a Schroder e Kamel, que se deslocaram para a redação. Como era um ataque noturno, nada podia ser visto muito bem, apenas as já tradicionais imagens verdes, com mísseis cruzando os céus. Em seguida, o presidente George W. Bush fez um discurso na Casa Branca, traduzido direto de Washington por Luís Fernando Silva Pinto. Começava ali a revanche americana, que levaria, cerca de um ano mais tarde, à Guerra do Iraque. Naquele dia, numa operação jornalística parecida com a do 11 de setembro, a equipe foi dividida em duas: uma para transmitir a guerra; outra para preparar o *Fantástico*, praticamente todo sobre o tema. A abertura do programa foi a seguinte:

> Vinte e seis dias, três horas e quarenta e dois minutos depois do primeiro atentado contra o World Trade Center em Nova York, os Estados Unidos deram a resposta: uma e meia da tarde, hora do Brasil, o Afeganistão é atacado por mísseis. Cabul, a capital, ficou às escuras. Outras duas cidades foram atingidas: Kandahar e Jalalabad.

As primeiras notícias no *Jornal Nacional* foram ao ar em 8 de outubro. Naquele dia, a edição do telejornal foi praticamente toda voltada para a guerra contra o terrorismo. Os correspondentes internacionais da TV Globo participaram intensamente da cobertura, através de entradas ao vivo e reportagens sobre o conflito. Nos Estados Unidos estavam Luís Fernando Silva Pinto, Luiz Carlos Azenha, Edney Silvestre, Zileide Silva, Heloísa Villela e Jorge Pontual. Em Londres, Marcos Uchoa, Marcos Losekann e Sandra Annenberg. Mounir Safatli, em Beirute, no Líbano, também enviava informações.

Pedro Bial estava na China, realizando uma reportagem especial para o *Fantástico*, quando começaram os bombardeios. Ele falou, ao vivo, direto de Xangai, através do videofone. Para transmitir som e imagem para o Brasil, o repórter utilizou um programa desenvolvido pela própria TV Globo que codifica e decodifica imagens

1

2

3

4

1. Atentado às torres gêmeas do World Trade Center, em Nova York (*JN*, 11 set 2001).

2. O repórter Edney Silvestre próximo ao local do desabamento das torres gêmeas, em Nova York (*JN*, 11 set 2001).

3. Imagem do Pentágono após ser atingido por um Boeing 757 durante os atentados terroristas nos Estados Unidos (11 set 2001).

4. A repórter Zileide Silva ao vivo no *Jornal Nacional*, direto do escritório da TV Globo em Nova York, durante a cobertura dos atentados ao World Trade Center (11 set 2001).

1

2

3

4

5

1. O repórter Jorge Pontual nas ruas de Nova York horas após o atentado ao World Trade Center (*JN*, 11 set 2001).

2. O repórter Luís Fernando Silva Pinto, em Washington, após atentado ao Pentágono (*JN*, 11 set 2001).

3. Os apresentadores Carlos Nascimento e Ana Paula Padrão no plantão sobre os atentados terroristas nos Estados Unidos (11 de set de 2001).

4. A repórter Ana Paula Padrão em Cabul, no Afeganistão, após a queda do regime talibã (*JN*, 12 dez 2001).

5. O repórter Luiz Carlos Azenha no cenário virtual na cobertura da Guerra do Afeganistão (2001).

num computador portátil. As imagens captadas pela câmera digital eram enviadas para um computador e, através de um modem e de uma pequena antena, eram transmitidas via satélite. Aquela foi a primeira vez que o equipamento foi utilizado.

No estúdio da TV Globo no Rio, Luiz Carlos Azenha, com a ajuda de um cenário virtual representando um mapa da região do conflito, explicava diariamente os avanços da Aliança do Norte (que tinha o apoio dos Estados Unidos), os bombardeios anglo-americanos e os ataques talibãs.

Ernesto Paglia e Sergio Gilz foram enviados para Islamabad, no Paquistão, de onde puderam acompanhar o conflito mais de perto. Eles também contaram com o videofone para enviar suas reportagens para o Brasil. Sandra Annenberg, que na época coordenava o escritório de Londres, lembra das dificuldades: "A equipe estava num hotel que não tinha banda larga. A conexão caía o tempo todo e cada transmissão levava horas. Às vezes, repórter e cinegrafista se revezavam durante a noite para tentar transmitir o material."

A equipe da TV Globo permaneceu em Islamabad, próxima à fronteira do Afeganistão. Um dos focos de suas reportagens era o drama dos refugiados, principais vítimas de uma guerra.

Em 13 de novembro, a capital Cabul foi tomada pelas tropas da Aliança do Norte. Foi a vitória mais significativa da oposição desde o início da guerra. Os soldados do exército do Afeganistão fugiram para Kandahar, onde ficava o quartel-general da milícia. Naquele dia, foram mostradas imagens dos afegãos cortando cabelo e barba, um ato que expressava a liberdade.

A repórter Cristiana Mesquita, encarregada de cobrir a guerra pela agência Associated Press, foi a primeira jornalista brasileira a entrar em Cabul e acompanhou a movimentação das tropas da Aliança do Norte rumo à capital afegã. Diariamente, ela enviava reportagens e fazia entradas ao vivo, por telefone, no *Jornal Nacional*.

A partir de 12 de dezembro, o *JN* começou a apresentar uma série especial de reportagens sobre o Afeganistão. Ana Paula Padrão e Hélio Alvarez mostraram a destruição de um país que por mais de 20 anos convivera com uma guerra civil e as conseqüências na vida dos afegãos com a derrota do Talibã. Para chegar a Cabul, a equipe da TV Globo usou um avião da ONU, fretado para levar profissionais de organizações não-governamentais que davam ajuda à população. Embora a capital, naquele momento, estivesse cheia de jornalistas, Ana Paula Padrão conta que foi uma cobertura tensa: "Não dava para sair de Cabul, porque havia muita milícia nas estradas. Vários jornalistas morreram fazendo o caminho pelo norte, por Jalalabad, até Cabul. As milícias matavam para saquear. Outro problema era que não havia hotel para ficar. Dos dez dias que fiquei em Cabul, quatro eu passei na casa de um afegão que não era da etnia da Aliança do Norte. Eu dormia com medo de alguém arrombar a porta."

Um ano e meio antes, Ana Paula Padrão, Hélio Alvarez e a produtora Guta Nascimento já haviam estado no Afeganistão, realizando reportagens sobre a vida no país, que na época vivia sob o controle talibã. Essas matérias foram exibidas em julho de 2000, no *Jornal Nacional*.

As montanhas de Tora Bora, principal ponto estratégico dos talibãs, foram tomadas pelas tropas aliadas em 16 de dezembro. Era a conquista do último reduto da organização terrorista Al Qaeda. Osama Bin Laden, principal acusado dos atentados de 11 de setembro, e o líder talibã mulá Mohamed Omar, no entanto, não foram encontrados.

Em janeiro de 2002, foi assinado um acordo para a permanência das tropas internacionais no território afegão. A operação de captura de soldados talibãs e pertencentes à rede terrorista Al Qaeda foi encerrada apenas em 18 de março. Mesmo assim, as forças armadas dos EUA permaneceram no país.

Copas do Mundo

Alemanha *(13 jun-7 jul 1974)* – Na Copa do Mundo de 1974, os torcedores assistiram pela primeira vez em cores aos jogos da seleção brasileira. A Rede Globo enviou para a Alemanha uma equipe de eventos, chefiada por Rui Viotti, e outra de jornalismo para produzir reportagens para o *Jornal Nacional* e outros telejornais, sob o comando de Armando Nogueira. A cobertura contou ainda com o jornalista Léo Batista, o coordenador Luís Carlos Sá, os cinegrafistas Orlando Moreira, Reynaldo Cabrera e Carlos Cardoso e o editor Edson Ribeiro. Naquela época, as entrevistas e matérias eram feitas em filme e havia apenas dez minutos de satélite para enviar todas as imagens para a emissora no Rio. Para Armando Nogueira, a Copa da Alemanha foi a primeira experiência de cobertura jornalística em equipe realizada pela Rede Globo. Até então, o trabalho da emissora no Mundial se resumia apenas à transmissão dos jogos.

A seleção brasileira, sob o comando do técnico Zagallo, não teve um bom desempenho. Disputou sete jogos e em quatro deles não marcou nenhum gol. Para chegar à final, o Brasil teria que derrotar a Holanda, mas acabou perdendo por 2x0. A equipe da Alemanha Ocidental foi a campeã, depois de vencer por 2x1 a seleção holandesa, favorita ao título.

Argentina *(1º 25 jun 1978)* – Na Copa do Mundo de 1978, a Rede Globo apostou numa cobertura diária da competição acompanhando a seleção brasileira, desde os preparativos das partidas e apresentando uma análise completa dos resultados. Para esse trabalho, a emissora montou uma operação envolvendo cerca de 120 profissionais entre técnicos, comentaristas, jornalistas e produtores sob o comando de Armando Nogueira, diretor de Jornalismo, e Pedro Luís Paoliello, diretor de Esportes. Os responsáveis pela cobertura da Copa foram divididos em grupos de acordo com as cinco cidades-sede do Mundial. A equipe acompanhou a transmissão dos jogos e produziu matérias para os telejornais e os programas especiais criados para a competição, tais como *Bate-Bola*, *Boletim da Copa*, *Quem é Quem* e *Globo na Copa*.

Com o auxílio de estúdios montados no centro de imprensa da TV Argentina, os profissionais da Rede Globo produziram uma quantidade de informações até então inédita na história do jornalismo esportivo da emissora. A transmissão foi dividida entre quatro televisões brasileiras: Globo, Tupi, Bandeirantes e Educativa. Mas a Rede Globo foi a única a dispor de um canal exclusivo de satélite da Embratel para gerar as próprias imagens e reportagens. No total a Globo exibiu quatro horas diárias de programação ao vivo sobre a Copa da Argentina.

Meses antes da competição, a Copa já era notícia no *Jornal Nacional*. No dia 24 março de 1978, o correspondente Roberto Feith mostrou que manifestantes franceses pediam o boicote à realização do Mundial de Futebol na Argentina em protesto contra a ditadura militar vigente no país. Durante o evento, o *JN* destacou os melhores momentos dos jogos e as vitórias da seleção brasileira em um bloco diário sobre o evento. Na Argentina, a equipe da Globo enviava matérias sobre os jogos e bastidores das seleções. No Brasil, nos Estados Unidos e na Europa os repórteres acompanhavam a repercussão dos resultados das partidas da seleção brasileira e as expectativas da torcida.

O Brasil ficou em terceiro lugar no Mundial. A decisão da Copa foi entre Argentina e Holanda. Os argentinos marcaram um gol na prorrogação e conquistaram o título de campeão mundial.

Espanha (*13 jun-11 jul 1982*) – A Rede Globo conseguiu a exclusividade na transmissão da Copa do Mundo de 1982 ao fazer a cobertura dos Jogos Olímpicos de Moscou, em 1980. A determinação foi da Organização das Televisões Ibero-americanas (OTI), que vinculou os direitos de transmissão da Copa da Espanha aos das Olimpíadas. O planejamento da cobertura foi tão grande que até mesmo um jornal de circulação interna, *Globo na Copa,* foi editado para orientar os profissionais na Espanha.

1. *O locutor Galvão Bueno e o comentarista Ciro José na Copa da Espanha (1982).*

2. *O repórter Juarez Soares entrevistando o técnico da seleção brasileira, Telê Santana, na Copa do Mundo de 1982, na Espanha (JN, 8 jun 1982).*

10
GLOBO NA COPA
Um jornal que traz a Espanha até você
Na última página, uma garantia: a nossa retaguarda.
ESPANHA, AQUI VAMOS NÓS

3. *Último número do jornal interno para cobertura da Copa da Espanha de 1982.*

A emissora montou um centro de operações em Madri. Na verdade, uma miniestação de televisão que ocupou dois andares no centro de imprensa. No Brasil, os jogos foram transmitidos, pela primeira vez, ao vivo para todas as regiões do país. A Rede Globo conseguiu, através da Embratel, um outro sinal de transmissão, além daquele utilizado pelo *pool* da OTI, que permitiu a exibição de imagens exclusivas das partidas. Para a Espanha foram enviadas cerca de 20 toneladas de equipamentos e 150 profissionais, entre jornalistas, técnicos, engenheiros, produtores, locutores e comentaristas. O comando da cobertura ficou sob a responsabilidade de Armando Nogueira, que contou com o apoio de Woile Guimarães, diretor de Telejornalismo, Leonardo Gryner, diretor de Eventos e coordenador geral, Ciro José, diretor de Esportes, entre outros. A Rede Globo foi a única emissora do mundo a ter repórter em todas as 14 cidades-sede do Mundial. Assim como na Copa da Argentina, a equipe cobriu as partidas, produziu matérias para os telejornais e para programas especiais.

O *JN* deu um grande destaque à competição. Um bloco especial com as últimas notícias da Copa era apresentado por Léo Batista e Fernando Vannucci, ao vivo, diretamente dos estúdios da Rede Globo, na Espanha.

O Brasil era favorito para vencer o Mundial, mas acabou eliminado nas quartas-de-final pela Itália. No *JN*, o repórter Tonico Ferreira registrou a tristeza da torcida brasileira. A Itália conquistou a Copa derrotando a Alemanha na final, tornando-se tricampeã. O repórter Ernesto Paglia, que acompanhou a seleção italiana durante toda a competição, conseguiu uma entrevista exclusiva com o técnico Enzo Bearzot, quando ele deixava o campo após a vitória.

México *(31 mai-29 jun 1986)* – Em 1986, a Copa do Mundo voltou a ser disputada no México, depois que a Colômbia desistiu de sediar o Mundial em função de uma grave crise econômica. Todas as redes de televisão brasileira voltaram a ter os direitos de transmissão. A Rede Globo enviou cerca de 120 profissionais entre jornalistas, técnicos, engenheiros, produtores, comentaristas, cinegrafistas, comandados por Armando Nogueira e pelo diretor de Esportes Leonardo Gryner. A emissora contou com um satélite exclusivo, que permitia a entrada de entrevistas ao vivo a qualquer momento da programação.

A novidade nesse ano foi a utilização do *tira-teima*, programa que conseguia paralisar a imagem de uma jogada e esclarecer os lances mais polêmicos. O *tira-teima* entrava no ar durante o intervalo das partidas com os comentários de Zagallo e Rubens Minelli. Os locutores dos jogos foram Osmar Santos, Galvão Bueno e Luís Alfredo. Diariamente, à noite, era exibido o programa *Copa 86*, apresentado por Fernando Vannucci, Carlos Alberto Torres e José Roberto Wright, com informação, reportagens especiais, crônicas, comentários e humor.

A seleção brasileira foi desclassificada depois que perdeu para a França na disputa de pênaltis. A final foi entre Alemanha Ocidental e Argentina. A seleção argentina venceu por 3x2, conquistando a sua segunda Copa do Mundo.

Itália *(8 jun-8 jul 1990)* – Na Copa da Itália, o Brasil fez uma das suas piores campanhas na história do Mundial. A equipe, sob o comando do técnico Sebastião Lazaroni, não passou das oitavas-de-final. Em função de contenção de despesas, provocada especialmente pelo recém-lançado Plano Collor, a Rede Globo mudou o planejamento da cobertura. Foram enviados apenas 35 profissionais para a Itália, sob o comando de Ciro José, diretor de Esportes, e Hedyl Valle Jr., coordenador da cobertura. A transmissão foi realizada por um *pool* de televisões brasileiras que reunia Globo, Manchete, Bandeirantes e SBT. A equipe produziu matérias para os telejornais e para programas especiais, tais como *Bom Dia Itália*, *Bate Bola* e *Momento da Copa*.

Na Rede Globo as partidas tiveram a narração de Galvão Bueno, Cléber Machado e Oliveira Andrade. Os comentários ficaram a cargo de Arnaldo César Coelho e Pelé. No Brasil, Chico Anysio, Raul Plassmann, Fernando Vannucci e Léo Batista analisavam as principais jogadas da seleção. Uma novidade na cobertura da Copa foi a apresentação do *Boletim da Copa*, um bloco especial exibido no *Jornal Nacional*.

Alemanha e Argentina disputaram mais uma final da Copa do Mundo. O título dessa vez ficou com os alemães, que garantiram o tricampeonato após um pênalti marcado a seis minutos do fim do jogo. A vitória também representou uma conquista de importância histórica para o país, que pela primeira vez, depois da queda do Muro de Berlim, reunia jogadores das partes ocidental e oriental.

Estados Unidos *(17 jun-17 jul 1994)* – Pela primeira vez na história do Mundial, um país sem tradição no futebol foi escolhido para sediar uma Copa do Mundo. A cobertura foi realizada por um *pool* formado pelas redes brasileiras de televisão. A TV Globo contou com o trabalho de 140 profissionais para cobrir todas as sedes da Copa, comandados por Ciro José, diretor de Esportes, e Luiz Nascimento, coordenador de Jornalismo da cobertura. Os melhores momentos, as vitórias apertadas da seleção brasileira e a comemo-

4. *O locutor Galvão Bueno e o comentarista Pelé comemorando a vitória brasileira na conquista da Copa do Mundo de 1994 (17 jul 1994).*

5. *O capitão da seleção brasileira de futebol, Dunga, erguendo a taça na conquista do tetracampeonato (17 jul 1994).*

ração da torcida em diversas partes do país foram mostradas com destaque no *Jornal Nacional*. O repórter Carlos Nascimento apresentava ao vivo, direto dos Estados Unidos, as principais notícias sobre a competição.

A emissora alugou dois canais de satélite e contou com quatro câmeras exclusivas. Uma inovação foi o uso do *Touch Screen*, um computador que permitia desenhar sobre a tela depois de congelada a imagem. O recurso possibilitava ao comentarista analisar com detalhes a jogada e as alternativas que o atleta teria naquele momento para efetuar o lance. A Rede Globo usou também o *steady cam*, equipamento que permitia ao cinegrafista acompanhar um jogador, em qualquer velocidade, sem que a imagem tremesse. Além disso, o *tira-teima* continuou sendo usado para esclarecer as jogadas. A cobertura contou também com um helicóptero que mostrava imagens do movimento da torcida nos estádios e do deslocamento do ônibus com a seleção brasileira. O repórter Marcos Uchoa, do helicóptero, entrava ao vivo na programação momentos antes da transmissão dos jogos.

O uso de satélites permitiu tanto a transmissão de notícias dos Estados Unidos para o Brasil quanto o envio de imagens do Rio de Janeiro para Dallas, onde ficava localizado o escritório da emissora. Foi graças a esse recurso que o lateral Leonardo conheceu o filho, que nasceu durante a Copa. A reportagem, apresentada no *JN*, emocionou o jogador e os brasileiros.

Na final entre Itália e Brasil, o repórter Tino Marcos chegou antes do início da partida para driblar o esquema de segurança do estádio Rose Bowl, em Los Angeles. Na ocasião, o acesso ao gramado era restrito aos cinegrafistas e fotógrafos. Para passar pela segurança o repórter desmontou um microfone sem fio e se apresentou como auxiliar de câmera. Foi revistado e autorizado a seguir em frente. No final da partida, na disputa de pênaltis entre os times, quando o italiano Roberto Baggio chutou para fora, Tino era o único repórter em campo e conseguiu conversar ao vivo com os jogadores brasileiros. Uma imagem que ficou na memória dos telespectadores foi a explosão de alegria do comentarista Galvão Bueno na final, pulando ao lado de Pelé e gritando: "É tetra, acabou! É tetra! O Brasil é tetracampeão!"

A conquista do tetracampeonato foi ao ar no *Jornal Nacional* em 18 de julho, dia seguinte da vitória sobre a seleção italiana. No telejornal, a repórter Lenise Figueiredo, direto da Itália, mostrava a tristeza dos italianos contrastando com a festa da torcida brasileira em diversas capitais do país durante toda a madrugada. No encerramento do *JN*, foi apresentado um clip com as imagens mais marcantes da Copa.

França *(10 jun-12 jul 1998)* – A Copa do Mundo da França foi a última disputada no século XX. Para a cobertura, a Rede Globo enviou cerca de 160 profissionais, comandados por Carlos Henrique Schroder, diretor de planejamento de Jornalismo, Luis Erlanger, diretor editorial de Jornalismo, Luiz Fernando Lima, diretor de Esportes, Luiz Nascimento, coordenador de Jornalismo da cobertura e Fernando Guimarães, diretor de Operações. A equipe foi uma das maiores mobilizada para um evento internacional. Dois satélites exclusivos ficaram disponíveis 24 horas para que a equipe pudesse enviar matérias a qualquer hora do dia ou da noite.

No Brasil, a apresentadora Fátima Bernardes chamava William Bonner, que noticiava as informações no *Jornal Nacional*, diretamente do estúdio da emissora, no Centro de Imprensa, no Parque de Exposições na Porta de Versailles, em Paris. A Rede Globo também montou um centro de produção em Ozoir-la-Ferrière para acompanhar a concentração da seleção brasileira durante a primeira fase do Mundial.

No *JN* de 2 de junho, William Bonner informava dos estúdios de Paris que o atacante Romário, o herói na conquista do tetracampeonato, não iria mais disputar a Copa. A matéria do repórter Tino Marcos destacava que na entrevista coletiva "o jogador era mais lágrimas do que palavras". O corte de Romário foi causado por uma lesão na panturrilha. No dia 23 de maio, Pedro Bial conversara com o craque na porta da concentração da seleção brasileira em Lésigny, na França, e ele dizia que estava com esperanças de permanecer na equipe até o final da Copa.

As transmissões dos jogos na Rede Globo tiveram a narração de Galvão Bueno, Cléber Machado e Luiz Roberto. Os comentários ficaram a cargo de Pelé, Walter Casagrande, José Roberto Falcão, Júnior, Arnaldo César Coelho e José Roberto Wright. A equipe da Rede Globo contou ainda com as participações da atriz Suzana Werner e do *chef* Olivier Anquier. O grande charme da cobertura foi um satélite de retorno do Brasil que possibilitava a conversa ao vivo de jogadores com seus familiares. Um programa especial à noite, sob o comando de Galvão Bueno, reunia convidados para uma discussão descontraída sobre a Copa do Mundo.

O sonho dos franceses se realizou no dia 12 de julho: enfrentar o Brasil na partida final da Copa. A seleção brasileira perdeu para o time liderado pelo jogador Zinedine Zidane por 3 a 0, em Saint Denis, ficando com a segunda colocação no ranking mundial da FIFA. A seleção viveu um drama horas antes do jogo: a dúvida era se o atacante Ronaldinho seria ou não escalado para a partida.

6. *O locutor Galvão Bueno entrevistando o presidente da CBF Ricardo Teixeira, em Lésigny, na França, depois da derrota do Brasil na final da Copa do Mundo de 1998 (JN, 13 jul 1998).*

7. *O jogador Ronaldinho sendo entrevistado sobre a final da Copa do Mundo de 1998 (JN, 13 jul 1998).*

Muitas hipóteses foram levantadas sobre o episódio. O *JN* do dia seguinte da decisão exibiu imagens da festa francesa na avenida Champs Elysées e entrevistas com dirigentes, médicos e jogadores que tentavam responder à pergunta: o que, de fato, acontecera com Ronaldinho?

O locutor Galvão Bueno conversou com o presidente da Confederação Brasileira de Futebol (CBF), Ricardo Teixeira, em Lésigny, que explicou que Ronaldo havia sofrido uma convulsão, fora levado para o hospital para se submeter a exames e que até 50 minutos antes do jogo não estava escalado. Foi o próprio atacante quem insistiu em jogar. De acordo com o médico da seleção, Lídio Toledo, Ronaldo teve uma crise devido a um grande estresse emocional. Na semana seguinte à chegada da seleção ao Brasil, a apresentadora do *JN*, Fátima Bernardes, realizou uma entrevista exclusiva com o jogador em que ele admitiu ter tomado um tranqüilizante antes do jogo. A entrevista foi ao ar no *Globo Repórter*.

A CONQUISTA DO PENTACAMPEONATO: A APRESENTADORA COMO MUSA

No dia 30 de junho de 2002, o Brasil derrotou a Alemanha no estádio de Yokohama, no Japão, e se tornou o único país a ter vencido cinco vezes o campeonato mundial de futebol. O título parecia um prêmio adequado à singular Copa do Japão e Coréia do Sul, primeira a ser realizada em território asiático e a ser disputada simultaneamente em dois países. A campanha da seleção durante as eliminatórias, que começaram em 2000, tinha sido uma das piores da história e, por pouco, o Brasil não se classificara. O técnico Luiz Felipe Scolari foi atacado pela imprensa especializada e pela opinião pública com críticas a seu sistema tático e à sua escalação da seleção. A Copa do Mundo começou no dia 31 de maio. Durante a competição, William Bonner continuou apresentando o *Jornal Nacional* no Brasil, enquanto Fátima Bernardes entrava ao vivo do Japão ou da Coréia. O trabalho da jornalista, acompanhando os principais momentos da seleção brasileira, foi amplamente elogiado pela imprensa. Fátima Bernardes chegou ao final da cobertura com o status de "musa da Copa", título dado pelos próprios jogadores brasileiros. A grande novidade foi que Fátima foi para a rua ancorar o *Jornal Nacional*, tendo oportunidade de entrevistar jogadores e técnicos, dando furos ao vivo, graças ao fuso horário: na hora em que o jornal ia ao ar, os jogadores estavam saindo para o treino. O curioso é que a expectativa não era essa. A TV Globo montara um estúdio na Coréia, e Fátima apresentaria o jornal de lá. No primeiro dia, no entanto, Schroder, assistindo ao telejornal, não gostou, achou que ela estava muito presa e que, para o espectador, tanto fazia que o estúdio fosse na Coréia ou no Rio de Janeiro. Imediatamente, ele a orientou a sair do estúdio e fazer a ancoragem ao ar livre. "Em televisão, ocorre muito isso. A gente planeja uma coisa, mas, na hora, o resultado não fica bom. O importante é saber mudar rápido. E, naquele caso, conseguimos isso", lembra Schroder.

A participação de Fátima em lugares sempre diferentes permitiu a Bonner usar um bordão que caiu no agrado popular. Todo dia ele iniciava o jornal perguntando: "Onde está você, Fátima Bernardes?"

"Aquilo aconteceu meio por acidente. Fiz no primeiro dia e, como ela sempre mudava mesmo de lugar, acabei repetindo, as pessoas gostaram e o bordão acabou sendo uma das curiosidades da cobertura", lembra Bonner.

Para a cobertura do Mundial na Ásia, a Rede Globo enviou 96 profissionais das áreas de jornalismo e engenharia, que ficaram cerca de 45 dias no exterior. No total, 12 equipes de reportagem acompanhavam as notícias da competição: seis ficaram viajando pela Coréia e o Japão, e outras seis cobriram exclusivamente a seleção brasileira. A coordenação de toda a cobertura foi do diretor de Esportes, Luiz Fernando Lima.

Depois dos jogos do Brasil, era exibido no *JN* o quadro "Olha lá", que mostrava em vinhetas de meio minuto a reação dos torcedores em todo o Brasil aos gols da seleção. A Rede Globo enviou uma fita com essas imagens para a comissão técnica para servir de estímulo aos jogadores.

Ainda antes do início da Copa, no dia 7 de maio, o *Jornal Nacional* começou a exibir o quadro chamado "Família Scolari", que apresentava diariamente o perfil de cada um dos jogadores convocados para a Copa do Mundo. Ronaldo foi escolhido para inaugurar a série. O jogador, recém-saído de um período de dois anos sem jogar, recuperando-se de duas operações no joelho direito, era uma das principais apostas de Scolari.

Na mesma edição de estréia do quadro, William Bonner e Fátima Bernardes apareceram entrevistando Ronaldo na própria bancada do *JN*. A entrevista foi gravada antes de o telejornal ir ao ar e exibida, sem cortes, no seu encerramento. Indagado sobre o seu estado físico e emocional, o jogador garantiu que estava clinicamente curado e mais experiente do que nas Copas anteriores. Foi a primeira vez que um convidado sentou-se na bancada do *JN*.

"A novidade de fazer uma entrevista ao vivo da bancada do *JN* funcionou muito bem. Na verdade, foi um teste para as entrevistas que faríamos com os candidatos à Presidência, meses depois. As entrevistas estavam previstas e resolvemos fazer o teste com Ronaldo", lembra Schroder.

Uma Copa disputada na Ásia significava para os brasileiros ter que enfrentar uma diferença de 12 horas no fuso horário. Ou seja, para acompanhar as transmissões dos jogos, era necessário acordar durante a madrugada ou pela manhã bem cedo. Um desafio e tanto, superado já no dia 3 de junho, na estréia do Brasil, contra a seleção da Turquia, em Ulsan, na Coréia. A partida foi transmitida às seis da manhã, mas a paixão pela seleção estava bem desperta em diversas partes do país, como informou William Bonner no *Jornal Nacional*: "Hoje, a TV brasileira viveu um momento histórico. Entre seis e oito da manhã, mais de 70% dos lares estavam vendo TV. E destes, cerca de 90% assistiram ao jogo da seleção aqui na Globo."

Os jogos seguintes do Brasil também foram disputados na Coréia. No dia 8 de junho, a seleção derrotou a China por 4x0, em Seogwipo. Após a partida, foi ao ar uma crônica escrita e narrada pelo jornalista Pedro Bial. Ele criticava a "eterna insatisfação da torcida" e citava um trecho do livro *A arte da guerra*, de Sun Tzu, para comentar a estratégia de Luiz Felipe Scolari: "Quando és capaz, finge incapacidade. Quando és ativo, finge inatividade. Quando perto, dá mostras de que estás longe." As crônicas de Bial continuaram a ser exibidas após os outros jogos do Brasil e, aos domingos, no *Fantástico*.

Depois de passar pela Costa Rica e a Bélgica, a seleção jogou as quartas-de-final no Japão, enfrentando a Inglaterra, que já tinha eliminado a poderosa Argentina e levado apenas um gol na Copa. Os ingleses saíram na frente, mas logo em seguida Rivaldo conseguiu o empate. No segundo tempo, veio a virada com um gol de Ronaldinho Gaúcho. Pouco depois, o jogador cometeu uma falta e foi expulso. Mas o Brasil soube se defender e administrou sem problemas a vantagem no placar até o fim da partida. William Bonner literalmente suspirou de alívio na abertura do *Jornal Nacional* daquele dia: "Ufa. Boa noite. Cinco partidas, cinco vitórias. Na lista de artilheiros, temos dois jogadores no topo, Ronaldo e Rivaldo: o ataque mais poderoso da Copa. E ainda podemos dizer que vencemos mais uma vez os ingleses num Mundial."

A decisão da Copa do Mundo aconteceu no dia 30 de junho, no estádio de Yokohama, no Japão. Na seleção alemã, a estrela era o goleiro Oliver Kahn, que tinha chegado à final sem sofrer gol. Aos 23 minutos do segundo tempo, ele deixou escapar uma bola chutada por Rivaldo de fora da área. Ronaldo aproveitou a falha e abriu o placar. Onze minutos depois, Kleberson cruzou para Rivaldo na entrada da área. O jogador deixou que a bola passasse entre as suas pernas, deslocando a marcação. A bola chegou a Ronaldo, que chutou no canto esquerdo e definiu a partida.

O *Jornal Nacional* do dia 1º de julho foi apresentado por William Bonner e Sandra Annenberg e abriu com as imagens da seleção deixando o hotel em direção ao aeroporto. O repórter Mauro Naves falou por telefone de Los Angeles, onde o avião da seleção fazia uma escala técnica, e explicou qual seria o itinerário dos jogadores ao chegarem ao Brasil no dia seguinte. No Japão, antes que a seleção deixasse o hotel, Fátima Bernardes entrevistou Ronaldo. Ele achava que a Copa tinha terminado muito acima das suas expectativas: "Nunca poderia imaginar que seria tudo tão perfeito quanto foi realmente. Sete jogos, sete vitórias e artilheiro da Copa."

Imagens da comemoração dos jogadores brasileiros nos gramados de Yokohama, logo depois da conquista da Copa, encerraram o *Jornal Nacional*. William Bonner se despediu assim dos telespectadores:

> A homenagem do *Jornal Nacional* ao futebol pentacampeão mundial é com a música mandada ao espaço sideral para representar a arte dos terráqueos. Portanto, que fique bem claro: não foi por ironia que nós escolhemos um trecho da Nona Sinfonia do alemão Ludwig Van Beethoven. É a "Ode à alegria".

No dia 17 de dezembro, Ronaldo foi eleito pela Fifa o melhor jogador do mundo, título que ele já tinha conquistado em 1996 e 1997. O atacante levou ainda o troféu de segundo melhor da Copa de 2002 (Oliver Khan foi o primeiro) e a chuteira de ouro pela artilharia do Mundial. O *Jornal Nacional* exibiu nesse dia uma matéria contando a trajetória do craque desde a final de 1998. No Madrid Congress Center, onde ocorreu a cerimônia de entrega do prêmio, Fátima Bernardes entrevistou o jogador ao vivo. A conversa durou mais de cinco minutos. Ao lado da mulher e do filho de dois anos, Ronaldo falou sobre sua extraordinária recuperação e agradeceu ao povo brasileiro.

O período da Copa do Mundo não foi somente de alegria. Foi também um dos momentos mais trágicos do Jornalismo da TV Globo. Na madrugada do dia 2 de junho de 2002 pouco antes do primeiro jogo do Brasil contra a Turquia, o jornalista da Rede Globo Tim Lopes foi morto enquanto realizava uma reportagem sobre abuso de menores e tráfico de drogas em um baile funk na favela da Vila Cruzeiro, no bairro da Penha, no Rio de Janeiro. O repórter foi seqüestrado, torturado, "julgado" e executado por traficantes liderados por Elias Pereira da Silva, o "Elias Maluco". O crime chocou a população e foi encarado como um cerceamento à liberdade de imprensa.

Tim Lopes decidiu fazer a reportagem depois de receber denúncias de moradores da região de que suas filhas estavam sendo obrigadas por traficantes a participarem dos bailes funks. O jornalista já havia feito uma reportagem em favelas cariocas no ano anterior. Junto com uma equipe formada por Cristina Guimarães, Flávio Fachel, Tyndaro Menezes e Renata Lyra, ele produzira três matérias especiais, intituladas "Feira das Drogas", que denunciavam a ação de traficantes, a céu aberto, na favela da Grota, nos morros da Mangueira e da Rocinha e nas ruas da Zona Sul do Rio. A série, que foi exibida pelo *Jornal Nacional* em agosto de 2001, recebeu o Prêmio Esso de Telejornalismo e o Prêmio Líbero Badaró.

O assassinato de Tim Lopes, um dos mais experientes e respeitados repórteres da Rede Globo, foi um dos momentos mais dramáticos já vividos pelo Jornalismo da Globo. "O assassinato de Tim nos abalou profundamente. Foi uma dor muito grande que cada um de nós sentiu. Foi um atentado à liberdade de imprensa, certamente. Um recado claro dos bandidos, dos traficantes, que querem calar a imprensa. Mas para cada um dos seus amigos na TV o golpe foi pessoal, a dor foi muito grande. Perdê-lo naquelas circunstâncias foi uma tragédia para todos nós" lamenta Schroder. "Tim estava num momento brilhante de sua carreira. Estava empolgado, entusiasmado. Era um repórter muito experiente e querido por todos. Quando soubemos de tudo, nosso único objetivo foi esclarecer os fatos e ajudar a prender os seus assassinos", diz Kamel. Até que o corpo fosse achado ou identificado, a Globo e a família de Tim, como não poderia deixar de ser, trataram o caso como desaparecimento ou seqüestro. Já no dia 3 um corpo foi encontrado carbonizado, mas o reconhecimento só poderia ser feito dias depois, através de testes de DNA.

William Bonner lembra do dia em que recebeu a notícia do desaparecimento de Tim Lopes: "A Fátima tinha viajado dias antes para a Coréia, por conta da Copa do Mundo. Foi um momento difícil. E, como editor-chefe do *JN*, eu tinha que fazer um jornal pequeno que tivesse matérias da Copa do Mundo, eleições e Tim Lopes. Eram os três assuntos que monopolizavam as atenções naqueles dias. Aquilo foi profundamente doloroso, sofrido, foi uma tragédia."

César Seabra, na época editor-regional do Rio, diz que aqueles foram os dias mais difíceis de sua vida: "Tinha morrido um jornalista da TV Globo de forma brutal, fazendo seu trabalho como sempre fazia, e a gente tinha que discutir política de segurança. Como fazer isso sem uma carga de emoção muito grande?"

O *Jornal Nacional* cobriu intensamente o fato, através de seus repórteres da Editoria Rio – André Luiz Azevedo, Ari Peixoto, Arnaldo Duran, Eduardo Tchao, Vinícius Dônola, Lilia Telles e Edney Silvestre. Durante a primeira semana, alguns deles acompanharam as investigações da Polícia do Rio, chegando a subir o morro durante as buscas ao corpo de Tim Lopes. As reportagens exibidas apontavam para a existência de um poder paralelo que dominava as favelas cariocas. O telejornal deu destaque também às manifestações de diferentes associações de jornalistas do Brasil e do mundo, que exigiam, primeiro, o esclarecimento do caso, a identificação do corpo e, depois, a punição dos assassinos do repórter da TV Globo.

Através do *JN*, a família de Tim Lopes também manifestou sua dor. A viúva do jornalista, Alessandra Wagner, ainda antes da identificação do corpo, implorou pela libertação do marido e pediu o empenho de todos os poderes e amigos na sua localização em um depoimento que foi ao ar durante o *Jornal Nacional* do dia 6 de junho. Naquele dia, também foi divulgada uma carta escrita pelo filho do repórter, Bruno, de 19 anos, que pedia pela vida do pai: "Não calem a voz de um repórter criado na Mangueira, que sempre lutou pelos direitos dos excluídos da sociedade."

"A notícia que o Jornalismo da Rede Globo não gostaria de dar foi, afinal, confirmada na tarde deste domingo." Com esta frase, lida pelo apresentador Zeca Camargo, começou o *Fantástico* de 9 de junho. Depois de uma semana de investigações, a Polícia do Rio atestou o que todos já suspeitavam: Tim Lopes fora executado por traficantes da favela da Vila Cruzeiro.

No dia seguinte, o *JN* foi dedicado à memória de Tim Lopes. Durante todo o telejornal, foram exibidos pequenos depoimentos de amigos do repórter – entre eles, os jornalistas Marcelo Leite, Ricardo Leitão, Amauri Ribeiro e Elenice Bottari – precedidos sempre da vinheta "O colega Tim". Cerca de 25 minutos do noticiário do *JN* daquele dia foram dedicados ao assunto. William Bonner encerrou o telejornal lendo um texto em que simulava uma conversa com o repórter brutalmente assassinado: "Tim, você sabe que em dias tristes como o de hoje nós costumamos evitar o 'boa noite', deixando que o silêncio dos estúdios mostre toda a eloqüência de nossa dor. Mas hoje decidimos fazer diferente." O apresentador encerrou o telejornal com aplausos. Ao fundo, na redação, toda a equipe de preto, em pé, também aplaudiu.

Bonner conta como se emocionou ao término daquela edição do *Jornal Nacional*: "A homenagem foi uma idéia do Kamel, do Schroder e da Alice-Maria. E foi um marco da televisão, uma coisa muito emocionante. Em vez de fazer ao vivo, eu gravei o editorial final. E, na gravação, eu terminava virando a minha cadeira. Na hora de exibir, o editor soltou a fita e fundiu essa imagem final com o tempo real. Eu estava me virando na cadeira no estúdio e dizia: 'Até amanhã'. Ao vivo, a câmera se projetou para a redação e registrou aquele pessoal todo de preto. E eu chorei copiosamente. Mas ninguém viu. A câmera não estava mais em mim."

Naquele mesmo dia, uma comissão do Sindicato dos Jornalistas Profissionais do Município do Rio de Janeiro, apontada para acompanhar as investigações, divulgou uma carta aberta à população com o título: "Por que Tim estava lá?" A carta dizia: "Nós, jornalistas do Rio de Janeiro, estarrecidos com o que fizeram com Tim Lopes, julgamos conveniente trazer à sociedade brasileira o seguinte esclarecimento. Nos últimos dias, muitos de nós ouvimos nas ruas e até mesmo de fontes comentários de que Tim teria sido irresponsável por estar numa favela dominada pelo tráfico nas condições em que estava. Ou mesmo que teria sido levado a isso por seus chefes. A essas pessoas, que talvez desconheçam a rotina de nosso trabalho, lembramos que a realidade do tráfico de drogas nos morros só é conhecida de todos, e muitas vezes inclusive da polícia, porque jornalistas vão lá para contar. Ao longo de sua carreira, Tim Lopes fez isso mais de uma centena de vezes. Em muitas delas, como na que resultou em sua morte, foi convocado pelos próprios moradores das favelas, onde a imensa maioria é de gente honesta e trabalhadora. Pedimos ainda que a morte de Tim não seja pretexto para mais uma onda oportunista de declarações e manifestações para que se faça com seus algozes o que fizeram com ele. Que a sociedade brasileira não dê ouvido a vozes inconseqüentes, que apenas estimulam o conflito entre pobres e não-pobres, como se não fôssemos todos reféns da violência. Com certeza, não seria esta a vontade de Tim, jornalista que, acima de qualquer mandamento, prezava, valorizava e defendia os direitos humanos."

Apenas um mês depois do assassinato do repórter, no dia 5 de julho, um exame de DNA confirmou que os restos mortais encontrados pela polícia num cemitério clandestino no alto da favela da Grota eram de Tim Lopes. Os 41 fragmentos de ossos que passaram por análise no laboratório da Universidade Federal do Rio de Janeiro (UFRJ) pertenciam a pelo menos três outras pessoas não identificadas até então. No dia 7, Tim Lopes foi enterrado, na presença de parentes, amigos e autoridades.

Em 7 de agosto, a polícia encerrou o inquérito sobre a morte de Tim Lopes, indiciando nove pessoas da quadrilha de Elias Maluco pelo crime. Os traficantes foram acusados de homicídio qualificado, formação de quadrilha e ocultação de cadáver. Dos nove, cinco já estavam presos naquele momento, mas Elias Maluco ainda se encontrava em liberdade.

No inquérito – que teve alguns trechos divulgados no *JN* daquele dia – o inspetor Daniel Gomes, da 22ª DP, afirmava que Tim Lopes, "no afã de efetuar melhores imagens dos traficantes, se colocou muito perto do perigo, não vislumbrando a diferença da emoção para a razão, fato que ocasionou a sua detenção e morte".

O apresentador do *Jornal Nacional*, William Bonner, leu nota oficial da TV Globo criticando o resultado das investigações. A Rede Globo fez questão de esclarecer que Tim Lopes, como repórter investigativo, evitava aparecer no vídeo, não

1

2

3

4

5

6

7

JN

1. O jogador Ronaldinho em entrevista a Fátima Bernardes e William Bonner (*JN*, 7 mai 2002).

2. Bastidores da gravação da entrevista de Ronaldinho no *Jornal Nacional* (7 mai 2002).

3. Fátima Bernardes e William Bonner durante a cobertura da Copa do Japão e da Coréia (*JN*, 17 jun 2002).

4. Fátima Bernardes ancorando o *Jornal Nacional* direto de Kobe, no Japão (17 jun 2002).

5. O capitão da seleção brasileira, Cafu, na conquista do penta no estádio de Yokohama, no Japão (*JN*, 1º jul 2002).

6. A apresentadora Fátima Bernardes no ônibus da seleção brasileira depois da conquista do pentacampeonato (30 jun 2002).

7. Fátima Bernardes entrevistando o jogador Kaká no ônibus da seleção brasileira (30 jun 2002).

1

2

3

JN

1. Reportagem de Tim Lopes sobre o feirão das drogas no Complexo do Alemão, no Rio de Janeiro (*JN*, 3 ago 2001).

2. O repórter André Luiz Azevedo acompanhando operação de busca ao repórter Tim Lopes no morro da Grota, no Rio de Janeiro (*JN*, 6 jun 2002).

3. Operação policial na Vila Cruzeiro após o desaparecimento do jornalista Tim Lopes (*JN*, 6 jun 2002).

4. Homenagem da redação do *Jornal Nacional* ao jornalista Tim Lopes (10 jun 2002).

4

podendo, portanto, ser reconhecido pelo público. A emissora também ressaltou ser um absurdo colocar em dúvida os reais propósitos do jornalista, afirmando ainda que mais grave era "a tentativa de imputar ao repórter a culpa pelo próprio assassinato".

A reportagem sobre a conclusão do inquérito exibida no *JN* repercutiu rapidamente nos diferentes setores da sociedade. Logo depois de assistir à matéria, a governadora Benedita da Silva suspendeu o inspetor Daniel Gomes e exonerou seu superior, o delegado Sérgio Costa Falante. No dia seguinte, mais uma vez Bonner leu um editorial sobre o caso. Dessa vez, elogiou a ação enérgica e imediata da governadora do Rio em relação às conclusões do inquérito. Encerrou dizendo que a ação do governo do estado dava esperanças de que a parte boa da polícia venceria aquela luta.

Nos três meses seguintes, o *Jornal Nacional* acompanhou a caça ao traficante Elias Maluco, liderada pela cúpula da segurança do Rio de Janeiro. Durante esse período, o telejornal produziu e apresentou 470 reportagens sobre o poder paralelo dos traficantes do Rio de Janeiro, num total de 17 horas e 20 minutos de informação. Sobre o assunto, Ali Kamel, diretor executivo do *Jornal Nacional* e autor dos editoriais lidos pelo apresentador William Bonner, comenta: "Tim estava fazendo a parte mais nobre do jornalismo. Era uma matéria que tinha como objetivo proteger uma comunidade indefesa, de milhares de pessoas de bem, e ao mesmo tempo revelar algo que nós brasileiros não sabíamos que existia naquelas proporções. E Tim conseguiu isso com a morte, com o seu sacrifício. Tenho dito que Tim é um mártir do jornalismo brasileiro, mártir na verdadeira acepção da palavra. E o sacrifício dele não terá sido em vão, porque nossa geração, depois dele, assumiu o compromisso de não dar trégua até que o comando paralelo do tráfico seja extinto."

Carlos Henrique Schroder, diretor da CGJ, ressalta: "Tim era um repórter investigativo experiente, talentoso, como poucas vezes eu vi. Sua morte deixou uma imensa lacuna em nosso jornalismo. Mas, também, um exemplo de amor e dedicação à profissão e ao povo brasileiro."

A notícia da prisão de Elias Maluco depois de uma operação policial na favela da Grota foi dada pelo *JN* no dia 19 de setembro. Na reportagem sobre a captura do traficante, Vinícius Dônola percebeu a ironia da situação: "No início, Tim usou uma microcâmera para flagrar traficantes. Agora, o chefe do bando é filmado por dezenas de câmeras do Brasil e do mundo." Naquele dia, Bonner leu outro editorial dizendo que

> exigir a prisão dos assassinos de Tim, com a persistência com que todo o Brasil exigiu, não era reivindicar um privilégio. Todo assassinato tem que ser punido. Mas a persistência foi também o reconhecimento de que quando se mata um jornalista o que se pretende é calar toda a sociedade.

No texto, também foi destacada a ação da polícia do Rio, que em vez de tomar medidas precipitadas diante da pressão por resultados preferiu investigar em silêncio.

Eleições 2002: o Presidente Eleito na Bancada do JN

O projeto de cobertura das eleições começou a ser elaborado em 2001 e foi longamente discutido no Conselho Editorial das Organizações Globo, presidido por João Roberto Marinho. "Devemos estimular a discussão dos problemas brasileiros e suas soluções e deixar de lado, sempre que possível, a troca de acusações tão ao gosto da crônica política, mas que ajuda pouco o eleitor", disse João Roberto numa reunião do Conselho em dezembro de 2001. Cada veículo (rádio, televisão, jornal, revista) ficou de apresentar suas propostas no mês seguinte, quando o assunto voltaria a ser discutido.

A TV Globo decidiu-se por um projeto ambicioso. A grande idéia, inédita não somente na Globo, mas em outras emissoras também, era levar os candidatos à Presidência da República para entrevistas em três telejornais de rede (*Bom Dia Brasil*, *Jornal Nacional* e *Jornal da Globo*) e na Globo News, onde fariam participações no *Jornal das Dez* e no programa *Espaço Aberto*, de Miriam Leitão. Os candidatos a governador seriam entrevistados nos telejornais regionais. As entrevistas procurariam esmiuçar o programa de governo de cada candidato e discutir as contradições de cada candidatura.

Além disso, como forma de se aprofundar em temas relevantes para a população, o *Jornal Nacional* exibiu oito séries jornalísticas, cada uma com seis reportagens, abordando os problemas brasileiros em diversos setores. As matérias foram feitas com base nos censos do IBGE de 1991 e 2000, comparando a situação do país num ano e no outro e mostrando o que havia melhorado e o que ainda precisava ser feito. Com aqueles dados, o objetivo era afastar ao máximo o subjetivismo na avaliação das políticas públicas, com uma vantagem: se fosse levado em conta o período em que Fernando Henrique Cardoso foi ministro da Fazenda de Itamar, as matérias abrangeriam praticamente os dez anos em que os tucanos estiveram no poder. Ao fim das reportagens, sempre o eleitor era estimulado a procurar saber – no horário eleitoral obrigatório, que entrava no ar logo após o *Jornal Nacional* – o que cada candidato pretendia fazer em cada área abordada: saneamento, saúde, educação etc. Fazia parte do plano, também, o acompanhamento diário das atividades de todos os candidatos no dia-a-dia da campanha. As pesquisas eleitorais, contratadas ao Ibope, seriam mensais, mas a Globo se comprometeu a divulgar com igual destaque todas as pesquisas eleitorais feitas pelos institutos que tivessem os requisitos de qualidade que Eneida Nogueira, diretora do departamento de pesquisas da Globo, exigia: deveriam ser credenciados por uma das entidades de classe e ter uma história de acerto em prognósticos eleitorais publicados. Nacionalmente, os institutos eram o Datafolha e o Vox Populi, além do Ibope. E, por fim, o plano previa a realização de dois debates, um no primeiro turno e outro no segundo, caso houvesse, tanto para presidente como para governador de estado.

O plano da CGJ foi aprovado pelo Conselho Editorial. Schroder indicou Ali Kamel para dirigir a cobertura.

"O plano era ambicioso e mais abrangente do que o de eleições passadas, porque, na Globo, sempre se quer que uma cobertura seja melhor do que a anterior. Mas também porque, àquela altura, o Brasil estaria já vivendo a sua quarta eleição presidencial. Com isso, não somente a imprensa estava mais experiente, mas também o TSE tinha já as jurisprudências mais bem definidas. O risco jurídico era pequeno", lembra Schroder. Kamel complementa: "Antes de 2002, uma emissora corria toda sorte de riscos se um candidato de um partido nanico entrasse na Justiça pleiteando tratamento igual ao que os principais candidatos recebiam. O TSE, em decisões históricas, firmou jurisprudência que os iguais devem ser tratados como iguais. E que a notícia vem em primeiro lugar. Não se pode noticiar o que não é notícia. Um candidato inexpressivo não pode exigir tratamento igual ao dos candidatos que disputam os primeiros lugares. Também não podem ser desprezados, mas devem receber a atenção proporcional à sua importância. Todo esse amadurecimento jurídico permitiu pôr em prática o nosso projeto com uma segurança jurídica mais sólida, o que não acontecia antes."

Schroder lembra que um dos pontos principais do projeto era a transparência. "Era preciso que todos, a Justiça, os partidos e o público, soubessem de antemão o que iríamos fazer." Assim, o plano de cobertura foi relatado ao presidente do TSE, ministro Nelson Jobim, e ao ministro Fernando Neves, não para se obter deles algum aval, mas apenas para mostrar a eles o projeto. "Os ministros ouviram o que dissemos e prometeram fazer um relato aos seus pares. Na ocasião, não disseram se aprovavam ou não, porque não era este o caso. Nós já tínhamos sólidos pareceres do nosso departamento jurídico. A idéia era apenas dar ciência a eles", conta Kamel, que participou da reunião.

Com o mesmo espírito, em 5 de maio, numa reunião na sede da emissora no Rio, Schroder, Kamel e Teresa Cavalleiro, esta coordenadora nacional do projeto, expuseram os planos de cobertura jornalística aos representantes dos principais candidatos à Presidência – Ciro Gomes (PPS), José Serra (PSDB) e Luiz Inácio Lula da Silva (PT). Os representantes de Anthony Garotinho (PSB) tiveram reunião à parte no dia 17 de junho, pois haviam faltado à primeira reunião. Nos encontros, explicitaram-se os principais critérios que a cobertura seguiria: prioridade para o debate de idéias, o compromisso de dar amplo direito de defesa em caso de matérias investigativas com denúncias contra qualquer um deles e a política de divulgação de reportagens de outros veículos – a Globo só divulgaria aquelas que considerasse apuradas suficientemente e com boas provas ou cujos resultados a própria Globo concluísse ser verdadeiros após investigação própria.

A partir de 1º de julho, o *Jornal Nacional* e os outros telejornais da Globo passaram a acompanhar o dia-a-dia dos quatro principais candidatos à Presidência. A campanha dos candidatos do PSTU e do PCO, sem representação na Câmara dos Deputados, era assunto do telejornal apenas quando acontecia algum fato relevante ou invariavelmente uma vez a cada 15 dias.

"Pela legislação," explica Kamel, "a gente poderia um dia dar três minutos para o Lula e 30 segundos para o Serra, se o Lula tivesse produzido mais notícia naquele dia. Mas para evitar mal-entendidos decidimos que daríamos todos os dias tempos iguais aos quatro candidatos. Agora, claro, quando o Lula lançou o seu programa econômico, que era importante, o mercado estava esperando, a gente deu tempos iguais para a matéria sobre o dia-a-dia dos candidatos, e a matéria do programa econômico do Lula à parte em outra reportagem.. Porque, um dia, o Garotinho e o Serra também iriam lançar o seu programa e, quando lançassem, teriam tratamento igual."

A primeira série de reportagens preparada para o período eleitoral a ir ao ar no *JN*– "Cidadania" – foi exibida a partir do dia 5 de agosto. Nela, Edney Silvestre mostrou como era possível lutar por direitos, contribuir para a legislação e escolher melhor os representantes. As outras séries exibidas foram: "As Contas do Governo", com o repórter Tonico Ferreira; "Concentração de Renda", com Marcelo Canellas; "Educação e Emprego", com Sônia Bridi; "Saúde e Saneamento", com Vinícius Dônola; "Desigualdades Regionais", com Marcelo Canellas; e "Meio Ambiente e Grandes Cidades", com William Waack. A última – "O Valor do Voto", com Ernesto Paglia –, exibida na semana da eleição, apresentou reportagens sobre a importância do voto.

Marcelo Canellas comenta: "Na série sobre concentração de renda, nós usamos muito o efeito da comparação, pura e simples. Mostramos o dia-a-dia de uma família muito rica e o dia-a-dia de uma família muito pobre, basicamente isso. Quando você confronta essas duas realidades numa mesma reportagem, isso é mais que um tratado sociológico sobre a pobreza. Porque mostra, na concretude da vida, como se manifesta a desigualdade no Brasil."

O *Jornal Nacional* também teve a preocupação de apresentar reportagens de serviço, ensinando o eleitor a votar, explicando o papel de um deputado e de um senador, esclarecendo o que é um projeto de lei e uma emenda constitucional. Uma semana antes do segundo turno, o repórter Marcelo Canellas, na reportagem intitulada "O Poder do Presidente", explicou as relações entre o Poder Executivo e o Congresso, os limites do cargo de presidente, os problemas da política econômica, entre outras coisas. As séries de reportagens tiveram a coordenação de Teresa Cavalleiro e de Maria Thereza Pinheiro. "Foram meses de trabalho, tudo começou muito antes. Mas o resultado final ficou bem próximo do que imaginávamos. Foi um trabalho de equipe, com envolvimento direto de dezenas de profissionais, dos repórteres aos produtores, aos editores de texto e imagem. Deu tudo certo", lembra Teresa Cavalleiro.

A primeira rodada de entrevistas dos candidatos, ao vivo, na bancada do *Jornal Nacional* aconteceu entre os dias 8 e 11 de julho. A primeira foi com Ciro Gomes, seguido de Anthony Garotinho, José Serra e, por último, Luiz Inácio

Lula da Silva, seqüência definida por sorteio. Os candidatos foram sabatinados por Bonner e Fátima, que seguiram regras previamente negociadas com as equipes dos candidatos.

Bonner conta que a equipe da Globo se preparou muito para as entrevistas. Foi realizada uma série de reuniões para discutir a abordagem e as perguntas que seriam feitas a cada candidato. Além de Bonner e Fátima, as reuniões contaram com a participação de Kamel, Schroder, Franklin Martins, Luiz Cláudio Latgé, Miriam Leitão, Ana Paula Padrão e Renato Machado. A idéia era que todos contribuíssem para que as perguntas abordassem todos os temas e tivessem níveis iguais de dificuldades. Nas reuniões foi esboçado um roteiro de perguntas e realizado um levantamento sobre as possíveis respostas, réplicas e tréplicas de cada entrevistado.

"Numa cobertura como aquela, não há espaço para improvisação. Não existe isso de olhar para os âncoras e dizer: 'Vão lá e dêem o melhor de si.' Tudo é muito pesquisado, tudo é muito debatido, tudo é de fato um trabalho em grupo. Evidentemente, ninguém tem bola de cristal e as entrevistas no ar sempre tomam rumos inesperados. Mas todos os âncoras estão absolutamente seguros sobre tudo o que se passou até ali na campanha, todos têm dados e fatos, fica uma coisa muito rica. Quando as entrevistas estavam no ar, mesmo se o imprevisto acontecia – e eles aconteceram, é claro – a preparação era total", lembra Kamel.

As entrevistas – com dez minutos de duração cada uma – representaram, segundo Schroder, um grande avanço: "Elas 'desmarquetizaram' os candidatos. Uma coisa é o candidato gravar com a orientação do assessor, querendo se passar por algo que ele é ou não. Outra coisa é o candidato, diante de 51 milhões de pessoas, ser inquirido e responder de improviso sobre os principais assuntos do país e ter que revelar se é ou não consistente."

A experiência foi inédita tanto para os candidatos quanto para o histórico do *JN* em eleições. A série de entrevistas recebeu inúmeros elogios. Alberto Dines, em artigo divulgado no site do *Observatório da Imprensa*, afirmou que elas mostraram que "o jornalismo político pode ser conduzido sem veemências, a serviço do esclarecimento". O jornalista disse ainda que a série já era "uma referência no vasto painel das responsabilidades sociais que a televisão pode assumir, seja ela pública ou privada, aberta ou paga".

A rodada de entrevistas prosseguiu, primeiro no *Jornal da Globo*, com Ana Paula Padrão, e depois no *Bom Dia Brasil*, com Renato Machado e Miriam Leitão. A estrutura era a mesma, mas como eram realizadas em períodos diferentes da campanha eleitoral, a Globo pôde inquirir os candidatos nas diversas fases, dando ao eleitor a oportunidade de esclarecer fatos que, por vezes, se perdem no meio de tantas notícias.

No *Jornal Nacional* houve uma segunda rodada de entrevistas entre os dias 23 e 26 de setembro. Os candidatos tiveram 20 minutos para expor suas idéias e responder as perguntas feitas por Bonner e Fátima e pelo público, que pôde participar através da Internet. Novamente a ordem das entrevistas foi decidida por sorteio: Ciro Gomes foi o primeiro, seguido por José Serra, Anthony Garotinho e Lula.

"Foi uma experiência muito importante para mim. Um momento decisivo para o país, e você, como jornalista, tendo como missão ajudar a esclarecer fatos. Claro que eu fiquei um pouco mais nervosa, mas me acalmava sempre quando eu percebia que os candidatos estavam muito mais nervosos do que nós. Olhando para trás, posso dizer que foi um trabalho muito importante, para o qual todos se prepararam muito", avalia Fátima. Bonner pensa parecido: "Momentos como aqueles são enriquecedores porque o Brasil parava na expectativa das entrevistas."

Schroder tem uma medida do acerto das entrevistas e do grau de isenção que elas atingiram: "Eu sempre brincava com o Ali, dizendo que todos os candidatos chegavam ansiosos, mas simpáticos. Eles tinham de chegar aos estúdios uma hora e meia antes, e, enquanto aguardavam, conversavam conosco, para relaxar. Na saída, não houve um que não tenha reclamado do grau de dificuldade das entrevistas. Eu dizia para o Ali: 'Se todos reclamaram, é porque fomos isentos de fato.'"

"A democracia tem um encontro marcado esta noite. São quatro candidatos e um destino: a Presidência da República." Assim a apresentadora Fátima Bernardes abriu o *Jornal Nacional* do dia 3 de outubro. No último dia oficial da campanha para o primeiro turno das eleições, a TV Globo realizou um debate entre os quatro principais candidatos à Presidência, exibido ao vivo logo depois da novela *Esperança*, a partir das 22h. Naquela noite, Bonner – o mediador do debate – ancorou o *JN* direto do estúdio da Central Globo de Produção (CGP), em Jacarepaguá, no Rio de Janeiro. De lá, ele mostrou o cenário onde aconteceria mais tarde o encontro entre os presidenciáveis e deu uma breve explicação sobre as regras. Mais de 120 jornalistas do Brasil e do mundo tinham sido credenciados para acompanhar aquele último encontro dos candidatos a presidente da República antes das eleições.

O debate teve uma duração aproximada de duas horas e meia e foi dividido em cinco blocos – quatro dedicados à discussão sobre os diferentes programas de governo e o último para considerações finais. Houve blocos com temas livres, nos quais os candidatos escolheram as questões que desejavam discutir, e blocos com temas determinados, em que o mediador sorteou o assunto. Nas duas situações, Bonner sorteava o candidato, que por sua vez escolhia a quem perguntar e formulava a questão. Os participantes também responderam perguntas complementares feitas pelo mediador.

No dia seguinte, o *Jornal Nacional* apresentou uma reportagem de Pedro Bial sobre os bastidores do encontro. Nenhum trecho do debate foi exibido. Depois de ouvir a opinião dos quatro presidenciáveis sobre a noite anterior, Bonner concluiu: "O debate produziu pelo menos uma unanimidade: candidatos, assessores, jornalistas, radialistas, espectadores sabiam que ontem à noite estava se escrevendo a História do Brasil."

No dia das eleições, 6 de outubro, a equipe de jornalismo da TV Globo trabalhou intensamente. Desde as 8h, quando começou a votação, até o término da apuração, a emissora acompanhou a movimentação eleitoral no país através de flashes ao vivo de todas as capitais. Três boletins especiais foram apresentados durante o dia. No primeiro, às 8h, Renato Machado e Leilane Neubarth mostraram o início da votação no Brasil. Às 17h, Alexandre Garcia e Franklin Martins apresentaram os resultados das pesquisas de boca de urna do Ibope e as tendências para o novo quadro político. No último boletim, exibido às 18h, foram mostrados os primeiros números da apuração das urnas.

Durante todo o *Fantástico* daquele dia, o telespectador pôde acompanhar a contagem dos votos na disputa pela Presidência. De cinco em cinco minutos, apareciam na tela os números da apuração. Quando eles eram atualizados, um sinal sonoro anunciava as mudanças. Depois que o *Fantástico* saiu do ar, boletins especiais mantinham o telespectador informado, com os números oficiais da contagem dos votos em todo o Brasil.

Quando o *Jornal Nacional* foi ao ar no dia 7 de outubro, 99% das urnas em todo o país já tinham sido apuradas. De acordo com os números, Luiz Inácio Lula da Silva e José Serra disputariam o segundo turno da eleição para presidente. Naquela noite, os dois candidatos deram entrevistas ao vivo ao *JN* sobre os rumos que suas campanhas tomariam a partir de então. Lula foi entrevistado por Carlos Dorneles no Comitê Nacional do PT, em São Paulo, e Serra conversou com William Waack na produtora onde o candidato gravava seus programas eleitorais.

A partir do dia 8 de outubro, o *JN* passou a acompanhar o dia-a-dia da campanha dos dois candidatos ao segundo turno das eleições presidenciais em diversos estados do país. Nos dias 17 e 18 de outubro, Lula e José Serra deram novamente entrevistas, ao vivo, no *Jornal Nacional*. Daquela vez, entretanto, os candidatos conversaram com Fátima Bernardes e William Bonner diretamente das cidades onde estavam. As entrevistas duraram cinco minutos cada.

Dois dias antes do segundo turno das eleições, em 25 de outubro, a Rede Globo realizou o último debate entre os dois candidatos. O modelo do encontro foi inspirado no debate final que se costuma realizar nas campanhas presidenciais norte-americanas. "Para preparar a cobertura das eleições, eu assisti aos debates realizados aqui no Brasil em eleições anteriores e a debates realizados ao redor do mundo. Eu me lembrava de um debate entre Bush e Al Gore, o último da campanha de 2000. Tinha na lembrança que eles ficavam numa arena e podiam se movimentar livremente. Pedi as fitas ao escritório de Nova York e assisti a tudo novamente. Tudo isso meses antes, talvez em fevereiro. E me fixei naquele modelo de arena. Schroder aprovou e, depois, João Roberto também concordou. Faltava apenas convencer os candidatos", lembra Ali.

Do debate americano, três coisas foram aproveitadas: a arena, a possibilidade de os candidatos se movimentarem livremente e a platéia que fazia perguntas. "Mas a gente tropicalizou tudo aqui. Tivemos a idéia de pôr na platéia eleitores indecisos, escolhidos pelo Ibope, com auditoria da Price Waterhouse Coopers", conta Schroder. Para conseguir a aprovação dos candidatos e garantir a exclusividade do modelo, decidiu-se que o projeto seria exibido aos quatro candidatos ainda no primeiro turno. "Na reunião, tentaríamos obter as assinaturas dos partidos. Eu me recordo que no momento em que apresentamos o candidato com mais chances de ir para o segundo turno era o Ciro. Como o Ciro logo assinou, os representantes de Serra se sentiram também na obrigação de assinar. O pessoal do Garotinho fez o mesmo. Só ficou faltando o Duda Mendonça, que aprovou o modelo mas disse que só poderia assinar depois", lembra Kamel. Com o segundo turno decidido entre Lula e Serra, começou a luta para se obter a assinatura de Lula. Schroder viajou umas tantas vezes a São Paulo para reuniões infindáveis. Ele lembra: "O que eu fazia era repetir as regras, que a gente divulgou meses antes. Houve muitas tentativas de mudar, mas não podíamos. No fim, Lula assinou."

Os eleitores indecisos, segundo as regras, tinham de ficar isolados num hotel, sob a guarda da Price, para que ficasse provado que não tinham entrado em contado com nenhuma das duas campanhas. Durante a tarde, no hotel, sempre na presença dos auditores, Kamel, Teresa Cavalleiro, Maria Thereza Pinheiro e Eneida Nogueira iniciaram o processo de elaboração das perguntas. Trinta temas eram propostos – saúde, educação etc. –, e cada um dos 60 eleitores indecisos tinha de fazer a pergunta por escrito e entregá-la a um auditor. No fim, saíam os eleitores, e os quatro jornalistas passavam a noite selecionando as melhores perguntas de cada eleitor, seguindo regras pré-determinadas: não podiam ser ofensivas nem dirigidas diretamente a nenhum dos dois candidatos. O processo durou a madrugada inteira. No fim, cada eleitor teve uma pergunta selecionada. E, na hora do debate, 16 deles seriam escolhidos. "Foi uma noite longa, mas engraçada, porque havia pergunta de todo tipo, algumas indescritíveis. Rimos muito, apesar da seriedade do trabalho. No fim, nós mesmos ficamos surpresos, porque, no conjunto, as 60 perguntas eram de muito bom nível e davam bem o panorama das principais preocupações dos brasileiros", lembra Maria Thereza Pinheiro.

O debate – exibido ao vivo, com aproximadamente duas horas de duração – foi dividido em cinco blocos. Nos quatro primeiros, Lula e Serra responderam juntos a um total de 16 perguntas sobre temas de interesse da população, e, no último bloco, cada participante teve dois minutos para fazer suas considerações finais. Não houve pergunta de candidato para candidato – as próprias respostas eram usadas para provocar a reação do adversário. Bonner foi novamente o mediador e, assim como na primeira vez, fez perguntas complementares sempre que julgou necessário. Como previsto, os dois candidatos se movimentaram livremente pela arena, e seus movimentos eram captados por várias câmeras. Assim, enquanto Serra falava, Lula poderia se aproximar bem dele para encará-lo ou vice-versa. No fim do debate, os dois candidatos deram entrevistas coletivas e fizeram questão de dizer que o modelo era vitorioso e que dificilmente, depois daquele evento, outro tipo de debate poderia ser tentado.

Os bastidores do encontro foram mostrados no *Jornal Nacional* do dia seguinte, numa reportagem de Pedro Bial. Naquela edição do telejornal também foram apresentados os últimos números da pesquisa do Ibope encomendada pela Rede Globo e realizada logo após o debate. De acordo com o Ibope, Lula teria 62% dos votos válidos, enquanto Serra, 38%. Além do tradicional "boa noite", Bonner encerrou o *JN* desejando um bom voto aos telespectadores.

No dia da votação, a emissora acompanhou com flashes ao vivo a movimentação em todo o país. Assim que se fecharam as urnas, foram apresentados no programa *Boca de Urna* os primeiros números da pesquisa realizada pelo Ibope. Como no primeiro turno das eleições, o *Fantástico* acompanhou a apuração dos votos, apresentando durante todo o programa o resultado parcial da votação.

No dia 28 de outubro, Fátima Bernardes anunciou: "A primeira edição do *Jornal Nacional* depois da maior eleição da história do Brasil vai ser especial." E foi. Com o presidente eleito sentado ao seu lado na bancada, Bonner apresentou o *JN* direto de São Paulo. Durante o telejornal, Lula foi entrevistado pelo próprio Bonner e por Fátima Bernardes, que fazia perguntas do estúdio no Rio de Janeiro. Ele avaliou o resultado do pleito – Lula foi o presidente mais votado da história do Brasil, com 61,27% dos votos válidos, o equivalente a mais de 52.790.000 votos – e falou sobre o futuro do país. Apesar das insistências dos entrevistadores, não quis adiantar nomes de sua futura equipe. No encerramento, foi apresentado um clip em sua homenagem, com imagens das eleições ao som do Hino Nacional. Quando acabou o telejornal, todos da redação aplaudiram e foram cumprimentar o presidente eleito.

A história dessa entrevista é um capítulo à parte. Na noite anterior, Lula já tinha concedido uma pequena entrevista ao *Fantástico*, a primeira depois de eleito. Porém, muito tempo antes, tanto ele quanto Serra tinham se comprometido a dar uma entrevista ao *Jornal Nacional* no dia seguinte à eleição. Kamel conta como foi: "Durante todo o dia, tentamos obter a confirmação de que Lula iria ao estúdio em São Paulo, para onde o Bonner e eu nos deslocáramos. Sem sucesso. A assessoria e o presidente eleito descansavam dos dias anteriores. Deixamos dois esquemas prontos: um com Lula, outro sem Lula. Uma hora antes de o jornal ir ao ar, no entanto, a assessoria confirmou que o presidente eleito iria ao estúdio. Para não se atrasar, ele foi de helicóptero. A idéia era ele participar dos minutos iniciais e depois ir embora. Mas Lula estava de excelente humor, assim como seus assessores. Eu disse a ele para participar o quanto quisesse, mas Lula nem ouviu direito. Sentou na bancada e curtiu o *Jornal Nacional*, de uma maneira bem participativa. Respondeu as perguntas, comentou as reportagens e ficou até o fim. Foi um *JN* para entrar para a História."

Bonner comenta no mesmo tom: "Foi uma cobertura histórica, isenta, objetiva, muito informativa, que conseguiu fazer com que todos os candidatos e a concorrência reconhecessem a qualidade do que foi feito. Foi uma coisa fabulosa que mostrou que a Globo é uma empresa comprometida com a democracia brasileira, que tem muito fortemente enraizado entre todos os funcionários o sentimento de que o que nós fazemos tem um componente social intrínseco, que é o conceito de responsabilidade social que a empresa defende abertamente nas suas iniciativas."

Guerra do Iraque

"Há quase 21 horas, o planeta acompanha os primeiros lances de uma guerra anunciada com meses de antecedência." Assim começava o *Jornal Nacional* de 20 de março de 2003. Naquele dia, os Estados Unidos, aliados à Inglaterra, iniciaram os bombardeios a Bagdá, deflagrando mais uma guerra no Golfo Pérsico. Apesar de os fiscais da ONU não terem encontrado armas químicas ou nucleares no Iraque, o presidente norte-americano George W. Bush deu um ultimato para que Saddam Hussein deixasse o país a fim de evitar um conflito armado.

O início da guerra acontecera na noite anterior, após o *Jornal Nacional*. Às 23h45, o bombardeio a Bagdá começou. Já que as agências davam o ataque como certo, um plantão reforçado foi montado no Rio e em São Paulo, à espera das primeiras bombas. Schroder e Kamel, no Rio, e Luiz Cláudio Latgé em São Paulo, passaram a noite na redação. O comando operacional estava com São Paulo, pois o horário já era o do *Jornal da Globo*. Assim que o bombardeio começou, Ana Paula Padrão entrou no ar, e só saiu às quatro horas da manhã.

Latgé lembra que uma das dificuldades no planejamento da cobertura foi não saber exatamente quando a guerra iria começar: "Embora a invasão do Iraque tenha sido previamente anunciada, a dificuldade era saber o momento exato em que tínhamos que estar no Iraque. Porque sabíamos que quando começasse o ataque quem estivesse dentro, ficava dentro, e quem estivesse fora, não tinha jeito."

O correspondente Luiz Carlos Azenha chegou a ser enviado para o Iraque em janeiro de 2003, época em que estava prevista a votação na ONU que decidiria sobre o conflito. No entanto, a decisão acabou sendo adiada, e o visto do repórter, que era de 15 dias, expirou. Ele foi obrigado, então, a ir para Amã, capital da Jordânia, com a promessa de que lá conseguiria outra permissão para retornar ao país. Mas isso não aconteceu. Apesar de todas as tentativas, as autoridades iraquianas negaram o visto de entrada. Nos bastidores, soube-se que as reportagens feitas da Jordânia desagradaram ao embaixador do Iraque no Brasil, o que dificultou tudo. Dentro do Iraque, as matérias de todos os correspondentes tinham que passar pelo crivo de um censor.

Com isso, o repórter Marcos Uchoa, o cinegrafista Sergio Gilz e o produtor Eric Hart foram enviados para a capital do Kuwait, onde estava baseada boa parte da imprensa internacional, para cobrir o conflito. O país também foi escolhido por ser o outro cenário provável da guerra: era situado também em pleno campo de batalha.

1

2

3

1. William Bonner, Carlos Henrique Schroder, Ali Kamel, Alice-Maria, Luiz Henrique Rabello, Fátima Bernardes e o candidato Ciro Gomes no estúdio do *Jornal Nacional* (23 set 2002).

2. William Bonner mediando o debate entre os candidatos à presidência Luiz Inácio Lula da Silva e José Serra (25 out 2002).

3. William Bonner entrevistando o presidente eleito Luiz Inácio Lula da Silva nos estúdios da TV Globo, em São Paulo (28 out 2002).

4. O repórter Marcos Uchoa na casa de uma família iraquiana após os ataques norte-americanos (*JN*, 18 abr 2003).

5. Marcos Uchoa e o cinegrafista Sergio Gilz na casa de uma família iraquiana (*JN*, 18 abr 2003).

4

5

JN

1. O cinegrafista Sergio Gilz utilizando equipamento de videofone na cobertura da Guerra do Iraque (abr 2003).

2. O cinegrafista Sergio Gilz durante a cobertura da Guerra do Iraque (abr 2003).

3. Equipamentos e carro utilizados pela equipe da TV Globo durante a cobertura da Guerra do Iraque (abr 2003).

4. Atentado ao prédio da ONU em Bagdá (*JN*, 19 ago 2003).

5. Destroços da sede da ONU, no Iraque, após o atentado a bomba (*JN*, 19 ago 2003).

6. O diplomata Sérgio Vieira de Mello, vítima do atentado na sede da ONU no Iraque, em entrevista ao programa *Milênio*, da Globo News (1999).

1

2

3

4

5

6

Mesmo o Kuwait sendo um país vizinho, a entrada dos jornalistas no Iraque não era fácil. Por causa da Guerra do Golfo, em 1991, a divisa entre os dois países era controlada e cheia de áreas minadas. Uchoa lembra que, depois da morte de uma equipe de TV britânica, a fronteira foi fechada de vez.

A equipe da Globo, no entanto, conseguiu entrar no Iraque. No *JN* de 28 de março, Uchoa, utilizando o videofone, falou direto de Safwan, uma cidade ao sul do país. No final da guerra, o repórter e o cinegrafista Sergio Gilz entraram pela segunda vez no país, fazendo o caminho dos fuzileiros navais norte-americanos, passando por Basra, Al Amarah e Al Kuts. No dia 15 de abril, depois de uma viagem de 12 horas, em que puderam registrar a destruição do país, os dois chegaram à periferia de Bagdá. Naquele dia, o repórter fez duas entradas ao vivo no *Jornal Nacional*, direto da capital iraquiana.

No caminho de volta para o Kuwait, a equipe da TV Globo passou por Hilla, Najaf, Nassiryia e Basra, permanecendo, no total, 38 dias na região do conflito. Durante aquele período, diariamente, Uchoa fez entradas ao vivo no *Jornal Nacional*, sempre utilizando o videofone. Também foram realizadas algumas gerações via satélite de Bagdá, do Hotel Palestina, onde estavam hospedados jornalistas do mundo todo. Mas, como eram enviadas matérias para quatro telejornais – com entradas ao vivo em três –, o videofone era a maneira mais econômica para esse tipo de cobertura. "O equipamento foi essencial: podíamos parar e fazer 'vivos' do meio do deserto, ou no centro de Bagdá, na hora em que quiséssemos", lembra Marcos Uchoa.

Assim como aconteceu na Guerra do Afeganistão, em 2001, sempre que necessário o repórter Vinícius Dônola explicava de forma didática, com a ajuda de um cenário virtual representando o mapa do Golfo Pérsico, o avanço das tropas norte-americanas e britânicas em direção a Bagdá e os locais de bombardeios.

No dia 9 de abril, o mundo todo viu o centro de Bagdá sendo ocupado pelos soldados americanos. Eram quase 10h30 quando as primeiras cenas apareceram nas agências. Schroder imediatamente interrompeu a programação e, em regime de plantão, a Globo transmitiu todos os minutos até que a estátua de Saddam caísse ao solo. No *Jornal Nacional*, a imagem da estátua sendo derrubada pelo povo mostrava que o ditador, depois de mais de duas décadas, não estava mais no controle do país. A reportagem de Uchoa registrou os iraquianos festejando a queda do regime. Alguns seguravam cartazes em inglês, agradecendo aos EUA, enquanto outros davam chineladas e rasgavam fotos de Saddam. Os correspondentes da TV Globo mostraram as reações internacionais à tomada de Bagdá.

Mesmo sem encontrar Saddam Hussein e o suposto arsenal químico dos iraquianos, no dia 1º de maio Washington anunciou o fim das principais operações de combate. No entanto, as tropas da coalizão, formadas em sua maior parte por soldados norte-americanos e britânicos, e contando com efetivos de mais 28 países entre Espanha, Itália, Polônia, Ucrânia, Holanda e outros, permaneceram no Iraque. A ocupação estrangeira foi alvo de diversos protestos dos iraquianos, que ameaçaram recorrer à violência caso as tropas não deixassem o país. Houve uma série de ataques a soldados da coalizão e o número de ações terroristas aumentou.

Um dos piores atentados aconteceu no dia 19 de agosto, quando um caminhão-bomba foi lançado contra o prédio da ONU em Bagdá, deixando 24 mortos e dezenas de feridos. Entre as vítimas, estava o brasileiro Sérgio Vieira de Mello, representante máximo das Nações Unidas no Iraque.

Até o começo daquela noite, nenhuma organização iraquiana havia assumido a autoria do atentado. O governo norte-americano, no entanto, suspeitava do mesmo grupo que fora acusado de lançar uma bomba na embaixada da Jordânia também em Bagdá no início do mês. Cerca de uma semana depois, uma organização ligada a Osama Bin Laden assumiu a responsabilidade pelo ataque.

O assunto teve grande destaque no noticiário daquele dia. Os repórteres da TV Globo registraram a repercussão, no Brasil e no mundo, do maior atentado da história da ONU. As imagens dramáticas da ação terrorista, exibidas no *JN*, mostraram a hora exata em que explodiu a bomba, o desespero das pessoas e as buscas pelos soterrados. Durante cerca de cinco horas, as equipes de socorro lutaram para resgatar com vida o embaixador brasileiro, que ficou preso entre os escombros.

Em uma das reportagens Marcos Uchoa chamava a atenção para a ousadia dos terroristas ao atacarem uma instituição que promove a paz no mundo: "Não era para ser assim. Essas imagens não casam. ONU e destruição são opostos. A ONU nasceu dos escombros da Segunda Guerra Mundial exatamente para evitar cenas como esta, seja em qualquer lugar."

O *JN* apresentou um perfil de Sérgio Vieira de Mello e depoimentos dos amigos que trabalhavam com ele na ONU. Na entidade desde 1969, o brasileiro esteve em lugares como Bangladesh, Peru, Chipre, Moçambique, Sudão, Líbano, Ruanda, Kosovo e Timor Leste. Desde o fim de maio, Vieira de Mello comandava as ações da ONU em busca da paz e da democracia no Iraque. Numa homenagem ao embaixador, a cada passagem de bloco do telejornal era mostrada uma foto dele nos diferentes países em que atuou.

Nove meses depois do início dos ataques a Bagdá, os Estados Unidos conseguiram localizar e prender Saddam Hussein. O ex-ditador iraquiano foi encontrado pelas forças americanas na noite de 13 de dezembro num lugarejo ao sul da cidade de Tikrit, onde nasceu. As primeiras imagens divulgadas, levadas ao ar no *Fantástico* do dia seguinte, mostravam Saddam Hussein, barbado e abatido, durante o exame médico feito logo depois da prisão. Saddam ficou sob a guarda dos americanos – em lugar não revelado por motivos de segurança – até o dia 30 de junho, quando foi entregue à Justiça iraquiana para que fosse julgado por crimes contra a humanidade.

Um dos momentos mais críticos do conflito, que pôs em xeque a presença norte-americana no Iraque e abalou a opinião pública internacional, aconteceu em abril de 2004, quando vieram à tona denúncias de tortura na prisão de Abu Ghraib, em Bagdá. A rede de televisão CBS exibiu, em horário nobre, imagens de prisioneiros iraquianos sendo torturados e humilhados por soldados americanos. As imagens tinham sido feitas entre novembro e dezembro do ano anterior. O escândalo das torturas aumentou a violência em protesto à presença militar dos Estados Unidos no Iraque.

Poucos meses depois, em uma cerimônia secreta a fim de evitar possíveis atentados terroristas, a soberania do país seria devolvida aos iraquianos. Antes de passar o poder a um governo interino, formado com a ajuda da ONU, os Estados Unidos, no entanto, assinaram mais de 100 decretos que, na prática, restringiam a autonomia do Iraque. Entre as resoluções, a decisão de que as tropas de ocupação permaneceriam no país, com total liberdade de ação, até janeiro de 2006. Outra condição dizia respeito ao controle do petróleo, que passaria a ser administrado por um conselho de cinco membros, no qual o Iraque teria apenas um representante.

Atentados Terroristas em Madri

Exatamente dois anos e meio depois dos atentados terroristas nos Estados Unidos, a Espanha foi alvo do maior ataque numa capital européia desde a Segunda Guerra Mundial. Em 11 de março de 2004, uma série de bombas explodiu em três estações de metrô em Madri, matando 200 pessoas, dentre elas um brasileiro, e deixando quase 1.500 feridos. Naquele mesmo dia, Caco Barcellos, correspondente em Paris, foi enviado para a capital espanhola, de onde mandou reportagem para o *Jornal Nacional*. As imagens mostravam um cenário trágico: entre os destroços dos trens e os corpos de vítimas, pessoas eram socorridas por voluntários.

Apesar de as atenções terem se voltado, imediatamente, para o grupo terrorista basco ETA, a matéria de Caco Barcellos naquela edição do *JN* já fazia referência à rede terrorista Al Qaeda. A Espanha foi o primeiro país, depois da Inglaterra, a apoiar a invasão do Iraque, o que contrariava a organização comandada por Osama Bin Laden. Segundo o repórter, um jornal árabe em Londres recebera uma carta em que o grupo assumia a autoria do atentado.

Os espanhóis foram às ruas, no dia seguinte, protestar contra o terrorismo. O *Jornal Nacional* de 12 de março mostrou a manifestação que, apesar da chuva, reuniu milhões de pessoas em Madri. Preocupado com as eleições que aconteceriam em dois dias, o primeiro-ministro José Maria Aznar, um dos principais aliados da política norte-americana no Iraque, insistia em responsabilizar o grupo terrorista basco ETA.

O Partido Popular (PP), do primeiro-ministro, acabou derrotado nas urnas. A vitória dos socialistas espanhóis nas eleições do dia 14 gerou muita discussão, principalmente nos Estados Unidos, a respeito da interferência de atos violentos na política interna de países ocidentais. A possibilidade de um atentado terrorista ter impacto no resultado das eleições norte-americanas, em novembro do mesmo ano, passou a preocupar George W. Bush, candidato à reeleição.

Série "Brasil Bonito"

O trabalho voluntário começou a ganhar destaque no *Jornal Nacional* a partir de 2002. A proposta partiu do próprio editor-chefe do telejornal, William Bonner. "Eu tive a idéia de fazer uma série com três reportagens, mostrando como é possível ajudar em três situações diferentes: se a pessoa tiver dinheiro e não tiver tempo; se tiver tempo e não tiver dinheiro; e se tiver tempo e dinheiro", conta Bonner, que pediu a Sônia Bridi, em São Paulo, que produzisse as reportagens e batizou a série como "Brasil Bonito". "Encomendei também uma vinheta de áudio baseada no Hino Nacional, porque eu queria usar a bandeira nacional. Eu queria despertar nas pessoas um sentimento quase patriótico".

As três reportagens que inauguraram a série sobre o trabalho voluntário no Brasil foram ao ar entre os dias 12 e 14 de agosto de 2002. As matérias mostraram as diferentes ações voluntárias que são realizadas em todo o país. Segundo uma pesquisa do Ibope, divulgada na reportagem, 18% dos brasileiros fazem, ou já fizeram, trabalho voluntário. Para incentivar essas ações, o *JN* também disponibilizou em sua página na Internet uma lista de instituições sérias para quem quisesse ajudar. Por essas matérias, a repórter Sônia Bridi recebeu, em setembro de 2003, o 5º Prêmio Imprensa Embratel, na categoria Responsabilidade Social.

A partir de setembro de 2002, todas as reportagens sobre o voluntariado apresentadas no *Jornal Nacional* passaram a ser acompanhadas pela vinheta "Brasil Bonito". A série mostra diferentes exemplos de solidariedade em todo o Brasil, além de apontar soluções simples para alguns problemas sociais. As reportagens já abordaram os mais diferentes tipos de trabalhos voluntários: uma rede de empresários que doa comida para creches pobres; um menino que em suas horas vagas dá aula de reforço escolar para crianças carentes da região; o projeto Transformar, voltado para a alfabetização de adultos; um professor de matemática que criou um método com música e dança para ajudar no aprendizado da disciplina; uma bailarina que ensina balé a meninas cegas em São Paulo; um grupo de idosos que trabalham para resgatar a memória de Belo Horizonte; o projeto Médicos Solidários, que atende à população carente; uma empresária desempregada que ensina detentas a fazerem colares para exportação.

Edney Silvestre conta sobre uma das reportagens que realizou, exibida em julho de 2003: "A matéria, uma das mais emocionantes que fiz, mostrava um professor de arte em uma área paupérrima da Baixada Fluminense. Esse professor recolhia material no depósito de lixo e, a partir disto, produzia e ensinava os estudantes a criar brinquedos. Então, aquele vidro de xampu jogado fora virou um avião. Tinha também um ventilador desses que ficam girando de um lado para o outro, que foi transformado, com a ajuda de uns CDs velhos, num robô que movia os braços. E nesse trabalho há um significado muito grande, pois essas pessoas também são um pouco 'jogadas fora'. As crianças estão aprendendo a construir um mundo novo a partir daquilo que é lixo. Isso é um exemplo desse outro Brasil. O Brasil que se reconstrói, um Brasil que existe e sobrevive, mesmo nas piores condições. Isso é o 'Brasil Bonito'."

No dia 20 de novembro de 2003, o *Jornal Nacional* foi notícia ao receber o Prêmio Unesco, na categoria Jornalismo, pela série "Brasil Bonito". William Bonner também recebeu o prêmio, que foi criado em 1999 para valorizar instituições e pessoas que se destacam nas áreas de educação, ciência e cultura.

Série "Identidade Brasil"

A cultura brasileira também foi tema de uma série de reportagens apresentada no *Jornal Nacional*. "Música, cinema, arte e literatura – afinal, o que caracteriza a cultura de um povo?" Para responder a essa pergunta o repórter Maurício Kubrusly saiu às ruas, visitou diferentes estados e buscou no folclore e nas festas regionais as características mais marcantes do povo brasileiro. O resultado foi a série "Identidade Brasil", exibida no *Jornal Nacional* entre os dias 2 e 7 de fevereiro de 2004.

O repórter apresentou as diversas formas de expressão da cultura nacional. Entre outras coisas, destacou os ídolos que fazem parte da história do país, porque personificam a imagem do herói nacional, e mostrou as manifestações tipicamente brasileiras, como a festa junina de Caruaru, o samba, o frevo e o maracatu, além das influências estrangeiras no cotidiano do país.

Maurício Kubrusly conta como foi: "Quando Schroder me fez o convite, eu simplesmente não acreditei, porque o *Jornal Nacional* é o jornal que tem mais regras dentro da Rede Globo. Aquilo, para mim, foi como, sei lá, abrir meu armário, escolher a roupa e vestir, porque é absolutamente familiar para mim valorizar as coisas do Brasil." Colaboraram com Kubrusly na realização das reportagens o cinegrafista Gilmário Batista, a produtora Karina Dorigo e o editor de imagens Marco Antonio Gaiollo, conhecido como "Cebolinha", da redação da TV Globo de São Paulo.

A série foi um sucesso tão grande que o *Jornal Nacional* resolveu – como tinha feito com o "Brasil Bonito" – criar um quadro chamado "Identidade Brasil". O quadro já tratou de diferentes manifestações culturais brasileiras, como a Festa do Divino no Maranhão, a Paixão de Cristão no Rio Grande do Norte, a Orquestra Sinfônica de São Paulo, a música de Dorival Caymmi e a arte dos índios yanomami.

Inovações no Jornal Nacional

Em novembro de 2002, o *Jornal Nacional* apresentou uma novidade: começaram a ser exibidas diariamente as videocharges de Chico Caruso. Com 30 segundos de duração, em média, as charges satirizam os fatos políticos de maior relevância do noticiário. O desenho, também publicado no jornal O *Globo*, é levado à TV Globo no Jardim Botânico pelo próprio Caruso, que grava a voz nos estúdios da emissora. A equipe do departamento de arte fica, então, responsável por decompor o desenho e produzir a seqüência que vai ao ar. No dia seguinte, os desenhos são colocados no computador e a seqüência vai para a mesa da animação. Finalmente, o material é editado e sonorizado.

Na apresentação do *Jornal Nacional*, em 2002, uma novidade foi o início da participação do repórter Heraldo Pereira, primeiro negro a ocupar a bancada do telejornal. Ele estreou em 23 de novembro, ao lado do apresentador Renato Machado. A dupla estava substituindo William Bonner e Fátima Bernardes no rodízio de apresentadores que é estabelecido para os sábados.

É o próprio Heraldo Pereira quem avalia sua participação no telejornal: "Eu fiz carreira para ser repórter. Eu tinha uma admiração muito grande pelo Sergio Chapelin, pelo Cid Moreira e tenho uma admiração muito grande pelo William Bonner e pela Fátima Bernardes. Mas nunca me imaginei apresentando o *Jornal Nacional*. Quando eu comecei a apresentar o telejornal, os colegas da imprensa deram destaque pelo fato de eu ser negro. Mas quando me convidaram para apresentar o telejornal não me disseram que eu ia porque eu era negro. Eu apresento o *Jornal Nacional* e sou negro. Eu fico muito orgulhoso de poder apresentar o *Jornal Nacional* por ser jornalista, por ser repórter. E fico muito orgulhoso pelo fato de ser negro e apresentar o *Jornal Nacional*. Eu gostaria de ser uma referência, um exemplo positivo, apresentando o *Jornal Nacional*, para os negros deste país."

Em março de 2003, o noticiário político do *Jornal Nacional* passou a contar com a participação de Franklin Martins. Uma vez por semana, o jornalista comenta o que de mais importante aconteceu na política nacional e analisa as principais medidas do governo e suas repercussões. Desde a estréia do quadro, Franklin Martins já tratou de temas variados, como as negociações em torno da aprovação da reforma da Previdência, a reação do Congresso frente às manifestações do MST e o caso Waldomiro Diniz.

O Governo Lula

Luiz Inácio Lula da Silva tomou posse na Presidência da República no dia 1º de janeiro de 2003. A Rede Globo preparou uma cobertura especial para o evento. Desde as 6h30, começaram a ser apresentados flashes ao vivo, direto de Brasília, com os detalhes da cerimônia. Carlos Nascimento assumiu a cobertura a partir das 10h, ficando no ar até o término do jornal *Hoje*, ancorado direto do Distrito Federal. Durante a tarde – até as 18h –, a emissora mostrou, ao vivo, a posse do presidente e sua equipe. Os comentários ficaram por conta dos jornalistas Alexandre Garcia e Franklin Martins.

O *JN* daquele dia teve uma edição especial, com William Bonner em Brasília e Fátima Bernardes no Rio de Janeiro. As reportagens abordavam diferentes aspectos da cerimônia de posse. O repórter Alberto Gaspar, por exemplo, acompanhou uma caravana que saiu do sindicato dos metalúrgicos no ABC paulista em direção a Brasília. Marcelo Canellas assistiu à passagem de ano ao lado de Lula e registrou de perto o primeiro dia do novo presidente. No seu encerramento, o *JN* fez uma homenagem a Lula, exibindo um clip com imagens daquele dia, ao som da música "Meu país", da dupla Zezé de Camargo e Luciano.

No seu discurso de posse, Luiz Inácio Lula da Silva estabeleceu como principal meta do seu governo o combate à fome. Um Ministério Extraordinário de Segurança Alimentar, sob o comando do ministro José Graziano, foi criado especialmente para implementar o programa social "Fome Zero", um conjunto de iniciativas e de ações emergenciais para a distribuição de alimentos e para, a médio prazo, desenvolver a formação profissional e diminuir a pobreza.

Em 10 de janeiro, os repórteres da Rede Globo acompanharam a viagem do presidente e 29 ministros à região do semi-árido, no sertão nordestino. As matérias foram exibidas no *Jornal Nacional*. A viagem serviu para que os ministros conhecessem bolsões de pobreza no Piauí e em Pernambuco e para que o presidente reafirmasse aos eleitores os compromissos estabelecidos na campanha eleitoral, como explicou o repórter Marcelo Canellas: "Lula aposta na força de um ato simbólico, o começo da viagem pelo estado mais pobre, em uma favela de periferia, como uma maneira de afirmar a prioridade do seu governo."

O compromisso do governo com o combate à fome levou o presidente Lula a participar, em 24 e 25 de janeiro, de dois importantes encontros internacionais: o Fórum Social Mundial, em Porto Alegre, e o Fórum Econômico Mundial, em Davos, Suíça. A repórter Zileide Silva mostrou, no *Jornal Nacional*, a chegada de Lula a Porto Alegre no dia 24 de janeiro. Em seu discurso, o presidente disse que iria à Suíça propor uma nova ordem econômica mundial, com uma distribuição de riqueza mais justa. E, de fato, no dia seguinte, no Fórum Econômico Mundial, o presidente pediu que os países industrializados criassem um novo fundo internacional para combater a pobreza no mundo. O encontro foi acompanhado pelo enviado especial da Rede Globo Marcos Uchoa.

A boa projeção do Brasil no exterior seria uma das marcas do governo Lula, em seu primeiro ano. O presidente visitou vários países, estabeleceu bons contatos com os principais chefes de Estado e construiu uma imagem sólida e de boa reputação no cenário mundial, como porta-voz das reivindicações dos países em desenvolvimento. Em algumas ocasiões, foi acusado de cometer gafes, como quando disse que a Namíbia, limpa e de bela arquitetura, nem parecia a África.

Apesar de o combate à fome ter sido anunciado como prioridade do governo, o primeiro ano foi todo dedicado à aprovação das reformas da Previdência e tributária. Foram meses de negociações, de idas e vindas, de protestos de aposentados, no caso da Previdência, e de pressão dos empresários, no caso da reforma tributária. O *Jornal Nacional* apresentou séries de reportagens sobre os dois assuntos, tentando explicar ao telespectador os principais pontos das emendas constitucionais e o que elas representavam para a vida do cidadão e do país.

Em 11 de dezembro, o *Jornal Nacional* informou que o Senado concluíra a votação da reforma da Previdência e aprovara, em primeiro turno, a reforma tributária. Seis dias depois, o repórter Júlio Mosquera noticiou a aprovação da reforma tributária e disse que seria implementada em três etapas ao longo dos anos seguintes. O presidente da Casa, o senador José Sarney, promulgou as novas medidas dois dias depois.

O primeiro ano do governo Lula também foi marcado pela estabilização da moeda e do câmbio: as incertezas políticas de 2002 tinham feito o dólar disparar e a inflação dar sinais de retorno. A política empreendida por Antônio Palocci, ministro da Fazenda, conseguiu reverter a situação. Dentro e fora do governo, porém, Lula foi cobrado pelo ritmo da queda na taxa de juros, considerado lento, e pelo baixo crescimento. O *Jornal Nacional* refletiu em dezenas de reportagens essa discussão. O ano de 2004 prenunciava a continuação dos debates sobre a seguinte equação: como fazer a economia crescer de forma sustentada sem inflação?

A primeira crise: Waldomiro Diniz

A partir de fevereiro de 2004, o *Jornal Nacional* começou a cobrir a primeira grande crise do governo Lula: um escândalo envolvendo Waldomiro Diniz, ex-subchefe de Assuntos Parlamentares do Ministério da Coordenação Política. Até janeiro, Waldomiro era o homem de confiança de José Dirceu, ministro-chefe da Casa Civil, o que levava o escândalo para dentro do governo. O assessor foi exonerado do cargo no dia 13, depois que a revista *Época* divulgou uma fita de vídeo, gravada em 2002 pelo empresário do ramo de jogos Carlos Augusto Ramos, o Carlinhos Cachoeira.

Nela Waldomiro Diniz, que na época da gravação era presidente da Loteria do Estado do Rio de Janeiro (Loterj), aparecia pedindo dinheiro para as campanhas do candidato ao governo de Brasília Geraldo Magela (PT) e do Rio de Janeiro Rosângela Matheus (PMDB). Em troca, prometia beneficiar Cachoeira em uma concorrência pública da Loterj, que garantiria ao empresário a manutenção do monopólio na exploração das máquinas de apostas on-line. A fita foi entregue ao senador Antero Paes de Barros (PSDB-MT), que a encaminhou ao Ministério Público para investigação.

No mesmo dia da denúncia, o *Jornal Nacional* exibiu reportagem completa sobre o assunto, mostrando trechos da fita e apontando os desdobramentos políticos do caso. Boa parte da escalada do telejornal foi ocupada com o tema e dois blocos apresentaram matérias sobre o escândalo. No dia seguinte, o *JN* noticiou que, anos antes, Waldomiro e Dirceu chegaram a dividir o mesmo apartamento. A partir de então, o assunto não sairia mais do ar.

No dia 18 de fevereiro, o *Jornal Nacional* informou que o Ministério Público também investigava ligações de Waldomiro Diniz com a empresa norte-

1

2

3

4

5

6

7

JN

1. Logotipo da série "Identidade Brasil".

2. Série "Identidade Brasil" mostrando a festa junina em Caruaru, Pernambuco (*JN*, 3 fev 2004).

3. Logotipo da série "Brasil Bonito".

4. A repórter Sônia Bridi gravando reportagem em São Paulo para a série "Brasil Bonito" (*JN*, 12 ago 2002).

5. Dona Iole, voluntária de 90 anos, um dos personagens da série "Brasil Bonito" (*JN*, 12 ago 2002).

6. Resgate das vítimas do atentado aos trens em Madri (*JN*, 11 mar 2004).

7. O repórter Caco Barcellos em frente à estação de Atocha, em Madri, onde aconteceu a explosão que provocou o maior número de mortes (*JN*, 11 mar 2004).

1

2

3

4

5

6

7

1. Comentário político de Franklin Martins no *Jornal Nacional* (24 abr 2003).

2. O apresentador Heraldo Pereira na bancada do *Jornal Nacional* (23 nov 2002).

3. Estréia das videocharges de Chico Caruso no *Jornal Nacional* (1º nov 2002).

4. Multidão assistindo ao discurso de Lula no Fórum Social Mundial, em Porto Alegre (*JN*, 24 jan 2003).

5. O presidente Luiz Inácio Lula da Silva no Fórum Social Mundial, em Porto Alegre (*JN*, 24 jan 2003).

6. O presidente Luiz Inácio Lula da Silva discursionando no Fórum Econômico Mundial, em Davos (*JN*, 27 jan 2003).

7. Senadores assistindo a reportagem do *Jornal Nacional* sobre o caso Waldomiro Diniz (30 mar 2004).

americana Gtech, que fornecia equipamentos de informática para a Caixa Econômica Federal. Em Brasília, a oposição começou a reunir assinaturas para a abertura de uma CPI para investigar os bingos e jogos eletrônicos. O líder do governo no Senado, Aloizio Mercadante, pediu um voto de confiança ao Congresso até que o governo pudesse apurar os fatos. O ministro da Coordenação Política, Aldo Rebello, anunciou que o governo havia instalado uma sindicância para investigar a atuação de Diniz enquanto ele esteve no Planalto.

No *Jornal Nacional* do dia 19 de fevereiro, Franklin Martins informava que, em um jantar com líderes governistas, José Dirceu se declarou traído pelo ex-assessor. "Confiei, quando não podia ter confiado. Apesar da minha experiência, errei feio." No jantar, o ministro confessou que chegara a discutir com o presidente Lula a hipótese de se afastar do cargo para evitar embaraços ao governo, mas o presidente havia descartado a possibilidade.

No *Jornal Nacional* do dia seguinte, nova denúncia: Waldomiro teria se encontrado duas vezes, em janeiro e em março de 2003, quando já era assessor do Planalto, com Carlos Cachoeira e dois executivos da Gtech para tratar de assuntos alheios a suas atribuições de parlamentar. A prorrogação do contrato entre a Caixa e a Gtech ocorreu duas semanas depois do segundo encontro. A Caixa negou qualquer interferência política de Diniz e alegou que a renovação fora concretizada para não interromper os serviços das loterias, já que a Gtech havia conseguido uma liminar da Justiça que impedia nova licitação.

O *JN* mostrou trecho de um discurso de Lula, no Rio Grande do Sul. O presidente anunciou uma medida provisória proibindo os bingos e caça-níqueis até que o caso fosse resolvido.

Agentes da Polícia Federal fecharam casas de bingo e recolheram documentação, notas fiscais e máquinas caça-níqueis em Brasília. Fátima Bernardes leu nota em que o presidente da Associação Brasileira de Bingos, Olavo Salles, dizia que a proibição fortaleceria o jogo clandestino. Algumas casas desafiaram o governo e funcionaram normalmente.

No dia 23 de março, o *JN* informou que o ministro Aldo Rebello entregara o relatório final da sindicância instaurada pelo governo. A comissão concluíra que Waldomiro Diniz cometera diversas irregularidades enquanto era assessor do Planalto, entre elas crime de improbidade. De acordo com o relatório, Waldomiro participara, como representante do governo, de três encontros com executivos da Gtech, durante os quais teria atuado para favorecer a multinacional na renovação do contrato com a Caixa Econômica Federal. Cópias do relatório foram enviadas para a Procuradoria-Geral da República, ao Ministério da Justiça e à Polícia Federal. A policia pediu a quebra do sigilo do telefone e do celular de Waldomiro Diniz.

No dia 29 de março, o Ministério Público Federal denunciou nove envolvidos por gestão fraudulenta, sonegação de documentos e corrupção ativa e passiva na renovação do contrato da Gtech com a Caixa. Entre os denunciados estavam o presidente do banco, Jorge Mattoso, dirigentes da Caixa, Waldomiro Diniz, o empresário Rogério Buratti e executivos da multinacional Gtech. A denúncia atingia também Carlos Cachoeira, mas o procurador Marcelo Serra Azul pediu perdão judicial para o empresário, alegando que ele estaria colaborando com a Justiça.

No dia seguinte, o *Jornal Nacional* exibiu com exclusividade uma fita de áudio que registrava uma conversa entre Carlos Cachoeira e o subprocurador da República José Roberto Santoro ocorrida antes do escândalo detonado pela revista *Época*. Santoro tentava obter do empresário a fita em que Waldomiro Diniz pedia dinheiro a Cachoeira, argumentando que assim poderia ajudá-lo. O subprocurador já tinha uma cópia da fita, entregue pelo senador Antero Paes de Barros, mas alegava que precisava obter a fita das mãos do próprio Cachoeira caso a Justiça questionasse a legalidade da sua cópia. Cachoeira se negou a entregar a fita. Santoro se mostrava preocupado com o horário e alertava Cachoeira para a chegada iminente do seu superior, o procurador-geral da República Cláudio Fontelles. Afirmava que este poderia estranhar a reunião e veria um "subprocurador geral da República empenhado em derrubar o governo do PT".

Fátima Bernardes explicou que a fita chegara ao *Jornal Nacional* pelas mãos de um intermediário que se identificara como portador de Carlos Cachoeira. Depois de investigar e de se certificar de que o intermediário tinha ligações com o empresário, o *JN* enviou a fita para a perícia, que atestou sua autenticidade. Procurado, Carlos Cachoeira negou a autoria da gravação e disse nada saber sobre a fita. Como ela fora autenticada pela perícia, o *Jornal Nacional* decidiu divulgá-la. O depoimento teria sido gravado no dia 12 de fevereiro, às 3h, no segundo andar do prédio da Procuradoria-Geral da República. Estavam presentes, além de José Roberto Santoro e Carlos Cachoeira, o procurador Marcelo Serra Azul, o delegado da Polícia Federal Giácomo Santoro, um advogado do empresário e a mulher de Cachoeira. Em Brasília, a edição do *JN* com a exibição da fita parou o Congresso Nacional. Deputados interromperam a votação da medida provisória que proibia os bingos para acompanhar a denúncia do telejornal em uma sala atrás do plenário. A fita foi o tema dos discursos de quase todos os líderes que ocuparam a tribuna naquele dia. O ministro da Justiça declarou que seu conteúdo comprovava a existência de uma conspiração contra o governo Lula, e o procurador-geral Cláudio Fontelles determinou a abertura de uma sindicância para apurar o caso.

5

Morre Roberto Marinho

"Sendo eu jornalista, é com orgulho que constato ser o Jornal Nacional uma das estrelas de nossa programação." ROBERTO MARINHO

"O *Jornal Nacional* está começando agora, com a despedida do seu criador." Essas palavras, lidas pelo apresentador Renato Machado na escalada do *JN*, resumem a importância histórica da edição do dia 7 de agosto de 2003, dedicada à morte do jornalista Roberto Marinho, ocorrida na noite anterior. O fundador da Rede Globo falecera aos 98 anos, vítima de embolia pulmonar.

Ali Kamel, diretor executivo de Jornalismo, lembra como tudo aconteceu: "Eram duas da tarde quando o João Roberto telefonou. A voz dele transmitia angústia, mas perguntei: 'Tudo em paz?' João respondeu: 'Não, Ali, Dr. Roberto sofreu há pouco uma embolia pulmonar, teve uma parada cardíaca, foi reanimado em pouco tempo e está no hospital. O estado dele é delicado, mas os médicos têm esperanças de que ele vá superar tudo. O grande problema é a idade. Eu gostaria que você avisasse o Schroder [diretor da Central Globo de Jornalismo] e mantivesse tudo em segredo, para que o hospital não fique apinhado de gente. Eu mantenho vocês informados', completou João. Assim que encontrei Schroder, que tinha se ausentado de sua sala por alguns minutos, contei o que ouvira de João Roberto." Era um momento difícil.

Quando uma personalidade importante adoece com certo grau de gravidade, logo as redações preparam seu obituário, por precaução. Desse modo, caso a morte aconteça durante a transmissão do *Jornal Nacional*, ou pouco antes, é possível dar a notícia sem recorrer ao improviso. Foi assim, por exemplo, com o escritor Jorge Amado, que morreu em 6 de agosto de 2001, exatamente dois anos antes de Roberto Marinho. Doente do coração havia muitos anos, com dezenas de hospitalizações, três reportagens sobre sua vida estavam guardadas num arquivo a que poucos têm acesso. Pouco antes das 20h, a notícia de que ele poderia ter morrido chegou à redação do *Jornal Nacional*. Às 20h10, veio a confirmação e, às 20h15, hora em que o *JN* entra pontualmente no ar, lá estava a notícia na escalada: "Morre, em Salvador, Jorge Amado, o escritor que contou histórias da Bahia para o mundo." Com o jornal no ar, houve agilidade para que o repórter Giácomo Mancini transmitisse as primeiras informações diretamente de Salvador. Depois, os três VTs feitos havia muito tempo foram ao ar, permitindo que o *Jornal Nacional* prestasse uma primeira homenagem à altura de Jorge Amado. "Com Roberto Marinho, porém, foi diferente", lembra Kamel, acrescentando: "Apesar da idade avançada, ele até o fim da vida cumpriu o ritual de ir de manhã ao seu escritório no *Globo* e, depois, à TV Globo para almoçar e passar a tarde. Além disso, sua saúde física era excelente para idade. Era extremamente constrangedor para a redação preparar o obituário do dono da empresa: a operação requer muita pesquisa em texto e em imagens e, obviamente, a informação poderia chegar aos filhos ou ao próprio, o que seria, no mínimo, desagradável. Muitas vezes a redação discutiu esse assunto, em quase todas as chefias passadas, e a conclusão a que se chegou é que era deselegante tratar do tema com os filhos, estando Roberto Marinho bem de saúde. Nenhum de nós jamais escondeu, porém, que a morte de Roberto Marinho era um desafio jornalístico de tal ordem que, muitas vezes, pensamos em preparar algo, mas nunca, no entanto, a idéia foi adiante. Incompetência nossa? Alguém pode dizer isso. Para nós, era pudor. No dia em que teve a embolia pulmonar, portanto, a TV Globo não tinha nenhum obituário pronto de Roberto Marinho. Schroder e eu conversamos longamente sobre o assunto e decidimos que era preciso tomar as providências, mas em sigilo."

Kamel conta que, além dele, foram convocados por Schroder para uma reunião em sua sala William Bonner, Pedro Bial, a chefe de redação do *Globo Repórter*, Meg Cunha, o diretor de Operações Fernando Guimarães, e Vera Albuquerque, do Centro de Documentação. No encontro, Schroder anunciou o que se passara com Roberto Marinho, que o estado era delicado, mas que havia chances de recuperação. "Mas não podemos ficar parados. Em sigilo absoluto, numa ilha de edição longe do movimento, é preciso fazer o mais depressa possível o obituário mais digno que a gente conseguir. Ali Kamel vai coordenar isso", disse Schroder. Todos desceram para a ilha, que ficava próxima ao departamento de Esportes. Kamel lembra: "Sozinhos, Schroder e eu decidimos que o correto seria ligar novamente para João Roberto, em busca de notícias, e avisar que estaríamos tomando aquelas providências. No telefonema, soubemos que o estado continuava seriíssimo. Eu disse: 'João, você é jornalista e sabe que nessas horas, não tem jeito. Com muito cuidado para não vazar, um grupo muito pequeno aqui na TV vai começar a reunir material sobre Dr. Roberto.' João respondeu apenas: 'Claro, claro, eu entendo.'"

Uma primeira reunião foi feita com a equipe, e traçaram-se as linhas gerais do obituário, as histórias mais relevantes foram lembradas, muitos episódios recordados. E, numa luta contra o relógio, começou-se a preparar um material de emergência para ir ao ar no *Jornal Nacional* ou no *Jornal da Globo*, ou para ficar guardado, caso tudo corresse bem. Às 16h, João Roberto voltou a ligar e disse que as notícias não eram boas: um coágulo precisava ser dissolvido por medicação, pois estava atrapalhando gravemente a circulação.

Naquele telefonema, João Roberto pediu que todas as informações sobre a doença do pai fossem centralizadas na Rede Globo. A medida tinha um motivo prático: são tantos os órgãos de imprensa das Organizações Globo que a família simplesmente não teria como atender a todas as solicitações. Com a permissão de João Roberto, todas as redações da casa foram avisadas. Antes disso, Luis Erlanger, diretor da Central Globo de Comunicações, acionado pela direção da TV, já estava a postos para o atendimento à imprensa e para dar o suporte que fosse necessário à família. Quase às 18h, João Roberto fez novo telefonema, informando que a medicação não surtira efeito e que a solução seria operá-lo nas horas seguintes.

"Era uma corrida desesperada contra o relógio. De um lado, a necessidade de guardar segredo; de outro, a vontade de estar preparado para dar uma cobertura à altura que Roberto Marinho merecia, não como dono da TV Globo mas como um jornalista que influenciou a cena brasileira por mais de 70 anos", lembra Schroder.

Kamel conta como os trabalhos prosseguiram naquela noite tensa: "Apesar da pressa e da angústia, até que os trabalhos iam bem. Pedro Bial, sempre com um texto primoroso, e Meg Cunha, com uma vocação extraordinária para dar o ritmo e o peso certos a todos os tipos de reportagem, estavam já bem adiantados. Àquela altura, sete da noite, Erlanger alertara Sílvia Fiuza, gerente do Memória Globo, que viria a ser de uma importância inestimável nas horas seguintes: desde 1999, ela desenvolvia o projeto que visava recolher e organizar tudo o que dizia respeito à memória das Organizações Globo. A quantidade de informações e de depoimentos gravados narrando a história do grupo era enorme. Mas só nos lembramos de usar o material depois do *Jornal da Globo*. As outras redações das Organizações Globo também tiveram acesso ao mesmo material."

O *Jornal Nacional* foi ao ar enquanto Roberto Marinho ainda estava sendo preparado para a cirurgia. Segundos antes do início do telejornal, chegava a fita editada com a primeira versão do obituário, que, no entanto, não foi utilizada. Terminado o *JN*, o mutirão para melhorar o obituário aumentou, com mais gente se agregando à tarefa. "Era uma angústia muito grande. Ao mesmo tempo em que ficamos envolvidos com a dor de pessoas próximas, todo o mundo tem de correr contra o tempo para fazer o melhor jornalismo possível", diz Schroder.

Depois que a novela das oito terminou, a TV Globo passou a exibir o jogo Goiás x Vasco da Gama, no estádio de Serra Dourada, em Goiânia, com narração de Luís Roberto. Àquela altura, o esboço quase completo de uma nota sobre a morte de Roberto Marinho já estava redigido, para o caso de acontecer o pior.

Ali Kamel relata como foi dada a notícia da morte de Roberto Marinho: "Às dez e trinta e quatro, João Roberto fez novo telefonema e disse: 'Ele morreu.

Não resistiu.' Enquanto dava os pêsames, fiz um sinal de mão que bastou para dar a senha para o plantão. Schroder estava em comunicação permanente com São Paulo, através de rádio, e ordenou o plantão, com um grito de 'põe no ar'. Depois, pegou o telefone para prestar solidariedade a João Roberto, que estava na linha. Tudo em fração de segundos", lembra Kamel.

Àquela hora, o comando do Jornalismo era do *Jornal da Globo* e, por esta razão, foi Ana Paula Padrão quem deu a notícia ao Brasil. Depois da vinheta do plantão, que interrompeu a transmissão do jogo, ela disse: "E atenção: acaba de falecer o jornalista Roberto Marinho, presidente das Organizações Globo. Na manhã desta quarta-feira ele sofreu, em sua casa no Cosme Velho, no Rio de Janeiro, um edema pulmonar causado por uma trombose. Imediatamente, foi levado ao Hospital Samaritano e internado na unidade de terapia intensiva. Durante todo o dia, o quadro dele permaneceu grave, principalmente em função de seus 98 anos. Os médicos tentaram dissolver o coágulo alojado no pulmão, mas sem sucesso. Às nove e meia da noite, ele foi submetido a procedimento cirúrgico, com o objetivo de retirar o coágulo, mas não resistiu e morreu há pouco. Roberto Marinho deixa viúva, Dona Lily Marinho, três filhos, Roberto Irineu, João Roberto e José Roberto Marinho, além de netos e bisnetos. Novas informações a qualquer momento."

Depois do plantão, Galvão Bueno dizia algumas palavras sobre Roberto Marinho quando foi surpreendido pela decisão espontânea dos que estavam no estádio do Mineirão, em Belo Horizonte, onde se realizava a partida entre Cruzeiro x São Paulo – juiz, jogadores e o povo – de fazer um minuto de silêncio em homenagem ao jornalista. No estádio de Serra Dourada a homenagem se repetiu. A partir daquele instante, a redação se encheu aos poucos e todos se dividiram para preparar o *Jornal da Globo*, que entraria no ar em pouco mais de uma hora. E, durante toda a madrugada, uma grande equipe preparou o *Bom Dia Brasil* da manhã seguinte. "Nessas horas o cansaço desaparece", lembra Schroder, que deixou a redação, acompanhado por Ali Kamel, por volta das quatro da manhã.

O *Jornal da Globo* daquela noite foi inteiramente dedicado à morte de Roberto Marinho. A apresentadora Ana Paula Padrão abriu o jornal anunciando: "A televisão brasileira está de luto. A cultura nacional está de luto. A imprensa, o jornalismo e o mundo dos homens de idéias, de empreendedores que com seu esforço e talento constroem este país. Todos, pessoas e instituições, que devem de alguma maneira seu fortalecimento, sua consolidação, ao trabalho do jornalista Roberto Marinho estão de luto esta noite." Em seguida relatou a causa da morte do jornalista e finalizou: "A morte de Roberto Marinho deixa entristecido todo um país que acredita na determinação, no trabalho, na produção e na construção de uma nação melhor." Um perfil do jornalista e sua trajetória como homem e empresário, ilustrado com imagens de arquivo, foi apresentado pelo repórter Pedro Bial. Homenagens dos deputados na Câmara dos Deputados e de jogadores de futebol em diversos estádios, bem como depoimentos de políticos e artistas, complementaram a edição.

Ao longo de toda a noite a equipe de jornalismo da Rede Globo ficou de plantão noticiando a morte de Roberto Marinho e trabalhando nas edições dos telejornais seguintes. No dia seguinte, durante toda a manhã e tarde, foram transmitidas imagens do velório e do enterro e entrevistas com pessoas que prestavam sua última homenagem ao jornalista morto.

O *Jornal Nacional* abriu sua edição, com William Bonner e Renato Machado, anunciando: "Sete de agosto de 2003. Sepultado, no Rio de Janeiro, o jornalista Roberto Marinho. O *Jornal Nacional* mostra como o Brasil se despediu do criador das Organizações Globo."

A edição do telejornal foi estruturada a partir de quatro VTs, apresentados por Pedro Bial, mostrando momentos e aspectos da biografia do jornalista, sua juventude, a morte prematura do pai, Irineu Marinho, os primeiros anos no jornal O *Globo*, a criação do Sistema Globo de Rádio, a inauguração da TV Globo e a construção do Projac. Aspectos da vida pessoal de Roberto Marinho, sua paixão pelas artes, cultura e esportes foram ressaltados pelo repórter em matérias enriquecidas com fotos, imagens de arquivo e trechos de discursos e entrevistas passadas. Também foram exibidos trechos de um documentário realizado pelo projeto Memória Globo, com depoimentos de funcionários e ex-funcionários das empresas que compõem o grupo, falando sobre momentos da vida do jornalista. Trechos de uma entrevista de Roberto Marinho ao Memória Globo, de 27 de setembro de 2000, mostraram, através da fala do próprio jornalista, as dificuldades por ele enfrentadas no início do jornal O *Globo* e a importância dos ensinamentos de seu pai na trajetória que se seguiu.

Foi praticamente todo um telejornal dedicado à cobertura da morte do empresário e às homenagens que o Brasil prestou a ele. Nas ruas, a apresentadora Fátima Bernardes ouviu a opinião dos telespectadores da Rede Globo sobre a importância do jornalista na vida dos brasileiros. O estresse emocional do dia acabou por deixar a jornalista sem voz. Orientada por um médico, Fátima chegou até a tomar uma injeção de cortisona na tentativa de se recuperar a tempo de apresentar o *Jornal Nacional.* Mas o recurso foi em vão e a apresentadora precisou ser substituída pelo jornalista Renato Machado.

No encerramento do *Jornal Nacional,* Renato Machado leu, em nome dos funcionários das Organizações Globo, um editorial que reafirmava o compromisso dos profissionais com os princípios estabelecidos por Roberto Marinho:

> Para todos nós que temos a honra de trabalhar em empresas das Organizações Globo, as últimas 24 horas foram imensamente dolorosas. Mas esta mesma honra de trabalhar aqui nos fortalece também. Porque os princípios que o Dr. Roberto sempre defendeu já fazem parte do caráter pessoal e profissional de cada funcionário daqui da TV, do Sistema de Rádio, do *Globo*, do *Extra*, do *Diário de São Paulo*, da Editora, da Globo.com, da

Globosat, da Som Livre, da Fundação Roberto Marinho. Nós estamos tristes. Mas convictos de que nossos princípios, os princípios do Dr. Roberto, permanecem intocados.

William Bonner encerrou o telejornal lendo uma carta assinada pelos filhos do jornalista na qual agradeciam as manifestações do povo brasileiro em respeito à memória do pai e afirmavam o desejo de preservar e ampliar a sua obra.

Nesse momento de extrema dor, a manifestação de respeito, carinho e admiração do povo brasileiro pela figura de nosso pai nos comoveu, nos emocionou e nos consolou. A imagem de dois estádios de futebol logo após o anúncio de sua morte, com jogadores, árbitros, dirigentes e, fundamentalmente, o povo prestando um minuto de silêncio é uma cena que guardaremos para sempre em nossa memória. Da mesma forma, foi eloqüente o minuto de silêncio que a Câmara dos Deputados também fez em homenagem a Roberto Marinho, interrompendo uma votação importante, envolvendo pontos de uma reforma tão polêmica como a da Previdência. Também as palavras sobre a sua importância, vindas de jornalistas, artistas, escritores, políticos, empresários, esportistas e gente do povo nos tocaram profundamente. Seremos eternamente gratos por estes gestos. Mas mais do que nos consolar, todas essas manifestações reforçaram em nós a convicção de que a morte de Roberto Marinho só aumenta a nossa responsabilidade. Porque deixam claro que o povo brasileiro reconhece espontaneamente não somente a relevância de nosso pai para a vida do país, mas principalmente de sua obra. Uma obra que sempre se pautou pela defesa do patrimônio nacional, da cultura brasileira, e dos valores mais caros ao Brasil.

O povo brasileiro se vê em nossos jornais, rádios, televisão, Internet e na Fundação Roberto Marinho. Porque somos brasileiros trabalhando para brasileiros. Quando, hoje, avaliamos o legado de nosso pai, temos orgulho de todos os nossos veículos, seja *O Globo*, onde tudo começou, ou o *Extra* e o *Diário de São Paulo*, iniciativas mais recentes, ou o Sistema Globo de Rádio, Editora Globo, a Globosat e a Globo.com porque retratam e defendem o nosso país. A TV Globo é uma emissora com seis horas diárias de jornalismo de qualidade no ar e com uma produção artística genuinamente nacional em volume sem igual no Brasil. É nela que o nosso povo se informa e se diverte, o que a torna um fator importante de integração nacional. Tudo isso demonstra que a obra de nosso pai é uma contribuição decisiva para a manutenção da nossa cultura e para defesa dos valores democráticos do nosso povo.

A vida de Roberto Marinho foi sem dúvida vitoriosa, e esta é a imagem que o povo brasileiro guarda dele. Mas ele foi vitorioso também porque soube superar uma a uma as crises, algumas graves, que se puseram em seu caminho. Em nosso longo convívio, aprendemos com ele a buscar sempre a verdade; a fazer tudo com a qualidade que o nosso povo exige, e com a ética de que não podem abrir mão os homens de bem. E com ele aprendemos como manter no rumo as empresas vitoriosas que fazem parte das Organizações Globo. Obstáculos virão, mas, como nosso pai, saberemos superá-los. Porque também com ele aprendemos a lição mais importante: a obra de Roberto Marinho partiu de um ideal dele, mas só pôde ser concretizada porque foi o resultado de uma aliança entre jornalistas, artistas, escritores, profissionais da cultura e o povo brasileiro. Não somente preservar, mas ampliar essa obra é o nosso compromisso. E ela será ampliada não apenas porque este é o nosso desejo, mas porque pretendemos manter intacta esta aliança que a originou. Esta é a nossa intenção, esta é nossa determinação, este é o nosso compromisso.

Bonner chegou a gravar o texto em off para ir ao ar junto com a arte gráfica da carta, mas, devido a problemas técnicos de última hora, o texto teve que ser lido ao vivo. O apresentador estava tão emocionado que precisou parar por duas vezes, para se recompor. Chegou a interromper a última frase para informar, olhando para a câmera, que terminaria a leitura. "Eu vou concluir", disse Bonner, lendo a última frase e acrescentando, com a voz embargada: "Assinam a carta Roberto Irineu, João Roberto e José Roberto Marinho." Depois, Bonner contou o que se passou naqueles momentos: "Eu pensei no diretor de TV. Ponha-se no lugar dele: o apresentador do jornal tem que ler aquilo e não lê. Está tudo parado. Ele não saberia o que fazer, coitado. Foi aí que eu disse: 'Eu vou concluir.' Eu não estava dizendo isso para mim mesmo, como alguns poetas acharam que eu estava fazendo. Eu não disse isso para o público. O público não tinha que saber disso. Eu disse 'Eu vou concluir' para o diretor de TV, que devia estar desesperado. Ele deve ter dito: 'Graças a Deus, conclua.' E aí eu concluí a duras penas. E desabei a chorar de novo."

Depois da despedida dos apresentadores, o *Jornal Nacional* terminou com uma panorâmica da redação, mostrando os jornalistas da equipe ocupando todo o espaço da redação. Os créditos foram exibidos sem a trilha sonora do telejornal. Em seguida, a imagem de Roberto Marinho trabalhando em seu escritório preencheu o vídeo.

1

2

3

JN

1. Roberto Irineu Marinho, João Roberto Marinho, José Roberto Marinho e Dona Lily de Carvalho Marinho em missa de corpo presente celebrada pelo cardeal Dom Eugênio Salles. Em segundo plano, o presidente da República, Luiz Inácio Lula da Silva, e o presidente do Senado, José Sarney (7 ago 2003).

2. William Bonner se emocionando ao ler a carta assinada pelos filhos de Roberto Marinho (*JN*, 7 ago 2003).

3. O apresentador Renato Machado na bancada do *Jornal Nacional* no dia seguinte à morte de Roberto Marinho (7 ago 2003).

6

JN, 35 Anos

Estes foram os primeiros 35 anos do *Jornal Nacional*. Aqui não se pretendeu contar a História do Brasil e do Mundo nesse período. O que se pretendeu contar foi a maneira como gerações de jornalistas contaram aos brasileiros os fatos que marcaram a História do Brasil e do Mundo. Se analisarmos as páginas que foram deixadas para trás, notaremos que há algo de comum a todas elas: a tentativa de acertar, o que significa tentar fazer, diariamente, um jornalismo de qualidade: correto, ágil e isento. Na absoluta maioria das vezes, houve êxito; em algumas, houve erro. A prova de que os acertos foram sempre em maior número é a liderança absoluta de que sempre desfrutou o *Jornal Nacional*, desde a sua criação. Ele faz sucesso porque o povo acredita nele. E o povo acredita nele porque ele tem qualidade. Não há lugar para nenhuma outra explicação.

Ao se encerrar essa história, a equipe do Memória Globo perguntou a Carlos Henrique Schroder quais os desafios que ele via pela frente. Ele fez questão de responder, dizendo que falava em nome de toda a equipe que diariamente põe no ar o mais importante telejornal do país: "O desafio, daqui para frente, e sempre, é manter o mesmo patamar e tentar superá-lo. Olhando para trás, e vendo tudo o que foi já feito, é um desafio quase intransponível. Mas olhando para frente, e vendo os companheiros de viagem, é um desafio que se pode aceitar. Olhando ainda mais para frente, e vendo os milhões de brasileiros que estão sempre, pontualmente às 20h15, sintonizados no nosso trabalho, é um desafio que certamente aceitamos com enorme prazer e um desejo ainda maior de corresponder às expectativas."

1. Os apresentadores William Bonner e Fátima Bernardes, o diretor da CGJ, Carlos Henrique Schroder (ao centro), o diretor executivo de Jornalismo, Ali Kamel (terceiro da esq. para dir.), editores e produtores do *Jornal Nacional* (2 jul 2004).

2. Direção da Central Globo de Jornalismo. Da esq. para a dir.: Ali Kamel, diretor executivo de Jornalismo; Luiz Fernando Lima, diretor executivo de Esportes; Alice-Maria, diretora executiva da Globo News; e Carlos Henrique Schroder, diretor da CGJ (2 jul 2004).

3. Os apresentadores William Bonner e Fátima Bernardes com a equipe técnica do *Jornal Nacional*, no Rio de Janeiro (2 jul 2004).

1

2

3

Anexos

Prêmios do Jornal Nacional

1979 **Prêmio Ana Terra**. Concedido pelo governo do Rio Grande do Sul.

1995 **Prêmio da APCA (Associação Paulista de Críticos de Arte)**. Para o jornalista Evandro Carlos de Andrade.

1995 **Prêmio da APCA (Associação Paulista de Críticos de Arte)**. Melhor Noticiário.

1996 **Troféu Imprensa**. Melhor Telejornal.

1997 **Prêmio da APCA (Associação Paulista de Críticos de Arte)**. Melhor Noticiário.

1997 **Prêmio Líbero Badaró na Categoria Telejornalismo**. Matéria "Violência policial em Diadema" – repórter Marcelo Rezende. Exibida em 31 de março de 1997.

1998 **Prêmio Líbero Badaró**. Para os repórteres Lucius de Mello e Alberto Gaspar pela matéria sobre problemas causados pelos agrotóxicos.

1998 **Prêmio Líbero Badaró na Categoria Telejornalismo**. Matéria "Denúncia de venda de armas" – repórter Marcelo Rezende.

1998 **Prêmio da APCA (Associação Paulista de Críticos de Arte)**. Melhor Noticiário.

1998 **Prêmio Ayrton Senna de Jornalismo na Categoria Televisão**. Matéria sobre trabalho infantil – repórter Marcelo Cannelas.

2000 **Prêmio Companhia de Eletricidade da Bahia na Categoria TV**. Matéria "Os índios do Brasil", série "Brasil 500 Anos" – repórter José Raimundo.

2000 **Prêmio Previdência Social de Jornalismo**. (2º lugar) Série "Imprevidência Brasil" – repórteres Ana Paula Padrão, Mônica Sanches, Sônia Bridi e Zileide Silva. (3º lugar) Série "Infância Dilacerada no Pará" – repórter Jonas Campos. (4º lugar) Matéria "Aposentado morre sem indenização" – repórter Ricardo Link.

2000 **Prêmio da Federação das Indústrias do Estado de Santa Catarina de Jornalismo Econômico**. Matéria "Lajotas de lixo tóxico" – repórter Ricardo Von Dorff.

2000 **Prêmio Interamericano de Jornalismo Ambiental**. Matéria "Seringueiros da Amazônia" – repórter Flávio Fachel.

2000 **Prêmio Embratel de Jornalismo**. Matéria sobre superfaturamento na construção de um túnel no complexo viário Ayrton Senna, em São Paulo, durante o governo de Paulo Maluf – repórter César Tralli. Exibida em 19 de abril de 2000.

2000 **Prêmio da Confederação Nacional de Transportes**. Série de reportagens "O ex-estado" – jornalista William Waack.

2000 **Prêmio da Confederação Nacional de Transportes**. Série de reportagens "Lotação Brasil" – jornalista Carlos Dorneles. Exibida de 10 a 14 de julho de 2000.

2000 **Prêmio Ayrton Senna de Jornalismo na Categoria Televisão**. Reportagens sobre trabalho infantil em casas de farinha de Pernambuco – repórter Beatriz Castro. Exibidas em novembro de 2000.

2000 **Prêmio Imprensa Embratel e Prêmio Líbero Badaró**. Série de reportagens "História Recontada" – repórter Caco Barcellos. Exibida entre os dias 2 e 3 de abril de 2001.

2000 **Prêmio Vladimir Herzog de Melhor Reportagem**. Matéria "Angola – a destruição de um país" – repórter Caco Barcellos e cinegrafista Marco Antônio Gonçalves. Exibida em dezembro de 2000 no **Jornal Nacional**.

2001 **Prêmio Imprensa Embratel na Categoria Regional Nordeste**. Série de reportagens "A velha seca no novo milênio" – jornalista Wallace Lara/ afiliada TV Verdes Mares da Rede Globo.

2001 **Prêmio Ayrton Senna de Jornalismo, Prêmio Barbosa Lima Sobrinho, Prêmio Imprensa, Prêmio Embratel, Prêmio Vladimir Herzog na Categoria – Documentário ou Especial, Prêmio Boerma.** Concedido pela FAO, **Menção Honrosa no Prêmio Rey de Espanã**. Série de reportagens "Fome no Brasil" – repórter Marcelo Canellas e cinegrafista Lúcio Alves. Exibida no **Jornal Nacional** entre 18 e 22 de junho de 2001.

2001 **Prêmio Esso Especial na Categoria Telejornalismo**. Para o **Jornal Nacional** pela matéria "Feira das drogas". Equipe da Globo: Tim Lopes, Cristina Guimarães, Tyndaro Menezes, Flávio Fachel e Renata Lyra. Exibida em agosto de 2001.

2001 **Prêmio Líbero Badaró**. Matéria "Crise na polícia paulista" – jornalista William Waack.

2003 **Prêmio da APCA (Associação Paulista dos Críticos de Arte)**. Para o apresentador do **Jornal Nacional** William Bonner.

2003 **Prêmio Internacional de Rey de España na Categoria Ibero-americano**. Série de reportagens sobre as fronteiras brasileiras – repórteres Idenilson Perin, Ricardo Azeredo, Wilson Kirsche e Fernando Parracho.

2003 **Prêmio Imprensa Embratel na Categoria Regional Nordeste**. Série de reportagens "Infância roubada" – jornalista Wallace Lara/afiliada TV Verdes Mares da Rede Globo. Exibida em abril de 2003.

2003 **Prêmio da Confederação Nacional de Transportes**. Série de reportagens sobre estradas – repórteres Edmílson Ávila e Ricardo Azeredo.

2003 **Prêmio Unesco na Categoria Jornalismo, Prêmio Imprensa Embratel na Categoria Responsabilidade Social**. Série de reportagens "Brasil Bonito" – repórter Sônia Bridi. Exibida em agosto de 2002.

Séries do Jornal Nacional

1996 **O Futuro do Emprego**, Joelmir Beting (22-26 jan); **Retrato de uma Tragédia**, Francisco José (estréia 10 abr); **Caminhos do Brasil**, Miriam Leitão (17-22 jun)

1997 **Água**, Paulo Markun (1º-4 jan); **Lixo**, César Tralli (14-16 jan); **Justiça no Brasil**, Alexandre Garcia (25 fev-1º mar); **Saúde**, Graziela Azevedo (30 jun-2 jul); **Crime Organizado**, Marcelo Rezende (28 jul-1º ago); **Custo Brasil**, Carlos Monforte (11-12 ago); **Idosos**, Marcelo Canellas (26-27 set); **Desemprego**, Tonico Ferreira, César Tralli e Sônia Bridi (29 set-1º out); **Vestibular**, Carlos Dorneles, Vinícius Dônola, Graziela Azevedo e Ismar Madeira (3-8 nov); **Agrotóxicos**, Lucius de Mello e Alberto Gaspar (17-20 nov)

1998 **Desemprego**, Marcelo Rezende (9-13 fev); **Casa de Jogos Ilegais no Brasil**, Marcelo Rezende (16-17 mar); **Tráfico de Drogas**, Marcelo Canellas (6-9 abr); **Desenvolvimento dos Bebês**, Sônia Bridi (4-9 mai); **Drogas nas Escolas**, Marcelo Rezende (19-21 mai); **Menores Infratores**, Marco Antônio Uchoa (14-17 jul); **Pesquisa da ONU sobre Qualidade de Vida**, Zileide Silva e Sônia Bridi (8-11 set); **Genética**, Edney Silvestre (28-29 dez)

1999 **Seca**, Marcelo Canellas (22-23 fev); **Roubo de Caminhões**, Caco Barcellos e Wilson Kirsche (31 mai-4 jun); **Safra**, Célia Carmen, Sandro Dalpicolo, Alexandre Garcia e Adriana Araújo (2-5 jun); **Habitação**, Isabela Assumpção, Graziela Azevedo e Helena de Grammont (8-12 nov); **Previdência**, Sônia Bridi, Zileide Silva, Mônica Sanches e Ana Paula Padrão(29 nov-3 dez)

2000 **Tráfico de Animais Silvestres**, Wilson Kirsche (31 jan-4 fev); **Educação no Brasil**, Adriana Araújo, Mônica Sanches, Sandro Dalpícolo e Ana Luiza Guimarães (3-7 abr); **500 Anos**, Vinícius Dônola, José Raimundo, Francisco José, Zileide Silva, Tino Marcos e Marcelo Canellas (17-22 abr); **Privatização**, William Waack (26-29 abr); **Previdência**, José Raimundo(29 mai-1º jun); **Genéricos**, Marcelo Canellas (13-15 jun); **Justiça**, Sônia Bridi (19-21 jun); **Lotação Brasil**, Carlos Dorneles (10-14 jul); **Afeganistão**, Ana Paula Padrão (16-23 jul); **Nasa/Primeiro Astronauta Brasileiro**, Lucius de Mello (24-26 jul); **Desperdício de Alimentos**, Flávio Fachel (28 ago-1º set); **Amazônia**, Marcelo Canellas (3-6 out); **Colômbia**, William Waack (20-24 nov); **Intolerância entre os Povos**, Ernesto Paglia, Marcos Uchoa, Sandra Annenberg, Caco Barcellos e Marcos Losekann (18-22 dez); **Tecnologia/100 Anos de Invenção**, Zileide Silva, Tonico Ferreira, João Pedro Paes Leme e Graziela Azevedo (25-29 dez); **Ex-Estado**, William Waack (dez)

2001 **Vizinhos do Perigo**, José Raimundo, Marco Antônio Uchoa, Adriana Araújo (15-19 jan); **Discriminação Racial**, Zileide Silva, José Raimundo e Tonico Ferreira (19-21 mar); **História Recontada**, Caco Barcellos (2-3 abr); **Indicadores Sociais do IBGE**, Vinícius Dônola e Ari Peixoto (4-6 abr); **Polícia em São Paulo**, William Waack (28-29 mai); **Fome no Brasil**, Marcelo Canellas (18-22 jun); **O Preço dos Sonhos: Casa Própria e Financiamento Imobiliário**, Graziela Andrade e Zileide Silva (6-9 ago); **Água**, Vinícius Dônola (27-31 ago); **Avanços da Genética**, Flávio Fachel e Giuliana Morrone (29-31 out); **Afeganistão Pós-Talibã**, Ana Paula Padrão (12-15 dez); **Oriente Médio**, Marcos Uchoa (17-24 dez); **Fósseis**, Wallace Lara (26-28 dez); **Euro: A Nova Europa**, Marcos Uchoa (31 dez-4 jan 2002)

2002 **Venezuela: País Dividido**, Carlos Dorneles (15-18 jan); **Na Estrada**, Edmilson Ávila e Ricardo Azeredo (21-29 jan); **Índia**, Luís Nachbin

(18-20 fev); **Corrupção**, Marcelo Canellas (25 fev-1º mar); **Rússia**, Marcos Uchoa (11-16 mar); **Falsas Clínicas para Dependentes Químicos**, André Luiz Azevedo (25-28 mar); **Fronteiras**, Idenilson Perin, Flávio Fachel, Wilson Kirsche e Ricardo Azeredo (1º-4 abr); **Pirataria,** William Waack (8-12 abr); **Serra Leoa**, Luiz Carlos Azenha (29 abr-3 mai); **Copa do Mundo de 2002: Família Scolari** (7 mai-início Copa do Mundo); **Copa do Mundo de 2002: Planeta Bola**, Marcos Uchoa, Luiz Carlos Azenha e Renato Ribeiro (13-17 mai); **Idosos**, Edney Silvestre (25-27 jul); **Eleições 2002: Cidadania**, Edney Silvestre (5-10 ago); **Brasil Bonito**, Sônia Bridi (12-14 ago); **Eleições 2002: Contas do Governo**, Tonico Ferreira (12-17 ago); **Eleições 2002: Concentração de Renda**, Marcelo Canellas (19-24 ago); **Eleições 2002: Educação e Emprego**, Sônia Bridi (26-31 ago); **Eleições 2002: Saúde e Saneamento**, Vinícius Dônola (2-7 set); **Onze de Setembro**, Luiz Carlos Azenha e Heloísa Vilela (5-9 set); **Eleições 2002: Desigualdades Regionais**, Marcelo Canellas (9-14 set); **Eleições 2002: Grandes Cidades**, William Waack (16-20 set); **Eleições 2002: O Valor do Voto**, Ernesto Paglia (30 set); **Eleições 2002: O Poder do Presidente**, Marcelo Canellas (21-23 out); **Brasil Produtivo**, Beatriz Castro, Rodrigo Vianna, José Roberto Burnier, Ari Peixoto e Ricardo Von Dorff (20-25 nov); **África**, Ana Paula Padrão (2-6 dez)

2003 **Novo Código Civil**, Graziela Azevedo (6-13 jan); **Pesca**, Ari Peixoto (3-8 fev); **Previdência**, Vinícius Dônola, Cristina Serra e Marcos Losekann (10-15 fev); **Petróleo**, Cristina Serra, Ari Peixoto e José Roberto Burnier (10-14 mar); **Reforma Tributária**, Tonico Ferreira (28 abr-2 mai); **Brasil Rural**, Nélson Araújo (5-10 mai); **Juventude Urbana**, Sandra Moreyra (16-20 jun); **Fertilização**, Sônia Bridi e Luiz Carlos Azenha (28 jul-1º ago); **Indústria da Beleza**, William Waack (4-9 ago); **Caminhos do Emprego**, José Roberto Burnier e Marcos Losekann (18-21 ago); **Turismo: Destino Brasil**, Marcos Losekann, Luiz Carlos Azenha, Graziela Azevedo, Ari Peixoto, Ernesto Paglia e Edney Silvestre (1º-6 set); **Transgênicos**, Marcelo Canellas, Luciana Kraemer, Sônia Bridi, Cristina Serra, Marcos Losekann e Flávio Fachel (29 set-3 out); **Iraque no Pós-Guerra**, William Waack (6-10 out); **Profissão Professor**, Carlos Dorneles, Luciana Kraemer, Beatriz Castro, Adriana Araújo, Cristina Serra, Marcos Losekann e Lilia Teles (13-18 out); **Ferrovias: Estação Saudade**, Carlos Dorneles (1º-5 dez); **Sertão Feliz**, Beatriz Castro (8-12 dez); **Conquistas 2003**, Edney Silvestre, César Menezes, Sérgio Ustch, Marcelo Canellas e Carlos Dorneles (22-26 dez); **Atitude Saúde**, Tino Marcos (29 dez-2 jan 2004)

2004 **Família**, Graziela Azevedo e Sandra Moreyra (22-24 jan); **Identidade Brasil**, Maurício Kubrusly (2-7 fev); **Ayrton Senna do Brasil**, João Pedro Paes Leme, Pedro Bassan e Sônia Bridi (15-20 mar); **Reforma do Tributário**, Júlio Mosquera (22-24 mar); **Brasil Olímpico**, Fernando Rocha, Renato Ribeiro, Tino Marcos, João Pedro Paes Leme, Delisiée Teixeira e Pedro Bassan (3-10 abr); **Emprego**, Tonico Ferreira, Roberto Kovalick, Ismar Madeira, Monica Teixera e Vinícius Dônola (12-17 abr); **Exame de Saúde**, Carlos Dorneles e Luiz Carlos Azenha (17-21 mai); **Nossa Mata**, José Raimundo (24-28 mai)

CENTRAL GLOBO DE JORNALISMO

1965 Mauro Salles (diretor-geral)

1966 Armando Nogueira (diretor-geral), Moacyr Masson (diretor)

1973-82 Armando Nogueira (diretor-geral), Alice-Maria (diretora de telejornais)

1983-90 Armando Nogueira (diretor-geral), Alice-Maria (diretora executiva)

1990-95 Alberico de Sousa Cruz (diretor-geral), Ronald de Carvalho (diretor editorial), Carlos Henrique Schroder (diretor de produção)

1995-2001 Evandro Carlos de Andrade (diretor-geral), Luis Erlanger (diretor editorial), Carlos Henrique Schroder (diretor de planejamento)

2001-02 Carlos Henrique Schroder (diretor-geral), Ali Kamel (diretor executivo), Amauri Soares (diretor de jornalismo em SP), Luiz Fernando Lima (diretor de esportes), Alice-Maria (diretora editorial de entretenimento e da *Globo News*)

desde 2002 Carlos Henrique Schroder (diretor-geral), Ali Kamel (diretor executivo), Luiz Fernando Lima (diretor de esportes), Alice-Maria (diretora da *Globo News*)

JORNAL NACIONAL

Editores-chefes

1969-71 Humberto Vieira
1971-73 Alice-Maria
1973-79 Nilson Viana
1979-81 Luís Edgar de Andrade
1981-84 Eduardo Simbalista
1984-90 Fabbio Perez
1990-91 Edson Ribeiro
1991-93 Carlos Absalão
1994-95 Xico Vargas
1995-96 Amauri Soares
1996-99 Mário Marona
desde 1999 William Bonner

Apresentadores

1969-71 Cid Moreira / Hilton Gomes
1971-72 Cid Moreira / Ronaldo Rosas
1972-83 Cid Moreira / Sergio Chapelin
1983-89 Cid Moreira / Celso Freitas
1989-96 Cid Moreira / Sergio Chapelin
1996-98 William Bonner / Lillian Witte Fibe
desde 1998 William Bonner / Fátima Bernardes

Apresentadores eventuais

Anos 1970 Heron Domingues, Marcos Hummel e Sérgio Roberto

Anos 1980 Berto Filho, Carlos Campbell, Eliakim Araújo, Marcos Hummel e Valéria Monteiro

A partir de meados anos 1990, rodízio aos sábados Alexandre Garcia, Ana Paula Padrão, Carla Vilhena, Carlos Nascimento, Carlos Tramontina, Chico Pinheiro, Heraldo Pereira, Márcio Gomes, Renato Machado e Sandra Annenberg, entre outros

Bloco de esportes Fernando Vannucci, Léo Batista e Galvão Bueno

Quadro do tempo Sandra Annenberg, Carlos Magno, Patrícia Poeta e Fabiana Scaranzi, entre outros

ESCRITÓRIOS NO EXTERIOR

Chefia no Escritório de Londres Carlos Castilho, Roberto Feith, Ricardo Pereira, Silio Boccanera, Ernesto Rodrigues, Cláudia Varejão, Olga Curado, Sandra Annenberg, Marcos Uchoa

Chefia no Escritório de Nova York Hélio Costa,Lucas Mendes, Paulo Henrique Amorim, Jorge Pontual, Denise Cunha, Simone Duarte, César Seabra

CHEFIA DAS EDITORIAS REGIONAIS

Rio de Janeiro Nelson Silva,Luiz Fernando Mercadante, Luiz Carlos Cabral, Cláudio Nogueira, Paulo Sérgio Barbosa, Herval da Cruz Brás, Olga Curado, Fábio Altman, Laerte Rímoli, César Seabra, Renato Ribeiro

São Paulo Paulo Mário Mansur, Fernando Pacheco Jordão, Luiz Fernando Mercadante, Woile Guimarães, Dante Matiussi, Raul Bastos, Celso Kinjô, Wianey Pinheiro, Paulo Roberto Leandro, Roberto Muller, Amauri Soares, Luiz Cláudio Latgé

Brasília Edison Lobão, Humberto Vieira, Toninho Drummond, Antônio Britto, Gilnei Rampazzo, Fabbio Perez, Alexandre Garcia, Luiz Cláudio Latgé, Franklin Martins, Silvia Faria

Belo Horizonte Otaviano Lage, Walfrido de Grammont, Eduardo Simbalista, Alberico de Sousa Cruz, Lauro Diniz, Olga Curado, Nereide Beirão, Marco Nascimento, Renê Astigarraga

Recife Raul Varacin, Roberto Menezes, Vera Ferraz, Jô Mazzarollo

Equipe atual

CENTRAL GLOBO DE JORNALISMO

Diretor responsável: Carlos Henrique Schroder

Diretor executivo de jornalismo: Ali Kamel

Diretora executiva da Globo News: Alice-Maria

Diretor executivo de esportes: Luiz Fernando Lima

Diretores regionais: Luiz Cláudio Latgé (São Paulo); Renato Ribeiro (Rio de Janeiro); Jô Mazzarollo (Recife); Sílvia Faria (Brasília); Renê Astigarraga (Belo Horizonte); **Diretor de operações:** Fernando Guimarães; **Coordenador de jornalismo das afiliadas:** Marco Antonio Rodrigues; **Coordenadora de projetos:** Teresa Cavalleiro; **Direção de arte:** Alexandre Arrabal

JORNAL NACIONAL

Editor-chefe e apresentador: William Bonner; **Editora-chefe adjunta:** Márcia Menezes; **Editora e apresentadora:** Fátima Bernardes; **Editores:** Angela Garambone, Bete Costa, Carlos Eduardo Bauer, Carlos Peixoto, Eric Hart, Francisco Walcacer, Liliane Yusim, Luiz Fernando Ávila, Marcelo Outeiral, Roberto Machado; **Chefe de produção:** Mônica Maria Barbosa; **Produtores:** Rogério Nery, Adriana Caban, Ana Paula Brasil, Dagoberto Souto Maior; **Produtoras de internet:** Susana Ramos, Emily Sasson Cohen; **Coordenador:** José Roberto dos Santos; **Diretor de imagens**: Leonardo Penna; Kiko Gomes; **Comentaristas:** Arnaldo Jabor; Franklin Martins; Miriam Leitão; **Chargista:** Chico Caruso; **Ilustradores-chefes:** Hélio Bueno (Rio de Janeiro), Luis Felippe Cavalleiro (Brasília); **Gerente de ilustração e arte:** Gilda Rocha (Rio de Janeiro), Andrei Jiro (São Paulo); **Editor de arte:** Luiz Antônio Pontes Nogueira; **Ilustradores:** Shirley Sanson, Martha Cardoso, Tobias Coelho Neto, Marcelo Ferreira; **Videografismo:** Simone Carvalho; **Web design:**Gilberto Prujansky. ***Nova York*** **– Coordenador**: César Seabra; **Chefe de produção / editora de texto**: Cristiana Sousa Cruz; **Repórteres**: Luiz Carlos Azenha; Cristina Serra, Heloísa Villela, Luís Fernando Silva Pinto, William Waack, Jorge Pontual, Patrícia Poeta; **Produtores**: Renata Chiara, Daniel Wiedemann; **Editores de imagens**: Paulo Vinhas, João d' Alessandro, Ana Carolina Vieira; **Repórteres cinematográficos**: Lúcio Rodrigues, Orlando Moreira, Sherman Costa, Luís Novaes; **Operações**: Júlio Larcher. ***Londres*** **– Coordenador / repórter:** Marcos Uchoa; **Produtor:** Gonçalo Gomes; **Repórter cinematográfico:** Sergio Gilz; **Editor de imagens:** César Cardoso. ***Jerusalém*** **– Repórter:** Marcos Losekann. ***Paris*** – **Repórter:** Caco Barcellos. ***Roma*** **– Repórter:** Ilze Scamparini. ***Buenos Aires*** **– Repórter**: José Roberto Burnier. ***Brasília-TV Globo:*** **Chefe de redação:** Iain Semple; **Chefe de produção:** Vinicius Menezes; **Coordenador:** Afonso Cozzolino; **Editores de texto:** Tania Bellani, Regina Montella, Ivan Monteiro, Evane Bertoldi; **Repórteres:** Delis Ortiz, Heraldo Pereira, Zileide Silva, Giuliana Morrone, Roberto Kovalick, Marcelo Canellas, Adriana Araújo, Júlio Mosquera, Alexandre Garcia; **Produtores:** Christiane Bardawil, Maria Filomena, Juliana Ganz, Viviane Costa, Juliana Costa, Joana Studart, Danielle Sarmento, Cristiane Albuquerque; **Repórteres cinematográficos:** Bráz Vieira, Elder Miranda, Lúcio Alves, João Raimundo, Caio Coutinho, Marcione Santana, Manoel Lenaldo; **Editores de imagens:** Ébio Lacerda, Valdemir Pinto, Cida Hipólito, Fábio Ibiapina, João Gadelha, Leandro Santana. ***São Paulo-TV Globo*** **– Chefe de redação**: Teresa Garcia; **Coordenadora:** Rosane Baptista; **Editores de texto:** Ivandra Barroso, Ana Escalada, Ivone Happ, Marco Aurélio Mello; **Editores de imagens:** José Nossaes Lima (supervisor); Marco Antonio Gaiollo, Ronaldo Gomes, Ricardo Peev de Oliveira; **Repórteres:** Carlos Dorneles, Sônia Bridi, Rodrigo Vianna, Tonico Ferreira, Elaine Bast, Alberto Gaspar, Maria Cristina Poli, Graziela Azevedo, Ernesto Paglia, César Tralli, Valmir Salaro, César Galvão, Britto Jr., Fábio Turci, Mariana Kotscho; **Supervisor de cinegrafia:** Hélio Alvarez; **Repórteres cinematográficos:** Marco Antonio Gonçalvez, Ronaldo de Souza, Dennis Leutz, Edson Silva, Fernando Ferro, Jorge Zanlorenzi, Aloísio Araújo, Paulo Zero, Douglas Pina, Laércio Dominguez, Hélio Gonçalves; **Produtores:** Ricardo Lessa, Mônica Gugliano, Thiago Contreras, Edvaldo Nunes, Rosana Teixeira, Karina Dorigo; **Produtor especial:** Robinson Cerântula; **Chefes de reportagem:** Luiz Malavolta, Walter Barroso, Giglione Tinti. ***Rio de Janeiro-TV Globo:*** **Chefe de redação:** Márcia Monteiro; **Chefe de reportagem:** Marcelo Moreira; **Coordenador:** Carlos Jardim; **Editores de texto:** Fernando Castro, Leila Maia, Mônica Malta; **Repórteres:** André Luiz Azevedo, Hélter Duarte, Lilia Teles, Mônica Sanches, Flávio Fachel, Vinícius Dônola, Ari Peixoto, Tatiana Nascimento, Ana Luiza Guimarães, Eduardo Tchao, Edney Silvestre, Sandra Moreyra, Arnaldo Duran; **Coordenador de pauta:** Juarez Passos; **Produtores:** Happy Carvalho, Mona Bittencourt, Rita Barreto, Tomas Absalão, Cláudio Renato, Luiz Antonio Costa, Susana Naspolini, Marcelo Ahmed; **Repórteres cinematográficos:** William Torgano, Edílson Santos, Luiz Paulo Mesquita, Ricardo Carvalho, Luiz Cláudio Azevedo, Marco Aurélio; **Supervisor de cinegrafia:** José Carlos Azevedo; **Editores de imagens:** Helena Wuckerer, Luiz Barroso, José Carlos Ferreira, William Rodrigues, César G. Cardoso, Alexandre Holanda, Adriana Nagle, Mauro Tertuliano, Aderson Gazio, Francisco Tambasco, Dimitri Caldeira, Marco Aníbal Cruz. ***Belo Horizonte - TV Globo:*** **Chefe de redação:** Clécio Vargas; **Chefe de produção:** Gil de Carvalho; **Subchefes de reportagem:** Patrícia Pinheiro, Juliana Noronha; **Supervisão de cinegrafia:** Walter Lockmann; **Repórteres:** Isabela Scalabrini, Ismar Madeira, Sérgio Utsch, Marcelo Torres,

Juliana Perdigão, Guilherme Mendes e Yula Rocha; **Repórteres cinematográficos:** Saulo Luiz, Ricardo Moss, Geraldo Capreta, Esley Rezende, Carlos Mangni, Gilmar Fernandes, Alípio Martins; **Editora de texto:** Elsina Konflanz; **Editores de imagens:** Vitorino Brandão, Juliana Morandi, Eugênio Baldoni, Wilson Mendes, Welton Queiroz; **Produtores:** Armando Bastos, Letícia Orlandi. ***Recife-TV Globo:*** **Chefe de redação:** Duda Amaral; **Chefe de reportagem:** Bio Antero; **Subchefe de reportagem:** Roberto Cavalcanti; **Repórteres:** Beatriz Castro, Francisco José, Fernando Rego Barros, Mônica Silveira; **Editora de texto:** Maria Cleide Esperidião; **Editores de imagens:** José Almeida, João Bosco, Alexandre Cavalcanti; **Repórteres cinematográficos:** Eduardo Riecken, Marcone Prysthon, Marconi Matos, Robson Batista, André Bezerra, San Costa. ***Manaus-TV Amazonas:*** **Diretor de jornalismo:** Milton Cordeiro; **Chefe de redação:** Ercilene Oliveira; **Repórter e editora:** Daniela Assayag; **Produtoras:** Flavia Lima, Priscilla Pasquarelli; **Repórteres cinematográficos:** Carlos César, Sisley Monteiro. ***Porto Velho-TV Rondônia:*** **Editor regional:** Marcelo Bennesby; **Produtores:** Anderson Eloy, Nonato Neves; **Repórter:** Maríndia Moura; **Repórteres cinematográficos:** Gildo Alves, Hélio Santiago; **Editores de imagens:** Silas Paixão, Gean Carla. ***Boa Vista-TV Roraima:*** **Gerente de jornalismo:** Airlene Carvalho; **Chefe de reportagem:** Ayslane Dantas; **Repórter:** Luciano Abreu; **Repórteres cinematográficos:** Wagner Pessoa, Miro Lopes; **Editor de imagens:** Jerry Sousa. ***Rio Branco-TV Acre:*** **Repórter-produtor:** Jefson Dourado; **Produtores:** Kátia Oliveira, Salomão Matos; **Repórteres cinematográficos:** Luiz Alberto, Célio Roberto. ***Macapá-TV Amapá:*** **Gerente de jornalismo e repórter:** Arilson Freires; **Editor:** Max Lima; **Chefe de reportagem e produtor:** Renato Pinto; **Editores de imagens:** Balduíno Pereira, Lilian Souza; **Repórteres cinematográficos:** Albenir Souza, Edson Ribeiro. ***Belém-TV Liberal:*** **Diretor de jornalismo:** Emanuel Villaça; **Repórter:** Jonas Campos; **Editor de texto:** Samuel Mota; **Produtores:** Christian Emanoel Souza, Leonardo Pedro; **Repórteres cinematográficos:** Carlos Batista, Augusto Souza; Célio Costa; **Editores de imagens:** Eliany Lima, Zé Maria, Nazareno Fontel. ***Maceió-TV Gazeta:*** **Diretor de jornalismo:** Marco Nascimento; **Chefe de redação:** Maria Goretti; **Chefe de reportagem:** Miguel Torres; **Produtores / editores:** Luciene Carvalho, Andre César; **Repórter:** Amorim Neto; **Repórteres cinematográficos:** Falcon Barros, Paulo Bezerra; **Editores de imagens:** Arlindo Euzébio; José Toledo. ***João Pessoa-TV Cabo Branco:*** **Editor regional:** Luis Augusto Batista; **Chefe de redação:** Silvio Osias; **Produtora:** Jô Vital; **Repórter cinematográfico:** Isael Alves; **Editor de imagens:** Gilson Marques. ***Natal-TV Cabugi:*** **Diretora de jornalismo:** Ana Luíza Câmara; **Editora de texto:** Denise Azevedo; **Produtora:** Kátia Campos; **Repórter:** Carla Rodeiro; **Repórteres cinematográficos:** Robson Celino, Jansen Júnior; **Editores de imagens:** Jarbas Monte, Marcelo Costa, Ricardo Dantas. ***São Luís-TV Mirante:*** **Diretor de jornalismo:** Rômulo Barbosa; **Chefe do núcleo de rede / produtora / editora:** Eveline Cunha; **Produtora:** Olívia Franse; **Repórter:** Viviane Medeiros; **Repórter cinematográfico:** Ubiratan Chagas; **Editores de imagens:** Jean Feres; Rony Carlos. ***Salvador-TV Bahia:*** **Diretor de jornalismo:** Carlos Libório; **Chefe de redação:** Roberto Appel; **Chefe do núcleo de rede, editor / produtor:** Celso Lazarin; **Editores / produtores:** Melissa Fernandes, Chico Fireman; **Repórteres:** Giácomo Mancini, José Raimundo; **Repórteres cinematográficos:** German Maldonado, Carlos Ruvenal; **Editores de imagens:** Genser Freire, Argeu Roberto. ***Fortaleza-TV Verdes Mares:*** **Diretor de jornalismo:** Marcos Gomide; **Chefe do núcleo de rede:** Ana Quezado; **Produtores:** Adriano Muniz, Eulália Camurça; **Editora de texto:** Susy Costa; **Chefe de produção:** Paulo Nóbrega; **Chefe de reportagem:** Carlos Célio de Souza; **Repórter:** César Menezes; **Editores de imagens:** Ricardo Nunes, Marcos Antônio Silva; **Repórteres cinematográficos:** Fabiano Moreira, Cleiton Moreira, Antônio Oliveira, Jota Amaro, Jeorge Ulisses (Juazeiro), Ivanésio Silva (Sobral). ***Teresina-TV Clube:*** **Diretor de jornalismo:** Marcus Cavalcante; **Chefe de reportagem / produtora:** Indira Gomes; **Produtoras:** Ana Maria Costa, Clarissa Castelo Branco. ***Aracaju-TV Sergipe:*** **Diretora de jornalismo:** Ligia Tricot; **Coordenador / editor / produtor:** Charles Tricot; **Repórter:** Dânia Matos; **Repórteres cinematográficos:** Everaldo Silva, Zaqueu Góis, Jackson Cabral, Humberto Alves; **Editor de imagens:** Jamesson Santana. ***Cuiabá-TV Centro América:*** **Diretor de jornalismo (Rede Matogrossense de TV):** Orlando Loureiro; **Gerente de jornalismo:** Ulisses Serotini; **Coordenador / produtor:** Olmir Cividini; **Repórteres:** Wilson Kirsche, Eunice Ramos; **Editores de imagens:** Valdeir Ferreira, Benedito Juca; **Repórteres cinematográficos:** Valdeci Queiros, Marcos Alves. ***Campo Grande-TV Morena:*** **Diretor de jornalismo (Rede Matogrossense de TV):** Orlando Loureiro; **Gerente de jornalismo:** Alfredo Singh; **Chefe de redação:** Lucimar Lescano; **Chefes de reportagem:** Paulo Yafusso, Nélio Brandão; **Coordenadora:** Jaqueline Bortolotto; **Repórter:** Cláudia Gaigher; **Supervisor de imagens:** Ronaldo Balla; **Produtores:** Paulo Yafusso, Nélio Brandão, Cláudia Gaigher, Jaqueline Bortolotto; **Repórteres cinematográficos:** Gilberto Juvenal, Argemiro Barros, Wilson Bisol; **Editores de imagens:** Adjair Borges, Leônidas Herculano. ***Bauru-TV TEM:*** **Gerente de jornalismo:** Osmar Chor; **Produtora / editora:** Luciana Bérgamo; **Repórter:** Giuliano Tamura; **Repórteres cinematográficos:** Carlos Torrente, Reinaldo Silva; **Editores de imagens:** Jeferson Próspero, Diogo de Souza. ***São José do Rio Preto-TV TEM:*** **Editor regional:** Léo Freitas; **Repórter:** Daniela Golfieri; **Editora e produtora:** Aline Origuella; **Repórteres cinematográficos:** Antonio Momente, Francisco Braúna, João Carlos Selare, Osmir Gomes; **Editores de imagens:** Eron Altivo, Marcos Moraes, Maurício Marques. ***Sorocaba-TV TEM:*** **Gerente de jornalismo:** Carlos Bonatelli; **Chefe de redação:** José Luis Zana; **Repórter:** Kelly Varraschim. ***Presidente Prudente-TV Fronteira:*** **Gerente de jornalis-**

mo: Fernando Schwarz; **Editora regional:** Valéria Siguinolfi; **Repórter:** Paula Raccanello; **Repórteres cinematográficos:** Luciano Vieira, Paulo Alves, Adilson Vieira; **Editores de imagens:** Ana Paula Bittencourt, Danilo de Castro, Luís Carlos de Santana. ***Campinas (EPTV):*** **Diretor de jornalismo (EPTV):** Ciro Porto; **Coordenador do núcleo de rede (EPTV Campinas, Ribeirão, Central e Sul de Minas):** Duílio Fabbri Jr.; **Editores:** Reberson Ricciius, Fabiana Valle Teixeira; **Repórteres:** Emerson Ramos, Cristina Maia. ***Ribeirão Preto (EPTV):*** **Gerente de jornalismo:** João Garcia; **Editor / produtor:** Luiz Antonio Pierri, Marcos Olímpio Pizano; **Repórter:** Dirceu Martins, João Carlos Borda. ***Varginha (EPTV-Sul de Minas):*** **Gerente de jornalismo:** Pedro Aurélio Carvalho; **Produtora / editora:** Lidia Procópio Dal Rovere. ***São Carlos (EPTV-Central):*** **Gerente de jornalismo:** Pedro Henrique Varoni; **Produtora / editora:** Raquel Vieira. ***São José dos Campos-TV Vanguarda:*** **Editora regional:** Terezinha Almeida; **Repórter:** Rogério Corrêa; **Produtora:** Sônia Monteiro; **Editor de texto / produtor:** Bene Ferreira; **Editores de imagens:** Rodrigo Mantovani, Eduardo Oikawa; **Repórteres cinematográficos:** Fernando Alves, Wilson Araújo. ***Mogi das Cruzes-TV Diário:*** **Editor regional:** Dino Rodrigues; **Editor de texto:** Paulo Salgado; **Repórter:** Marilucy Cardoso; **Produtora:** Lilian Pachler. ***Santos-TV Tribuna:*** **Editor regional:** Ivan Rodrigues; **Chefe de redação:** Eduardo Silva; **Repórter:** Fabiana Faria; **Editor de texto:** Edilson Ribeiro; **Produtor:** Rodrigo Vaz; **Repórteres cinematográficos:** Alex Ferreira, Robynson Senhorães. ***Resende-TV Rio Sul:*** **Gerente de jornalismo:** Agostinho Alípio; **Repórter:** Flávia Jannuzzi; **Editora de texto:** Ana Paula Garcia. ***Vitória-TV Gazeta:*** **Diretor de jornalismo:** Abdo Chequer; **Chefes de reportagem:** Carlos Tourinho, Luiz Veiga; **Repórter / produtor / editor:** André Junqueira; **Produtores / editores:** Carlos Orlettie, Sergio Denicoli; **Editores de imagens:** Carlos Barbieri, Ronie Bermudes; **Repórteres cinematográficos:** Roberto Pratti, Ari Melo. ***Uberlândia-TV Integração:*** **Diretor de jornalismo:** Paulo Eduardo Monteiro; **Chefe de produção:** Izabel Bacelar; **Repórter:** Luiz Gustavo; **Produtor e editor:** Júlio Prado; **Repórteres cinematográficos:** Luis Mota, Clécio Duarte, Henrique Mendes. ***Juiz de Fora-TV Panorama:*** **Editora responsável:** Ana Viana; **Repórter:** Lívia Calmon; **Produtora e editora de texto:** Marilia Sffeir Mahfuz; **Repórteres cinematográficos:** Mauro Pianta, Abiacyr Bezerra; **Editores de imagens:** Marcos Esperon, Hilda Mendes. ***Goiânia-TV Anhanguera:*** **Editor-chefe de telejornalismo:** Jackson Abrão; **Editora executiva:** Lílian Santos; **Responsável pelo núcleo de rede:** Osmar Silvério Júnior; **Produtora:** Fernanda Ribeiro; **Editora de imagens:** Maria de Lourdes Malaquias; **Repórteres:** Luciano Cabral, Cleisla Garcia; **Repórteres cinematográficos:** Juan Moynier, Vantuir Oliveira. ***Palmas-TV Anhanguera / Tocantins:*** **Supervisor de jornalismo:** Rogério Silva; **Produtora:** Francine Haddad; **Repórteres cinematográficos:** Marcel de Paula, José Vilardo, Franco Sehabra; **Editores de imagens:** Cláudio de Paula, Elmo Batista; **Editor de texto:** Fernando Ferreira. ***Florianópolis-RBS TV:*** **Diretor de jornalismo:** Claiton Selistre; **Chefe de redação:** Eurico Meira; **Coordenadora:** Brígida De Poli; **Editoras de texto:** Margarida Santi, Graça Vasques; **Repórteres:** Ricardo Von Dorff, Kiria Meurer; **Repórteres cinematográficos:** Jerry Bittencourt, Alexandre Cruz; **Editor de imagens:** Rogênio Silva. ***TV Paranaense-Curitiba / Londrina / Maringá / Foz do Iguaçu:*** **Diretor de jornalismo:** Wilson Serra; **Chefe de redação:** Carlyle Ávila; **Chefe de produção:** Ulisses Cunha; **Chefe de núcleo de rede:** Eduardo Abilhôa; **Editores:** Fernando Miranda, Carlos Eduardo Guimarães; **Produtores:** James Alberti, Dirk Lopes, Taísa Binder. **Repórteres (Curitiba):** Sandro Dalpícolo, Dulcinéia Novaes, Ana Zimmerman; **Editores de imagens (Curitiba):** Richard Nakata, Sérgio Padilha; **Repórteres cinematográficos (Curitiba):** Rubens Vandresen, Vanderlei Moreno, Alexander de Marco; **Repórter (Londrina):** Patrícia Taufer; **Editora (Londrina):** Zezé Volpini, Christina Mattos; **Repórter cinematográfico (Londrina):** Rubens de Paula; **Repórter (Maringá):** Fernando Parracho; **Editor (Maringá):** Renato Biondi; **Repórter cinematográfico (Maringá):** J.A. Tofanetto; **Repórter (Foz do Iguaçu):** Roberto Paiva; **Editoras (Foz do Iguaçu):** Dina Oro, Leoneti Nucci; **Repórteres cinematográficos (Foz do Iguaçu):** Zito Terres, Giovani Silva. ***Porto Alegre-RBS TV:*** **Diretor de jornalismo:** Raul Costa Jr.; **Editor de texto e coordenador:** Saulo de la Rue; **Editor de texto:** Laura Nonohay; **Repórteres:** Paulo Renato Soares, Mônica Teixeira, Rosane Marchetti; **Produtores:** Michelle Guerra, Anderson Vargas; **Editor de imagens:** Giovanni Rodrigues; **Repórteres cinematográficos:** Eduardo Mendes, André Maciel, Diógenes de Mores, Halex Vieira.

Fontes e bibliografia

Depoimentos ao projeto Memória Globo

Alberico de Sousa Cruz, Alexandre Arrabal, Alexandre Garcia, Alfredo Marsillac, Ali Kamel, Alice-Maria Reiniger, Álvaro Pereira, Amauri Soares, Ana Paula Padrão, André Luiz Azevedo, Aníbal Ribeiro, Antônio Britto, Ari Peixoto, Armando Augusto Magalhães Nogueira (Manduka), Armando Nogueira, Caco Barcellos, Carlos Absalão, Carlos Amorim, Carlos Dorneles, Carlos Henrique de Almeida Santos, Carlos Henrique Schroder, Carlos Monforte, Carlos Nascimento, Carlos Peixoto, Carlos Tramontina, Celso Freitas, Celso Kinjô, César Seabra, Chico Pinheiro, Chico Santa Rita, Chucho Narvaez, Cid Moreira, Ciro José, Dante Matiussi, Delfim Fujiwara, Delis Ortiz, Diléa Frate, Durval Honório, Edney Silvestre, Edson Ribeiro, Eduardo Simbalista, Ernesto Paglia, Evandro Carlos de Andrade, Fabbio Perez, Fátima Bernardes, Fernando Bittencourt, Francisco José, Francisco Tambasco, Franklin Martins, Geneton Moraes Neto, Gilnei Rampazzo, Glória Maria, Hans Donner, Henrique Lago, Helena de Grammont, Hélio Costa, Heraldo Pereira, Herbert Fiuza, Hermano Henning, Homero Icaza Sánchez, Ilze Scamparini, Isabela Assumpção, Isabela Scalabrini, João Roberto Marinho, Joelmir Beting, Jorge Pontual, José Amilcar, José Bonifácio de Oliveira Sobrinho (Boni), José Dias, José Luiz Furtado, José Ricardo, José Roberto Marinho, Jotair Assad, Kristina Michahelles, Laerte Mangini, Leilane Neubarth, Léo Batista, Leonardo Gryner, Lillian Witte Fibe, Lucas Mendes, Lúcia Abreu, Luciana Savaget, Luís Edgar de Andrade, Luis Erlanger, Luís Fernando Silva Pinto, Luís Lara, Luiz Cláudio Latgé, Luiz Fernando Mercadante, Luiz Fernando Lima, Luiz González, Luiz Guimarães, Luiz Lobo, Luiz Nascimento, Marcelo Canellas, Marcelo Rezende, Marcos Uchoa, Meg Cunha, Marilena Chiarelli, Marluce Dias da Silva, Mário Marona, Mario de Moraes, Maurício Kubrusly, Mauro Borja Lopes (Borjalo), Mauro Salles, Michel Laurence, Mônica Waldvogel, Myriam De Lamare, Neusa Rocha, Nilton Nunes, Norma Blum, Octávio Florisbal, Olga Curado, Orlando Moreira, Otávio Escobar, Octavio Tostes, Pedro Bial, Pedro Rogério, Pedro Roza, Raul Bastos, Raul Quadros, Renato Machado, Reneé Castelo Branco, Reynaldo Cabrera, Ricardo Pereira, Roberto Buzzoni, Roberto Cabrini, Roberto Feith, Roberto Irineu Marinho, Roberto Simões, Roberto Thomé, Ronald de Carvalho, Ronan Soares, Rui Viotti, Sandra Annenberg, Sandra Passarinho, Sandra Moreyra, Sebastião Azambuja (Sabá), Sergio Chapelin, Sergio Gilz, Sergio Motta Mello, Silio Boccanera, Sílvia Sayão, Sônia Pompeu, Sumika Yamazaki, Teixeira Heizer, Telmo Zanini, Teti Alfonso, Theresa Walcacer, Tonico Ferreira, Toninho Drummond, Vera Ferraz, Vera Íris Paternostro, Wianey Pinheiro, William Bonner, William Waack, Wilson Ibiapina e Woile Guimarães.

Imagens

Foram pesquisadas fitas dos seguintes programas: *Bom Dia Brasil, Bom Dia Rio, Esporte Espetacular, Fantástico, Globo Especial, Globo Esporte, Globo Repórter, Globo Rural, Amanhã, Jornal da Globo, Hoje, Jornal Nacional, RJ-TV.*

Bibliografia

ABREU, Alzira Alves de, Israel Beloch, Fernando Lattman-Weltman e Sérgio Tadeu de Niemeyer Lamarão. *Dicionário histórico-biográfico brasileiro*, vols.I, II, III, IV e V. Rio de Janeiro, FGV, 2001.

ABREU, Alzira Alves de, Fernando Lattman-Weltman e Dora Rocha (orgs.). *Eles mudaram a imprensa: depoimentos ao CPDOC*. Rio de Janeiro, FGV, 2003.

Almanaque Abril 1997 – Mundo, Editora Abril.

Almanaque Abril 1998 – Mundo, Editora Abril.

Almanaque Abril 2002 – Mundo, Editora Abril.

Almanaque Abril 2002 – Brasil, Editora Abril.

AQUINO, Rubim Santos Leão de, *Futebol, uma paixão nacional*. Rio de Janeiro, Jorge Zahar, 2002.

ARRUDA, Lilian Rose. "O vôo das notícias: o *Jornal Nacional* e as eleições 94". São Paulo, PUC, dissertação de mestrado.

AZEVEDO, Marcello. *Leste europeu: inesperada convulsão*. São Paulo, Loyola, 1991.

BARBOSA, Gustavo e Carlos Alberto Rabaça. *Dicionário de comunicação*. Rio de Janeiro, Campus, 2ª ed. rev. atual., 2001.

BELLOS, Alex. *Futebol: o Brasil em campo*. Rio de Janeiro, Jorge Zahar, 2002.

BEUTTENMÜLLER, Glorinha. *O que é ser fonoaudióloga: memórias profissionais de Glorinha Beuttenmüller em depoimento a Alexandre Raposo*. Rio de Janeiro, Record, 2003.

BIAL, Pedro. *Crônicas de repórter*. Rio de Janeiro, Objetiva, 1997.

_____ e Renée Castelo Branco. *Leste Europeu: a revolução ao vivo*. Rio de Janeiro, Objetiva, 1990.

CLARK, Walter e Gabriel Priolli. *O campeão de audiência*. São Paulo, Nova Cultural, 1991.

CONTI, Mário Sérgio. *Notícias do Planalto*. São Paulo, Companhia das Letras, 1999.

DONNER, Hans. *The Universe of Hans Donner*. Rio de Janeiro, Salamandra, 1996.

DORNELES, Carlos. *Deus é inocente: a imprensa, não*. São Paulo, Globo, 2003.

GARCIA, Alexandre. *Nos bastidores da notícia*. São Paulo, Globo, 1991.

Guia dos Jogos Olímpicos. São Paulo, Abril, 1984.

GLEISER, Luiz. "Além da notícia: o *Jornal Nacional* e a televisão brasileira". Rio de Janeiro, ECO/UFRJ, 1986, dissertação de mestrado.

GONÇALO JÚNIOR. *País da TV*. São Paulo, Conrad Editora, 2001.

HENNING, Hermano. *Via satélite: histórias de um correspondente internacional*. São Paulo, Globo, 1996.

JAKOBSKIND, Mário Augusto. *Dossiê Tim Lopes – Fantástico/Ibope*. Rio de Janeiro, Europa, 2003.

JAMBEIRO, Othon. *A TV no Brasil do século XX*. Salvador, Edufba, 2002.

KOSMINSKY, Doris Clara e Luiz Antonio L. Coelho. "A imagem da notícia. Panorama gráfico do telejornal brasileiro: análise dos selos do *Jornal Nacional*". Rio de Janeiro, Departamento de Artes e Design/PUC-Rio, 2003, dissertação de mestrado.

KOTSCHO, Ricardo. *Explode um Brasil novo: diário da campanha das Diretas*. São Paulo, Brasiliense, 1984.

LATTMAN-WELTMAN, Fernando, José Carneiro e Plínio de Abreu Ramos. *A imprensa faz e desfaz um presidente*. Rio de Janeiro, Nova Fronteira, 1994.

LEONELLI, Domingos e Dante de Oliveira. *Diretas Já: 15 meses que abalaram a ditadura*. Rio de Janeiro, Record, 2004.

NASSIF, Luís. *O jornalismo dos anos 90*. São Paulo, Futura, 2003.

MACEDO, Cláudia, Ângela Falcão e Candido José Mendes de Almeida (orgs.). *TV ao vivo: depoimentos*. São Paulo, Brasiliense, 1988.

MÁXIMO, João. *João Saldanha: sobre nuvens de fantasia*. Rio de Janeiro, Relume-Dumará, 1996.

MELLO E SOUZA, Cláudio. *Impressões do Brasil*. Rio de Janeiro, Grupo Machline, 1986.

MENDES, Lucas. *Conexão Manhattan: crônicas da Big Apple*. Rio de Janeiro, Campus, 1997.

MOREIRA, Pedro Rogério Couto. *Hidrografia sentimental: aventuras sem malícia de um repórter na Amazônia*. Brasília, Charbel, 1998.

OLIVEIRA SOBRINHO, J.B. de (projeto e supervisão). *50 anos de televisão no Brasil*. São Paulo, Globo, 2000.

ORGBIBE, Charles. *Histoire des relations internationales: 1962 à nos jours*. Paris, Hachette, 1995.

PATERNOSTRO, Vera Íris. *O texto na TV: Manual de telejornalismo*. Rio de Janeiro, Elsevier/Campus, 1999.

PAZZINATO, Alceu Luiz e Maria Helena Valeti Senise. *História moderna e contemporânea*. São Paulo, Ática, 1997.

REDE GLOBO DE TELEVISÃO. *15 anos de história*. Rio de Janeiro, Rio Gráfica, 1984.

_____. *30 anos – uma história ilustrada*. São Paulo, Globo, 1996..

Relatório da Organização Anistia Internacional "Brasil - Rio de Janeiro 2003: Candelária e Vigário Geral, 10 anos depois", 28 ago 2003.

REZENDE, Guilherme Jorge de. *Telejornalismo no Brasil: um perfil editorial*. São Paulo, Summus, 2000.

REZENDE, Sidney e Sheila Kaplan (orgs.). *Jornalismo eletrônico ao vivo*. Petrópolis, Vozes, 1994.

SANT'ANNA, Affonso Romano. *Nós, os que matamos Tim Lopes*. Rio de Janeiro, Expressão e Cultura, 2002.

SILVA, Carlos Eduardo Lins da. *Muito além do Jardim Botânico*. São Paulo, Summus, 1985.

SILVA JÚNIOR, Gonçalo (org.). *País da TV: história da televisão brasileira*. São Paulo, Conrad, 2001.

SOUZA, Percival de. *Narcoditadura: o caso Tim Lopes, crime organizado e jornalismo investigativo*. São Paulo, Labortexto, 2002.

TRAMONTINA, Carlos. *Entrevista: a arte e as histórias dos maiores entrevistadores da televisão brasileira*. São Paulo, Globo, 1996.

WANDERLEY, Sônia. "A construção do silêncio: a Rede Globo nos projetos de controle social e cidadania (décadas 1970/1980)". Niterói, dissertação de mestrado, Departamento de História/UFF, 1995.

Artigos e periódicos

Abreviações: EPO - *Época*; ESP - *O Estado de S. Paulo*; *F&F – Fatos & Fotos*; FSP - *Folha de S. Paulo*; GLO - *O Globo*; IE - *IstoÉ*; IE *Gente* - *IstoÉ Gente*; JB - *Jornal do Brasil*; JT - *Jornal da Tarde*; OD - *O Dia*; PB - *Playboy*; UH - *Última Hora*; VJ - *Veja*.

Adriana Ferreira, "Tudo azul por detrás da notícia", *GLO*, 20 jan 1993; Adriana Vasconcelos, Ana Paula Macedo e José Augusto Gayoso, "Contradições e mentiras", *GLO*, 27 abr 2001; Andréa Fornes, "O outro lado do jornalismo da Globo", *FSP*, 5 set 1987; Andréa Michael, "Os jogos da tevê", *IE*,

10 jul 1996; Andrei Meireles e Diego Escosteguy, "Waldomiro Diniz, versão 2003", *EPO*, 23 fev 2003; *GLO*, 28 nov 2000; Artur da Távola, "Primeiras impressões de Montreal", *GLO*, 21 jul 1976; __, "Veja como será a cobertura televisiva da visita do papa", *GLO*, 30 jun 1980; Beatriz Coelho da Silva, "Para OAB, o governo só não ouvirá sociedade se for surdo", *ESP*, 28 ago 1999; Beatriz Velloso, "Surpresa no ar", *EPO*, 28 out 2002; Benício Medeiros, Maurício Dias, Octávio Ribeiro, "Agrediram a nação", *IE*, 3 set 1980; Bruno Garattoni, "Tecnologia ajuda a acompanhar disputa", *FSP*, 29 mai 2002; Chico de Gois, "Conta na Suíça tem assinatura atribuída a Maluf", *FSP*, 8 mai 2004; ; Cláudio Paiva, "TV olímpica", *IE*, 7 set 1988; Helena Tavares, "A maratona do espectador", *JB*, 28 ago 1988; Claudio Renato, "Mãe de Cláudia Lessin perde esperanças", *ESP*, 24 jul 1997; Cid Benjamin, "De 89 a 98, campanhas para presidente esfriando", *GLO*, 4 out 1998; Daniel Stycer e Hélio Contreiras, "A notícia em alta rotação", *IE*, 20 mar 1996; "Dança das cabeças", *VJ*, 13 mar 1996; Dorrit Harazim, "Doping", *VJ*, 4 out 2000; __, "O corpo no Olimpo", *VJ*, 4 out 2000; __, "O mundo chega a Sydney", *VJ*, 13 set 2000; Eduardo Ohata e Guilherme Roseguini, "Natação", *FSP*, 22 dez 2002; Eleonora de Lucena, "*Jornal Nacional* passa a editar mais críticas em sua nova versão", *FSP*, 2 jun 1989; Elizabete Antunes, "Equipe antenada e com fôlego digno de atleta", *GLO*, 28 mai 2000; Evaldo Macarzel, "Histórias e novidades no jornalismo da Globo", *ESP*, 9 maio 1990; Fábio Farah e Jonas Furtado, "Jornalistas brasileiros no front", *IE Gente*, 7 abr 2003; Fernando de Barros Silva, "*Jornal Nacional* chega despolitizado aos 30 anos", *FSP*, 28 ago 1999; Fernando Rodrigues, "Globo fará sua maior cobertura eleitoral", *FSP*, 7 jun 2002; Flávio Pinheiro e Leila Sterenberg , "Notícia no horário nobre", *VJ*, 16 jul 1997; Francisco Leali, "Novas provas contra o deputado", *JB*, 14 out 1999; Gabriela Goulart, "Bastidores da notícia", *JB*, 13 out 2001; __, "TVs alteram programação", *JB*, 14 set 2001; Gabriel Priolli, "Não tem pra ninguém", *Imprensa*, abril de 1990; Hélio Contreiras, "Demitido no ar", *IE*, 19 jul 1995; Helena Celestino e Soraya Aggege, "Fórum Social Mundial começa hoje sob críticas", *GLO*, 16 jan 2004; Ingo Ostrovsky, "O importante é transmitir", *JB*, 25 set 1988; João Carlos Assumpção, "Copa 2002 no Oriente, Japão se fantasia de Ocidente", *FSP*, 26 mai 2002; João Carlos Pedroso, "De olho em Seul", *GLO*, 7 set 1988; João Máximo, "A derrota olímpica da televisão", *JB*, 31 jul 1976; __, "O mundo olímpico também é da mulher", *JB*, 31 jul 1984; __, "Um século de festas", *GLO*, 22 jul 1992; Lauro Jardim e André Petry, "A crise rouba a cena", *VJ*, 10 mar 2004; Leonel Rocha, "Fantasma Ruidoso", *VJ*, 26 mar 1997; Leonêncio Nossa, "CPI investigará TVs", *JB*, 6 out 2000; Luis Fernando Veríssimo, "Bonner para presidente", *GLO*, 10 jul 2002; Marcelo Migliaccio, "Globo muda visual dos telejornais", *FSP*, 31 jan 1993; Márcia Cezimbra, "*Jornal Nacional* entra na briga", *JB*, 14 jun 1991; Marcos Salles, "A notícia em quadrinhos", *GLO*, 5 jul 1992; __, "No pódio, os apresentadores", *GLO*, 25 set 1988; Mariana Timóteo da Costa, "Redes investem na cobertura das Olimpíadas", *GLO*, 10 set 2000; Maria Lima e Vannildo Mendes, "Um país de CPIs", *GLO*, 25 abr 1999; Maria Luisa Mendes, "Zilhões em jogo", *Exame*, 14 ago 1996; Mário de Aratanha, "Cidade olímpica de Munique nasce das cinzas da guerra", *JB*, 27 fev 1972; Maurício Cardoso, "A vida depois da medalha", *VJ*, 27 set 2000; __ e Sérgio Ruiz, "Acaba a festa e o Brasil cai na real", *VJ*, 4 out 2000; Miriam Lage, "Apenas duas TVs chegaram ao pódio", *JB*, 7 ago 1984; Monica Torres Maia, "CPI recebe depoimento que liga Hildebrando ao tráfico de drogas", *GLO*, 17 jun 1999; __, "CPI na pista da maior quadrilha do Brasil", *GLO*, 31 out 1999; __, "CPI do Narcotráfico chega ao fim festejada", *JB*, 30 abr 2000;__ e Vannildo Mendes, "Câmara cassa Hildebrando", *GLO* 23 set 1999; Neuza Sanches, "Falando sem parar", *VJ*, 26 jan 1994; Patrícia Andrade, "Jornalismo da Globo passa por reformulação visual", *GLO*, 16 set 1992; Patrícia D'Abreu, "Nossas mulheres em Sydney", *JB*, 20 ago 2000; __, "Vale a pena ver de noite", *JB*, 28 jul 2000; Paulo César Vasconcellos e Fernando Zamith, "TV investe US$ 15,5 milhões para transmitir Olimpíada", *JB*, 28 ago 1988; Paula Maia e Gilberto Pauletti, "Esforço dobrado para vender a Copa do Mundo", *Gazeta Mercantil*, 30 abr 2002; Regina Eleutério, "Um ano do Andorinha: perigo é o mesmo no Rio", *GLO*, 8 fev 1987; Renato Ribeiro, "A farsa de Ben Johnson", *OD*, 7 jul 1996; Roberta Brasil, "O terror em forma de espetáculo", *A Notícia*, 23 set 2001; Rogéria Araújo, "Chacina da Candelária: 10 anos", *Adital (Agência de Notícias Frei Tito para a América Latina)*, 22 julho 2003; Rosana Marcis, "A era Alberico no jornalismo da Globo", *UH Revista*, 1° jun 1990; Silvia Penteado, "Na sexta, começa o circo de Seul", *ESP*, 11 set 1988; Sílvio Kelly, "Os Jogos Políticos de Munique", *JB*, 27 ago 1972; Sônia Apolinário, "Reconstituição: nova arma dos telejornais", *GLO*, 6 dez 1992; __, "*Jornal Nacional* volta à fórmula antiga", *FSP*, 25 jun 1995; __, "Diretor em SP revela mudanças na TV Globo", *FSP*, 5 abr 1990; __, "Alberico Cruz assume Jornalismo da TV Globo", *FSP*, 6 abr 1990; __, "Rede Globo anuncia reformulação no jornalismo", *FSP*, 21 abr 1990; Tânia Neves, "Arte na telinha", *GLO*, 5 abr 1989; Vannildo Mendes, "Deputado é suspeito de extermínio", *GLO*, 21 fev 1999; Viviane Cohen, "A nova cara do jornalismo da Globo", *IE Gente*,

28 out 2002; "A Copa na telinha", *ESP*, 19 mai 2002; "A guerra do Planalto", *VJ*, 2 mai 1984; "Absolveram Pitta", *EPO*, 24 mai 1999; "Acordo sem aperto de mãos", *GLO*, 18 out 2000; "Alemanha indeniza vítimas de doping", *JB*, 2 jun 2001; "Al-Qaeda assume atentado em Bagdá", *GLO*, 26 ago 2003; "A notícia não pára", *Você S/A*, 6 nov 2002; "A nova Intifada", *GLO*, 3 out 2000; "Apesar de tudo, Brizola levou", *IE*, 29 dez 1982; "A queda de Armando e a ascensão de Alberico", *JB*, 31 jul 1990; "Arafat pede cessar-fogo", *GLO*, 16 nov 2000; "Assembléia do COI começa hoje em Sydney", *JB*, 11 set 2000; "A torcida quer votar", *VJ*, 1º fev 1984; "A vez de São Paulo", *IE*, 25 jan 1984; "Barak põe acordo com Arafat em risco", *GLO*, 6 out 2000; "Bomba do terror causa morte no Rio", *FSP*, 28 ago 1980; "Bomba explode na Ordem dos Advogados e mata funcionária", *JB*, 28 ago 1980; "Bomba explode na sede da ABI e outra falha na OAB", *JB*, 20 ago 1976; "Bomba que explodiu na OAB é feito com material importado", *JB*, 31 ago 1980; "Bombas na OAB e Câmara são semelhantes e sofisticadas", *GLO*, 24 ago 1980; "Brasil Alfabetizado ganha prêmio da Unesco", *GLO*, 20 nov 2003; "Bush anuncia 'campanha contínua e inflexível'", *GLO*, 8 out 2001; "Câmara aprova relatório de CPI que culpa Maluf e Pitta", *FSP*, 2 out 2001; "Câmara enterra *impeachment* de Pitta e decide não prorrogar CPI", *FSP*, 21 mai 1999; "Campanha em favor do Nordeste comove o País", *GLO*, 19 set 1983; "Cidade sitiada", *IE*, 2 mai 1984; "Cientistas finalizam mapa do genoma humano", *ESP*, 14 abr 2003; "Clima ainda é tenso em Volta Redonda", *GLO*, 11 nov 1988; "Cobertura completa", *VJ*, 8 ago 1984; "Confusão no ar", *VJ*, 9 jun 1982; "Com 200 mortos e 300 feridos, este foi o maior incêndio no país", *GLO*, 2 fev 1974; "Como ficaram os casos que abalaram o país", *FSP*, 9 nov 1997; "Confronto Brizola-Globo termina em cordialidade", *GLO*, 8 set 1989; "Copa é sucesso de audiência em todo o mundo", *ESP*, 24 jun 2002; "De novo, e muito pior", *FSP*, 1º fev 1974; "*Debate da Globo* não terá confronto direto", *ESP*, 24 out 2002; "Decretos de Bremer restringem soberania", *GLO*, 29 jun 2004; "Desafiador, apesar de preso", *GLO*, 1º jul 2004 "Dia da Ira deixa mais oito palestinos mortos"; "Dinheiro sujo", *EPO*, 16 fev 2004; "É dada a largada: Começam hoje os Jogos Olímpicos/76 (Com total cobertura da Rede Globo de Televisão)", O *Popular*, 17 jul 1976; "Eleitos os vencedores do Líbero Badaró", *Revista Imprensa*, ago 1998; "Emissoras de televisão convencionais e por assinatura terão esquema especial", *GLO*, 4 out 1998; "Em toda a história, o Brasil só ganhou 36", *ESP*, 20 jul 1992; "Enfim uma guerra civilizada", *GLO*, 4 out 2002; "E todos erraram...", *GLO*, 5 out 2002; "EUA nomeiam ex-general de Saddam Hussein para ajudar a controlar Fajula", *GLO*, 1º mai 2004; "Exército pode ocupar as instalações da CSN", *GLO*, 9 nov 1988; "Fantasma de volta", *IE*, 2 mai 1984; "FHC libera transmissão por parabólica", *ESP*, 29 mai 2002; "FH foi eleito por 35 milhões", *GLO*, 10 out 1998; "Figueiredo enaltece ação da TV Globo pelo Nordeste", *GLO*, 22 set 1983; "Fora de sintonia", *VJ*, 16 fev 1983; "Globo afasta Lillian Witte Fibe do *Jornal Nacional*", *JB*, 6 fev 1998; "Globo muda telejornalismo", *IE*, 11 abr 1990; "Greve faz o Exército ocupar a CSN", *GLO*, 9 nov 1988; "Guerra via satélite", *VJ*, 27 jun 1984; "Herança de FHC desafios de Lula", *ESP*, 1º jan 2003; "Ilustrações trarão mais informações às reportagens", *FSP*, 22 mai 1989; "Intifada volta a sacudir territórios", *GLO*, 21 out 2000; "Iraquianos protestam contra controle americano", *GLO*, 4 jun 2003; "Israel tem piores choques em 4 anos", *GLO*, 16 mai 2000; "Joelma: o preço de uma tragédia", *F&F*, 8 dez 1980; "Jogos de Sydney. A Globo na maior cobertura da sua história", *Aldeão*, ago 2000; "Jornalismo da Globo comanda tentativa de mudança de imagem institucional", *JB*, 27 ago 1999; "*Jornal Nacional*, aos 30 anos, investe na interatividade", *JB*, 27 ago; "Justiça livra Maluf de punição na investigação sobre os precatórios", *GLO*, 1º nov 2001; "Lillian Witte Fibe renova com a Globo", *FSP*, 12 mar 1998; "Luta solitária", *VJ*, 5 jan 1983; "Mais de mil mortes na Intifada"; "Manchete interna", *VJ*, 11 abr 1990; "Maníaco do parque confessa crimes em júri", *ESP*, 24 jul 2002; "Medalhas sujas", *VJ*, 21 jan 1998; "Mortos 6 palestinos no aniversário da Intifada", *ESP*, 29 set 2001; "Ninguém compra Joelma, que será mesmo alugado", *GLO*, 31 ago 1978; "Nas mãos dos iraquianos", *GLO*, 30 jun 2004; "No encerramento, o clima tenso que marcou os Jogos", *JB*, 12 set 1972; "No *Show das Eleições*, um pesadelo", *VJ*, 24 nov 1982; "Notícia arejada", *GLO*, 13 maio 1989; "Novo governo afegão toma posse em Cabul", *GLO*, 23 dez 2001; "Nunca me curvei ao regime militar", *GM*, 4 jun 1999; "O caminho das flores", *VJ*, 25 abr 1984; "O computador inimigo", *VJ*, 1º dez 1982; "O escândalo do Rio", *IE*, 8 dez 1982; "O fazedor de reis", *IE*, 12 dez 1984; "O gigante que desperta", *IE*, 1º fev 1984; "O homem que apagava incêndios", *ESP*, 20 ago 2003; "O lado obscuro da guerra", *GLO*, 2 dez 2001; "Olimpíadas 2000", *VJ*, 27 set 2000; "O mistério vai acabar?", *VJ*, 7 set 1977; "ONU legaliza ocupação do Iraque", *GLO*, 23 mai 2003; "O Papa no Brasil", *GLO*, 30 jun 1980; "O privilégio de narrar a História", *GLO*, 4 nov 2001; "O Rio falou pelo Brasil inteiro", *IE*, 18 abr 1984; "O Rio na hora da decisão", *GLO*, 25 out 1998; "O voto sai do ar", *VJ*, 25 abr 1984; "Os inexperientes de Munique", *VJ*, 6 set 1972; "Palanque Eletrônico expõe erros e acertos", *GLO*, 3 set 1989; "Pela primeira vez, um negro apresenta o *JN*", *ESP*, 23

nov 2002; "Perdôo os seqüestradores", GLO, 29 ago 2001; "PF indicia Pitta por formação de quadrilha e sonegação", GLO, 15 mai 2004; "Pitta escapa do processo de *impeachment*", GLO, 13 jul 2000; "Pitta reassume Prefeitura e critica Justiça", GLO, 15 jun 2000; "*Playboy* entrevista Armando Nogueira", PB, fev 1988; "*Playboy* entrevista Homero Icaza Sánchez", PB, mai 1983; "Posse de Lula ganha cobertura especial", ESP, 29 dez 2002; "Primeiro dez do esporte completa 25 anos", FSP, 18 jul 2001; "Processo contra Maluf é anulado pelo TJ", FSP, 23 fev 2001; "Proconsult, um caso exemplar", *Cadernos do Terceiro Mundo*, abr-maio 2000; "Que direita é essa?", IE, 24 set 1980; "Recordes de Munique serão registrados pela eletrônica", JB, 12 mar 1972; "Rede Globo lançará amanhã campanha por flagelado nordestino", GLO, 17 set 1983; "Retrato da impunidade", GLO, 13 abr 2003; "Sarney na TV agrada a 42% dos paulistanos", FSP, 22 set 1989; ; "Sedutora folia democrática", IE, 14 mar 1984; "SBT premia os melhores", JB, 1996; "Seqüestrador volta à cena do crime para se salvar", ESP, 31 ago 2001; "Sete horas e meia de terror", GLO, 31 ago 2001; "Sem intermediários", VJ, 17 jul 1995; "Sorbonne homenageia Roberto Marinho", GLO, 22 out 1990; "Sharon admite criação de um Estado palestino", GLO, 17 out 2000; "Show para o Nordeste", JT, 19 set 1983; "Tem novidade na bancada do *JN*", GLO, 14 nov 2002; "Temo a liberdade", VJ, 13 mai 1981; "Terror em nove atentados não deixa uma pista no Rio", JB, 21 nov 1976; ; "Traficante afirma que Hildebrando trocou pasta de cocaína por votos", GLO, 17 set 1999; "Três mortos em conflito na CSN", GLO, 10 nov 1988; "TV brasileira tem tudo preparado", UH, 15 jul 1976; "Uma guinada repentina", VJ, 24 maio 1989; "Uma carioca em meio aos resquícios de Cabul", GLO, 18 nov 2001; "Uma esperança de paz", GLO, 15 out 2000; "Viagem vai ser a mais longa feita por um papa até hoje", GLO, 18 jun 1980; "11 de setembro – O mundo nunca mais foi o mesmo", VJ, 11 set 2002; *A Rede Globo na Copa do Mundo Espanha 82 – Manual de Operações*; *A Rede Globo nas Eleições 82 – Manual de Operações*; *A Rede Globo nas Olimpíadas 84 – Manual de Operações*; *Aldeão*: maio 1997, abril 2000, ago 2000, mar 2003; *Boletim de Informação para Publicitário (BIP) / Olimpíada 88*; *Encontros de Telejornalismo 1* e *2* (CGJ, ago-out 1980); *Boletim de Programação da Rede Globo (BPRG)*, nºs 176, 180, 183, 185, 201, 477, 503, 514, 531, 573, 587, 598, 603, 605, 606, 608, 800, 810, 814, 816, 817, 819, 867, 868, 874, 875, 876, 878, 879, 884, 895, 896, 1.196, 1.217, 1.227, abr, mai, jul 2002; *Espaço Globo:* 20 dez 2000, 23 out 2001, 30 abr 2001, 24 jan 2003; *Formato de Programação: TV Globo canal 4* (Rede Globo de Televisão, 1965); *Ibope Mídia, Relatório ADP*, 1989, semana 50/89, 11-17 dez 1989, Praça SP; *INT*, 1967-69; *Jogos Olímpicos – Montreal* (jul 1976); *Jornal das Olimpíadas*/CGJ, nº2.

Informações cedidas por

Alfredo Belmont Pessoa, Baleche Filho, Ítalo Rocha, Guto Abranches, Reginaldo Leme e Ricardo Porto.

Sites

espn.go.com
globo.com
globopage
port.pravda.ru
portalliteral.terra.com.br
www.aconfraria.com.br
www.aids.gov.br
www.almg.gov.br
www.amnesty.org
www.bbc.co.uk
www.cosmo.com.br
www.cpdoc.fgv.br
www.dieese.org.br
www.esg.br
www.educaterra.com.br
www.estadao.com.br
www.folha.uol.com.br
www.geocities.com
www.google.com.br
www.grandprix.com
www.jbonline.com.br
www.mst.org.br
www.news.bbc.co.uk
www.oab.org.br
www.portaljuridicoempresarial.com.br
www.premioesso.com.br
www.sampacentro.terra.com.br
www.saudeemmovimento.com.br
www.terra.com.br
www.terra.com.br/istoe
www.terra.com.br/notícias
www.terrasbrasileiras.hpg.com.br
www.terravista.pt
www.tesouro.fazenda.gov.br
www.tse.gov.br
www.tre.gov.br
www.uol.com.br

Créditos iconográficos

Na listagem abaixo, os primeiros números referem-se às páginas; os números entre parênteses especificam as imagens quando necessário.

Acervo TV Globo

Cedoc: 27 (5), 31 (3), 45 (1), 58 (4), 83, 125 (5), 295 (1), 296 (1), 314 (1);

Fotografias: 74 (2), 75 (3), 125 (1); Bob Paulino: 370 (3); Jaq Joner: 296 (3), 297 (3), 370 (1); Jean Pierre Pingoud: 314 (2); João Miguel Júnior: 370 (2); Renato Rocha Miranda: 296 (5), 297 (2), 393;

Frame de vídeo: 17, 20 (2), 21 (2, 4), 37 (2), 40-1, 45 (2-5), 47, 48, 53 (1), 54-5, 58 (2), 69, 74 (1), 75 (2), 86 (2-4), 87 (1, 2, 4, 5), 94 (4), 95 (4a-d, f), 97-8, 106-7, 129, 131, 141 (1, 2, 5, 6), 144, 152 (2, 3), 164-5, 180 (3-5), 181, 184-5, 187 (1-5), 190, 191 (5, 6), 192, 198 (2, 3), 199, 202-3, 227 (1-3), 231, 235 (2), 237 (1), 238 (3), 248 (1-3), 249 (1, 2), 250-2, 262, 263 (1-3), 267-9, 278, 279 (2-6), 285, 295 (2, 3), 296 (4), 297 (1), 314 (3), 315 (2-5), 327-9, 335, 344-5, 348 (1, 2), 350-1, 358-9, 370 (4, 5), 371 (4-6), 380, 381 (1-6), 391 (2, 3);

Videographics: 149, 187 (6)

Agência O Globo

20 (3), 37 (1, 3), 58 (3, 5), 74 (4), 75 (1), 95 (2), 227 (4), 266; Adir Mera: 27 (4), 32 (4), 64 (2, 3), 65 (1), 95 (4e); Alexandre Cassiano: 391 (1); Ivo Gonzalez: 336 (3); Lúcio Marreiro: 125 (2); Luís Alberto: 93 (2); Manoel Soares: 45 (6), 74 (3); Márcia Foletto: 263 (4); Otávio Magalhães: 94 (5), 152 (1, 5); Paulo Rubens Fonseca: 248 (4); Roberto Stuckert Filho: 381 (6); Rodolpho Machado: 32 (2), 58 (1), 95 (3); Ronald Fonseca: págs. 26 (1), 31 (2), 93 (4), 94 (1-3); Sebastião Marinho: 145

Acervo Editora Globo

27 (3), 31 (1, 4, 5), 32 (1, 3), 64 (1, 4), 93 (3)

Acervo Editora Abril

Ricardo Fasanello: 296 (2)

Acervos Pessoais

Alice-Maria: 21 (5), 30 (1, 2); Álvaro Pereira: 180 (1, 2); Armando Nogueira: 27 (2), 93 (1); Homero Icaza Sánchez: 27 (1); José Bonifácio de Oliveira Sobrinho: 227 (5); José Carlos Lima: 235 (3); Luís Edgar de Andrade: 65 (2), 125 (3, 4), 152 (4); Mário de Moraes: 20 (1), 21 (3); Miriam De Lamare: 58 (6); Neusa Rocha / foto Rodolpho Machado: 235 (1); Pedro Rogério: 87 (3); Reynaldo Cabrera / foto Paulo Pinto: 86 (1); Roberto Cabrini: 191 (4), 279 (1), 315 (1); Roberto Marinho: 26 (4, 5), 53 (2); Roberto Simões: 95 (1), 235 (4); Sebastião Azambuja: 21 (1), 26 (2, 3); Sergio Gilz: 198 (1), 249 (3, 4), 371 (2, 3, 6); Sergio Motta Mello: 141 (3); Teti Alfonso: 348 (3); Toninho Drummond: 53 (3), 141 (4)

Todos os esforços foram feitos para identificar as fontes das imagens aqui reproduzidas. Estamos prontos a corrigir eventuais falhas ou omissões em futuras edições.

Este livro foi composto em Berling
e Myria e impresso pela Geográfica
Editora em agosto de 2004.